Manual de Redação e Estilo

para Mídias Convergentes

DAD SQUARISI

Manual de Redação e Estilo

para Mídias Convergentes

GERAÇÃO
EDITORIAL

**MANUAL DE REDAÇÃO E ESTILO
PARA MÍDIAS CONVERGENTES**
DIÁRIOS ASSOCIADOS
Redação, estilo, gramática & cia.

Copyright © 2011 by Dad Squarisi

1ª edição — Novembro de 2011

Grafia atualizada segundo o Acordo Ortográfico da Língua Portuguesa de 1990, que entrou em vigor no Brasil em 2009.

Editor e Publisher
Luiz Fernando Emediato

Diretora Editorial
Fernanda Emediato

Produtora Editorial
Renata da Silva

Assistente Editorial
Diego Perandré

Capa, projeto gráfico
Alan Maia

Imagens da capa
istock.com

Diagramação
Kauan Sales

Revisão
Sandro Xavier

Preparação
Vinicius Eduardo Moreira Tomazinho

DADOS INTERNACIONAIS DE CATALOGAÇÃO NA PUBLICAÇÃO (CIP)
(Câmara Brasileira do Livro, SP, Brasil)

Squarisi, Dad
Manual de Redação e Estilo para Mídias Convergentes : Dad Squarisi. -- São Paulo : Geração Editorial, 2011.

ISBN 978-85-61501-69-3

1. Comunicação escrita 2. Meios de comunicação 3. Português - Estilo 4. Português - Redação I. Título.

11-07786   CDD: 808.0469

Índices para catálogo sistemático

1. Português : Redação e estilo   808.0469

GERAÇÃO EDITORIAL

Rua Gomes Freire, 225/229 – Lapa
CEP: 05075-010 – São Paulo – SP
Telefax.: +55 11 3256-4444
Email: geracaoeditorial@geracaoeditorial.com.br
www.geracaoeditorial.com.br

2011
Impresso no Brasil
Printed in Brazil

Aos Diários Associados, que me
deram a oportunidade de participar
do vanguardismo do grupo.

Índice

APRESENTAÇÃO 9

CAPÍTULO 1

O SULTÃO E A CONVERGÊNCIA DE MÍDIAS 15
O SONHO E NÓS 16
OS MANDAMENTOS DA COMUNICAÇÃO EFICAZ 17
ELEMENTOS DO ESTILO 21

CAPÍTULO 2

A WEB SUBVERTE A LEITURA E A ESCRITA 49
O NOVO PEDE MUDANÇA 52
EXIGÊNCIAS DA NOTÍCIA ON-LINE 54
CUIDADOS 61
140 TOQUES 64

CAPÍTULO 3

O JORNAL SE REINVENTA 83
RECURSOS DA SEDUÇÃO 85
A VOLTA DOS POPULARES 125

CAPÍTULO 4

RÁDIO E TEVÊ ENTRAM NA WEB	139
HABILIDADES LINGUÍSTICAS	140
SOLTE A VOZ	145
A FALA	147
PRONÚNCIA	154
GLOSSÁRIO DE PRONÚNCIA	157

CAPÍTULO 5

S.O.S. – PRONTA RESPOSTA NA HORA DO SUFOCO	165

CAPÍTULO 6

ERRAMOS (TROPEÇOS DE REPÓRTERES)	359
COLABORAÇÃO	395
BIBLIOGRAFIA	399

APRESENTAÇÃO

BÚSSOLA PARA O NOVO MUNDO

Poucas vezes a humanidade atravessou um período de transformações tão intensas. O que durava anos, décadas ou séculos agora se desfaz em meses, semanas, até mesmo em um dia. Temos o privilégio de observar período histórico de profunda inquietação por conta das sucessivas mudanças possibilitadas pelo uso em grande escala da tecnologia e também das constantes inovações nas formas de produção em grande escala.

Nesse cenário, não podemos nos satisfazer com a condição de testemunhas. Temos a missão de contribuir para identificação e entendimento das engrenagens capazes de mover o planeta em diferentes direções. E, nesse ambiente desafiador, há um bem de consumo que se torna mais valioso a cada página, a cada clique, a cada toque, a cada instante: a informação.

Não estamos falando, claro, de toda e qualquer informação. O que vale ouro nos dias de hoje é a notícia, sim; mas desde que acompanhada de sua principal prerrogativa: a credibilidade. Sem a certeza da autenticidade e da excelência no processo de produção, a informação perde força. Definha tão rápido quanto surge. Soterrada pela feérica concorrência, morre órfã, abandonada pelo leitor, ouvinte, telespectador ou internauta. Mas, quando produzida e divulgada com a garantia da qualidade da procedência, a notícia ganha a condição necessária para se destacar e manter a força de sempre.

Daí a importância do *Manual de Redação e Estilo para Mídias Convergentes*. Daqui em diante, um dos maiores e mais tradicionais grupos de comunicação do país conta com bússola própria para atravessar as turbulências inexoráveis ao processo histórico. Graças ao talento e esforço de uma equipe de profissionais experientes, foi possível chegar ao resultado final que agora se apresenta.

Web, rádio, tevê e jornal impresso convivem simultaneamente e apresentam desafios inéditos a repórteres e editores. As novas e velhas mídias têm denominadores comuns (a apuração e a língua). E aspectos particulares (o jeito de dizer e de apresentar os fatos). Independentemente do suporte, contudo, não se pode perder de vista a certeza que norteia o jornalismo desde tempos imemoriais — a notícia não sobressai pelo formato, mas pela relevância. Em primeiro lugar, a qualidade de conteúdo.

Sim, todos não param de constatar: como as coisas mudam rápido. Temos plena consciência de que o planeta continuará, nos próximos anos, submetido a incessantes transformações. Com o *Manual de Redação e Estilo para Mídias Convergentes*, estamos mais preparados para compreender e iluminar um cenário tão vasto — e, por isso mesmo, tão fascinante. Eis o mundo que nos espera e nos desafia. Vamos a ele.

Álvaro Teixeira da Costa
PRESIDENTE DOS DIÁRIOS ASSOCIADOS

CAPÍTULO 1

O SULTÃO E A CONVERGÊNCIA DE MÍDIAS

ERA UMA VEZ UM PODEROSO SULTÃO. Uma noite, ele dormiu e sonhou. Sonhou que tinha perdido todos os dentes. A imagem perturbadora o acompanhou ao longo do dia.

Chamou, então, o sábio da corte para que interpretasse o significado da boca desdentada. O iluminado senhor ouviu atentamente a história do pesadelo noturno. Concentrou-se. Com olhar triste e voz embargada, explicou:

— Excelência, o sonho diz que o senhor terá vida muito longa. Tão longa que verá seus ascendentes e descendentes morrerem um a um. Chegará ao fim dos dias na mais deprimente solidão.

À medida que ouvia as palavras, o sultão se indignava. Mal conseguia deixar o outro chegar ao fim. Quando a previsão acabou, ele ordenou, indignado:

— Castiguem o insolente com 80 chibatadas. E chamem o segundo sábio.

Assim foi feito. O sub ouviu a narrativa com respeitosa concentração. Depois, semblante alegre e largo sorriso, disse, com incontida euforia:

— Excelência, que sorte a sua. O sonho diz que seus ascendentes e descendentes tornarão o sultanato grande potência mundial. E, bênção suprema, Vossa Majestade verá a revolução que eles processarão ao longo dos anos.

O sultão não conteve o júbilo. Presenteou o dono de tanta sapiência com 80 moedas de ouro. Quando os dois sábios se encontraram, o primeiro, cheio de dores e hematomas, comentou com o segundo:

— Não entendo. Nós dissemos a mesma coisa. Mas a reação foi diferente. Eu fui punido; e você, premiado. Por quê?

O colega o mirou. Maroto, respondeu:

— É o jeitinho de dizer.

O SONHO E NÓS

O que o sonho do sultão tem a ver com o dia a dia das redações? Ambos têm um denominador comum. É a habilidade na comunicação. Escrever e falar são verbos transitivos. Quem escreve ou fala escreve ou fala para alguém. Nós escrevemos para o leitor e falamos para o ouvinte.

Queremos que ele entenda a mensagem. Mais: que a aprecie. O tempo investido em post, artigo, reportagem, telejornal ou entrevista deve ter retorno garantido — apuração séria, informações corretas e estilo atraente.

O xis da questão não reside no que dizer. Mas no como dizer. Três fatores ditam a língua a ser usada — o veículo, a natureza do

OS MANDAMENTOS DA COMUNICAÇÃO EFICAZ

- **SEJA ADEQUADO.** A língua se parece a imenso armário. Nele há todos os tipos de roupas. O desafio: escolher a mais adequada para o momento. A piscina pede biquíni. O baile de gala, longo e black tie. O cineminha, traje esporte. Confundir as vestes tem nome. É inadequação.

O mesmo princípio orienta o texto. Horóscopo exige palavras abstratas e genéricas. Dirá que o domingo trará surpresas. Jamais que a pessoa ganhará na loteria ou comprará um carro. Se chamadas, reportagens, telejornais, comentários ou entrevistas usarem a língua do horóscopo, terão destino certo — a lixeira. Não se trata de certo ou errado. Mas de adequado ou inadequado.

texto e o público receptor. O rádio exige coloquialismo. A tevê, agilidade. A web, síntese. O jornal, tudo isso e algo mais.

O editorial pede terno e gravata. Nunca smoking. Reportagens, entrevistas, perfis vão bem de blazer e calça jeans. Nunca de bermuda e camiseta. Colunas, crônicas e blogues podem aparecer de sunga e sandália ou traje de baile. É escolha do autor.

No exercício profissional, somos poliglotas na nossa língua. Mas, seja qual for o dialeto escolhido, seja qual for o veículo, seja qual for o destinatário, a mensagem precisa atender a 10 requisitos essenciais. São os mandamentos da comunicação. Com eles, dá-se o recado. Sem eles, perde-se o esforço.

Pais arrancam os cabelos quando veem a comunicação da moçada nas salas de bate-papo. Ali estão abreviaturas inventadas, troca de letras, signos incompreensíveis. "Não é português", reclamam eles. Enganam-se. É o português adequado à ocasião. Para participar da comunidade marcada pela informalidade e rapidez, o jovem tem de usar o código do grupo. Recusar-se a fazê-lo tem preço. É a exclusão.

- **SEJA CLARO.** Montaigne, há 400 anos, disse que o estilo tem três virtudes. A primeira: clareza. A segunda: clareza. A terceira: clareza. Graças a ela, o receptor entende a mensagem sem ambiguidades. Como ensina Íñigo Dominguez, "uma frase jornalística tem de estar construída de tal forma que não só se entenda bem, mas que não se possa entender de outra forma".

- **SEJA PRECISO.** A precisão tem íntima relação com as palavras. Buscar o vocábulo certo para o contexto é trabalho árduo. Exige atenção, paciência e pesquisa. Consultar dicionários, textos especializados e profissionais da área deve fazer parte da rotina do repórter.

  Quem fala de economia, por exemplo, tem de distinguir o significado de salário, vencimento, provento, pensão, subsídio ou verba de representação. Uma reportagem sobre política não pode dizer que os deputados vetaram um projeto: quem veta é o presidente da República. A Câmara rejeita.

- **SEJA NATURAL.** Imagine que o leitor, o ouvinte ou o telespectador esteja à sua frente conversando com você. Sinta-se à vontade. Faça pausas e perguntas diretas. Dê ao texto um toque humano. Você se dirige a pessoas de carne e osso.

• **SEJA FÁCIL.** No mundo de corre-corre, queremos textos curtos, precisos e prazerosos. Rapidez de leitura fisga. Para chegar lá, opte por palavras familiares. As longas e pomposas são pragas. Em épocas passadas, quando a língua era instrumento de exibição, elas gozavam de enorme prestígio. Falar difícil dava mostras de erudição. Impressionava. Hoje a realidade mudou. Impõe-se informar — rápido e bem.

Respeite a memória do leitor. Ele só consegue reter determinado número de palavras. Depois, os olhos pedem uma pausa. Escolha bom título. Prefira a ordem direta. Evite intercalações. Anuncie a enumeração. Vacine-se contra redundâncias, pedantismo e verborragia. Escreva frases curtas. "Uma frase longa", escreveu Vinicius, "não é nada mais que duas curtas."

• **SEJA LEVE.** Não canse quem o prestigia. Nem o obrigue a ter o dicionário ao lado. Muito menos a voltar atrás para recuperar o que foi dito. Respeite-lhe o tempo, os ouvidos e o bom gosto. Em suma: busque a frase elegante, capaz de veicular com clareza e simplicidade a mensagem que você quer transmitir.

• **SEJA RESPEITOSO.** Boa parte das pessoas se indigna com palavrões, obscenidades e expressões chulas. Só os acolha em situações excepcionais. É o caso da manifestação de alguém quando a palavra tiver indiscutível valor informativo ou refletir a personalidade de quem a profere. Evite escrevê-la por extenso. A envergonhada terá só a primeira letra grafada seguida de reticências: *filho da p...*

• **SEJA SURPREENDENTE.** Surpresa chama a atenção e desperta a curiosidade. É o gosto pelo inusitado. O chavão vai de encontro à novidade. Palavra ou expressão, tantas vezes repetida, perde o viço. Pontapé inicial, abrir com chave de ouro, chorou um rio de lágrimas, ver com os próprios olhos, cair como uma bomba & cia. tiveram frescor algum dia. Hoje soam como coisa velha. Transmitem a impressão de profissional preguiçoso, desatento ou malformado. Em bom português: incapaz de surpreender.

• **SEJA DINÂMICO.** Água parada apodrece. Exala mau cheiro que espanta os próximos e deixa os distantes de sobreaviso. Só o movimento a mantém viva. O mesmo ocorre com a língua. Frases mornas e tediosas afugentam o leitor e o ouvinte. Ele larga a leitura ou desliga a televisão ou o rádio e interrompe a navegação na internet. Seja dinâmico. Vá logo ao ponto. Abuse de verbos e substantivos concretos. Prefira a voz ativa. Fuja de adjetivos e advérbios. Evite palavras longas e pomposas. Opine. Não ache.

• **SEJA GENTIL.** As palavras carregam carga ideológica. Algumas mais, outras menos. A sociedade está atenta aos vocábulos que reforçam preconceitos. Fuja deles. Cor, idade, peso, altura, origem, condição social e preferências sexuais são as principais vítimas.

   Gentileza não se restringe a palavras. Atinge os períodos, passa pelos parágrafos, chega ao texto completo. Ao se expressar, fuja do nariz de cera. Comece pelo mais importante. E comece bem, com uma frase atraente, que desperte o interesse e estimule a vontade de avançar até o fim. Aí, ofereça o prêmio cuidadosamente escolhido: um fecho marcante, tão forte quanto a introdução. Lembre-se: a última impressão é a que fica. Sempre, principalmente no texto.

eLementos do estilo

Os tempos são de convergência de mídias. Profissionais estanques têm cada vez menos oportunidade no mercado de trabalho. O jornalista pode ter inclinação por este ou aquele meio. Mas é requisitado para desempenhar funções no impresso, no rádio, na tevê, na web.

Além de conhecer as idiossincrasias de cada veículo, ele precisa dominar-lhes a linguagem. Eis o xis da questão: eleger a mais adequada para responder ao desafio da redação. A tarefa exige que transite com desenvoltura pelas múltiplas possibilidades linguísticas.

Quem, por exemplo, escreve uma coluna para o jornal não deve se dar ao luxo de ter a cabeça só no impresso. O texto pode seguir outros rumos. Um deles: ser lido por um locutor e virar podcast. Outro: ser postado na internet. Mais um: ser vertido automaticamente para outras línguas (Google Translator). A linguagem original tem de estar atenta ao ritmo, à harmonia, à simplicidade.

Escrever e falar são habilidades — como nadar, correr, digitar. Quanto mais escrevemos, melhor escrevemos. Quanto mais falamos, melhor falamos. Quanto mais diversificamos, mais hábeis nos tornamos nos falares. Como disse Saramago, "Não falamos português. Falamos línguas em português". Qual delas escolher? A familiaridade orientará a opção. O tratamento atenderá a exigências. Quais?

Palavras simples e curtas

Entre dois vocábulos, fique com o mais curto. Entre dois curtos, o mais simples. Fuja dos antipáticos e pretensiosos. Só ou somente? Só. Colocar ou pôr? Pôr. Casamento ou matrimônio? Casamento. Precipitação pluviométrica ou chuva? Chuva. Lombada ou obstáculo transversal? Lombada. Chefe do Executivo ou presidente? Presidente. Contabilizar ou somar?

Somar. Morrer ou falecer? Morrer. Equalizar ou igualar? Igualar. Fidelizar ou conquistar? Conquistar. Agilizar ou apressar? Apressar. Flexibilizar ou modificar? Modificar. Comercializar ou vender? Vender. Priorizar ou dar prioridade? Dar prioridade. Ratificar ou confirmar? Confirmar.

Vocábulos concretos

O específico informa melhor que o genérico. O definido, melhor que o vago. O concreto, melhor que o abstrato. Cachorro policial é mais singular que cachorro. Homem, mais que animal. Macieira, mais que árvore. Árvore, mais que planta ou vegetal. Trabalhador tem sentido muito amplo. Advogado é mais restrito. Advogado tributarista, mais ainda. Não foi por acidente que Gonçalves Dias compôs: "Minha terra tem palmeiras / Onde canta o sabiá". Se tivesse dito Minha terra tem árvores / Onde canta o pássaro, seus versos estariam enterrados com ele, ignorados de todos.

Substantivos e verbos

Substantivos e verbos são a roupa e o sapato da frase. As demais classes gramaticais, os acessórios. Escreva com a convicção de que no idioma só existem nomes e verbos. Adjetivos, advérbios, conjunções & cia. devem ser usados com cuidado e parcimônia. "Nos grandes mestres", ensinou Monteiro

Lobato, "o adjetivo é escasso e sóbrio — vai abundando progressivamente à medida que descemos a escala de valores."

Adjetivos denotativos

O adjetivo não deixa alternativa. Dá vida ou mata. Para animar, deve revelar virtudes capazes de especificar melhor o substantivo e restringir-lhe a abrangência. Em outras palavras: precisa acrescentar precisão e economia à frase. Nunca enfeitar o enunciado.

Existem dois tipos de adjetivos. Um: o denotativo, que particulariza o objeto. Não emite opinião, informa. É bem-vindo (mesa redonda, parede branca, homem negro, cabelo loiro). O outro: o subjetivo ou afetivo. Limita-se a registrar o julgamento de quem escreve (cor repousante, mulher bonita, pessoa desagradável). Usá-lo pressupõe que o leitor esteja pedindo a opinião do repórter. É pretensioso.

Nesse time figuram os adjetivos-ônibus — termos vazios e inexpressivos porque se aplicam a qualquer substantivo: maravilhoso, formidável, fantástico, lindo, espetacular, bonito. Fuja deles.

Certos adjetivos associados a determinados substantivos formam chavões pela insistência do uso. É fácil romper o casamento: ascensão meteórica (em que consiste?), lucros fabulosos (valor aproximado?), inflação galopante (índice?), monstruoso congestionamento (quantos carros?), prejuízos incalculáveis (valor aproximado?), vitória esmagadora (número de votos? Percentagem?).

Advérbios informativos

O advérbio é o adjetivo do verbo. Se não for para indicar com exatidão a circunstância em que os fatos ocorreram, pode ser retirado da frase sem prejuízo. Use-o, pois, com cautela. Lembre-se de que o desnecessário sobra: *(Como todos sabem), os textos jornalísticos devem (sempre) ser escritos (literalmente) com economia verbal.*

Artigo definido

Ser claro é obrigação de quem escreve. O artigo definido se presta à confusão de significados. Dobre a atenção ao usá-lo. Ao dizer "os metalúrgicos aderiram à greve", englobam-se todos os metalúrgicos. Se não são todos, dispensa-se o artigo: Metalúrgicos aderiram à greve.

Gênero explícito

Cargos e funções, se exercidos por mulher, escrevem-se no feminino. Presidente (ou presidenta), agente administrativa, secretária-executiva servem de exemplo. Atenção ao exagero. Siga a índole da língua. Na concorrência de feminino e masculino, fique com o masculino plural. Filhos engloba filhos e filhas. Brasileiros, brasileiros e brasileiras. Amigos, amigos e amigas. Não caia no modismo irritante de discriminar — sem necessidade — o sexo das pessoas: os presentes e as presentes, os leitores e as leitoras, os embaixadores e as embaixadoras, os comunicadores e as comunicadoras. Os artistas e as artistas, os atletas e as atletas. Cruz-credo!

Forma positiva

O não provoca arrepios. Talvez por lembrar repressões da infância. Não faça isso, não faça aquilo. Não pode isso, não pode aquilo. Os nãos acompanham a pessoa vida afora. Mas ninguém os ama, ninguém os quer. Muitos preferem mantê-los no esquecimento. Por isso a forma positiva ganha banda de música e tapete vermelho. A regra é dizer o que é, não o que não é. Não ser pontual é ser impontual. Não lembrar é esquecer. Não assistir à aula é faltar à aula. Não mentir é falar a verdade. Não duvidar é ter certeza. Não fazer mudanças na equipe é manter a equipe. Não votar o projeto hoje é adiar a votação.

Voz ativa

Dizem que o brasileiro dá uma boiada para não assumir compromisso. A voz passiva lhe presta uma senhora ajuda. O agente fica lá atrás ou nem aparece. Resultado: a declaração fica frouxa, flácida e desbotada. Salvo exceções, melhor usar a ativa. Ela é mais direta, vigorosa e concisa que a passiva. Dê-lhe preferência sempre que puder. *Sem-terra tomam ministério por seis horas* é construção preferível a *Ministério é tomado por sem--terra durante seis horas*. *O artigo foi escrito por mim* pode dar lugar a *Eu escrevi o artigo*. Glenn Van Ekeren escreveu: "*Preciso fazer algo* resolverá mais problemas que *algo precisa ser feito*".

Declarações claras

Palavras, opiniões e declarações alheias podem ser transcritas literalmente ou não. Se ipsis litteris, devem vir entre aspas. A identificação do autor é importante na exposição. Retardá-la deixa o leitor ansioso, às vezes irritado. Há jeitos de cortar caminho.

1. Nas declarações longas, identifique o autor imediatamente — antes da citação ou depois da primeira frase:

Antonio Gramsci escreve: "Por que as línguas são focos de resistência? Porque a língua não é só um meio de comunicação. A língua é uma visão de mundo".

Ou

"Por que as línguas são focos de resistência?", pergunta Antonio Gramsci. "Porque a língua não é só meio de comunicação. A língua é uma visão de mundo", responde.

2. Nas declarações curtas, o nome do autor pode vir no começo ou no fim da fala:

Orides Fontela ensinou: "A palavra real nunca é suave".
"A palavra real nunca é suave", ensinou Orides Fontela.

"Tudo vale a pena se alma não é pequena", disse Fernando Pessoa.
Fernando Pessoa disse: "Tudo vale a pena se alma não é pequena".

Verbos de dizer

O verbo declarativo tem grande importância no texto. Ele dá nuanças à declaração. Atenção ao substituí-lo. Sem o devido cuidado, você pode alterar o sentido do enunciado:

> *"As denúncias são requentadas", disse o senador.*
> *"As denúncias são requentadas", insistiu o senador.*
> *"As denúncias são requentadas", alertou o senador.*
> *"As denúncias são requentadas", protestou o senador.*
> *"As denúncias são requentadas", mentiu o senador.*
> *"As denúncias são requentadas", enfatizou o senador.*

Grosso modo, os verbos de dizer pertencem a nove áreas semânticas:

- de dizer: afirmar, declarar
- de perguntar: indagar, interrogar
- de responder: retrucar, replicar
- de contestar: negar, objetar
- de concordar: assentir, anuir
- de exclamar: gritar, bradar
- de pedir: solicitar, rogar
- de exortar: animar, aconselhar
- de ordenar: mandar, determinar

Verbos de sentir

Os verbos declarativos aceitam a conjunção integrante (que, se): *disse que, afirmou que, mandou que, pediu que, perguntou se, indagou se*. Alguns verbos não são "de dizer", mas "de sentir" (gemer, suspirar, lamentar, queixar-se, explodir). Expressam emoção, estado de espírito, reação psicológica. Devem ser empregados no discurso direto, antepostos ou pospostos à declaração. Eles rejeitam a conjunção integrante: "Estamos perdidos", gemeu Napoleão. Gemeu Napoleão: "Estamos perdidos". (Nunca se dirá "Napoleão gemeu que estava perdido".)

Frase curta

A psicologia prova. A pessoa só consegue dominar certo número de palavras antes que os olhos peçam uma pausa. Testes sobre a legibilidade e a memória demonstram dois fatos. Um: se o período tem a média de 200 toques, o leitor retém a segunda metade pior que a primeira. Dois: se 250 ou mais, grande parte do enunciado se perde. Daí a importância da frase curta e da ordem direta.

Sentenças de mais ou menos 150 toques apresentam dupla vantagem. A primeira: facilitam a vida do leitor. A segunda: prestam senhora ajuda ao repórter. Com elas, erra-se menos. Conjunções, vírgulas, correlações verbais & cia. — pedra no caminho de quem escreve rápido e sob pressão — oferecem menos perigo. A razão é simples. Precisa-se menos deles. O jeito, então, é usar ponto. Primeiro mandamento:

conjugue o verbo cassar. Passe a tesoura em gerúndios, quês, conjunções subordinativas, fileirinhas de dês:

GERÚNDIO

O procurador-geral da República, Roberto Gurgel, recebe hoje documentação referente à defesa da deputada Jaqueline Roriz no caso do escândalo do Mensalão de Brasília, tendo até o fim de maio para decidir se pede ao Supremo Tribunal Federal a abertura de inquérito criminal contra a parlamentar.

Melhor:
O procurador-geral da República, Roberto Gurgel, recebe hoje a documentação referente à defesa da deputada Jaqueline Roriz no caso do escândalo do Mensalão de Brasília. Ele terá até o fim de maio para decidir se pede ao Supremo Tribunal Federal a abertura de inquérito criminal contra a parlamentar.

QUÊS

De acordo com o advogado Antônio José Maria, que defende Jaqueline no caso, o material que será entregue a Gurgel é suficiente para esclarecer eventuais dúvidas sobre o dinheiro que a parlamentar recebeu de Durval Barbosa e que constitui transação corriqueira.

Melhor:
Antônio José Maria, advogado de Jaqueline, deu a sua versão: o material que será entregue a Gurgel é suficiente para esclarecer eventuais dúvidas sobre o dinheiro que a parlamentar recebeu de Durval Barbosa. A transação, segundo ele, seria doação para campanha.

ELEMENTOS DO ESTILO

FILEIRINHAS DE DÊS

Termos longos ligados por uma fileira de dês constituem pedra no caminho do leitor. Podem virar armadilha. De um lado, pecam pela abstração. De outro, pela dificuldade de serem entendidos. Vale tudo para descarrilhar o trenzinho. A melhor estratégia: transformar substantivos e adjetivos em verbos. Veja:

*O progresso **dos** estudantes **de** instituições de ensino **do** governo é lento.*

Ruim, não? O período, além da fileirinha de dês, parece manco. A razão: o sujeito tem 22 sílabas. O predicado, três. Melhor harmonizá-lo. Busquemos o verdadeiro sujeito e usemos verbo de ação:

Os estudantes de escolas públicas progridem lentamente.

Só as frases curtas têm vez? Claro que não. Um período longo aqui e ali cai bem. Quebra a monotonia e ajuda o ritmo. O segredo reside no equilíbrio e na facilidade de leitura.

Ordem direta

Por que ordem direta? Na leitura rápida, a memória funciona a curto prazo. É como quando alguém diz a placa do carro ou o número do telefone. Para não esquecê-los, temos duas saídas — repeti-los muitas vezes, ou anotá-los. Mais: a cabeça retém melhor o que vem primeiro. Daí a importância da ordem direta. Na frente, o mais significativo. Atrás, o secundário. Sujeito + verbo + complemento é a fórmula:

Ronaldinho teve uma série de convulsões no dia da partida que decidiria a Copa do Mundo de 2002.

A ideia substantiva — as convulsões de Ronaldinho — abre o enunciado. É ela que ficará retida na memória. O complemento tem importância secundária. Se algum pormenor se perder, não comprometerá o recado.

Compare:
No dia da partida que decidiria a Copa do Mundo de 2002, Ronaldinho teve uma série de convulsões.

A informação mais importante perdeu-se na rabeira da frase. Azar do leitor.

Ordem de colocação

As palavras gozam de plena liberdade. Passeiam com desenvoltura na frase. Às vezes, o sujeito aparece no início da oração. Outras, no meio. Aqui e ali, no fim. As voltinhas não se restringem ao sujeito. Boa parte dos termos lança mão do privilégio sem cerimônia. Mas o vai e vem tem limite. O freio reside nas exigências da clareza e da coerência. Para evitar ambiguidades, "amarre" cada termo determinante ao respectivo termo determinado.

Haverá um debate sobre comércio exterior na sede da Fiesp.

O debate se realizará na sede da Fiesp, mas a colocação do adjunto adverbial *na sede da Fiesp* junto do termo *comércio exterior* leva a outra leitura: o seminário tratará do comércio exterior na sede da Fiesp. Nada feito.
Aproxime o adjunto adverbial do termo a que se refere:

Haverá, na sede da Fiesp, um seminário sobre comércio exterior.

Na sede da Fiesp, haverá um seminário sobre comércio exterior.

Holanda disse que repassou à polícia informações sobre a suspeita de envolvimento do ex-funcionário com o grupo que fraudava concursos para ajudar nas investigações.

O texto diz que o ex-funcionário fraudava concursos para ajudar nas investigações. Generosidade? Não. Problema de colocação. Quem quer ajudar a polícia é Holanda. A oração deve ir para pertinho dele:

Holanda disse que, para ajudar nas investigações, repassou à polícia informações sobre a suspeita de envolvimento do ex-funcionário com o grupo que fraudava concursos.

Harmonia

A frase harmônica soa bem. Tem ritmo. Sem ecos, repetições ou cacofonias, desce redondo. A harmonia está ligada ao ouvido. Segredo dos grandes escritores, implica a habilidade de combinar palavras e frases com elegância — sem tropeços ou dissonâncias. Há caminhos que levam à carícia da língua.

Olho no tamanho da palavra. O termo mais curto (com menor número de sílabas) deve preceder o mais longo:

> **Bom:** *O presidente pediu aos deputados que votassem a PEC em regime de urgência urgentíssima.*
>
> **Mau:** *O presidente pediu aos deputados que votassem, em regime de urgência urgentíssima, a PEC.*
>
> **Bom:** *O terremoto de magnitude 8,9 devastou o Japão na primeira hora da tarde de sexta-feira.*
>
> **Mau:** *O terremoto de magnitude 8,9, na primeira hora da tarde de sexta-feira, devastou o Japão.*

Truque do três

Ninguém sabe por quê. Mas trios bajulam os ouvidos. Pai, Filho e Espírito Santo formam a Santíssima Trindade. "Liberdade, igualdade e fraternidade" é o lema da Revolução Francesa. Governo do povo, para o povo, pelo povo, proclamou Abraham Lincoln. Vim, vi e venci, orgulhou-se Júlio

César. Nas enumerações, o três faz mágicas. Pense em três itens para agrupar:

Joseph Ratzinger colecionou desafetos ao combater o divórcio, o homossexualismo, o sacerdócio feminino.

O estilo deve ter três virtudes: clareza, clareza e clareza.

Vamos trabalhar com afinco, vontade e competência.

Precisamos fazer a pesquisa com concisão, objetividade e eficiência.

Diversidade

As repetições — de sons, palavras ou estruturas — transmitem a impressão de inexperiência, descuido e pobreza de vocabulário. Existem formas de evitá-las. Uma delas: suprimir a palavra. Outra: substituí-la por sinônimo ou pronome. Mais uma: dar outro torneio à frase.

Mau: *O crescimento sem desenvolvimento pode implicar incremento do subdesenvolvimento.*

Melhor: *Crescer sem preocupação com o desenvolvimento pode implicar mais atraso.*

Mesmeiros são espertos. Fazem de conta que não entram no time das repetições. Mas entram. São frases e parágrafos que se iniciam com palavras ou estruturas iguais. Que sono...

Os adeptos de espetáculos teatrais não poderão escapar das risadas nos próximos dias. As principais companhias de comédia da cidade decidiram apostar na plateia que não viaja no carnaval. Os Melhores do Mundo, o G7 e os Setebelos fizeram uma folia de peças nesta temporada.

Reparou? O parágrafo tem três períodos. Todos começam com artigo definido. Melhor variar:

Nos próximos dias, os adeptos de espetáculos teatrais não poderão escapar das risadas. As principais companhias de comédia da cidade decidiram apostar na plateia que não viaja no carnaval. É o caso de Os Melhores do Mundo, o G7 e os Setebelos. Eles fizeram uma folia de peças nesta temporada.

Abra o olho: os parágrafos no texto obedecem à mesma regra — variedade.

Bento XVI

As esperanças de alterações na rígida ortodoxia doutrinária da Igreja Católica acabam de dissipar-se com a eleição do cardeal Joseph Ratzinger para o trono de São Pedro. Durante os 26 anos do pontificado de João Paulo II, o prelado alemão exerceu com severidade o cargo de guardião da Doutrina da Fé. Sempre a teve como revelação divina insuscetível de reforma, verdadeiro dogma. Ao clamor dos que postulavam por transformações ajustadas aos novos tempos, opunha resistência tenaz e crítica ácida. João Paulo II, tão conservador quanto ele, o ouvia e impunha o timbre da aprovação pontifical em suas iniciativas.

Ratzinger *adotou o nome de Bento XVI. O papa Bento XV (1914--1922) notabilizou-se por encerrar a divisão então reinante na Igreja entre conservadores e modernistas. Pregou, contudo, que os fiéis abandonassem as causas heréticas. O pontífice recém-eleito vê na expansão de outras confissões religiosas, por ele designadas de "seitas", grave ameaça ao futuro da Igreja Católica. Há aí associação de ideias que favorece campo vasto para especulações sobre o tipo de evangelização a ser desenvolvido doravante e o que o Vaticano passará a entender como causas heréticas.*

O *novo vigário de Roma aplica às trepidações em busca de arejamento na doutrina, sobretudo quanto à Teologia da Libertação, o qualificativo de "ditadura do relativismo". Foi o que disse anteontem — em última aparição pública antes da consagração como papa — para expor a irredutível resistência à abertura de qualquer via reformista. E não deixou de pé sequer as aspirações de cardeais progressistas de ver o Vaticano evoluir para uma gestão menos centralizadora.*

Bento XVI*, portanto, consolidará a posição do Vaticano contrária ao aborto, ao uso terapêutico de células-tronco embrionárias, aos métodos contraceptivos e à utilização de preservativos, ao casamento de padres e à habilitação de mulheres para o ofício de rituais eclesiásticos. São questões que, a cada dia, mais sujeitas a pressões sobre a regência papal, desafiarão com maior contundência a obsessão restritiva da cúria romana. Administrar o conflito será a missão principal do novo vigário de Roma.*

Concisão e clareza

"Escrever é cortar", definiu Marques Rebelo. A economia verbal — sem prejuízo da completa e eficaz expressão do pensamento — respeita a paciência do leitor. Conciso não significa lacônico, mas denso. Opõe-se a vago, impreciso, verborrágico. No estilo denso, cada palavra, cada frase, cada parágrafo devem estar impregnados de sentido.

William Strunk Jr., professor de altos estudos da língua inglesa, costumava dizer: "A prosa vigorosa é concisa. A frase não deve ter palavras desnecessárias nem o parágrafo frases desnecessárias, pela mesma razão que o desenho não deve ter linhas desnecessárias nem a máquina partes desnecessárias. Isso não quer dizer que o autor faça breves todas as suas frases, nem que evite todos os detalhes, nem que trate seus temas só na superfície: apenas que cada palavra conta".

Eis sugestões que contribuem para a concisão:

a. **Corte, nas datas, os substantivos dia, mês e ano:** *em 10 de janeiro (não: no dia 10 de janeiro); em março (não: no mês de março); em 2011 (não: no ano de 2011).*

b. **Troque a locução adjetiva por adjetivo:** *objetos para crianças (objetos infantis); pessoa sem emprego (pessoa desempregada), discurso sem novidade (discurso repetitivo); água sem sabor (água insípida).*

c. **Substitua a oração adjetiva por adjetivo:** *animal que se alimenta de carne (animal carnívoro); empresário que planta café (cafeicultor);*

criança que não presta atenção (criança desatenta); aluno que não conseguiu passar de ano (aluno repetente).

d. Use aposto nominal em vez de oração apositiva:

Brasília, que é a capital do Brasil, oferece serviços públicos de qualidade. (Brasília, capital do Brasil, oferece serviços públicos de qualidade.)

Jarbas Passarinho, que foi eleito senador pelo Pará, nasceu no Acre. (Jarbas Passarinho, eleito senador pelo Pará, nasceu no Acre.)

Dilma se referiu a Lula, que foi presidente do Brasil. (Dilma se referiu a Lula, ex-presidente do Brasil.)

e. Troque a oração pelo termo nominal correspondente:

O diretor exige que o relatório seja apresentado. (O diretor exige a apresentação do relatório.)
Todos acreditavam que a proposta seria aprovada. (Todos acreditavam na aprovação da proposta.)

f. Reduza orações:

Depois de terminar a palestra, o prefeito foi direto ao aeroporto. (Terminada a palestra, o prefeito foi direto ao aeroporto.)

g. Elimine palavras ou expressões desnecessárias: *processo de adaptação (adaptação); decisão tomada no âmbito da diretoria* *(decisão da diretoria); trabalho de natureza temporária (trabalho temporário); problema de ordem sexual (problema sexual); curso em nível de pós-graduação (curso de pós-graduação); lei de alcance federal (lei federal); doença de característica dermatológica (doença dermatológica); complicações de origem no coração (complicações cardíacas).*

h. Substitua a locução verbo + substantivo pelo verbo: *Fazer um discurso (discursar). Fazer música (compor). Pôr os livros em ordem (ordenar os livros). Pôr moedas em circulação (emitir moedas).*

i. Corte artigos indefinidos: em 99% das frases, eles são dispensáveis:

Houve (um) troca-troca de legendas jamais visto. O presidente quer traçar (uma) nova política externa para o Brasil. O deputado pediu (um) adiamento da votação do projeto.

j. Casse possessivos. O seu constitui uma das piores pragas do texto. Além de sobrecarregar a frase, com frequência torna o enunciado ambíguo:

Em livro com entrevista concedida quando era prefeito da Congregação da Fé, Joseph Ratzinger admite que agiu de forma inflexível com Leonardo Boff e fez revelações sobre sua vida pessoal. (Vida de quem — de Ratzinger ou Leonardo Boff?)

Melhor:
Em livro com entrevista concedida quando era prefeito da Congregação da Fé, Joseph Ratzinger admite que agiu de forma inflexível

com Leonardo Boff e fez revelações sobre a vida pessoal do religioso brasileiro.

Exemplos em que o possessivo sobra: *A campanha foi equilibrada até o (seu) final. Para manter o (seu) ritmo de crescimento, o agronegócio precisa de excelentes estradas. O empresário endurece as (suas) críticas ao governo.*

Verbos-ônibus

Ter, ser, estar, haver, pôr, dizer, fazer e ver funcionam como transporte coletivo. Cabem em 42 contextos. É possível substituí-los por outros mais precisos? Não hesite. Mas sem pedantismo, afetação ou rebuscamento.

Fazer: *fazer (redigir ou escrever) uma carta; fazer (proferir) um discurso; fazer (cavar) uma fossa; fazer (esculpir) uma estátua de mármore; fazer (percorrer) o trajeto de carro; fazer (cursar) direito.*

Pôr: *pôr (acrescentar) uma palavra no período; pôr (empregar) o imperativo na frase; pôr (depositar) dinheiro na poupança; pôr (esconder) o lixo sob o tapete; pôr (guardar) o dinheiro debaixo do colchão.*

Dizer: *dizer (citar) um exemplo; dizer (revelar) um segredo; dizer (declamar) poemas; dizer (narrar) os fatos.*

Ter: *ter (gozar) boa reputação; ter (sentir) dor; ter (medir) cinco metros; ter (pesar) 80 quilos.*

Ver: *ver (admirar) a beleza do quadro; ver (observar) o que aconteceu.*

Haver: *Na Praça dos Três Poderes há uma bandeira do Brasil hasteada (tremula uma bandeira do Brasil).*

Estar: *O nome do ministro da Fazenda está (figura) na lista dos presidenciáveis.*

Encontrar-se: *A força do estilo encontra-se (reside) nos substantivos e verbos.*

Politicamente correto

Apague as palavras que discriminam ou reforçam preconceitos. Negro é raça. Nessa acepção, use o vocábulo sem pensar duas vezes. Pelé é negro. Não é escurinho, crioulo, negrinho, moreno, negrão ou de cor. Evite o adjetivo em expressões de conotação negativa. Em vez de nuvens negras, prefira nuvens pretas ou escuras. Em lugar de lista negra, fique com lista dos maus pagadores. Apague denegrir de seu dicionário. Opte por comprometer. Quer indicar cor? O preto está às ordens.

Gordão? Nem pensar. Diga o peso. Paraíba e cabeça-chata? É preconceito. Identifique o estado de origem com precisão (paraibano, pernambucano, cearense). Bicha, veado, sapatão? Xô! Escolha homossexual, gay, lésbica. Judiar? Lembra judeu. Maltratar dá o recado.

Não exagere. A informação exige termos precisos. Deficiente visual não é necessariamente cego. Deficiente auditivo não significa obrigatoriamente surdo. Dizer que alguém é cego, surdo ou surdo-mudo não ofende nem demonstra intolerância. Lance mão deles sempre que necessário. A regra vale para outros vocábulos.

Legibilidade do texto

Como avaliar o índice de dificuldade do texto? O assunto começou a preocupar os americanos há 70 anos. Pesquisas sobre a leitura de matérias jornalísticas despertaram o interesse de professores e alunos de várias universidades. Um dos resultados dos estudos foi o teste de legibilidade. Alberto Dines, então no Jornal do Brasil, adaptou-o para o português.

Eis a fórmula:

1. Conte as palavras do parágrafo.
2. Conte as frases (cada frase termina por ponto).
3. Divida o número de palavras pelo número de frases. Assim, você terá a média da palavra/frase do texto.
4. Some a média da palavra/frase do texto com o número de polissílabos.
5. Multiplique o resultado por 0,4 (média de letras da palavra na frase de língua portuguesa).
6. O produto da multiplicação é o índice de legibilidade.

Possíveis resultados:

1 a 7: história em quadrinhos
8 a 10: excepcional
11 a 15: ótimo

16 a 19: pequena dificuldade
20 a 30: muito difícil
31 a 40: linguagem técnica
acima de 41: nebulosidade

Testemos o parágrafo:

"Em boca fechada não entra mosca", diz a vovó repressora. "Quem não erra perde a chance de acertar", responde o neto sabido. Ele aprendeu que, nas organizações modernas, a competição é o primeiro mandamento. E, cada vez mais, impõe-se a necessidade de falar em público. Muitos servidores, porém, concordam com a vovó. Estremecem só de imaginar a hipótese de abrir a boca diante de uma plateia. Dizem que não nasceram para os refletores. Falta-lhes vocação. A ciência prova o contrário. Falar bem não é dom divino. Falar bem — como nadar bem, escrever bem, saltar bem — é habilidade. Exige treino.

Confira:
1. **Palavras do parágrafo**: 101
2. **Número de frases**: 12
3. **Média da palavra-frase** (101 dividido por 12): 8,41
4. **8,41 + 12** (número de polissílabos) = 20,41
5. **20,41 x 0,4** = 8,16

Resultado: legibilidade excepcional

AVALIE UM TEXTO SEU. Pode ser uma carta, um artigo, uma reportagem. Antes de começar, lembre-se: aplique a receita de parágrafo em parágrafo. Se o resultado ficou acima de 15, abra o olho. Facilite a vida do leitor. Você tem dois caminhos. Um: diminua o tamanho das frases. O outro: mande algumas polissílabas dar umas voltinhas por aí. O melhor: abuse de ambos.

CAPÍTULO 2

A WEB SUBVERTE A LEITURA E A ESCRITA

"Humpty-Dumpty disse num tom meio debochado:
— Quando eu uso uma palavra, ela significa aquilo que eu quero que signifique
— nem mais nem menos.
Alice respondeu:
— A questão é se você pode fazer as palavras significarem tantas coisas diferentes.
Ele a corrigiu:
— A questão é quem manda. Isso é tudo."
(*Alice no país das maravilhas*, de Lewis Carol)

A RELAÇÃO AUTOR-LEITOR SE DIVIDE em dois tempos — antes da web e depois da web. Antes da web, o autor era dono e senhor do texto. Definia a introdução, as trilhas do desenvolvimento, a hora da conclusão. O leitor recebia o prato pronto. Ou o consumia. Ou o deixava de lado. Nada mais podia fazer contra a ditadura da linearidade imposta pela página escrita.

Depois da web, a história mudou de enredo. Com o hipertexto, a ordem perdeu o rumo. O caminhar em linha reta deu a vez ao navegar. Imprevisibilidade é a tônica. Trechos de texto se intercalam com referências a outras páginas. Um clicar muda a sequência, o código, o enfoque. O leitor assume o protagonismo. Escolhe o que ler, quando ler, por onde começar, onde interromper, em que hora parar.

A planura da folha de papel cedeu o lugar a espaço plural. Ali o internauta tem acesso simultâneo a textos, imagens, vídeos, sons, animação. Mais: pode brincar com eles. Modifica-os, reorganiza--os, interage com um, dois ou todos. Em suma: rege os elementos da comunicação.

Tanto poder gerou uma admirável criatura. Ela é assim:

INFIEL:	não comparece diariamente nem deixa de borboletear de site em site, de blogue em blogue.
INCONSTANTE:	passa pelo site, mas não o lê com assiduidade.
PROATIVA:	busca mais informações em vez de aceitar passivamente o que lhe é oferecido.
ARISCA:	não se deixa agarrar com facilidade.
RECEPTIVA:	aprecia estilos não convencionais porque tropeça em muitas mesmices.
CRÍTICA:	gosta de comentar a matéria. Elogia, desqualifica, faz sugestões.
EXIGENTE:	quer ser ouvida, seja com a publicação do comentário, seja com a resposta rápida à pergunta que formula.
VISUAL:	faz a primeira avaliação com os olhos. A matéria tem de caber na tela do computador.

MULTIMÍDIA: não aprecia notícias com cara das lidas no jornal. Além de texto e imagens, exige vídeos, áudios, animação. Nada de prato feito. Ela escolhe a ordem.

APRESSADA: falta-lhe tempo para abarcar o universo sem fim da web. Lê o texto em T. Só chega ao fim se lhe interessar.

Em bom português: as mídias eletrônicas viraram pelo avesso a função do autor-escritor e a do usuário-leitor. Adeus, posse e autoria de um texto fisicamente ilhado. Adeus, significado único e hierarquicamente superior aos comentários e notas que dizem respeito a ele. Adeus, poder absoluto.

O NOVO PEDE MUDANÇA

Ora, novo paradigma implica nova forma de atuação. Parte do poder do editor migra para o internauta. Um e outro se tornam colaboradores. Comentários viram pauta, notícia, ampliação de conteúdo. Fotos encaminhadas à redação ilustram matérias, ganham chamadas ou entram em podcasts. Vídeos e áudios têm destino similar.

O desempenho do repórter também se alterou. E muito. A pauta lhe exige múltiplos olhares e múltiplas ações. Munido de câmera, gravador e laptop, ele apura a matéria, tira fotos, grava declarações, faz vídeos e escreve o texto na hora, do lugar onde estiver. Encaminha o pacote eletronicamente para entrar no ar. A publicação é direta, não passa necessariamente pelo crivo do editor.

Ops! Quanta responsabilidade! Mas o jornalista contratado para trabalhar em portais costuma ser jovem, recém-formado, sem a experiência exigida para o impresso. Qualificá-lo é o desafio das empresas. O repórter, para atender às exigências do novo consumidor, precisa:

- **ESCREVER O PORTUGUÊS CULTO.**

- **DOMINAR A TECNOLOGIA PRESENTE NA WEB.**

- **TER LASTRO CULTURAL PARA CONTEXTUALIZAR A INFORMAÇÃO.**

- **SABER APRESENTAR A NOTÍCIA SEGUNDO AS PECULIARIDADES DE CADA FATO.**

- **DAR CRÉDITO A CRÍTICAS E COMENTÁRIOS DE INTERNAUTAS, QUE SE TORNAM COAUTORES DO CONTEÚDO.**

- **APURAR COM SERIEDADE E CHECAR AS INFORMAÇÕES ANTES DA DIVULGAÇÃO.** O fazer jornalístico mudou. A notícia chega à redação pela própria net. Olho vivo! Desconfiar é a ordem.

- **MANTER O FOCO NAS NECESSIDADES E HÁBITO DOS VISITANTES.**

- **NÃO SUBESTIMAR O LEITOR.** Ele percebe quando encontra uma página incompleta ou feita nas coxas.

- **CONTAR BEM UMA HISTÓRIA.** Se os fornecedores de conteúdo são os mesmos, como oferecer algo mais para cativar o visitante? A saída: trabalhar bem a informação, explorar ao máximo os recursos da hipermídia. Além do texto, recorrer a áudios, gráficos, vídeos, links. Ou à combinação de todos.

EXIGÊNCIAS DA NOTÍCIA ON-LINE

Na rede, a notícia é ser vivo. Com pernas e asas, modifica-se ao longo do dia. O título e a chamada mudam tantas vezes quantas forem necessárias. Impermanência e rapidez cobram preço. Exigem cuidados. Além dos dispensados aos textos que ganham ponto final quando impressos ou gravados, outros sobressaem:

- **APURAÇÃO RIGOROSA.** Entre o furo e a apuração, não pense duas vezes. Fique com a segunda. O internauta não se preocupa com quem deu a notícia em primeira mão. Quer a informação correta. Uma matéria superficial, incompleta ou descontextualizada bota o leitor para correr.

- **PORTUGUÊS CORRETO.**
Não caia na esparrela de que a pressa justifica tropeços de ortografia, flexões, concordâncias e regências. Erros pegam mal. Desacreditam o conteúdo, o repórter e o portal.

- **TEXTOS CURTOS.**
A notícia não deve ultrapassar o tamanho da tela. Sugestão: as chamadas com no máximo 500 caracteres. As matérias, 1.000. Links aprofundam o conteúdo. Em reportagens maiores, com mais dados e fontes, utilize-os para hipertextos de áudio, vídeo, galeria de fotos.

- **SENTENÇAS DECLARATIVAS COM APENAS UMA IDEIA.**
Compare: *O senador chegou ao plenário por volta das 14h30 na expectativa de que faria o pronunciamento meia hora depois, mas frustrou-se porque até as 17h não tinha sido chamado.* (O período tem três ideias.) Melhor desmembrá-las: *O senador chegou ao plenário por volta das 14h30 na expectativa de fazer o pronunciamento meia hora depois. Frustrou-se. Até as 17h não tinha sido chamado.*

- **FRASES CURTAS E, SEMPRE QUE POSSÍVEL, BEM-HUMORADAS.**
Cace e casse sem piedade gerúndios, quês e palavras cuja função é enfeitar. Curso em nível de pós-graduação? É curso de pós-graduação. Caixa contendo 20 bombons? É caixa com 20 bombons. Doença de natureza hereditária? É doença hereditária.

- **VERBOS FORTES DE PREFERÊNCIA NA VOZ ATIVA.**
Com eles, você escreve textos vivos, arejados e alegres. Em vez de *fazer o trajeto*, prefira *percorrer o trajeto*. Em lugar de *pôr o dinheiro no banco*, que tal *depositar o dinheiro*? Não diga o segredo. Revele o segredo.

DAD SQUARISI

- **DECLARAÇÕES DIRETAS.**
Entre logo no assunto. Ninguém merece começar a leitura com enrolação como esta: Como todo mundo sabe, o processo eleitoral brasileiro é o mais moderno do mundo. (Ora, se todo mundo sabe, para que dizer? Não encha linguiça: O processo eleitoral brasileiro é o mais moderno do mundo.)

- **ENUNCIADOS CONCRETOS.**
Palavras abstratas e genéricas são pragas que tornam o enunciado longo, obscuro e difícil de ler. Compare: *O processo empregado na busca dos melhores profissionais encontrados no mercado constitui tarefa árdua que exige muito tempo.* Melhor: *A seleção dos melhores profissionais exige tempo e esforço.*

- **FACILIDADE DE LEITURA.**
Pesquisas provam que 80% das pessoas acessam a internet sobretudo em busca de informação. Quem lhes satisfaz a expectativa ganha ponto. Conquista-as. Siga a dica: menor é melhor. Se fácil, juntam-se tamanho e rapidez. Oba!

- **PIRÂMIDE INVERTIDA.**
O velho e esnobado lide volta com autoridade total. O retorno se deve à característica do internauta. Sem tempo para abarcar o universo infinito da web, ele lê o texto em T. A parte horizontal da letra representa o lide. Ao responder às seis perguntas fundamentais do jornalismo — o quê?, quem?, quando?, onde?, como? e por quê? —, o texto informa com rapidez qual é a notícia e por que o visitante deve continuar a leitura. A vertical é o detalhamento. Merecerá a atenção da apressada criatura?

Publicação: 26/3/2011 13h48 Atualização: 26/3/2011 14h10

*Atriz Cibele Dorsa é encontrada morta
depois de cair do 7º andar de prédio*

Ela caiu da janela do apartamento onde morava no Morumbi, Zona Sul de São Paulo. O corpo foi encontrado por volta das 2h. Cibele antecipou a morte no Twitter perto da 0h de sexta-feira. O caso foi registrado como suicídio no 34º Distrito Policial.

A mensagem no microblog foi postada com erros, depois de uma série de tuítes, fotos e vídeos que a mostravam com o noivo, falecido em janeiro deste ano: "Lamento, eu não consegui suportae a mortenos meus braços mas lurei até onde eu pude". Cibele deixou dois filhos, fruto do relacionamento com o cavaleiro Álvaro Affonso de Miranda Neto, o Doda, e do casamento com o empresário Fernando Oliva.

A atriz era noiva do apresentador Gilberto Scarpa, 27 anos, sobrinho do empresário Chiquinho Scarpa. Ele morreu ao cair da mesma janela em 30 de janeiro.

Compare com o texto publicado no jornal (com redundâncias):

*Atriz Cibele Dorsa é encontrada morta
depois de cair do 7º andar de prédio*

A atriz e escritora Cibele Dorsa, de 36 anos, foi encontrada morta na madrugada deste sábado (26/3). Ela caiu da janela do sétimo andar de seu apartamento na Região do Morumbi, na Zona Sul de São Paulo. Segundo a Polícia Civil, a suspeita é que seja um suicídio, já que a própria Cibele teria antecipado sua morte no Twitter por volta da meia-noite desta sexta-feira. O corpo da atriz foi encontrado

DAD SQUARISI

> por volta das 02 horas. De acordo com a Secretaria da Segurança Pública, o caso foi registrado no 34º Distrito Policial, na Vila Sônia, como suicídio consumado.
>
> A mensagem no microblog foi postada com erros, depois de uma série de mensagens, fotos e vídeos que a mostravam com o noivo, falecido em janeiro deste ano. "LAMENTO, EU NÃO CONSEGUI SUPORTAE A MORTENOS MEUS BRAÇOS MAS, LUREI...ATÉ ONDE EU PUDE." (sic), disse a atriz no Twitter. Cibele deixou dois filhos, fruto do relacionamento com o cavaleiro Álvaro Affonso de Miranda Neto, o Doda, e do casamento com o empresário Fernando Oliva.
>
> Cibele Dorsa era noiva do apresentador Gilberto Scarpa, de 27 anos, sobrinho do empresário Chiquinho Scarpa, que morreu caindo da mesma janela no dia 30 de janeiro. Segundo a assessoria do jovem, ele teria cometido suicídio.

O *New York Times* adotou a pirâmide invertida em 1861 para dar objetividade ao relato de acontecimentos. Ao longo de um século e meio, houve tentativas de substituir o modelo — ultrapassado e pouco criativo segundo os críticos. A internet o recuperou. Mas impôs mudanças que o atualizaram para atender às exigências de rapidez e economia.

• **PRIMEIRO MANDAMENTO:** não tolerar redundâncias. Com alterações aqui e ali, o esquema tradicional narrava o acontecimento três vezes — no título, no lide e no corpo. O novo, uma só vez. Título e lide se unem. O corpo continua o assunto.

- **SEGUNDO MANDAMENTO:** valorizar a esquerda da tela. O internauta percorre a tela com um padrão em forma de F ou de E. Lê o título. Volta rapidinho. Lê as primeiras palavras do primeiro parágrafo. Escorrega os olhos para as primeiras palavras do segundo parágrafo. Só prossegue se for fisgado. Nosso desafio: oferecer-lhe o essencial nos segundos dispensados ao texto.

- **TERCEIRO MANDAMENTO:** não começar o parágrafo com partículas de transição (aliás, além disso, a propósito, no entanto, porém). Elas podem aparecer depois: *Aliás, falar em redação sempre desperta interesse.* Melhor: *Falar em redação, aliás, desperta interesse sempre.*

- **QUARTO MANDAMENTO:** não abra a matéria com histórias ou declarações de personagens. Eles podem aparecer depois. Atenha-se ao lide.

- **QUINTO MANDAMENTO:** dar preferência a enumerações. Compare: As principais funções do Banco Central são emitir moeda, fiscalizar o sistema financeiro, executar a política monetária, promover o equilíbrio cambial. Melhor:

   Funções principais do Banco Central:

   a. emitir moeda,
   b. fiscalizar o sistema financeiro,
   c. executar a política monetária,
   d. promover o equilíbrio cambial.

Cuidados

A tualização em tempo real desafia o repórter 24 horas por dia. Reescrever a notícia exige bom texto e boa edição. Mas a pressa e a certeza da mudança iminente podem comprometer a desejada qualidade. Impõe-se atenção plena para evitar trombadas:

EMPILHAMENTO DE INFORMAÇÕES: o portal vai atualizando a notícia. Coloca o último desdobramento no topo. Deixa o resto como está ou com adaptações insuficientes. A prática faz sentido para quem acompanha as mudanças passo a passo. Não é o caso da maioria dos internautas. Resultado: quem visita o site uma vez por dia se depara com o samba do texto doido. Aí, das duas uma: desaparece ou solta a língua nos comentários. Eis exemplo:

Quadro de Elizabeth Taylor pintado por Andy Warhol vai a leilão em maio

Publicação: 25/3/2011 7h32 Atualização: 25/3/2011 8h23

A repercussão da morte da atriz começa a contabilizar dividendos. A nova-iorquina Philips de Pury & Company espera que o valor do lance ultrapasse US$ 30 milhões. Criada em 1963, a obra é anterior à reunião nas telas dos dois ícones no longa O ocaso de uma vida (1974). Dois dias depois da morte da atriz em decorrência de insuficiência cardíaca congestiva, houve um impasse quanto aos serviços fúnebres.

O site de fofocas TMZ, famoso pela ampla cobertura mundial da morte de Michael Jackson, deu como certo o enterro do corpo da atriz no mesmo local do

DAD SQUARISI

Cuidados

tardio enterro do astro pop Michael Jackson, no Forest Lawn Memorial (Glendale, Califórnia). A informação veio após muita indefinição na mídia, quanto à cerimônia. O funeral da atriz veio sob a expectativa de muita discrição.

Elizabeth Taylor manteve a promessa da distância do que considerou "um circo", no velório do amigo. O evento público afastou a diva que chegou a afirmar não ter segurança quanto à possibilidade de ter "algo coerente" a ser dito em ocasião como aquela. Muito abatida, ela compareceu, entre dezenas de outras celebridades.

ERROS: muitos os justificam por causa da pressa. O responsável pelas últimas notícias precisa correr. Conta com não mais de 10 minutos do acesso aos sites de notícias à publicação. O tempo é a espada de Dâmocles. Mas tropeços de apuração, ortografia e sintaxe pegam mal. Atestam pouco conhecimento da língua e do veículo.

TAG: a palavra ou palavras-chaves que organizam os conteúdos por assunto para possibilitar a pesquisa são normalmente negligenciadas. Além de prestar atenção ao conteúdo visível da mensagem, é importante taguear fotos, imagens, vídeos, retrancas. Assim, oferecem-se dados para os motores de pesquisa (robôs que constantemente abrem páginas web para indexar os tags na base de dados).

Exemplo: *Eurides Brito, política, DF, corrupção, caixa 2, Caixa de Pandora, Durval Barbosa, ficha limpa, campanha eleitoral, financiamento de campanha.*

INDICAÇÃO DE TEMPO: o leitor acessa uma notícia de manhã. Encontra "uma" versão (na web, não existe "a" versão). Dá uma navegada e volta.

Depara-se com outra versão, atualizada em tempo real. Daí a importância de registrar a data da publicação e modificação: *Publicação: 7/3/2011 10h55 Atualização: 7/3/2011 11h07.*

VALIDAÇÃO DAS PÁGINAS: a publicação tem de ser coerente com o tempo real. Não se pode, por exemplo, manter na tela inscrição para um evento que já passou. Têm hora marcada para morrer chamadas como "Palestra sobre o projeto ficha limpa hoje, às 20h, no Auditório do *Correio Braziliense*. Faça sua inscrição agora". Passado o horário, a matéria precisa sumir.

As redações costumam preparar assuntos com antecedência para, no momento oportuno, torná-las públicas. É o caso de obituários, posses, concursos. Cuidado para não pôr o carro na frente dos bois. O risco não é só da web. Em 2010, a Rádio Senado concluiu o obituário do presidente da Casa, José Sarney. Não deu outra: a emissora divulgou a gravação. Sarney ouviu a notícia da própria morte e dos feitos de mais de 50 anos de política. Convém, pois, preparar a página e aguardar a aprovação.

REFERÊNCIAS: ao fazer referência a site interno ou externo, tenha certeza de que ele pode ser encontrado e acessado. Muitas vezes, páginas necessitam de identificação prévia para se abrirem. Se for o caso, avise no texto para que o usuário não reclame que elas não existem.

LIMITAÇÕES: muitas páginas publicadas no portal não podem ser vistas adequadamente em celular. Adapte-as para conquistar a audiência. Se for impossível, busque outras soluções como links para vídeos. (Ver com o suporte a melhor maneira de publicar para que seja válido para ambos os casos.)

140 TOQUES

João tinha uma banca de peixes no mercado da cidade. Oferecia tão bom produto que a clientela crescia dia a dia. Resolveu, então, aumentar as vendas. Como? Exibiu uma faixa com estes dizeres: "Hoje vendo peixe fresco". Feliz, chamou um amigo para comentar a iniciativa. O homem olhou, pensou, tornou a olhar e, por fim, perguntou:

— Você vende peixe velho?
— Não.
— Então, o fresco sobra.

João concordou. Mandou fazer outra faixa sem o adjetivo: "Hoje vendo peixe". Consultado, o amigo questionou:

— Você vende peixe num dia e noutro dia outro produto? Não? Então o hoje sobra.

A nova faixa "Vendo peixe" mereceu novo comentário.
— Você dá, aluga ou empresta peixe? Não? Então, o verbo sobra.

O anúncio ficou reduzido a uma só palavra — "Peixe". O orgulhoso mercador não tinha dúvida. Havia chegado à forma definitiva, capaz de lhe multiplicar a conta bancária.

— E agora? — perguntou. — Não há mais nada a corta[r]
— Ora, quem passa por aqui vê os peixes expostos. Para que a faixa?

As novas tecnologias de comunicação revolucionaram a escrita. Já não se produzem textos como antigamente, mas econômicas mensagens eletrônicas. E-mails que enchem a tela dão preguiça. São deletados. Texto de celular tem limite — 140 toques. A concisão inspirou o Twitter.

Os esbanjadores verbais têm de se conter. No caso, acreditar que menos é mais. Menos palavras e menos letras é sinônimo de mais informação. Entrar na onda deixou de ser capricho. Tornou-se imposição. A empresa divulga a síntese da notícia pelo microblog. Os seguidores multiplicam a informação. Interagem em tempo real. Todos se tornam simultaneamente emissores e receptores.

Submetem-se, então, à ditadura de dizer muito com pouco. Dois instrumentos sobressaem — o metro e a tesoura. Um fica de olho na extensão de palavras e frases. O outro toma providências cirúrgicas — corta ou lipoaspira. Gordurinhas aqui e ali? Nem pensar. Bisturi nelas.

Três verbos pedem passagem. Um: escolher. Metro na mão, é hora de exercer o direito de seleção. Ganha o vocábulo que der o recado com menos caracteres. Outro: trocar. Falta espaço? A língua oferece opções capazes de substituir seis por meia dúzia. O último: cortar. Como recomenda George Simenon, "livre-se dos vocábulos que estão na frase só para enfeitar".

Escolha

Ou isto ou aquilo: ou isto ou aquilo...
e vivo escolhendo o dia inteiro!
Não sei se brinco, não sei se estudo,
se saio correndo ou fico tranquilo.
Mas não consegui entender ainda
qual é melhor: se é isto ou aquilo.

A dúvida de Cecília Meireles não atormenta o tuiteiro. Ele tem um norte. Dispõe de 140 caracteres para dar o recado. Na luta de economizar espaço sem comprometer a compreensão, escolhe:

PALAVRAS CURTAS: Só ou somente? Só. Colocar ou pôr? Pôr. Casamento ou matrimônio? Casamento. Contabilizar ou somar? Somar. Equalizar ou igualar? Igualar. Fidelizar ou conquistar? Conquistar. Empreender ou fazer? Fazer. Modificar ou mudar? Mudar. Comercializar ou vender? Vender. Falecimento ou morte? Morte. Bastante ou muito? Muito. Portanto ou logo? Logo. Entretanto ou mas? Mas.

SIGLAS: Em vez de Organização das Nações Unidas, ONU. Departamento de Trânsito, Detran. Unidade de terapia intensiva, UTI. Produto Interno Bruto, PIB. Presidência da República, PR. Ministério da Educação, MEC. Banco Nacional de Desenvolvimento Econômico e Social, BNDES. Caixa Econômica Federal, CEF. Instituto Nacional de Seguridade Social, INSS. Serviço Social da Indústria, Sesi.

ABREVIATURAS: Valem as consagradas ou inventadas. Mas a liberdade tem limite. É a compreensão. O leitor tem de entender o código: *senhor (sr.), apartamento (ap.), página (pág., p.), capítulo (cap.), século (séc.), porque (pq), que (q), também (tb), abraço (abr),* *beijo (bj), qualquer (qq), você (vc, v), quem (qm), teclar (tk), para (pra, p), janeiro (jan).*

CÓDIGOS DIFERENTES: Cerimônia não tem vez na web. Na perseguição obsessiva pelo curto, misturam-se códigos. Sinais antes exclusivos da matemática, da contabilidade ou da biologia ganham novos habitats. Palavras cedem o lugar sem criar problema. Sabem que rainhas coroadas nunca perderão a majestade.

mais (+)
menos (-)
vezes (x)
dividir (:)
igual (=)
dinheiro ($)
reais (R$)
dólares (US$, U$)
euros (€)
homem (♂)
mulher (♀)

VOZ ATIVA: Além de dar dinamismo à frase, a voz ativa tem duas vantagens. Uma: livra-se do verbo ser. A outra: é mais curta.

Compare:

O diretor escreveu a mensagem. (30 toques)
A mensagem foi escrita pelo diretor. (36 toques)
Falação expulsa navegadores da internet. (40 toques)
Navegadores da internet são expulsos pela falação. (50 toques)

NUMERAIS

Um: 1

Dois: 2

Três: 3

Quatro: 4

Vinte e dois: 22

Primeiro: 1º

Décimo quinto: 15º

FORMAS POSITIVAS. A regra: diga o que é, não o que não é. Assim:

Luís não é pontual. (19 toques)

Luís é impontual. (17 toques)

Paulo não chega na hora marcada. (32 toques)

Paulo chega atrasado. (21 toques)

Maria não assistiu à aula. (27 toques)

Maria faltou à aula. (20 toques)

Dunga não fez mudança na equipe. (32 toques)

Dunga manteve a equipe. (23 toques)

SINAIS DE PONTUAÇÃO

O quê? Não entendi = ?

Surpresa, admiração = !

Suspense = ...

FRASES CURTAS

Cheguei atrasado porque perdi o ônibus. (39 toques)

Cheguei atrasado. Perdi o ônibus. (33 toques)

Estuda pouco, por isso tira notas baixas nas provas. (52 toques)

Estuda pouco. Tira notas baixas na escola. (42 toques)

Alunos recém-aprovados no vestibular chegarão à universidade no segundo semestre, podendo, se forem estudiosos, concluir o curso em quatro anos, fazendo, em seguida, um curso de pós-graduação. (191 toques)

Alunos aprovados no vestibular chegam à universidade no 2º semestre. Se forem estudiosos, acabam o curso em 4 anos e fazem pós-graduação. (136 toques)

CÓDIGOS EMOCIONAIS. Cuidado. Nem todos têm familiaridade com eles. Na dúvida, não os use:

:-) ou :) ou =) (contente)

:-(ou :((triste)

:-o ou :-O (surpreendido ou muito surpreendido)

:-e (desiludido)

\>:-< (zangado)

Corte

"Não há nada pior do que dar longas pernas para pequenas ideias."
MACHADO DE ASSIS

"Escrever é cortar", definiu Marques Rebelo. Ele se deu conta de que o problema mais comum do texto é o tamanho. Escreve-se demais, escreve-se muito como se a qualidade pudesse ser medida por metro ou peso. Não é. A limitação do Twitter serve de prova. Corte. O quê?

PALAVRAS ACESSÓRIAS: Substantivos e verbos são soberanos. As demais classes gramaticais, serviçais. Adjetivos, advérbios, pronomes, conjunções & cia. são bem-vindos, mas têm vida instável. Na hora da tesoura, são os primeiros a rolar: *O (bom) atleta (sempre) treina (faz seus treinos profissionais) com (muito) empenho e (grande) dedicação.*

ARTIGOS INDEFINIDOS: Em 99% dos casos, é gordura pura. Tesoura nele: *Hugo Chávez quer implantar (um) novo socialismo na América do Sul. Sarkozy deu (uma) entrevista ao* Correio Braziliense. *Eleições promovem (uma) renovação no Congresso Nacional.*

PRONOMES SEU E SUA: Eles parecem inofensivos. Mas causam estragos. Tornam o texto ambíguo ou, sem função, viram o belo Antônio. Pau neles! *No (seu) discurso, Dilma elogiou o acordo com a França. O motoqueiro quebrou a (sua) perna, fraturou os (seus) dedos, arranhou o (seu) rosto. Antes de sair, calçou os (seus) sapatos, vestiu a (sua) blusa e pôs os (seus) óculos.*

PRONOME SUJEITO

(eu) saio
(ele) sai
(nós) saímos
(eles) saem

PRONOME TODOS

Se o artigo engloba, o *todos* sobra em muitas situações. Xô! Sem ele, ganham-se cinco toques:

Estudo inglês todas as terças e quintas-feiras.

Estudo inglês às terças e quintas-feiras.

Todos os estudantes que faltaram perderam a explicação.

Os alunos que faltaram perderam a explicação.

Todos os pediatras de Brasília cruzaram os braços em protesto por melhor remuneração.

Os pediatras de Brasília cruzaram os braços em protesto por melhor remuneração.

ALGUM, ALGUMA

Algumas crianças caíram. (24 toques)

Crianças caíram. (16 toques)

Há alguns livros dispensáveis. (30 toques)

Há livros dispensáveis. (23 toques)

No texto, algumas palavras sobram. (34 toques)

No texto, palavras sobram. (26 toques)

QUE É, QUE FOI, QUE ERA

Brasília, que é a capital do Brasil, localiza-se no Planalto Central. (69 toques)

Brasília, a capital do Brasil, localiza-se no Planalto Central. (63 toques)

D. Pedro II, que foi imperador do Brasil, morreu em Paris. (58 toques)

D. Pedro II, imperador do Brasil, morreu em Paris. (50 toques)

Lula, que era torneiro mecânico, tornou-se presidente da República. (67 toques)

Lula, torneiro mecânico, tornou-se presidente da República. (59 toques)

NAS DATAS, OS SUBSTANTIVOS DIA, MÊS E ANO

Casou-se no dia 10 de janeiro. (30 toques)

Casou-se em 10 de janeiro. (26 toques)

No mês de março costuma chover muito. (37 toques)

Em março costuma chover muito. (30 toques)

No ano de 2005, conseguiu apresentar a dissertação de mestrado. (63 toques)

Em 2005, conseguiu apresentar a dissertação de mestrado. (56 toques)

ZEROS DESNECESSÁRIOS

Brasília, 07.06.2008. (21 toques)

Brasília, 7.6.08. (17 toques)

VERBO TENTAR

Os psicólogos ensinam. Quem quer ser afirmativo dispensa o verbo tentar. "Quem tenta", dizem eles, "não faz." Xô! Sem ele, dobra-se o lucro. Ganham-se leitores e sete toques:

Vou tentar mostrar o poder da eleição. (38 toques)

Vou mostrar o poder da eleição. (31 toques)

Vamos tentar entregar o trabalho no prazo. (42 toques)

Vamos entregar o trabalho no prazo. (35 toques)

EXPRESSÕES ADIPOSAS

Decisão tomada no âmbito da diretoria? É decisão tomada pela diretoria. Melhor: decisão da diretoria.

> *Trabalho de natureza temporária? É trabalho temporário.*
>
> *Problema de ordem familiar? É problema familiar.*
>
> *Curso em nível de pós-graduação? É curso de pós-graduação. Melhor: pós-graduação. Melhor ainda: pós.*
>
> *Lei de alcance federal? É lei federal.*
>
> *Doença de característica sexual? É doença sexual.*

Troque

"É preciso mudar para ficar tudo na mesma."
Lampedusa

A dificuldade de cortar? É o apego. Há pessoas que consideram palavras parte de si. Desfazer-se delas dói. É como abandonar um filho ou o ser amado. Mas a língua é generosa. Oferece opções de trocar seis por meia dúzia. Quer ver? Troque:

LOCUÇÕES PREPOSITIVAS POR PREPOSIÇÕES:

O livro está embaixo da almofada. (33 toques)

O livro está sob a almofada. (28 toques)

O prato está em cima da mesa. (29 toques)

O prato está sobre a mesa. (26 toques)

Falou a propósito da viagem. (28 toques)

Falou sobre a viagem. (21 toques)

Nada tenho a dizer em relação ao assunto. (41 toques)

Nada tenho a dizer sobre o assunto. (35 toques)

Em face do exposto, sentiu-se apto a decidir. (45 toques)

Ante o exposto, sentiu-se apto a decidir. (41 toques)
Estudo a fim de passar no concurso. (35 toques)
Estudo para passar no concurso. (31 toques)
Estudo pra passar no concurso. (30 toques)

LOCUÇÃO CONJUNTIVA POR CONJUNÇÃO

Estuda, de maneira que tira boa nota. (37 toques)
Estuda, logo tira boa nota. (27 toques)

LOCUÇÕES VERBAIS POR VERBOS SIMPLES

pôr ordem nas ideias = ordenar as ideias
pôr moeda em circulação = emitir moeda
fazer uma redação = redigir
fazer um discurso = discursar
fazer uma viagem = viajar
ver a beleza da noiva = admirar a noiva

LOCUÇÕES ADJETIVAS POR ADJETIVOS

população das margens dos rios = população ribeirinha (ribeirinhos)
líquido sem cheiro = líquido inodoro
água boa para beber = água potável
material de guerra = material bélico
criança com educação = criança educada

PRONOMES

Todos os alunos saíram. Os alunos saíram.
Vou ao teatro todas as terças-feiras. Vou ao teatro às terças.

140 Toques

Toda a turma se levantou. A turma se levantou.

Eles balançaram suas cabeças. Eles balançaram a cabeça. Eles mexeram a cabeça.

Aquele que trabalha recebe salário. Quem trabalha recebe salário.

Aquilo que vai dizer pode comprometê-lo. O que vai dizer pode comprometê-lo.

Sigam-me aqueles que forem brasileiros. Sigam-me os que forem brasileiros. Siga-me quem for brasileiro.

O FUTURO PELO PRESENTE

escreverei, vou escrever = escrevo

escreverá, vai escrever = escreve

escreveremos, vamos escrever = escrevemos

escreverão, vão escrever = escrevem

PERGUNTAS INDIRETAS POR PERGUNTAS DIRETAS

Gostaria de saber se você vai ao cinema.
Você vai ao cinema?

Não tenho certeza se ele vem jantar.
Será que ele vem jantar?
Ele vem jantar?

Quero que me informe quando chegará a encomenda.
Quando chega a encomenda?

Peço-lhe que saia.
Saia.

ORAÇÕES ADJETIVAS POR ADJETIVOS OU SUBSTANTIVOS

Os alunos que estudam tiram notas boas.
Os alunos estudiosos tiram notas boas.

O Banco do Brasil financia agricultores que plantam café.
O Banco do Brasil financia cafeicultores.

Roupas com as cores que estão na moda custam mais.
Roupas com cores modernas custam mais.

ORAÇÃO SUBSTANTIVA POR SUBSTANTIVO

A comunidade exige que o criminoso seja punido.
A comunidade exige a punição do criminoso.

O filho pede que o pai o perdoe.
O filho pede o perdão do pai.

A mãe sugeriu que o filho fosse escolhido.
A mãe sugeriu a escolha do filho.

ORAÇÃO DESENVOLVIDA POR REDUZIDA

Depois que escolher o título, escrevo o artigo.
Escolhido o título, escrevo o artigo.

Agora que expliquei o assunto, passo a ler o livro.
Explicado o assunto, passo a ler o livro.

Depois de ouvir a palestra, mudei de ideia.
Ouvida a palestra, mudei de ideia.

NOMES POR VERBOS

Pediu 10 dias para implantação do projeto.
Pediu 10 dias para implantar o projeto.
Impôs condições para a saída.
Impôs condições para sair.

O NOME DO MÊS PELO NÚMERO

Apresentou o trabalho em 30 de janeiro de 2008.
Apresentou o trabalho em 30.1.08.

TROCAR LETRAS? OPS! CUIDADO. Respeite os visitantes de sites noticiosos. Eles abominam economias como estas:

acho = axo
aqui = aki
aquilo = akilo
cadê = kd
quero = kero
valeu = vlw
tchau = chau

Fazer, desfazer, refazer

FAZER

Graciliano Ramos gostava mais da tesoura que da pena. Cortava sem piedade. A cada revisão, livrava as frases de adjetivos, advérbios, pronomes, gerúndios, conjunções. Um dia confessou: "Meu sonho é publicar *Vidas secas* em branco". Morreu antes.

DAD SQUARISI

O velho Graça trabalhava como revisor. No exercício da função, eliminava gorduras verbais com o prazer de quem saboreia a ambrosia do Olimpo. Se vivesse hoje, tuitaria com orgasmos. Vale sonhar? Imaginemos que ele recebesse este texto com 199 toques. O desafio: descarná-lo. Reduzi-lo a esqueleto com 52 ossinhos.

Como todo mundo sabe, em decisão polêmica, o Conselho de Ética da Câmara Alta decidiu arquivar todos os onze processos contra o ex--presidente da República e agora senador do PMDB do Amapá José Sarney.

Primeira versão
Se todo mundo sabe, não precisa dizer:

Em decisão polêmica, o Conselho de Ética da Câmara Alta decidiu arquivar todos os onze processos contra o ex-presidente da República e agora senador do PMDB do Amapá José Sarney. (177)

Segunda versão
Caia fora, adjunto adverbial:

O Conselho de Ética da Câmara Alta decidiu arquivar todos os onze processos contra o ex-presidente da República e agora senador do PMDB do Amapá José Sarney. (156)

Terceira versão
Xô, locução verbal:

O Conselho de Ética da Câmara Alta arquivou todos os onze processos contra o ex-presidente da República e agora senador do PMDB do Amapá José Sarney. (148)

Quarta versão
Se Sarney é senador, só o Senado pode julgá-lo:

O Conselho de Ética arquivou todos os onze processos contra o ex--presidente da República e agora senador do PMDB do Amapá José Sarney. (133)

140 Toques

Quinta versão
Rua, *todos*:

O Conselho de Ética arquivou os onze processos contra o ex-presidente da República e agora senador do PMDB do Amapá José Sarney. (127)

Sexta versão
Venha, numeral:

O Conselho de Ética arquivou os 11 processos contra o ex-presidente da República e agora senador do PMDB do Amapá José Sarney. (125)

Sétima versão
O artigo dispensa o numeral:

O Conselho de Ética arquivou os processos contra o ex-presidente da República e agora senador do PMDB do Amapá José Sarney. (122)

Oitava versão
Saiam, especificações:

O Conselho de Ética arquivou os processos contra José Sarney. (60)

Nona versão
Venha, enxutinha:

Conselho de Ética arquiva os processos contra Sarney. (52)

Refazer

Você é o autor do texto. Não gostou? Sem problema. O post comporta 140 toques. Só tem 52. Seu crédito: 88. Devolva gordurinhas ao esqueleto. Exerça seu poder. Escolha. O que falta? O numeral? Traga-o de volta. Um ou outro adjetivo? Promova-lhe o retorno. Só o "como todo mundo sabe" não tem vez. Afinal, se todo mundo sabe, para que dizer?

Você não precisa inventar nada. A língua é generosa. Mais flexível que cintura de político, tem 500 mil vocábulos e múltiplas estruturas para satisfazer as urgências. A prática tem reflexo plural. Além de escrever tuítes mais sedutores, você melhora os demais textos. O Twitter leva ao extremo a imposição da modernidade: menos é mais.

CAPÍTULO 3

O JORNAL SE REINVENTA

A PURAÇÃO FEITA, DADOS NA MÃO, é hora de vender o peixe. Como? Há formas e formas de apresentar a notícia. Textos, fotos, infografias, tabelas, quadros, ilustrações são algumas. Qual a melhor? A mais adequada e atraente para o leitor. Repórteres, redatores e editores precisam desenvolver a capacidade de escolher a ideal para a matéria. Duas perguntas se impõem. Uma: o que quero comunicar? A outra: qual a melhor maneira de fazê-lo?

É importante pensar com cabeça hipermídia. O jornal não se restringe a assinaturas ou vendas em banca. Está na internet e no tablet. Tem, por isso, de atender às exigências de cada leitor. Páginas limitadas a longos textos e algumas fotos cheiram a mofo. Impõe-se recorrer ao vasto repertório de expedientes que ventilam a apresentação. Usá-los constitui atestado de disposição, criatividade e, sobretudo, sintonia com a modernidade. Se determinada informação pode ser transmitida de modo correto e eficiente por meio de texto convencional ou de recursos gráficos, não hesite. Escolha o segundo caminho. Ou os dois.

Mais: uma matéria pode ter retrancas especiais (explicativas, históricas, opinativas, de serviço). Elas dividem o assunto, facilitam a leitura e se aproximam da forma como o navegador da web lê. Mas exigem atenção dobrada. Em primeiro lugar, para não repetir informação apresentada no texto principal ou em outra retranca. Em segundo, para não transformar a notícia numa colcha de retalhos sem fio condutor. Informações pulverizadas perdem força.

Variados apetrechos funcionam como lufada de ar que quebra o bloco compacto de períodos e parágrafos. Complementares, não devem ultrapassar o tamanho da matéria principal. Devem enriquecê-la, iluminar pormenores aparentemente sem importância e seduzir o leitor para que vá até o ponto-final. Se possível, estimulá-lo a buscar outros detalhes por via eletrônica. A interatividade tem de ser perseguida com obsessão.

RECURSOS DA SEDUÇÃO

Hipertexto

Ops! O hipertexto quebra a linearidade do texto. Com poucas linhas, aprofunda o assunto em paralelo. O leitor pode continuar a leitura ou interrompê-la e, satisfeito, voltar a ela. O título, com no máximo duas palavras, abomina redundância. Não repete o vocábulo em destaque. Se o hipertexto, por exemplo, dá realce à expressão "reforma agrária", o título pode ser "Disputa centenária". A primeira frase deve conter uma referência ao tema: "A reforma agrária se arrasta no Brasil há três séculos".

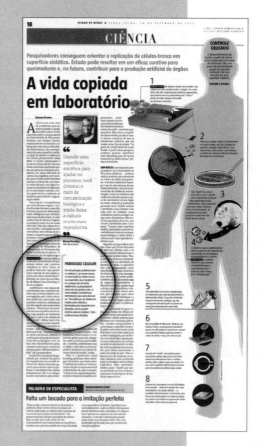

OUTRAS AÇÕES

O PSOL é autor de importantes representações contra a família Roriz. Em 2007, o partido entrou com processo por decoro contra o então senador Joaquim Roriz, que se envolveu no escândalo conhecido como Bezerra de Ouro. Na eleição do ano passado, Toninho pediu a impugnação da candidatura do ex-governador para o Palácio do Buriti com base na Lei da Ficha Limpa. Roriz, mais uma vez, fugiu da disputa e trocou de lugar com a mulher, Weslian Roriz (PSC), derrotada no pleito.

Eu acho

O leitor fala, opina, entra nas páginas como parte da matéria. O texto deve ser todo em primeira pessoa e entre aspas. Na identificação, devem constar nome, idade e profissão do entrevistado. O mesmo vale para as variações *Eu fui, Eu vou fazer, Eu quero*, etc.

EU ACHO...

"A prefeitura comunitária é essencial para que a população se organize. Antes de ter uma associação dos moradores do Taquari, a gente vivia batendo na porta da administração e muitas vezes não conseguia o que queria. Sou adepto do lema faça você mesmo. A prefeitura tem meu total apoio."

José Gadelha, 68 anos, aposentado

Palavra de especialista

É o parecer de quem entende do assunto. Inclui título e texto do especialista consultado. No final, a identificação deve ser feita da seguinte forma: Fulano de tal, profissão ou especialização. Exemplo: José dos Santos, chefe da Faculdade de Medicina da Universidade de Brasília.

MONITORAMENTO PARA EVITAR RISCOS

Na onda do verão do carnaval, é natural a pessoa querer ficar bonita. Hoje em dia, a forma mais popular é o exercício programado, em que um profissional vai passar a monitorar atividades, evitando risco. Mas é importante o aluno ter consciência de que, mais importante do que o resultado imediato, é aderir ao estilo de vida que o tornará mais saudável.

Ele deve ir ao médico primeiro e, posteriormente, o professor montará um programa de acordo com os objetivos. Não tem como apressar nem determinar em quanto tempo os resultados vão acontecer. É a continuidade que vai trazer os benefícios para a saúde. Muitas vezes as possibilidades que você vê o mercado oferecer ferem os princípios de uma vida saudável.

A mulher fica com neurose de engordar e pode desenvolver uma anorexia. O homem está com aumento de massa muscular e acha que

Manual de Redação e Estilo para Mídias Convergentes

nunca está grande o suficiente. Qualquer resultado fácil e rápido a gente pode desconfiar. O exercício que traz qualidade de vida deve ser encarado como um hábito de higiene e não deve ser interrompido. É como escovar os dentes.

Marcelo Bóia, *coordenador do curso de Educação Física, foi sócio da academia por 25 anos*

E EU COM ISSO?

O texto, produzido pela redação, estabelece relação direta com o universo do leitor. Não tem título. Deve ter, no máximo, cinco linhas.

A degradação da crise no Irã pode se refletir no bolso do brasileiro a longo prazo. Para o analista iraniano Nader Entenssar, o prolongamento provocará uma crise global no fornecimento do combustível. O Irã é o quinto exportador de petróleo, responsável por 4,5 da oferta mundial do produto.

DAD SQUARISI

FRASE. Sentença que merece destaque. Realçada, a declaração sobressai e dá o tom da narrativa. As aspas que abrem a citação são gráficas, ou seja, inseridas na página pelo diagramador. Impõe-se fechá-las. A identificação segue o padrão do *Eu acho*: nome, seguido da ocupação do autor da sentença.

"A vaga é dos suplentes de coligação, não do partido."
Ricardo Lewandowski, presidente do Tribunal Superior Eleitoral (TSE)

"A idade não é importante. Houve alguns papas muito breves, mas renderam ótimo trabalho."
Dom Cláudio Hummes, cardeal-arcebispo de São Paulo

"Se for arredondada para baixo, teremos menos do que um quinto de advogados e membros do MP no tribunal, e a Constituição determina que pelo menos um quinto das vagas seja destinado à advocacia e ao MP."
Guilherme Peres de Oliveira, subprocurador-geral da OAB-RJ

OPINIÃO DO INTERNAUTA

Trata-se da convergência de mídias. Leitor da web tem vez nas páginas do jornal. A matéria deve ser sempre precedida do seguinte texto: "Leitores comentam reportagem do (nome do jornal) sobre…". As opiniões são publicadas sem títulos, com aspas e, ao final, a identificação.

*Leitores do **Correio** comentaram no site a reportagem sobre o negócio suspeito da pós-graduação envolvendo os institutos Nesb e Cap. Veja trechos:*

MARCELO RODRIGUES

"Essa situação acontece porque o próprio MEC viabiliza isso por meio de concessão a essas pequenas faculdades que nem sequer mestres doutores possuem. Duvido até que sejam graduados. Coisa séria, só em faculdade privada grande ou federal mesmo. E educação nesse país só vai de mal a pior mesmo. Meu Deus!"

RONALDO REIS

"E alguns ainda enchem a boca para falar que têm pós. Só se for em cara de pau."

FRANCISCO PESSOA

"Os incompetentes que compram não têm coragem de fazer uma pós decente na UnB."

MOISÉS CARVALHO

"É lamentável ver a qualidade do ensino ministrado por algumas instituições. Absurdo maior é vermos a postura dos acadêmicos, compactuando com essa falsa capacitação."

91

DAD SQUARISI

ANÁLISE DA NOTÍCIA. Trata-se da interpretação dos fatos apresentados na matéria. Mostra-lhe o significado e projeta as consequências. Pressupõe domínio do tema e capacidade de explicá-lo ao leitor. É importante prevê-la cedo para que o encarregado de redigi-la tenha tempo de apurar as informações.

Embora tenha assegurado a presidência e a relatoria da CPI dos Correios, o Palácio do

ARTIGO

É A OPINIÃO DE ESPECIALISTA SOBRE O ASSUNTO EM PAUTA. SE O TEMA FOR POLÊMICO, PODE-SE PUBLICAR UM PRÓ E OUTRO CONTRA. O LEITOR AGRADECE.

UM DIREITO DO HOMEM

FERMIN ROLAND SCHRAMM (será que ocupa ainda o cargo? Quando e onde foi publicado?)

Coordenador do Conselho de Bioética do Instituto Nacional do Câncer, membro da Diretoria da Sociedade Brasileira de Bioética e presidente da Regional do Rio de Janeiro

Quando nasceu Dolly, quatro anos atrás, defendi a legitimidade da clonagem, inclusive a humana, porque estava — e continuo — convencido de que o ser humano tem, a princípio, o direito moral de transformar sua natureza biológica. Se ele é capaz de fazer isso com segurança e se isso traz benefícios à saúde e qualidade de vida para os indivíduos humanos, sem prejudicar outros seres humanos e, eventualmente, outros seres vivos e seus ambientes, por que não?

Em suma, considero moralmente legítimo (e até indício de estágio adulto de moralidade) o fato de controlar e direcionar o processo da evolução humana. Isso faz parte do poder adaptativo do homem, que inclui a adaptação de sua natureza a seus projetos de vida. Para mim, o problema

Manual de Redação e Estilo para Mídias Convergentes

Planalto tem de dosar a comemoração pela vitória. Apenas a primeira batalha foi ganha. Se não por ter perdido para a oposição dois votos de governistas (com 13 votos assegurados, o candidato da oposição recebeu 15), os governistas terão de ter cautela porque conduzirão os trabalhos, e o resultado de uma investigação é quase sempre incontrolável. Ao assegurar o comando da CPI, o governo pode ter apenas uma vitória de Pirro, sendo forçado a se render a evidências e indícios que não deseja. Venceu o primeiro embate com a oposição, mas pode acabar atropelado pelos fatos que a comissão trará à tona.

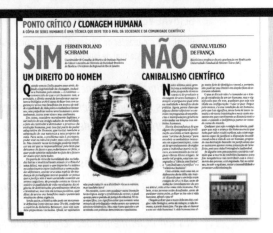

não é, portanto, utilizar ou não esse poder, mas como utilizá-lo. Não investir nessa tecnologia poderia implicar ter de se responsabilizar pelo bem que deixamos de fazer e que poderíamos ter feito, o que pode redundar num futuro pior para todos.

Do ponto de vista da moralidade das sociedades laicas e multiculturais (o Brasil é uma delas), nas quais o que importa é o mútuo reconhecimento entre indivíduos e comunidades diferentes, assiste-se a uma espécie de mudança de paradigma moral. O fato ocorre quando se pensa que a justiça não é mais encarada só em termos negativos, de proteção contra os riscos à saúde e à qualidade de vida resultantes da vigência de determinados procedimentos técnicos e biotécnicos, mas em termos positivos. Quer dizer: de acesso aos benefícios reais e potenciais resultantes dessa vigência.

Sendo assim, a bioética não pode ser meramente defensiva (como era nos anos 70 e 80, conforme o espírito do Relatório Belmont), mas propositiva e inclusiva. Afinal, ser equitativo não pode reduzir-se a distribuir riscos e estresses, mas bens. No entanto, como com qualquer outra inovação tecnológica, surge o problema do acesso, que aponta para a questão de justiça distributiva. No caso específico, significa evitar que só uma minoria de privilegiados tenha acesso aos avanços técnicos e biotécnicos. Mas essa é questão a ser resolvida com políticas democráticas.

CANIBALISMO CIENTÍFICO

GENIVAL VELOSO DE FRANÇA

Bioeticista e professor da pós-graduação em bioética da
Universidade Estadual de Montes Claros (MG)

Nos últimos anos, geneticistas e embriologistas vêm propondo técnicas capazes de produzir a clonagem de seres humanos. Sempre se perguntou qual seria, na realidade, o benefício da prática. Agora, parece claro que alguns dos objetivos se centram em programas de experiências e manipulações genéticas orientadas para terapia com embriões humanos.

Havia desconfiança de que programas de fertilização assistida seriam apenas uma cortina de fumaça para encobrir os verdadeiros interesses em experimentações, como as de aproveitamento de órgãos para o indivíduo matriz no futuro, escamoteando assim alguns óbices éticos e legais. Se aceito tal projeto, estariam consagrados a ciência sem limites, o canibalismo científico e o cobaísmo humano.

Com certeza, mais uma vez, os defensores da ideia vão insistir dizendo que o embrião num estágio de 10 a 14 dias, antes da nidação (aninhamento do ovo no útero), não seria vida humana. Pois bem, essas pessoas estão desafiadas, antes de qualquer outra coisa, a dizer: se não é vida humana, afinal o que é?

Chegam a dizer que a nossa vida tem dois estágios: vida biológica, antes da nidação; e vida humana, a partir dessa fase. Por que não se chamar a esse ovo vida humana? A vida humana tem algo muito forte de ideológico e moral e, portanto, não pode ter os limites em simples fases de estruturas celulares.

O que se discute não é o tamanho ou o tempo de existência de um ser humano, mas o significado que ele tem, qualquer que seja a idade ou a configuração. O que se quer, pelo menos, é chegar a sua condição de ser humano, pelo que isso significa nesta hora de tanto tumulto e tanta inquietação e neste exato momento em que o sentimento se distancia mais e mais, e quando a indiferença parece ter tomado conta do mundo.

Qualquer que seja o estágio da ciência, qualquer que seja o avanço da biotecnocracia, que tudo quer saber e tudo explicar, não existe argumento capaz de justificar a disposição incondicional sobre a vida de um ser humano, propondo sua destruição baseada em justificativas que se sustentem apenas em presunção de benefícios. Essa vida é intangível e inalienável.

Se alguém tem pensamento contrário e admite que a morte de embriões humanos para fins terapêuticos vai contribuir para o crescimento das pessoas, está enganado. Vai, no mínimo, incutir o egoísmo, saciar a insensibilidade e promover a discriminação.

Blá-blá-blá

Falação, falação e falação. Resultado? Nenhum. Escrever a retranca sobre a retórica vazia implica levantamento das situações anteriores que justifiquem o apelo ao recurso.

Nem bem terminou o carnaval, outro samba aparece no Rio. O provável futuro candidato a presidente da Liga Independente das Escolas de Samba e atual presidente da Beija-Flor, Farid Abraão David, apareceu com a ideia de construir outro sambódromo, desta vez na Barra da Tijuca. O prefeito César Maia ironizou: as escolas têm toda liberdade para construir, desde que não peçam nenhuma subvenção oficial. "Há dez anos os clubes de futebol ameaçam parar de jogar no Maracanã e, até hoje, nenhum deles se movimentou para fazer outro estádio", disse. Essa história ainda vai virar um samba do crioulo doido.

CRÍTICA

Avaliação de uma obra ou espetáculo.
Se assinada por especialista, ganha crédito.

PAROU POR QUÊ?

Pioneiros na harmonização vocal e na fusão da country music com o rock-'n'-roll, os Everly Brothers saíram do Kentucky para imantar a segunda metade dos anos 1950 com violões robustos e envolvente bateria, que em nada devia à de Bo Diddley. Esse novo som que não só seduziria milhões de adolescentes com sucessos arrebatadores (Bye bye love, Wake up little Susie, All I have to do is dream, Cathy's clown, Love hurts), *mas cuja influência permearia, no futuro, o trabalho de ícones como Simon & Garfunkel, The Byrds, The Hollies, Lovin' Spoonful e os Beatles.*

Fruto do histórico concerto que agregou os irmãos Don e Phil em Londres, em 23 de setembro de 1983, o DVD Reunion concert — Live at Royal Albert Hall (ST2/Eagle Vision) *veio reparar uma triste separação, ocorrida ainda na década de 1970, por conta de brigas constantes e da dependência química de Don às anfetaminas.*

Mesmo que no som da dupla tudo transcorra de forma imaculada, logo no início do show as velhas desavenças ficam evidentes, quando Don e Phil se dirigem aos respectivos microfones, montados em lados opostos do palco. Aliás, sabe-se que ambos viajaram separadamente até Londres e só se cumprimentaram friamente, por alguns segundos, antes de encarar a plateia lotada do Royal Albert Hall.

Manual de Redação e Estilo para Mídias Convergentes

Como um passe de mágica, tal rancor não chega a ficar evidente quando as vozes se misturam no ar para brindar os fãs com repertório inolvidável.

Além de seus próprios sucessos, a generosa lista incluiu uma verdadeira antologia do rock feito nos anos 1950, como evidenciam as releituras de clássicos do porte de Be-bop-a-lula *(Gene Vincent)*, Claudette *(Roy Orbison)*, Love is strange *(Mickey & Sylvia)* e Lucille *(Little Richard)*.

CARA A CARA

Dois especialistas apresentam pontos de vista diferentes sobre o assunto da reportagem. Trata-se da resposta à pergunta clara e objetiva.

A LEI DA FICHA LIMPA DEVE VALER PARA VOTAÇÃO DESTE ANO?

Mozart Valadares, presidente da Associação dos Magistrados do Brasil (AMB)

"Sim. A lei determina causas de ilegibilidade que só podem ser observadas no momento do pedido de registro de candidatura. No momento de verificar se alguém pode concorrer a um cargo eletivo, o juiz faz uma análise das normas que especificam as condições para tanto. Naquela época, a lei complementar estava em pleno vigor. Por isso, não se pode falar em retroatividade. Além disso, essas mudanças na legislação não alteram o processo eleitoral. Basta se lembrar das multas aplicadas pela Justiça Eleitoral para políticos por conta de campanha fora de época, antes do início do processo eleitoral, quando somente existem pré-candidatos. A Lei da Ficha Limpa não altera a captação de recursos nem as regras da propaganda eleitoral, por isso não mexe com a questão processual."

Inocêncio Mártires Coelho, professor de direito constitucional e fundador do Instituto Brasiliense de Direito Público

"Não. A questão principal trata da garantia da retroatividade da lei. Todas as outras discussões são paralelas, com o argumento da anualidade. Elas fogem do foco, que é o absurdo da aplicação da norma para fatos ocorridos no passado. Ninguém pode fazer nada ontem. Por isso, toda lei só se aplica para fatos futuros. A

retroatividade só é permitida em benefício do réu. Além disso, quando dizem que inegibilidade não é sanção, acho graça. É uma restrição de direito. O problema acontece quando passam a fulanizar questões jurídicas. Misturar o nome de Joaquim Roriz com a validade da aplicação da norma perturba o raciocínio. Se não querem o Roriz, não votem nele. Mas é uma covardia usar uma lei contra alguém, porque ela é abstrata e não tem humor. Amanhã, esse alguém prejudicado pode ser você. Essa é uma garantia que assegura a todos dormir em paz."

DAD SQUARISI

Entenda o caso

Contextualização da matéria. Explica o assunto para quem não acompanhou o desenrolar dos fatos no dia a dia.

DECISÃO ARRISCADA

Em dezembro de 2003, o primeiro-ministro israelense, Ariel Sharon, apresentou a proposta de retirada da Faixa de Gaza. A iniciativa prevê a saída dos efetivos militares israelenses e o desmantelamento das 21 colônias judaicas na região e quatro na Cisjordânia. Em compensação, assentamentos continuariam a ser construídos na Cisjordânia.

O obstáculo para aplicar o plano é interno. Os judeus se recusam a deixar as terras, considerando que são parte de Eretz Israel (Terra de Israel). São 7.500 assentados na Faixa de Gaza, onde moram 1,3 milhão de palestinos. Mas são barulhentos. E sua proteção militar custa caro.

Depois da retirada, Israel continuará controlando o espaço aéreo e as fronteiras dos territórios palestinos. Sharon paga alto preço pelo plano. O desmantelamento compromete a imagem de defensor dos colonos que fizeram a fama do premiê nos anos 70 e 80, quando incentivou a construção de vários assentamentos.

Serviço/Dicas

A prestação de serviços é indispensável. Não pode se limitar a determinadas editorias ou seções. A vinheta *Serviço* deve contaminar todo o noticiário. O tamanho médio é de um parágrafo. Mas pode ser que o serviço cresça muito. Nesse caso, sai do pé da matéria e ganha espaço como retranca separada. A vinheta permanece. Cuidado: o leitor identifica sem dificuldade um serviço malfeito, incompleto, de pouca serventia. A principal qualidade exigida de um serviço é a utilidade. O recurso deve tornar a vida do leitor mais fácil, economizar tempo e esforço dele. Se não for assim, não vale a pena.

PLACEBO EM BRASÍLIA

Show do trio inglês pelo Projeto Claro Que É Rock. Amanhã, na Concha Acústica (SHTN, polo 3, beira do Lago Paranoá), às 21h. Ingressos: R$ 30 e R$ 15 (meia) à venda na Fnac (ParkShopping) e em lojas da Claro no Conjunto Nacional e Pátio Brasil.

CAMPO DE SANGUE

De Dulce Maria Cardoso, Companhia das Letras, 272 páginas, R$ 39.

NELSON FREIRE — CHOPIN

Álbum do pianista brasileiro Nelson Freire.
Lançamento: Decca/ Universal. Preço médio: R$ 27.

QUADRO

LEITOR APRESSADO ADORA ESSE RECURSO. NUM BOX, SINTETIZA-SE O CONTEÚDO TRATADO.

O QUE FALTA EXPLICAR

MENSALÃO

- De onde saía o dinheiro para o pagamento do mensalão aos deputados do PP e PL? Quem da cúpula do PT, além do tesoureiro Delúbio Soares, tinha conhecimento dele? Qual o sistema usado para o pagamento, por meio de quem ou de que empresas?
- Que deputados, além dos seis líderes do PP e do PL citados por Roberto Jefferson, recebiam o mensalão?
- Por que, ao ser avisado do mensalão, o governo não tomou providências? Por que o tesoureiro do PT não foi chamado a dar explicações? Por que nenhum detalhe foi pedido a Roberto Jefferson quando ele denunciou o mensalão ao presidente Lula?
- Por que a Comissão de Sindicância do Congresso arquivou a investigação do mensalão praticamente sem fazer investigação?
- Quem foi o autor da proposta de pagamento de mesada para convencer a deputada Raquel Teixeira (PSDB-GO) a mudar de partido? Foi mesmo o deputado Sandro Mabel (PL)?

DOAÇÕES DE CAMPANHA

- É verdade que o PT repassou para o PTB R$ 4 milhões em espécie, enchendo duas malas com cédulas de R$ 50 e R$ 100 do Banco Rural e do Banco do Brasil? Por que o dinheiro não foi declarado à Justiça Eleitoral? Qual a sua origem? Por que o PT usava, como disse Jefferson, o publicitário Marcos Valério para repassar o dinheiro ao PTB?
- Delúbio Soares, tesoureiro do PT, participou do recolhimento do dinheiro? Por ordem de quem? Quem mais da cúpula do PT sabia da doação irregular? Por que o PT também não declarou o repasse? Houve repasses para outros partidos?

- Há registro de depósitos mensais no valor de R$ 30 mil nas contas dos deputados Valdemar Costa Neto, Pedro Corrêa, José Janene, Pedro Henry, Sandro Mabel e Bispo Rodrigues, citados por Jefferson como beneficiários do mensalão? Eles estão dispostos a aceitar a quebra do sigilo bancário?

- Os bancos têm registro desses saques? Em nome de quem ou de que empresa foram feitos? Quem ou que empresas fizeram os depósitos? Há rastro nas duas instituições financeiras?

- É verdade que o PTB foi o partido da base que pediu menos dinheiro ao PT? Quanto pediram os outros? Quanto o PT prometeu e quanto repassou?

- Como funcionava o suposto esquema de arrecadação e distribuição do dinheiro? Quem mais, além de Marcos Valério, operava a serviço de dirigentes do PT?

- A secretária Karina Somaggio inventou denúncias contra o publicitário Marcos Valério e dirigentes partidários ou está sendo pressionada a desmenti-las?

DAD SQUARISI

INSERT

TEXTO CURTO, EM DESTAQUE, COM INFORMAÇÃO ADICIONAL SOBRE O TEMA.

PITADA PERNAMBUCANA

Se faltava algo na cozinha das músicas, isso foi compensado pela extrema simpatia e disposição para dançar com sombrinhas de frevo e brincar com as peças íntimas, que eram jogadas ao palco pelas moçoilas mais atrevidas. O final do show com I want it that way *— disparado o maior sucesso do grupo — e a nova e deliciosa* Straight through my heart *mostrou que cantar junto, se emocionar e voltar aos 14 anos pode ser uma das melhores pedidas para adocicar a vida de gente grande.*

RANKING

Um estudo da Organização das Nações Unidas (ONU) revela que o real foi a sétima moeda que mais se valorizou entre janeiro de 2008 e janeiro de 2010. De acordo com levantamento, a alta no período foi de quase 5%. A liderança do ranking pertence ao iene japonês, com ganho de 30%, seguido pelo franco suíço. O yuan chinês vem em terceiro, apesar de toda política de incentivo que o governo de Pequim imprime ao câmbio.

Linha do tempo/Cronologia

Informação gráfica com a cronologia dos fatos. Deve ter título próprio.

- **SAÚDE ABALADA**
  Hospitalizado duas vezes no último mês, o papa suspendeu a participação em várias cerimônias importantes, o que não ocorria desde o início do pontificado, em 1978.

- ***1º DE FEVEREIRO*** — *João Paulo II é internado no Hospital Gemelli, em Roma. O diagnóstico é de laringotraqueíte aguda.*

- ***4 DE FEVEREIRO*** — *O cardeal da cúria pontifícia, Francesco Pompedda, afirma que o papa pode dirigir a Igreja da cama no hospital, mesmo sem poder falar.*

- ***6 DE FEVEREIRO*** — *O papa reza o Angelus da janela do quarto. O Vaticano desmente que tenha usado o recurso de uma gravação.*

- ***9 DE FEVEREIRO*** — *João Paulo II celebra a quarta-feira de cinzas no hospital.*

- ***10 DE FEVEREIRO*** — *O santo padre regressa ao Vaticano a bordo do papamóvel e abençoa a multidão no trajeto.*

- ***23 DE FEVEREIRO*** — *A audiência semanal na Praça de São Pedro é feita por meio de vídeo, no qual o papa se dirige aos peregrinos com voz rouca e respiração difícil.*

- ***24 DE FEVEREIRO*** — *João Paulo II é hospitalizado de novo. Durante a noite, é submetido à traqueostomia para aliviar os problemas respiratórios.*

- ***27 DE FEVEREIRO*** — *Inesperadamente, o papa aparece na janela do quarto no hospital durante quase dois minutos para dar bênção aos fiéis com a mão.*

DAD SQUARISI

Memória

Recuperação de fatos passados que se relacionam com um acontecimento atual. Contém dados e informações mais antigos, sempre com a preocupação didática de agregar conhecimento. Na maioria das vezes, historia os antecedentes de uma situação para que o leitor compreenda melhor o momento presente. Recorda passagens históricas ou eventos que mereceram a atenção da imprensa. Por essa razão, pode ser escrita também na forma de pontos em ordem cronológica.

CELEIRO DE DELINQUÊNCIA

Quando o assunto é gangue, o Distrito Federal tem triste histórico. Nos anos 80, jovens barbarizavam no Gama e em Ceilândia. Na década seguinte, a rixa entre grupos de adolescentes fez dezenas de vítimas nas ruas de Planaltina. Em 1993, a classe média brasiliense descobriu que as quadras bem arborizadas do Plano Piloto não eram refúgio dos filhos para a violência urbana.

Na 316 Norte, uma gangue juvenil conhecida como Falange Satânica espancou até a morte o estudante Marco Antônio de Velasco e Pontes, de 16 anos. Em abril de 1997, o pataxó Galdino Jesus dos Santos foi queimado vivo por rapazes de classe média, enquanto dormia num ponto de ônibus da W3 Sul.

Meninos e meninas mantêm acesa a cultura da gangue

na capital do país. Há na Secretaria de Segurança Pública (SSP-DF) quase uma centena de grupos de pichadores identificada em todo o DF, incluindo o Plano Piloto. Muitos seguem à risca a cartilha da violência extrema. Oito em cada dez homicídios entre jovens têm a marca da vingança ou da rivalidade.

Planaltina é considerada um dos celeiros da delinquência juvenil no DF. De acordo com a Secretaria de Ação Social, 15% dos adolescentes que cumprem medidas socioeducativas na capital do país moram na cidade. Ceilândia e Samambaia ocupam os dois outros lugares no triste pódio.

NUMERALHA

Visualização gráfica dos números referidos na matéria. Tem título curto, de uma palavra ou duas no máximo.

QUASE UNÂNIME
107

Número de cardeais que teriam votado em
Joseph Ratzinger, segundo o vaticanista italiano
O razio Petrosillo, do jornal Il Messaggero.

JOÃO PAULO II
95

votos foram obtidos pelo polonês
Karol Wojtyla durante o conclave de 1978,
que durou três dias.

PERFIL

Apresenta uma pessoa ao leitor. É reportagem. Não uma coleção de depoimentos sobre alguém nem o resumo de um currículo profissional. Muito menos oba-oba. A história do perfilado precisa ficar clara: os pais, a família, o lugar de nascimento, a infância, os amores, o marcante na vida. O momento atual deve ser repleto de pormenores — como é o lugar onde vive, quais seus hábitos, pessoas que o cercam, é calmo, nervoso, conta piadas, fuma, bebe. É importante ouvir outras pessoas que conheçam o personagem e tenham algo a revelar sobre ele (tanto quem o elogia quanto quem o critica). Tem de ficar claro por que o personagem é importante a ponto de merecer uma reportagem só para ele. Importante não quer dizer famoso, mas que tem algo a mostrar. Gente desconhecida pode render belos perfis.

NADA FOI POR ACASO

1º de janeiro de 2011 cairá num sábado. Dilma Rousseff receberá do presidente Lula a faixa presidencial, desfilará em carro aberto, subirá a rampa do Palácio do Planalto e falará à nação de 190 milhões de almas. Uma Dilma feliz e emocionada como em poucos momentos de sua vida. Exibirá um sorriso largo, a face personificada de uma equipe vencedora, liderada por Luiz Inácio Lula da Silva, que, não satisfeito em ser o primeiro operário eleito e reeleito para comandar o país e terminar o segundo mandato com mais de 80% de aprovação popular, conduziu a primeira mulher à presidência da República Federativa do Brasil.

No dia da posse, Dilma Vana Rousseff terá 63 anos e será a mulher mais poderosa do mundo, segundo já anunciava o jornal britânico The Independent *seis dias antes do 1º turno da eleição. Entrará, então, para o rol dos políticos que têm impressa na biografia a marca do pioneirismo.*

Por aqui, sempre será comparada a Lula. No continente americano, a Barack Obama, o primeiro negro eleito para a Presidência dos Estados Unidos; antes dele, a Evo Morales, o primeiro índio a ocupar a Presidência da Bolívia.

Eles são parte da história por ter chegado a um posto de tal magnitude. Dilma também já é. E não é por um acaso, tampouco por uma questão de gênero. Desde os 16 anos, é uma militante política. Lutou contra a ditadura, foi presa, barbaramente torturada, trabalhou em favor da anistia, ajudou a fundar o PDT, foi secretária de Fazenda e secretária de Minas e Energia no Rio Grande do Sul, ministra de Minas e Energia e ministra-chefe da Casa Civil. Se

DAD SQUARISI

hoje acordou escorada nos votos da maioria absoluta do eleitorado de 135,8 milhões de brasileiros, é porque seguiu à risca, com a obstinação que lhe é peculiar, o plano traçado — e redesenhado no segundo turno — por Lula.

Dilma gosta de cumprir as tarefas que lhe são confiadas. Essa foi mais uma. Quem a conhece mais intimamente sabe que não foi uma simples vaidade que a fez substituir os óculos pelas lentes de contato, fazer duas plásticas, suavizar as sobrancelhas, moldar o cabelo à la Carolina Herrera — estilista que inspirou o penteado criado pelo cabeleireiro Celso Kamura — nem deixar de escolher sozinha o que veste. Para ela, cada um desses detalhes foi parte do trabalho.

Assim como foram deveres de ofício as horas intermináveis de gravação de programas eleitorais, o desafio de aprender a encarar a câmera, o esforço para acentuar o uai em certas ocasiões, o quase morrer de nervoso nos debates, os mais de 30 discursos país afora, o ter de gritar em alguns momentos e o ter de calar em outros.

Durante 120 dias de campanha eleitoral, Dilma foi do almoço chique na casa de Lily Marinho, que reuniu o high society e personalidades da área cultural, à Feira de São Cristóvão no Rio de Janeiro, de encontros com empresários em São Paulo ao agreste pernambucano. Ouviu elogios, trocou abraços e recebeu todo tipo de crítica. Ganhou seguidores e, mais ainda, perseguidores, inclusive virtuais.

No Orkut, 649 comunidades mencionam seu nome — 24 delas resvalam para o humor, satirizando a ex-ministra, sobretudo, com o rebolation. As 269 que falam bem enaltecem o fato histórico de uma mulher chegar à Presidência da República, quase oito décadas depois de o Brasil ter permitido o voto feminino. As outras 356 são agressivas. Criticam o seu passado, chamando-a de terrorista, e dizem que ela é a favor do aborto, da morte de criancinhas e contra as religiões cristãs.

Tais argumentos, de certa forma incorporados à plataforma de campanha de seu oponente, José Serra (PSDB), e disseminados pela internet são apontados como parte importante no processo que adiou a vitória da petista. A onda verde de Marina Silva e o chamado caso Erenice são os outros vértices do triângulo responsável por um ruidoso e desgastante segundo turno. Dilma precisou suavizar o discurso; disfarçar, sim, sua posição em relação ao aborto; abrigar em sua equipe até o falastrão Ciro Gomes, franco-atirador verbal que não poupou críticas ao governo Lula no período pré-eleitoral.

Tudo parte de uma estratégia. Mas isoladamente nada disso configurou-se um sacrifício descomunal. Ao longo dos meses que antecederam a eleição, a filha do imigrante búlgaro Pétar Russev — ou Pedro Rousseff, nome que adotou depois de ser naturalizado brasileiro — e da professora Dilma Jane Silva já havia incorporado mudanças substanciais para caber no molde do marqueteiro João Santana, a quem coube conduzir a metamorfose de Dilma ministra-chefe da Casa Civil para a Dilma candidata.

Desde o fim de 2007, o presidente Lula já cogitava intimamente fazer dela sua sucessora. Em setembro de 2009, o projeto já estava consolidado, inclusive entre os assessores. "Ela era a pessoa mais próxima do presidente, havia mostrado competência enorme na gestão, desde o Ministério das Minas e Energia, quando implementou toda a política energética do governo. Depois, na Casa Civil, com o Programa de Aceleração do Crescimento (PAC) e o Minha Casa, Minha Vida. O presidente passou a receber as coisas prontas, com os problemas resolvidos, e só colhia os louros", analisa uma pessoa que trabalhou nessa época no governo.

Diante desse histórico, não restou muita opção ao PT a não ser aceitar o que queria Lula. "Ela foi imposta goela abaixo do PT, já que José Dirceu e Antonio Palocci estavam fora. Apesar da experiência e da visibilidade que ganhou na Casa Civil, havia a dúvida de que Lula conseguiria transferir sua popularidade para ela. Mas Dilma se preparou e conseguiu", avalia o cientista político David Fleischer, da Universidade de Brasília (UnB). Para o ex-presidente do PT Ricardo Berzoini, se houve resistência ao nome dela, foi pontual. "Depois, foram dois anos de preparação."

Reuniões semanais para definir prioridades, conteúdo programático da campanha, agenda e, sobretudo, estratégias para dar à Dilma uma feição mais próxima da admirada pelos amigos — que a descrevem como uma pessoa agradável, extremamente solidária, leal,

Manual de Redação e Estilo para Mídias Convergentes

idealista, com imensa capacidade gerencial e de vastíssima cultura. Imagem oposta à comentada nos corredores dos ministérios, segundo a qual a futura presidente tem temperamento irascível, capaz de humilhar publicamente de subalternos a autoridades.

Dilma costuma reagir com ironia a esse estereótipo, dizendo que é uma mulher dura cercada de homens meigos, numa clara referência ao machismo que a rotula. Não foi à toa, no entanto, que ganhou desafetos. Antes de algumas reuniões, sobretudo as do PAC, era comum a previsão de chuvas e trovoadas. Dilma odeia a imobilidade do serviço público, o não cumprimento de prazos, a ineficiência. E, diante disso, se altera com frequência. Nada foi por acaso.

PERSONAGEM DA NOTÍCIA

Pessoa que se destaca não por ser a personagem principal, mas por ter papel relevante na história. Nasce das observações do repórter e deve estar repleta de informações — detalhes reveladores do ambiente, das pessoas em volta, das conversas entabuladas. Não é perfil completo, mas pode conter elementos de um perfil, sobretudo se o personagem não é conhecido do grande público. Aí, é preciso apresentá-lo com pormenores, como idade, hábitos, origem, lugar onde vive. E por aí vai. A matéria principal deve citá-lo como ator importante dos fatos narrados.

RADICAL DESDE A INFÂNCIA

Há anos, Abu Hamza al-Masri, 47, brinca de gato e rato com as autoridades britânicas. Depois que elas fecharam a mesquita sob seu comando, ele passou a pregar na rua, em frente ao prédio onde funcionava o templo. Lá, proferia seus discursos radicalmente antiocidentais. Al-Masri admira Osama bin Laden, mas nega que faça apologia ao terrorismo.

Filho de importante militar, Al-Masri nasceu no Egito, mas passou a maior parte da vida na Grã-Bretanha. Nos anos 70, era agente de segurança em discotecas em Londres. Casou-se com uma inglesa em 1981 e obteve cidadania britânica, mas o casamento durou pouco.

Desde pequeno, Al-Masri era sensível ao discurso religioso mais radical. Por isso, não hesitou em ir para o Afeganistão, nos anos 80, e lutar na guerrilha islâmica contra a ocupação soviética. Foi durante combates nas montanhas afegãs que perdeu um olho e as duas mãos. Desde então, ostenta com certo orgulho um olho de vidro e um gancho no lugar do braço direito.

De volta a Londres, Al-Masri logo se tornou figura destacada nos meios islâmicos radicais, com ampla rede de contatos internacionais. Dizia que vivia da previdência social, embora pedisse a derrocada do Estado. Documentos de tribunais britânicos afirmam que eram vendidas fitas de Bin Laden em sua mesquita. Ainda assim, a Grã-Bretanha nunca o prendeu, alegando não ter provas suficientes. "Não estou preocupado. Eles já tiraram meu passaporte, tiraram meu dinheiro e agora a única coisa que falta é me crucificar", disse em janeiro deste ano, antes de a polícia fazer uma batida em sua mesquita.

DAD SQUARISI

Para saber mais/Saiba mais

Pesquisa que amplia o conhecimento do tema em questão. Semelhante a verbete de enciclopédia, entra em fatos históricos sem relação direta com a notícia. Escreve-se em itálico.

Mateus, Mateus, primeiro os teus

Nepotismo vem do latim. Nasceu de nepote, que quer dizer sobrinho. No começo, era a proteção escandalosa de tios a sobrinhos. Depois o significado se ampliou. Passou a designar a prática de dar emprego aos familiares. Não qualquer emprego, claro. Só serviam importantes cargos políticos ou funções de destaque. Os papas, nos séculos 15 e 16, usaram e abusaram do privilégio de ser mandachuvas. Favoreciam pais, irmãos, cunhados, tios e primos com títulos e polpudas doações.

Entre nós, a prática é velha como o rascunho da Bíblia. Chegou aqui com Pedro Álvares Cabral. Na caravela do descobridor, vinha Pero Vaz de Caminha. Era o escrivão da frota. Tinha um dever: noticiar ao rei de Portugal o achamento da nova terra. O escrivão fez um diário de viagem. Escreveu uma carta de 27 páginas. Nela, falou das calmarias, das negociações de Pedro Álvares Cabral com os índios, da quase certeza de que nas terras recém-descobertas havia ouro. E por aí afora. Deixou D. Manuel (o Venturoso) esfregando as mãos de contente. Preparado o terreno, deu o golpe: pediu emprego para o genro.

Ninguém sabe se o marido da filha ganhou o cargo. O que se sabe é que foi o primeiro passo na promissora carreira do nepotismo por esta alegre Pindorama. Mem de Sá, o terceiro governador-geral, aplicou o conceito à risca. Deu um empreguinho ao sobrinho Estácio de Sá. A moda pegou. Estendeu-se a filhos, afilhados e amigos. Ganhou apelidos — filhotismo e afilhadismo.

Presidente, deputados, senadores, ministros, prefeitos mantêm parentes nos gabinetes. Empregam mulher, filho, irmão, sobrinho, primo, cunhado. Embora comum, a coisa pega mal. Diz com todas as letras que, nesse terreno, não impera a democracia. Valem mais os laços de parentesco ou amizade do que a competência provada em concurso público. Por isso era feita meio camuflada. Um pouco envergonhada, talvez. Agora, Severino & cia. escancaram as porteiras: "Parente é competente", rimam sem corar.

Ponto a ponto

Trata-se de roteiro para entender os meandros da notícia.

REJEITADOS PELA CASA BRANCA

Tratado de combate ao tabaco

Ratificado por 57 países, entrou em vigor neste ano, mas sem o aval americano. O presidente Bush o assinou em maio do ano passado, mas não encaminhou o texto para aprovação no Senado, argumentando que o tema necessitava de mais estudos.

Protocolo de Kyoto

O tratado passou a valer neste ano, com a ratificação de 141 países. Mas, apesar de ter sido assinado por Bill Clinton, não recebeu a segunda rubrica dos Estados Unidos porque Bush se recusou a fazê-lo. O presidente justificou que o acordo seria prejudicial à economia do país, pois empresas teriam de diminuir os níveis de produção para cumprir as metas de redução nas emissões de carbono na atmosfera.

Tratado sobre Mísseis Antibalísticos

O apoio ao acordo de 1972, assinado com a Rússia, foi revogado pela administração Bush porque era obstáculo à construção de novo escudo antimísseis americano.

Tribunal Penal Internacional

Bush anulou a adesão americana ao tribunal internacional que julga crimes de guerra. E já sinalizou que também não pretende apoiar, em 2006, um tratado para banir as minas terrestres.

Restrição ao uso do mercúrio

No mês passado, os EUA bloquearam um acordo de defesa do meio ambiente que coibia o uso do mercúrio em indústrias. O país analisa legislação própria.

Tratamento a estrangeiros presos

Na semana passada, Bush anunciou que o país estava se retirando de um acordo que permitia ao Tribunal Internacional de Justiça julgar o tratamento dispensado a estrangeiros presos nos EUA.

POVO FALA

Opinião de pessoas comuns, escolhidas entre membros da comunidade, que se manifestam sobre o tema. Inclui o nome completo do entrevistado (em negrito), a idade, a profissão e a cidade onde mora.

Você concorda que o governo decida quem tem ou não o direito de ser internado em UTI?

DENISE NASCIMENTO MARIA, 38 anos, funcionária pública, moradora de Samambaia

"Se alguém da minha família estivesse precisando ser internado em uma UTI, eu ia lutar para ela ficar lá enquanto fosse possível. Sempre há esperança. Há casos de pessoas que sobreviveram, mesmo indo contra a opinião dos médicos. Só quem pode decidir sobre a vida de uma pessoa é Deus."

HENRIQUE FARIAS BATISTA, 34 anos, comerciante, morador de Samambaia

"Eu acho que, se as UTIs estão lotadas, é porque tem muita gente precisando de internação. É preciso priorizar. Uma pessoa sem chances de continuar vivendo normalmente pode estar ocupando o lugar de alguém que possa sobreviver. Mas o governo tem que ter cuidado para não cometer injustiças."

DAD SQUARISI

Viviane Duarte, 23 anos, estudante, moradora da M Norte

"Eu discordo completamente da posição do governo. Todos devem ter o mesmo direito de acesso à UTI. Se não há leitos suficientes para todos, o governo deveria criar condições para acomodar as pessoas que precisam de internação. Muitas podem perder a chance de sobreviver ao ficar de fora de uma UTI e ninguém pode lhes tirar a vida."

Francisco Vicente Sobrinho, 48 anos, técnico em eletricidade, morador de Brazlândia

"Não concordo que o governo deva escolher quem deve ou não deve ser internado na UTI. É uma escolha muito difícil e acredito que todas as pessoas tenham o mesmo direito de sobreviver. Deixar alguém de fora é fazer a mesma coisa que fizeram com a americana (Terri Schiavo). É eutanásia."

Flávia Soares da Silva, 30 anos, funcionária pública, moradora do Riacho Fundo

"A decisão de internar ou não um paciente na UTI deveria caber apenas ao médico responsável. Não concordo que o governo delimite ou não quem tem o direito a ser internado na UTI. Isso é um tipo de eutanásia. Cada caso é um caso e só o médico tem como saber as necessidades do paciente."

TEXTO-LEGENDA

Legenda que esgota o assunto. Quando houver, os personagens devem ser identificados da esquerda para a direita. Entre parênteses, em itálico, escrever D ao citar o nome de quem aparece à direita; C, centro; e E, esquerda.

BALEIAS ENCALHADAS

As 107 baleias-piloto encontradas em praia remota de Nova Zelândia morreram depois de ser surpreendidas pela rápida baixa da maré no local e ficar encalhadas. O grupo foi localizado no domingo por turistas, segundo informações do Departamento de Conservação de Nova Zelândia, que tentou socorrer alguns animais. Porém, a dificuldade de transportar as baleias, que medem entre 4 e 6 metros de comprimento, impossibilitou os trabalhos e, ainda no fim de semana, 48 animais foram sacrificados, para evitar sofrimento prolongado. A espécie é a mais comum na costa do país e esse tipo de incidente envolvendo centenas de animais mortos ocorre com certa frequência.

Trechos — Olho

O recurso realça passagens-chaves da matéria. Bem escolhidas, provocam o leitor. Despertam nele a vontade de ir além.

"Eles falam claramente que não sabiam pilotar aquela aeronave, xingam os brasileiros, nos dão uma banana ao desembarcarem em seu país e ficam impunes?" (ATT: o olho vem sempre em destaque, geralmente com letra colorida.)

Matérias principais

Os jornais que têm duas matérias por página seguem orientação específica na distribuição dos assuntos:

Matéria de alto de página. Merece tratamento pra lá de especial. Só ela exige subtítulo (sutiã ou bigode). A combinação do título com o sutiã e a abertura do texto obedece a regras:

Título — Não precisa estar amarrado à fórmula sujeito + verbo + complemento. Forma conjunto com o sutiã. Os dois desempenham o papel que caberia ao lide numa matéria convencional — apresentam os dados fundamentais para o entendimento da notícia.

Abertura do texto — A abertura não repete o que está dito no título e no sutiã. (O lide convencional, assim, perde o sentido.)

Deve explorar um aspecto diferente do tema — um detalhe, uma história, um personagem, uma frase. Mas atenção: a criatividade não dispensa a informação. Em outras palavras: não é licença para fazer nariz de cera nem gracinhas gratuitas. Onde, quando, quem e, principalmente, o porquê continuam a ser elementos essenciais para o entendimento de qualquer matéria.

Só não precisam estar reunidos segundo a forma quadrada do lide tradicional. A abertura também não pode ser simples continuação do sutiã — outro erro comum. Nesses casos, trata-se o sutiã como se fosse um lide, e a abertura dá sequência linear ao texto como um sublide. É igualmente errado. A melhor solução é o próprio repórter produzir ou sugerir o título e o sutiã, além de escrever o texto.

TÍTULO: Sarney resiste e CPI dos Bancos sobrevive

SUTIÃ: Enviados de Lula não conseguem mudar opinião do presidente do Senado a favor da investigação do sistema financeiro.

ABERTURA: O governo mandou um, mandou dois, mandou três, mandou quatro. Mandou o poderoso Antonio Palocci na quarta-feira; Aloizio Mercadante na manhã do dia seguinte; a pragmática Marta Suplicy na hora do almoço; o conciliador Garibaldi Alves à noite. De nada adiantou. Eram já 22h da última quinta-feira quando o senador José Sarney (PMDB-AP), diante do vice-presidente da República, que o visitava, afirmou: "Eu sou a favor da CPI".

SEGUNDO ASSUNTO

O segundo assunto da página é marcado por um chapéu acima do título. O chapéu deve ser o mais curto possível — uma palavra é o melhor. Expressão de duas ou três palavras, admissível quando não há outra solução. Mas é preciso cuidado na redação: o chapéu é recurso gráfico para indicar a mudança do assunto. Não deve ser a palavra que dá sentido ao título. O título tem de se sustentar por si — sem vaguezas e imprecisões. Todo título tem uma ou algumas palavras-chaves — que precisam estar no título, não no chapéu.

Exemplo errado:

FRANGO

Consumo cresce 50% em apenas um ano

O título, na página (ao contrário da tela do computador), é mais forte. Vai em corpo maior e chama a atenção para a leitura antes do chapéu. O título acima, à primeira vista, é vago, incompleto. Falta a palavra-chave — frango. Não deixa claro de que produto a matéria trata. Só ganha sentido quando se lê o chapéu.

Exemplo melhor:

ALIMENTOS

Consumo de frango cresce 50% em 96

Esse é um título completo e concreto, que pode ser entendido por si mesmo. O chapéu é apenas um complemento. A matéria do alto da mesma página poderia ser, por exemplo, a taxa de juros. O chapéu informa ao leitor que se trata de outro assunto.

A VOLTA DOS POPULARES

"Qualquer jornal tem como objetivo primeiro estar na boca do povo, ser famoso, passar de mão em mão. Enfim, ser popular."

Samuel Wainer

Vão longe os tempos em que jornal popular era resultado de três ingredientes: sexo, crime e futebol. O tempero: sensacionalismo e foto de mulher pelada. A receita vendia. Era, portanto, garantia de sucesso. A apuração ficava em segundo plano. A qualidade nem sequer merecia referência.

A ascensão social das classes C e D exigiu mudanças da fórmula consagrada. Para o leitor de tabloides, elevar a renda significou algo mais do que comprar carro, geladeira e tevê de plasma. Significou aumentar a escolaridade e o acesso à informação. O senso crítico se aguçou. A busca de excelência se impôs.

De olho nesse consumidor, surgiram os novos populares. Foi no fim da década de 1990. Com preços baixos, formato tabloide e promoções para incentivar vendas, mantiveram a aparência, mas mudaram a essência. Apuração séria, respeito à norma culta e texto sedutor entraram na pauta.

Deu certo. Apesar da avalanche de diários gratuitos, o público sabe que não há almoço grátis. Paga pela leitura na qual confia. A credibilidade, aliada à forma atraente, explica o sucesso dos *Aquis* — líderes de venda e leitura em todas as praças nas quais foram lançados.

Eles seguiram a trilha dos antecessores, em cujas redações nasceram. O *Aqui BH*, do *Estado de Minas*. O *Aqui DF*, do *Correio Braziliense*. O *Aqui MA*, do *Imparcial*. O *Aqui PE*, do *Diário de Pernambuco*. Nada de corpos mutilados, nada de títulos apelativos. Mas uma fórmula de combinar noticiário policial, esportes e mulher bonita na capa — o que não significa a exploração banal do corpo feminino.

Apuração

Apure. Apure. Apure. Não se canse de ouvir todos os lados. Volte para a redação como se fosse escrever uma tese sobre o assunto. Saiba todas as respostas, para uma possível sabatina do editor. Não permita "buracos" na apuração. Sobretudo em reportagem policial, é indispensável ouvir muitas pessoas — desde vizinhos e parentes de uma pessoa vítima de homicídio até policiais, agentes e delegados envolvidos no caso. Grave as entrevistas, ouça autoridades, conheça a opinião do público. O esforço compensa — facilita, e muito, a redação.

Língua

A apresentação da notícia tem íntimo nexo com o jeito de dizer. Embora recorra à norma culta como os jornalões, o popular prefere a língua mais solta, mais descontraída, mais alegre. Evita palavrões, mas abre as portas para provérbios, letra de música, nome de filmes e novelas. Faz jogo de palavras. Brinca com significados.

Olho no vocabulário

Não desqualifique o leitor. Exigente, ele quer ser tratado com inteligência. Assim, o vocabulário dos grandes pode e deve ser usado com os mesmos critérios de clareza, simplicidade, concretude e os demais apresentados na página XX deste manual.
Se alguém recorreu a uma palavra difícil, não titubeie. Escreva o significado logo depois, entre parênteses. Lembre-se: todos os temas, por mais especializados que sejam, devem ser apresentados com simplicidade. Para chegar lá, uma condição se impõe — que o repórter entenda o assunto. Sem dominar a matéria, a tendência é repetir os vocábulos por mais herméticos que sejam.

Fotos

Sem foto, nada feito. A fotografia precisa contar um pouco da história, complementar o título e o sutiã. Cuidado com as imagens fortes. Nada de corpos mutilados. Nada de rios de sangue. Nada de rostos de crianças e adolescentes envolvidos em crimes ou situações constrangedoras. Evite também o rosto de adultos presos: se não foram julgados e condenados, não há nada provado contra eles. São só suspeitos.

CAPA

O jornal popular não tem assinaturas nem é comercializado em bancas. Vende-se pela capa. Eis o desafio: ela precisa fisgar o leitor. As chamadas têm de ser curtas e escritas com fontes grandes para poderem ser lidas de longe. A manchete ganha muito destaque. (Nem que, para isso, o verbo tenha que ser cortado.) O importante é que prenda a atenção. As chamadas são sempre em caixa-alta.

- MORTOS DE UMA SÓ FAMÍLIA
- DIA DE TRABALHO PARA A POLÍCIA
- DE DIA SANTA MARIA, À NOITE AVE MARIA
- R$ 2 PARA SER SOLDADO DO TRÁFICO
- SOCORRO, MAMÃE, TARADO!
- LARÁPIO NO XADREZ

- PROFESSORES NAS RUAS
- TIMBU PERDE E TIRA O SPORT DO G4
- GALO E RAPOSA CONTRA OS FELINOS
- CARANGO LOTADO DE MACONHA
- LOUCO POR UM AMASSO

TÍTULOS

Nas páginas internas, os títulos são grandes, sem obrigatoriedade do verbo. E vêm sempre em caixa-alta. O sutiã (bigode) completa a ideia do conteúdo da matéria. Ditados populares e alusão a letras de música são pra lá de bem-vindos. Com exceção da parte de Polícia, o leitor demonstrou que gosta de pitadas de humor. Mas sem escândalos ou sensacionalismos.

• **O VOO DO GANSO** — O santista Paulo Henrique começa sua carreira na Seleção Brasileira tomando conta do meio de campo, como um verdadeiro camisa 10.

• **UMA MORTE ANUNCIADA** — Adolescente que morreu enforcado, na terça, vinha sofrendo ameaças nos últimos dias. Ciago também sofre com medo e pressões.

• **FESTIVAL DE RALA-COXA** — Começa hoje o 3º Congresso Nacional de Forró, que traz à cidade shows, oficinas e palestras sobre esse ritmo tão brasileiro.

• **ESFRIOU, O BICHO PEGOU** — Dor de cabeça, sensação de peso na face, obstrução ou corrimento nasal. Esses são os sintomas típicos de uma gripe.

• **LATROCÍNIO** — Comerciante foi morto por adolescente, que fugiu com dinheiro e motocicleta da vítima. O veículo foi localizado em Chapadinha.

• **SURTO POR FALTA DE SEXO** — Com sintomas de embriaguez, pedreiro ameaça matar a mulher e explodir a casa do casal depois que ela se recusou a manter relações sexuais com ele.

• **AGORA SIM, LEÃO** — Sport esmagou o Araripina, por 5 x 0. Foi o placar mais clássico do time neste estadual.

• **AÇÕES NO VIANÁPOLIS** — Prefeita Maria do Carmo Lara faz hoje série de inaugurações pela cidade.

• **TIGRE QUE SE CUIDE** — Com uma nova dupla de destaque, Galo vai com tudo para cima do Ipatinga.

DAD SQUARISI

TEXTOS

A regra: textos curtos, precisos, enxutos, exatos. A ordem direta é imprescindível. O lide também. O mais importante deve estar no primeiro parágrafo.

> A desavença entre dois rapazes quase acaba em tragédia no Varjão. Uma criança de 5 anos foi baleada nas pernas e uma mulher de 26 levou um tiro no abdome depois de Rodrigo Rocha da Silva, 21 anos, atirar seis vezes contra Dominguinho Lopes, 28, por volta do meio-dia de ontem. O alvo dos disparos saiu ileso. Vizinhos e familiares socorreram as vítimas que nada tinham a ver com a rixa. (AQUI-DF, 28/3/2011, Polícia, pág. 8)

> A Delegacia de Prazeres dará, a partir de hoje, continuidade às investigações para descobrir as motivações de um crime ocorrido na manhã de onteontem, em Jardim Muribeça, Jaboatão dos Quararapes. Joanny Jeferson Pinto Pereira, 28 anos, foi detido em flagrante acusado de ter cometido uma tentativa de homicídio contra Luiz Henrique da Silva, 18 anos. Com o atentado, os dois ficaram feridos e foram encaminhados para o Hospital Getúlio Vargas. Como foi detido em flagrante, o suspeito está custodiado pela polícia.
> (AQUI-PE, 4/3/2011, pág. 3)

Francisco Ronny Von Braga Santos, 37 anos, deu uma tijolada na cabeça da ex-esposa, Maria Lúcia Aguiar Santos. O crime aconteceu no bairro Aurora, na manhã desta segunda-feira (15). Segundo informações da polícia, Francisco estava alcoolizado. Ele teria tido uma briga com a mulher. Na briga, Francisco pegou um tijolo e bateu na cabeça de Maria. Impacto foi tão forte que a cabeça de Maria ficou rachada. (AQUI-MA, 16/3/2010, pág. 3)

Um travesti andando com as maos algemadas pela Avenida Santos Dumont, no Centro de Belo Horizonte, chamou a atenção de quem passava

pelo local, na manhã de ontem. Houve até quem pensasse que ele estivesse saindo de uma brincadeira sexual, mas, na verdade, havia fugido da polícia de Sabará, na Região Metropolitana de Belo Horizonte, quando estava detido sob suspeita de roubo. A Polícia Militar foi avisada e acompanhou os passos do suspeito pelas câmeras do Olho Vivo. O travesti foi preso algum tempo depois, na Rua Caetés com Rio de Janeiro.
(AQUI-BH, 10/3/2011, pág. 7)

DAD SQUARISI

Professores de Betim fizeram manifestação ontem nas ruas da cidade para protestar por reajuste salarial. Antes, eles se reuniram no auditório da Igreja Nossa Senhora do Carmo para decidir sobre uma possível greve do funcionalismo público. Enquanto as negociações são feitas, os alunos estão voltando mais cedo para casa, já que a carga horária nas escolas está reduzida em todos os turnos. O sindicato pede aumento de 23% no salário dos educadores. (AQUI-Betim, 18/3/2011, pág. 9)

PERSONAGENS

Acredite: o leitor quer se ver no jornal. Busque personagens. Registre a opinião deles. Sempre que possível, publique a foto.

> *Priscila Rodrigues, 16 anos, aluna do 3º ano do ensino médio, aprendeu a exercitar as matérias dadas na escola para melhorar o seu desenvolvimento ao ver que, logo após as provas, era difícil voltar a dominar determinados assuntos. "Eu adorava ler. Passava horas revisando a matéria, fazendo resumos enormes. Na hora da prova, funcionava perfeitamente, mas tenho consciência de que, uma semana depois, eu não teria o mesmo resultado se fizesse a mesma prova", conta.* (AQUI-DF, 28/2/2011, pág. 6)

Crianças e adolescentes

Cuidado com a identificação de crianças e adolescentes. Se o fato pode lhes causar prejuízo, use só as iniciais ou nome fictício. Até o nome de pais e parentes deve ser codificado para manter o sigilo.

CAPÍTULO 4

RÁDIO E TEVÊ ENTRAM NA WEB

"Falar bem é...
Falar e ser ouvido.
Falar e ser bem recebido.
Falar e ser entendido.
Falar e ser atendido.
Falar e obter o resultado desejado."
(J.B. Oliveira)

A interação das mídias criou o jornalista eletrônico. O adjetivo engloba o jornalista de rádio, de tevê e de veículo impresso. Polivalente, o profissional do século 21 produz conteúdo para a web. Ali estão áudios e vídeos de autoria do repórter que assina reportagens escritas.

Além das exigências universais de clareza, concisão, facilidade, precisão & cia., o *web* repórter tem de desenvolver habilidades antes exclusivas de uma ou outra categoria. Ele escreve para o leitor e também fala para o telespectador e o ouvinte.

A palavra, proferida em tempo real, precisa ser captada no ato. Uma vez pronunciada, esvai-se. É impossível recuperá-la. O ouvinte não goza do privilégio de voltar atrás no texto. Ou entende a mensagem. Ou não entende. "Há três coisas que não voltam mais: uma flecha lançada, uma palavra dita e uma oportunidade perdida", ensinam os chineses.

Recursos da expressão oral ganham relevância. Voz, dicção, ritmo, harmonia e correção exigem cuidados extras. Eles devem contribuir para tornar a frase coloquial, familiar aos ouvidos distantes. É um desafio. Falar bem não é dom divino. Falar bem, como nadar bem, escrever bem e saltar bem, é habilidade. Exige treino.

Radialistas, professores, apresentadores de programas de televisão, animadores de festas aprenderam a "conversar" com o público. Desenvolveram habilidades corporais e linguísticas capazes de torná-los bons comunicadores.

A regra: seja você mesmo. Não tente imitar esta ou aquela celebridade. Você está na frente das câmeras ou do microfone porque tem qualidades que o tornaram apto a estar onde está. Há um público que quer ouvir você. Fique à vontade.

HABILIDADES LINGUÍSTICAS

- **SEJA CRIATIVO.** Fuja dos chavões. Lugares-comuns não se constroem só com palavras. Imagens e pautas podem embarcar na canoa velha e desgastada. Um exemplo: todos os anos se discute o reajuste do salário mínimo. Dez em cada 10 reportagens apelam para o carrinho de supermercado. O repórter seleciona as mercadorias que cabem no montante que o trabalhador recebe por mês. A ideia deve ter sido brilhante quando posta em prática pela primeira vez. Agora provoca bocejos.

- **SEJA COLOQUIAL.** O ouvido tem estreita conexão com o coração. Ouvinte é o amigo, o camarada. É o caro ouvinte, o amigo ouvinte, o caro telespectador, o amigo telespectador. O contato pressupõe cumplicidade. Quem ouve pensa que o locutor está falando para ele. Cria vínculo e confiança. Participa. A descontração estimula o bom humor.

Pequenos truques de linguagem contribuem para o clima. Além de palavras simples e concretas, use frases curtas e fáceis, faça perguntas diretas. Nenhuma conversa é unilateral. Pergunte sempre que houver oportunidade. Não só. Use:

> *a gente,* não *nós.*
> *achar,* não *localizar.*
> *antes de,* não *anteriormente.*
> *aprovação,* não *anuência.*
> *depois,* não *após.*
> *é claro,* não *obviamente.*
> *fazer,* não *empreender.*
> *meio-dia,* não *12 horas.*
> *morreu,* não *faleceu.*
> *mudança nos impostos,* não *reforma tributária.*
> *mulher,* não *esposa.*
> *perguntar,* não *fazer uma colocação.*
> *porque,* não *pois* e *na medida em que.*
> *pra,* não *para.*
> *quase 2,* não *1,95.*
> *se,* não *no caso de.*
> *seis da tarde,* não *18h.*
> *sem dúvida,* não *indubitavelmente.*
> *sondar,* não *auscultar.*
> *vou estudar, vamos viajar, vão sair,* não *estudarei, viajaremos, sairão.*

É assim que falamos, não?

- **SEJA INTERATIVO.** O ouvinte e o telespectador telefonam, fazem comentários, mandam e-mails, vídeos, áudios e fotos. Em suma, participam. Em troca, querem retorno. Dê-lhes voz. Não existe mais aquela história do eu falo, você escuta. Hoje nós falamos.

- **SEJA CAPAZ DE IMPROVISAR.** No rádio, o silêncio é o abismo. O ouvinte pensa logo que a emissora saiu do ar. Passa para outra. Na tevê, ocorrem imprevistos quando o telejornal está no ar. Esteja prevenido contra eventuais faltas técnicas, ausência de entrevistado, tosses e engasgos. Imagine sempre que o pior pode acontecer.

- **SEJA REDUNDANTE SEM SER REPETITIVO.** Pesquisas provam que o público do rádio se renova a cada 15 minutos. A rotatividade também é grande na tevê. Nem todos ligam o aparelho à mesma hora ou acompanham os mesmos programas. O apresentador tem de acolher os novos sem espantar os antigos. Como?

1. Não tema repetir palavras.
2. Retome o assunto: "Pra você que ligou o rádio agora, estamos...".
3. Na entrevista, repita o nome e o cargo do entrevistado. Resuma, em uma ou duas frases, o tema que está sendo tratado. Ao formular perguntas, sempre que possível, relembre as principais respostas. Lance mão da estratégia até o fim da entrevista.
4. No intervalo, antes de anunciar as próximas notícias, refira-se às anteriores: "Você já viu isso, isso e isso. Veja a seguir isso, isso e isso".

- **SEJA CORRETO.** Quem liga o rádio ou a tevê espera ouvir uma língua correta. Correta não significa rebuscada ou exibida. Significa apenas o elementar respeito a flexões, concordâncias, regências, pronúncias. Deslizes gramaticais não passam despercebidos. Ao contrário. Ecoam. Não fale:

> A NÍVEL DE — a forma é *ao nível de* (= à altura de): *Recife fica ao nível do mar.*
>
> ADÉQUO — adequar só se conjuga nas formas em que a tonicidade cai na sílaba que tem *u*: adequamos, adequais, adequei, adequarei. (Na dúvida, substitua-o por adaptar.)
>
> AIDÉTICO — pessoa com HIV.
>
> BÊBADO — alcoólatra.
>
> COLOCAR UMA QUESTÃO — fazer uma observação, fazer uma pergunta.
>
> CORRER ATRÁS DO PREJUÍZO — correr do prejuízo.
>
> CRIAR NOVAS — só se cria o novo. Basta criar.
>
> DE FORMAS QUE — locuções conjuntivas se usam no singular: *de forma que.*
>
> DE MANEIRAS QUE — locuções conjuntivas se usam no singular: *de maneira que.*
>
> DE MENOR — use *menor de idade* ou diga a idade.
>
> ESTEJE — a forma é *esteja.*
>
> ESTREAR NOVO — só se estreia o novo. Basta estrear.
>
> EXTORQUIR ALGUÉM — extorquir é arrancar: *extorquir dinheiro de alguém, extorquir informações de alguém.*
>
> FAZEM DOIS ANOS — fazer, na contagem de tempo, é invariável. Só se conjuga na 3ª pessoa do singular: *faz dois anos, fez cinco meses.*

GENITORA — mãe.

GRATUITO — gratuito se pronuncia como fortuito e circuito. O ui forma ditongo, sem acento.

HOUVERAM — no sentido de existir ou ocorrer, o verbo é impessoal. Só se conjuga na 3ª pessoa do singular: *Houve distúrbios. Houve três acidentes.*

INTERMEDIA — intermediar se conjuga como odiar: odeio (intermedeio), odeia (intermedeia), odiamos (intermediamos), odeiam (intermedeiam).

INTERVIU — intervir deriva de vir: *ele veio, ele interveio.*

LEPROSO — pessoa com hanseníase.

MEDIO — mediar se conjuga como odiar: odeio (medeio), odeia (medeia), odiamos (mediamos), odeiam (medeiam).

MEIO-DIA E MEIO — meio-dia e meia (hora).

MELHOR IDADE — diga a idade: *65 anos, 80 anos, 100 anos.*

MONGOL — síndrome de Down.

PANORAMA GERAL — todo panorama é geral. Basta panorama.

PEQUENO DETALHE — todo detalhe é pequeno. Basta detalhe.

PLANO PARA O FUTURO — todo plano é para o futuro. Basta plano.

PROGENITORA — avó.

SE EU CABER — se eu couber.

SE EU DETER — se eu detiver.

SE EU PÔR — se eu puser.

SE EU TRAZER — se eu trouxer.

SE EU VER — se eu vir.

SEJE — a forma é *seja*.

SUBZÍDIO — pronuncie o *s* como em subsolo.

VÍTIMA FATAL — morto.

VOU ESTAR MANDANDO & SIMILARES — vou mandar.

SOLTE A VOZ

O vozeirão retumbante, empolado e inexpressivo fez a festa dos locutores que brigavam com equipamentos de baixa qualidade. A televisão, até a década de 80, seguiu o modelo imposto pelo rádio. Mas, como diz o outro, não há bem que sempre dure nem mal que nunca acabe.

Mudaram os tempos. Com eles, os recursos tecnológicos se sofisticaram. O fim da ditadura abriu espaço para uma sociedade mais exigente e participativa. Tevê e rádio descobriram a necessidade de interagir para conquistar a audiência. O bloco do "eu sozinho" amargou merecido abandono. Resultado: o tom baixou. O ritmo de banda marcial ganhou naturalidade. O locutor fala como conversa.

INIMIGOS À ESPREITA: A voz é o instrumento de trabalho de quem fala para o público. Garantir-lhe a qualidade exige cuidados. "Orai e vigiai", manda o Evangelho. O profissional da fala subverte a ordem. Vigia, depois ora. Cantores, atores, locutores, apresentadores e outros "ores" não dão chance ao azar. Afastam-se dos inimigos da voz: cigarro, ar condicionado, grito, pigarro, chocolate (engrossa a saliva), balas de menta e hortelã (esfriam a garganta. A locução precisa de garganta quente).

AMIGOS A POSTOS: Uma voz clara e harmoniosa não cai do céu. É conquista. Medidas simples fazem milagres. A mais apreciada: água. Hidratação, hidratação e hidratação é a regra. Outra: bocejos. Eles distendem as pregas vocais. Outras mais: o M pronunciado com ressonância nas bochechas (poupe a garganta). Bem-estar e bons pensamentos.

Exercícios diários ajudam — e muito. Sem necessidade de academia ou tempo extra, podem ser feitos no carro, na caminhada ou na redação:

1. **Falar ou cantar com o lápis na boca dá clareza à voz.**

2. **Praticar trava-línguas melhora a dicção.** Eis exemplos:

Bagre branco / branco bagre. / Branco bagre / bagre branco.
Um tigre. / Dois tigres. / Três tigres. / Um tigre. / Dois tigres. / Três tigres.
A aranha arranha o jarro. / O jarro arranha a aranha.
O céu está enladrilhado. / Oh! Quem o enladrilhou? / O mestre que o desenladrilhar / Bom desenladrilhador será.
O peito do pé do Pedro é preto. / É preto o peito do pé do Pedro.
Se o papa papasse papa / Se o papa papasse pão / O papa não seria papa / O papa seria papão.
O otorrinolaringologista / O otorrinolaringologando / A otorrinolaringologia.

3. **Cantar um verso e falar outro tira a monotonia da voz:**

    Se esta rua, se esta rua fosse minha **(cantar)**,
    Eu mandava, eu mandava ladrilhar **(falar)**
    Com pedrinhas, com pedrinhas de brilhante **(cantar)**
    Para o meu, para o meu amor passar. **(falar)**

4. **Vibrar a língua no céu da boca e fazer brrrrrrrrrrrrrrrrrrrr com os lábios (como os bebês) descansa a voz.**

5. **Relaxar a musculatura facial:**

    Falar exageradamente: á — é — i — ó — u.
    Encher as bochechas e chupá-las.
    Estalar os lábios.
    Fazer "o trote do cavalinho" com a língua.
    Mexer o maxilar inferior para os dois lados.

A fala

A fala não se vale só de uma bela voz. Ritmo, harmonia, ênfase, modulação, pronúncia contribuem — e muito — para a comunicação eficaz. Sem esses requisitos, a palavra permanece em modo dicionário: estática e estéril, incapaz de conquistar o ouvinte.

Nós falamos com as palavras e o corpo. O gesto, o olhar, o movimento transmitem mensagens. Pesquisas revelam o peso de cada componente:

> Palavra: 7%.
>
> Inflexão da voz, pronúncia, emoção: 38%.
>
> Gesto, movimento, dinâmica, traje, expressão fisionômica: 55%.

A colocação de pés, mãos, ombros está para o corpo assim como a afinação para as pregas vocais. Regra: sentado ou de pé, sinta os pés plantados no chão. Assim, você não perde a base. Mantenha-os voltados para frente. Use roupa folgada para conservar livre o caminho do ir e vir do ar pelo diafragma.

Deixe o plexo solar à mostra. Exiba-o vaidosamente. Como? Encaixe a cintura pélvica e jogue os ombros para trás. Respire. Deixe o ar chegar lá em baixo. Lembre-se: texto e respiração têm de se acertar. Sem ritmo, o samba atravessa.

> **RITMO.** Como na música, o ritmo da frase tem a ver com passos, compassos e pausas. Não pode ser acelerado, nem lento. O rápido rouba o ar. O vagaroso dá sono. A sabedoria está no meio. Que meio? Depende de cada um. A palavra tem de caber na boca. As partes da oração, no fôlego. Lembre-se: o locutor vive de respiração.

O telejornalismo conta com a imagem. Ela aprofunda a informação num flash. A locução caminha por dentro de cores, suor, lágrimas, sorrisos, movimentos, expressões corporais, caras e bocas. Apesar, porém, do enorme repertório visual, o cetro e a coroa pertencem à palavra. Pesquisas demonstram que 70% da absorção do conteúdo se deve ao texto. Lembre-se: a pausa sedimenta o conteúdo — ajuda a perceber e reter a informação.

Bom exercício:

Inspirar — fazer pausa — expirar em:

SSSS... FFFF... AAAA... AMAMAM

EMOÇÃO. O locutor trata a palavra com delicadeza, mas sem cerimônia. Dá realce a uma. Se necessário, dá-lhe vida. Engravida a eleita. Exagera-lhe o significado. Ler sem emoção é como escrever sem pontuação. Ou falar como quem reza o terço. O tom monocórdico faz gol contra. Põe o ouvinte pra correr.

A tevê e, sobretudo, o rádio se valem do ouvido do outro — canal que conduz ao coração e cria a intimidade. A carga emotiva faz o cenário. Dá pistas sobre o sentimento contido na mensagem — alegria, tristeza, ênfase, enfado, urgência: *Que conversa compriiiiiiiiiiida, meu Deus. Gooooooooooooooooool! Está muiiiiiiiiito frio.*

Bom exercício:

Falar as vogais exprimindo variados sentimentos. Ao fazê-lo, assumir as expressões fisionômicas correspondentes:

A — admiração, alívio, impaciência, alegria, tristeza, afirmação, raiva, dor.

E — torcida, desprezo, compreensão, dúvida, zanga, enfado.

I — decepção, pouco caso, exagero, preocupação.

O — dor, pena, admiração, espanto, exclamação, interrogação, surpresa, alegria.

U — susto, assustado, surpresa, alegria.

Outro exercício:

Pronuncie "bom dia" em três tonalidades:

com indiferença,

com alegria,

com tristeza.

Mais um:

Diga as frases com a modulação e inflexão sugeridas:

Interrogação: Um dia a casa cai

Dúvida: Talvez não caia

Indignação: A culpa é sua

Inquietude: Receio que caia

Displicência: Deixa cair

Orgulho: Eu me responsabilizo

Humildade: Quem sou eu pra opinar

Aspereza: Fique sabendo que cai

Tristeza: Que pena... tão boa

Admiração: Será possível

Ironia: Já contava com isso

Conselho: Cuidado que vai cair

DAD SQUARISI

Rádio e Tevê Entram na WEB

Impaciência: Depressa, corre, anda

Discussão: Já disse que cai e cai mesmo

Curiosidade: Ouvi dizer que vai cair

Alvoroço: Corram depressa

Ameaça: Se não consertar, cai já

Reflexão: Vamos raciocinar, talvez não caia

Acabrunhamento: Tudo perdido

Espanto: Quem disse

Revolta: Isso não fica assim

Revolta: Há de me pagar caro

Vingança: Eu mato o construtor

Misericórdia: Coitado, não tem culpa

Medo: Vamos embora

Pavor: Fujam depressa

Resignação: Paciência

HARMONIA. A língua encanta. Harmonias e ritmos seduzem ouvidos e arrebatam corações. Como chegar lá? Não há necessidade de mágicas. Basta usar os recursos do código — organizar as palavras de tal forma que a frase ganhe fluência e ritmo. A melhor pista: ler o texto em voz alta. O que escapa aos olhos grita aos ouvidos.

É o caso do eco. A rima é qualidade da poesia, mas defeito na prosa. A repetição de sons iguais ou semelhantes pede providências:

Houve confusão na reunião da diretoria. Feito o estrago, não houve como impedir a divulgação do fato. Agora se teme que os sócios exijam a elucidação dos pormenores.

Tantos *ãos* retumbam como trovão. Mesmo em silêncio, saltam aos olhos e ecoam no ouvido interno. Melhor reduzir a presença da dupla barulhenta:

Houve tumulto no encontro da diretoria. Feito o estrago, foi impossível evitar a divulgação do fato. Agora se teme que os sócios exijam que se elucidem os pormenores.

O Plano Real acabou com a inflação considerada mortal para o trabalhador.

Nada feito. O ouvido reclama. Vamos ao troca-troca: *O Plano Real acabou com a inflação que mata a economia do trabalhador.*

O rigor do calor causava mal-estar crescente até nos moradores de Salvador.

Sem eco: *O forte calor causava mal-estar crescente até nos moradores da capital baiana.*

CACÓFATO. *A mocinha de família foi ao ensaio de uma escola de samba. Chegando lá, um folião suado, banguela, vestido com a camisa do Flamengo pediu pra dançar com ela. Para não ser preconceituosa, a jovem aceitou. Mas o cara transpirava tanto que a coitada chegou ao limite. Afastou-se e disse:*

— Você sua, hem?

Ele a puxou, lascou-lhe um beijo e respondeu:

— Beleza, gata... excrusive vô sê seu tamém! É nóis!

DAD SQUARISI

Rádio e Tevê Entram na WEB

É isso. De vez em quando, ocorrem encontros indesejados. O fim de uma palavra se junta com o começo de outra. Cria-se, então, uma penetra: *Pagou R$ 10 **por cada** peça. **Lá tinha** muitos amigos. Deu **uma mão**zinha à vizinha. Maria diz que **nunca ga**nha nada na loteria. Os fatos calaram a **bo**ca **dela**. O exercício foi feito **por cada** um dos alunos.*

Metro.

Palavras e frases devem conversar sem tropeços, ecos ou repetições. O resultado é a harmonia. Como alcançá-la? Há caminhos. Um deles: o metro. A colocação dos termos é a chave — o mais curto (com menor número de sílabas) deve vir na frente do mais longo.

Leia em voz alta as duas frases:

1. *O presidente pediu aos deputados que votassem a PEC em regime de urgência urgentíssima.*
2. *O presidente pediu aos deputados que votassem, em regime de urgência urgentíssima, a PEC.*

Viu? O segundo período dá a impressão de que lhe falta alguma coisa. Mas não falta. Ele está gramaticalmente certinho. A sensação de incompletude se deve ao tamanho dos termos. *Em regime de urgência urgentíssima* tem 13 sílabas. *A PEC*, duas. Daí o desequilíbrio.

Truque do três.

Além de evitar ecos e levar em conta a colocação do termo menor na frente do maior, fique atento às enumerações.

Acredite. Os cacófatos, indelicados e espaçosos, não passam despercebidos. Como pô-los fora da frase? A leitura em voz alta os denuncia. As possibilidades da língua os expulsam: *Pagou R$ 10 por peça. Tinha muitos amigos lá. Deu ajuda à vizinha. Maria diz que jamais ganha nada na loteria. Os fatos lhe calaram a boca.*

Se forem dois termos, use conjunção:
Comprou um romance ou um dicionário.
Na entrevista, observou os gestos e as palavras.
Escreveu ora cartas, ora memorandos.

Se forem três ou mais termos, a presença ou ausência da conjunção dá recados. Com ela, informamos que só contam os elementos citados. Sem ela, é como se escrevêssemos etc. Veja:

São Paulo é cidade moderna, excitante, cosmopolita.
São Paulo é cidade moderna, excitante e cosmopolita.
Entrevistou soldados, comerciantes, moradores, autoridades.
Entrevistou soldados, comerciantes, moradores e autoridades.

O três presta senhora ajuda ao ritmo e à harmonia. Enumerar trios acaricia os ouvidos. Não é outra a razão por que mantemos na memória frases como "sangue, suor e lágrimas", "Pai, Filho e Espírito Santo", "vim, vi e venci". Pense em três itens para agrupar:

O presidente exigiu trabalho, empenho e coerência.
No discurso, destacou os aliados, os projetos, as prioridades.
Chegou, olhou pros lados e correu ao encontro do filho.

PRONÚNCIA

O texto falado exige, além da clareza, concisão, simplicidade, ritmo e demais atributos do escrito, cuidado na pronúncia. Tropeço nos sons ou nas sílabas tônicas se amplia graças ao poder do microfone. Convém tirar as ciladas do caminho. Assim:

1. **Pronuncie bem todas as letras. Três armadilhas fazem três vítimas:**

    R final: correr, cair, sentir.

    S final: vestidos, sapatos, choros.

    Ditongos: goleiro, sanfoneiro, pioneiro, plateia, cabeleireiro.

2. **Não acrescente sons em fim de sílabas:** advogado (não: adivogado), optar (não: opitar), fez (não: feiz), beneficência, beneficente (não: beneficiência, beneficiente), absoluto (não: abisoluto), aficionado (não: aficcionado), prazeroso (não: prazeiroso).

3. **Não troque sons:** problema (não: probrema), estupro (não: estrupo), mendigo (não: mendingo), encapuzado (não: encapuçado), subsídio (como subsolo), identidade (não: indentidade).

4. **Não transforme ditongos em hiatos:** gratuito (não: gratuíto), fortuito (não: fortuíto).

5. **Não confunda a vogal dos verbos terminados em -uir:** a terceira pessoa do singular do presente do indicativo termina

com *i*: ele possui, ele contribui, ele retribui, ele diminui, ele atribui (não: possue, contribue & cia. indesejada).

6. **Não presenteie formas dos verbos terminados em -ear com o *i*:** passear, frear, cear & cia. têm um capricho. O nós e o vós dos presentes do indicativo e do subjuntivo dispensam o izinho que aparece nas demais pessoas. Dê-lhes crédito: eu passeio (freio, ceio), ele passeia (freia, ceia), nós passeamos (freamos, ceamos), vós passeais (freais, ceais), eles passeiam (freiam, ceiam).

7. **Não mude a sílaba tônica das palavras:**
   1. Vocábulos terminados em *a*, *e* e *o* seguidos ou não de *s* são paroxítonos: *cadeira, mesas, tacape, bates, livro, mulatos*.
      1.1. Se seguidos de consoante diferente de *s*, mudam de time. Tornam-se oxítonos: *canal, amar, papel, Nobel, amor, federal*.
   2. Os terminados em *i* e *u*, seguidos ou não de qualquer consoante, são oxítonos: *aqui, ali, anil, colibri, tupis, caju, urubus*.
   3. Se algum foge à regra, vem acentuado. Agudos e circunflexos indicam que a sílaba tônica se desviou da norma: *sofá, você, vovó, táxi, ônus, lâmpada. Rubrica, recorde* e *ibero* terminam em *a*, *e* e *o*. Sem acento, jogam no time das paroxítonas. As sílabas fortes são *bri, cor* e *be. Álibi* termina em *i*. Mas ostenta grampinho no *a*. Resultado: tornou-se proparoxítona.

São oxítonas: *Nobel, ruim, recém (recém-casado), mister, novel.*
São paroxítonas: *pudico, rubrica, seniores, ibero, avaro, recorde.*
São proparoxítonas: *hétero, anátema, amálgama, protótipo.*

8. **Lembre-se de que o acento sempre indica a sílaba tônica:** sábia, sabiá, álibi.

9. **Observe a regra do primeiro *o* do sufixo -oso.** No masculino, ele soa fechado (charmoso). No feminino, aberto (charmosa). No plural, não faz discriminação de gênero. É sempre aberto: charmosos, charmosas, gostosos, gostosas, apetitosos, apetitosas.

10. **Mantenha, no plural, o timbre dos nomes com *o* fechado no masculino e no feminino.** É tudo como se tivesse um chapeuzinho: lobo, loba, lobos, lobas; cachorro, cachorra, cachorros, cachorras; raposo, raposa, raposos, raposas; bolso, bolsa, bolsos, bolsas; pombo, pomba, pombos, pombas; tonto, tonta, tontos, tontas; moço, moça, moços, moças.

11. **Abra, no plural, o som do *o* nos nomes em que ele soa fechado no masculino e aberto no feminino:** porco, porca, porcos, porcas; porto, porta, portos, portas, torto, torta, tortos, tortas.

    Há exceções. Vale o exemplo de canhoto e canhota. No masculino, o som é fechado. No feminino, aberto. O masculino plural não segue o feminino. É canhotos, com *o* fechado.

12. **Mantenha, no diminutivo, a pronúncia do grau normal.** O *o* de porco é fechado. O de porquinho também. O de porca

é aberto. O de porquinha vai atrás. A norma não tem exceção. Vale pra qualquer nome — comum ou próprio: Norma, Norminha; Mércia, Mercinha; colo, colinho.

13. **Respeite o falar regional**. Há palavras indecisas. Para não sair de cima do muro, adotam a dupla pronúncia. O *o* pode soar aberto ou fechado. É o caso de poça d'água. Que partido tomar? Prefira o da sua região. Ele mantém a intimidade.

14. **Feche o som nas terminações -eja**: azuleja, apedreja, despeja (exceção: inveja).

15. **Pronuncie fechado o *e* da terminação -elha**: espelha, aparelha, aconselha.

GLOSSÁRIO DE PRONÚNCIA

abortos (ô)
absoluto (não: abisoluto)
acordos (ô)
adornos (ô)
advogado (não: adivogado)
aedes aegipty (édis egípti)
aeroportos (ó)
aficionado (não: aficcionado)
agostos (ô)
álcoois (ôois)
álcool (ôol)
alcoólatra
alcovas (ô)

almoços (ô)
alvoroços (ô)
amálgama
anátema
apedreja (ê)
apetitoso (ô)
apetitosos (ó)
apostos (ó)
arrojos (ô)
atribui (não: atribue)
avaro (sílaba tônica: va)
azuleja (ê)
beneficência (não: beneficiência)

beneficente (não: beneficiente)
bodas (ô)
bojos (ô)
bolso (ô)
bolsos (ô)
brotos (ô)
cachorro (ô)
cachorros (ô)
caminhonete
canhota (ó)
canhoto (ô)
canhotos (ô)
canoros (ó)
caolhos (ô)
cassetete (é)
cataclismo
ceamos
ceia
ceiam
charmoso (ô)
charmosos (ó)
cólera (a cólera)
commodity (ó)
contêineres
contribui (não: contribue)
cornos (ó)
corpos (ó)
despojos (ó)
destro (é)
Dilma Rousseff (russéf)

diminui (não: diminue)
dobros (ô)
dolo (ó)
dorsos (ô)
empecilho (não: impecilho)
empoça (ô, ó)
Encapuzado (não: encapuçado)
endossos (ô)
engodos (ô)
esboços (ô)
escolta (ó)
esforços (ó)
esposos (ô)
estojos (ô)
estornos (ô)
estupro (não: estrupo)
fecha (ê)
fez (não: feiz)
filantropo (ô)
fluido (nome)
fluído (particípio do verbo fluir)
fogos (ó)
fornos (ó)
fortuito (não: fortuíto)
freamos
freiam
freio
gângsteres
gângster
globos (ô)

golfos (ô)
gorros (ô)
gostos (ô)
gostoso (ô)
gostosos (ó)
gozos (ô)
gratuito (não: gratuíto)
grossos (ó)
hanseníase (ranceníaze)
hantavirose (rantavirose)
hétero
heterossexual (héterossexual)
hortos (ô)
ibero (é)
inodoros (ó)
interesse (ê)
interesses (ê)
inveja (é)
jorros (ô)
leishmaniose (lêchimaniose)
lobo (ô)
lobos (ô)
lodos (ô)
logros (ô)
malogros (ô)
maquinaria
marotos (ô)
mendigo (não: mendingo)
meteorologia
miolos (ó)

misantropo (ô)
mister (mistér)
moços (ô)
mofos (ô)
Nobel (Nobél)
novel (novél)
obeso (é, ê)
optar (não: opitar)
passeamos
passeiam
passeio
pescoços (ô)
poça (ô, ó)
pombo (ô)
pombos (ô)
porco (ô)
porcos (ó)
portos (ó)
possui (não: possue)
prazeroso (não: prazeiroso)
problema (não: probrema)
protótipo
pudico (pudíco)
raposo (ô)
raposos (ô)
recém (sílaba tônica: cem)
recorde (recórde)
reforços (ó)
réquiem
retribui (não: retribue)

Roraima (rorãima)
rostos (ô)
rotos (ô)
rubrica (rubríca)
ruim (ruím)
senhora (ó)
seniores (seniôres)
sesta (é)
sintaxe (sintacse)
socorros (ó)
socos (ô)
sogros (ô)

soldos (ô)
soros (ô)
subsídio (como subsolo)
tijolos (ó)
tonto (ô)
tontos (ô)
tornos (ô)
tortos (ó)
toscos (ô)
transtornos (ô)
tronos (ô)
ureter (uretér)

NOMES PRÓPRIOS: pesquise a pronúncia correta. Na hora de escrever, escreva como se diz, não como se escreve. Treine em voz alta.

PALAVRAS ESTRANGEIRAS: pesquise a pronúncia correta. Repita muitas vezes até se familiarizar com o termo antes de entrar no ar: *fast food* (fést fud), *delivery* (deliiivêri), *fashion week* (féschon uíc).

NÚMEROS

A tevê lida melhor com os números do que o rádio porque dispõe de recursos visuais — lettering, gráficos (pizzas), mapas.

Ariscos, no rádio os números são difíceis de captar. Use só os necessários. Mesmo assim, simplifique. Arredonde. Em vez de

2,88, diga quase três. Se precisar dizer o número fracionário, escreva a pronúncia: *dois vírgula oitenta e oito*.

Evite o ordinal. Além de difícil, ele é longo. Em lugar de *septuagésimo sexto* andar, prefira *no andar 76*.

HORAS
Prefira a forma como falamos: *oito e meia* em vez de *vinte e trinta*, *meio-dia* em vez de *doze horas*.

RESUMO DA ÓPERA

"Falar é dom. Basta abrir a boca, expelir o som, modulá-lo e sair por aí tagarelando. Falar bem vai além. É comunicar, compartilhar ideias. Soma o dom da fala à inteligência e à vontade."

CAPÍTULO

5

S.O.S. - PRONTA RESPOSTA NA HORA DO SUFOCO

A

á — 1ª letra do alfabeto. Plural: *ás, aa*.

a/há — 1. Na referência a tempo, a preposição *a* indica futuro: *O curso se inicia daqui a dois dias. A dois meses das eleições, não se tem a definição dos favoritos. O filme começa daqui a pouco.* 2. *Há* exprime passado: *Chegou há pouco. Moro em Natal há oito anos. Há anos ele preside a estatal.*

a/o — Veja **lhe/o**.

a baixo/abaixo — *A baixo* se usa em frases como: *Olhou-a de alto a baixo. A cortina rasgou-se de alto a baixo. O policial o observou de cima a baixo. Abaixo* é o contrário de *acima*: *A casa veio abaixo. A correnteza levava o barco rio abaixo. A temperatura está abaixo de zero.*

a cores/em cores — *A cores* não existe. A expressão é *em cores*: *tevê em cores, reprodução em cores.*

à custa/as custas — *Formou-se à custa de muito esforço. Cabe a ele pagar as custas do processo.*

à distância/a distância — Só se usa crase quando o substantivo *distância* estiver determinado: *Vigie-a discretamente, a distância. Vigie-a discretamente, à distância de uns 200m. Vi a criança à distância de 200 metros. Vi a criança a distância. Treinamento a distância. Curso a distância.*

a fim de/afim — 1. *A fim de* significa *para*, ou *com vontade de*: *A fim de melhorar a pronúncia, ouviu duas horas de música francesa. A meninada não está a fim de estudar. Você está a fim? Não, não estou a fim.* 2.

Afim indica afinidade, parentesco: *disciplinas afins, parentes afins, gostos afins.*

à frente — Significa: 1. na dianteira, na vanguarda: *O candidato do PSDB passou à frente nas pesquisas.* 2. na direção, no comando: *O patriarca mantém-se à frente dos negócios.* 3. Não confunda *à frente* com *em frente*, que quer dizer diante, defronte, perante, na presença de: *Falou na frente de todos, sem constrangimento. Estava em frente de casa, perto do portão.* 4. Por fim, *na frente de* tem sentido temporal de antes, anteriormente: *Chegou ontem, três dias na frente do adversário.*

a gente — Significa *nós*, mas exige o verbo na 3ª pessoa do singular: *A gente vai sair mais tarde. A gente conseguiu entrar no cinema. Falou com a gente ontem à noite.*

à la carte/à carte — Expressão francesa, escreve-se com acento grave no *a*.

à medida que/na medida em que — 1. *À medida que* é conjunção proporcional. Quer dizer à proporção que: *À medida que as investigações avançavam, mais indícios incriminavam o marido da vítima.* 2. *Na medida em que* é conjunção causal que significa *pelo fato de que, uma vez que, tendo em vista*: *Aumentaram os casos de desidratação na medida em que a umidade relativa do ar chegou a níveis críticos.* 3. Cuidado com os cruzamentos (*à medida em que*, *na medida que*), mistura de estruturas que constitui erro.

a menos que — Significa *a não ser que*, *salvo se*. Confere à frase sentido negativo: *Viajarei na segunda-feira a menos que haja reforma ministerial. Não ficará curado a menos que faça o tratamento com seriedade.*

à mesa/na mesa — *Sente-se à mesa e ponha os pratos na mesa.*

a meu ver — Expressões usadas com pronome possessivo se usam sem artigo: *a meu ver, a meu lado, a seu pedido, a nosso bel-prazer* (não: *ao meu ver, ao meu lado, ao seu pedido*).

a não ser — Equivale a *salvo, senão*. É invariável: *Nada sobrou da festa a não ser frutas.*

a palácio/ao palácio — 1. *A palácio* se a pessoa teve audiência na casa do todo-poderoso: *O deputado foi a palácio tratar das emendas.* 2. *Ao palácio* se fez só uma visitinha: *Na viagem, os turistas se dirigiram ao palácio.*

a par/ao par — 1. *A par* é expressão invariável que equivale a *ciente, informado*: *O presidente está a par das reivindicações dos grevistas.* 2. *Ao par* significa *em equivalência de valor* (título ou moeda de valor idêntico): *O dólar está ao par do peso.*

a partir de/desde — 1. *A partir de* é expressão de tempo. Quer dizer *a começar em*. Por isso, *a partir de* não combina com o verbo *começar*. É pleonasmo escrever "Os novos ônibus vão começar a circular a partir de 1º de dezembro". Diga: *Os novos ônibus vão começar a circular em 1º de dezembro.* Ou: *Os novos ônibus vão circular a partir de 1º de dezembro.* 2. A preposição *desde* indica tempo passado. Pode aparecer sozinha ou combinada com *até*: *Está no Brasil desde dezembro de 1993. Trabalhou desde o amanhecer até a meia-noite.*

a ponto de — É a construção correta, não *ao ponto de*.

a posteriori — Significa depois da experiência, com apoio nos fatos. Escreve-se sem grifo.

a primeira vez que, a segunda vez que, a última vez que — Expressões temporais dispensam a preposição *em* antes do *que*: *A primeira vez que vi Maria* (não: *a primeira vez em que vi Maria*).

a princípio/em princípio — Parecido não é igual. *A princípio* quer dizer *no começo, inicialmente*: *A princípio o Brasil era o favorito das apostas. Depois da partida de estreia, deixou de sê-lo. Toda conquista é, a princípio, muito excitante. Com o tempo, pode mudar de figura.* 2. *Em princípio* significa *teoricamente, em tese, de modo geral*: *Em princípio, toda mudança é benéfica. Estamos, em princípio, abertos às novidades tecnológicas.*

a priori — Quer dizer antes da experiência, sem apoio nos fatos. Escreva a expressão sem grifo.

a sós — Sempre no plural: *Maria prefere viver a sós* (sozinha). *Moramos a sós no mesmo apartamento* (sozinhos).

à toa — é locução adverbial ou adjetiva: *andar à toa, estar à toa, correr à toa, conversar à toa, leitura à toa, trabalho à toa*.

a toda prova — Sem crase.

a ver — Significa *ter relação*: *Minha história tem tudo a ver com a de Paulo. Este fato não tem nada a ver com aquele. O que uma coisa tem a ver com a outra?*

a.C. — Antes de Cristo.

AA — Alcoólicos Anônimos.

AABB — Associação Atlética Banco do Brasil.

AAN — Assembleia do Atlântico Norte.

AAS — Sigla de ácido acetilsalicílico.

> **abaixar/baixar** — São sinônimos. Mas há empregos em que só o *baixar* tem vez. 1. quando o verbo for intransitivo (*a temperatura baixou, o nível da água baixa na seca, o preço da carne baixará*); 2. no sentido de expedir (*o presidente baixa decreto, o secretário baixou portarias, o ministro baixa instruções*); 3. Na expressão "baixar programas na internet". No mais, com objeto direto, um ou outro verbo têm uso corrente: *baixou (abaixou) a voz, baixa (abaixa) o preço, baixou (abaixou) o volume do som*.

abaixo-assinado/abaixo assinado — O documento se escreve com hífen: *Os manifestantes entregaram o abaixo-assinado ao presidente.* O signatário se grafa sem o tracinho: *Paulo da Silva, abaixo assinado, solicita...* Plural: *abaixo-assinados, abaixo assinados.*

abajur — Já está naturalizado. Sem grifo.

Abav — Associação Brasileira de Agências de Viagens.

ABBC — Associação Brasileira de Bancos.

ABC — Academia Brasileira de Ciências.

ABC — *American Broadcasting Company*.

ABC — Associação Brasileira de Cooperação, órgão do Ministério das Relações Exteriores encarregado de cooperação técnica e econômica com outros países.

ABC — Associação Brasiliense de Corredores.

ABC ou **abc** — abecedário.

abcesso — Acúmulo de pus provocado por infecção.

Abdib — Associação Brasileira da Infraestrutura e Indústrias de Base.

abdicar — Use a preposição *de: Ninguém abdica do poder sem dor.*

abdome, abdômen — As duas formas estão corretas. Prefira *abdome*.

á-bê-cê/abecê — Abecedário. Plural: *á-bê--cês*; *abecês*: *Ele ainda estuda o á-bê-cê (abecês)*.

Abecip — Associação Brasileira das Entidades de Crédito Imobiliário e Poupança.

Abecitrus — Associação Brasileira dos Exportadores de Cítricos.

Abecs — Associação Brasileira das Empresas de Cartões de Crédito e Serviços.

Abed — Associação Brasileira de Educação a Distância.

Abet — Associação Beneficente dos Empregados em Telecomunicações.

Abeti — Associação Brasileira de Ensino Técnico Industrial.

Abeti — Associação Brasileira de Executivos de Tecnologia da Informação.

ABI — Associação Brasileira de Imprensa.

Abicomp — Associação Brasileira da Indústria de Computadores e Periféricos.

Abifarma — Associação Brasileira da Indústria Farmacêutica.

Abih — Associação Brasileira da Indústria de Hotéis.

Abimaq — Associação Brasileira da Indústria de Máquinas e Equipamentos.

Abinee — Associação Brasileira da Indústria Elétrica e Eletrônica.

Abipeças — Associação Brasileira da Indústria de Autopeças.

ABL — Academia Brasileira de Letras.

Abmes — Associação Brasileira de Mantenedoras de Ensino Superior.

ABNT — Associação Brasileira de Normas Técnicas.

abolir — Verbo defectivo. Só se conjuga nas formas em que o *l* é seguido de *e* ou *i*. Por isso não tem a primeira pessoa do singular do presente do indicativo, o presente do subjuntivo e o imperativo negativo: *aboles, abole, abolimos, abolem; aboli, aboliu, abolimos, aboliram; abolia, abolias, abolíamos, aboliam; abolisse; abolirei; aboliria*. E por aí vai.

aborígene, aborígine — As duas formas estão certinhas.

Abra — Associação Brasileira de Reforma Agrária.

abraçar — Verbo transitivo direto. Quem abraça abraça alguém: *Abracei João. Abracei-os com amizade.*

Abradee — Associação Brasileira de Distribuidores de Energia Elétrica.

Abrahue — Associação Brasileira de Hospitais Universitários e de Ensino.

Abrale — Associação Brasileira de Autores de Livros Educativos.

Abrale — Associação Brasileira de Linfoma e Leucemia.

Abramge — Associação Brasileira de Medicina de Grupo.

Abrapia — Associação Brasileira Multiprofissional de Proteção à Infância e à Adolescência.

Abras — Associação Brasileira de Supermercados.

Abrava — Associação Brasileira de Refrigeração, Ar Condicionado, Ventilação e Aquecimento.

Abrelivros — Associação Brasileira de Editores de Livros Escolares.

abreviatura

1. A abreviatura não deve confundir o leitor. Por isso precisa ser familiar, facilmente entendida.

2. Dispensam o ponto abreviativo e o *s* indicador de plural as abreviaturas de hora, minuto, segundo, metro, quilograma, litro e respectivos derivados (quilômetro, grama, decilitro).

3. Grafa-se o *s* de plural nas abreviaturas formadas pela redução de palavras (*caps.*, *págs.*, *cias.*).

4. As abreviaturas mantêm o acento da palavra (*séc.*, *pág.*).

5. Salvo em títulos, deve-se evitar a abreviatura de nomes geográficos: *São Paulo* (não *S. Paulo*); *Rua da Praia* (não *R. da Praia*).

6. A abreviatura dos meses leva ponto quando escrita em letra minúscula e dispensa-o quando grafada em maiúsculas (*jan.*, *JAN*).

7. A abreviatura de data deve ser feita com ponto: *21.4.95*.

8. A abreviatura de hora é *h*; de minuto, *min*; e segundo, *s* (sem ponto). Não se observam espaços entre o número e a abreviatura: *5h, 5h25, 5h25min30* (só se escreve *min* se forem especificadas as horas até segundo. Em cronometragem esportiva, usam-se as abreviaturas *min* e *s*, mas milésimos de segundo dispensam indicação).

9. O jornal só abrevia pesos e medidas do sistema decimal: quilo (kg), metro (m) e tonelada (t). Os demais são usados por extenso (alqueire, acre) indicando o equivalente em medida mais conhecida entre parênteses. Salvo em quadros e tabelas, deve-se grafar por extenso a primeira referência a medidas de área e volume (metros quadrados, metros cúbicos).

9.1. No emprego das abreviaturas de pesos e medidas, adota-se o mesmo procedimento da indicação de horas — sem ponto depois da abreviatura, sem o signo de plural e sem espaço depois do número: *34kg, 12cm, 132t*.

9.2. Cuidado: Não abrevie medidas do sistema decimal como se fossem horas. Use vírgula: *1,60m* (não *1m60*).

ABRH — Associação Brasileira de Recursos Humanos.

Abrinq — Associação Brasileira dos Fabricantes de Brinquedos.

Abruc — Associação Brasileira das Universidades Comunitárias.

Abruem — Associação Brasileira de Reitores das Universidades Estaduais e Municipais.

ABS (anti-lock breaking system) — Sigla em inglês para sistema de freios antitravamento. Constitui item de segurança que evita o travamento das rodas em caso de freadas bruscas e mantém o carro controlável.

Abster-se — É derivado de *ter*. Um e outro se conjugam do mesmo jeitinho, observadas as regras de acentuação: *eu me abstenho, ele se abstém, nós nos abstemos, eles se abstêm; eu me abstive, ele se absteve, nós* *nos abstivemos, eles se abstiveram; se eu me abstiver, ele se abstiver, nós nos abstivermos, eles se abstiverem; eu me tenho abstido; ele está se abstendo.*

acabamento final — É pleonasmo. Basta *acabamento*.

ação popular — Meio processual facultado a qualquer cidadão para postular em juízo a anulação de atos ou contratos administrativos considerados lesivos ao patrimônio público. A ação pode ser proposta, também, contra autarquias, entidades paraestatais e pessoas jurídicas subvencionadas com dinheiro público.

acaso/caso — Ambas indicam condição. Mas têm empregos diferentes. *Acaso* pede a conjunção *se*; *caso* dispensa-a: *Se acaso você chegasse a tempo, poderia ir à festa. Se acaso você antecipar o trabalho, resolverá o problema. Caso você chegasse a tempo, poderia ir à festa. Caso você antecipe o trabalho, resolverá o problema.*

acautelar-se — Pede a preposição *com*: *Acautele-se com as paixões avassaladoras.*

ACDF — Associação Comercial do Distrito Federal.

aceder — Rege a preposição *a*: *O prefeito acedeu ao apelo da população.*

aceitado/aceito — Use *aceitado* com os auxiliares ter e haver (*havia aceitado, tinha aceitado*) e *aceito* com os verbos ser e estar (*foi aceito, estava aceito*).

acender — Alguém acende a luz, mas a luz se acende.

acender x acender-se — O verbo pode ser pronominal: *alguém acende a luz, mas a luz se acende.*

acendido x aceso — Use *acendido* com os auxiliares ter e haver e *aceso* com ser e estar: *Antes de entrar, tinha (havia) acendido a luz. A luz foi (está) acesa com antecedência.*

acento/assento — *Acento*: sinal gráfico (agudo, grave, circunflexo). *Assento*: lugar onde se senta (*assento preferencial, assento na ABL, assento dianteiro*).

acentuação gráfica

Acentuam-se:

1. as proparoxítonas: *vendêssemos, partíamos, fósforo.*

2. as oxítonas terminadas em: 1) *a, e, e o* seguidas ou não de *s*: *está, estás, cantá-la, vendê-lo, vocês, compô-lo, compôs*; e 2) *em, ens*: *alguém, contém, conténs, armazéns.*

3. as paroxítonas terminadas em: 1) *a, e* e *o* seguidas de consoante diferente de *s*: *tórax, revólver, Nélson* (exceção: paroxítonas terminadas em *am, em* e *ens*: *amam, jovem, jovens, item, itens*); 2) *i* e *u* seguidas ou não de qualquer consoante: *táxi, fácil, álbum, álbuns*; 3) ditongo: *órgão, órfãos, pônei*; 4) *ã, ãs*: *imã, imãs, órfã, órfãs.*

4. os monossílabos tônicos terminados em *a, e* e *o* seguidos ou não de *s*: *dá, dás, lê, lês, nó, nós, pôs, pô-lo.*

5. os ditongos abertos *éi, éu* e *ói* (exceto nas paroxítonas): *papéis, chapéus, herói, dói.*

6. o *i* e o *u* tônicos quando preencherem obrigatoriamente três condições: 1) forem antecedidos de vogal; 2) formarem sílaba tônica sozinhos ou com *s*; e 3) não forem seguidos de *nh*: *juízes, contribuído, saí, egoísta, saúde, baús, Grajaú.*

7. com acento diferencial: o substantivo *ás* (≠ *as*, artigo); o verbo *pôr* (≠ preposição *por*); *quê* quando substantivo ou em fim de frase (≠ conjunção ou pronome *que*); *porquê* (≠ *porque*, conjunção); *pôde*, pretérito perfeito do indicativo do verbo poder (≠ *pode*, presente do indicativo).

8. a terceira pessoa do plural dos verbos *ter* e *vir*: *eles têm, eles vêm* (os derivados desses verbos obedecem à regra das oxítonas: *ele contém, eles contêm; ele convém, eles convêm*).

acerca de, cerca de, há cerca de, a cerca de — 1. *Acerca de* significa *sobre, a respeito de*: *Pronunciou-se acerca da oscilação do dólar*. 2. *Cerca de* quer dizer *aproximadamente*: *Recebeu cerca de R$ 500*. 3. *Há cerca de* indica contagem de tempo passado (*faz aproximadamente*): *Viajou há cerca de dois meses*. 4. *A cerca de* exprime tempo futuro: *Viajará daqui a cerca de dois meses. A cerca de dois meses das eleições, regras do pleito podem ser mudadas*.

Acesita — Cia Aços Especiais de Itabira.

achar que — Não use. É achismo. Com ele, o enunciado fica fraco, inconvincente. Em vez de "Acho que o Brasil entrará num período de crescimento sustentado", basta "O Brasil entrará num período de crescimento sustentado". Mais: o *particularmente*, que costuma acompanhar o verbo achar, também sobra: *(Eu, particularmente, acho que) O Brasil entrará num período de crescimento sustentado*.

acidente/incidente — 1. *Acidente* é fato imprevisto, em geral desastroso (*acidente de trânsito, acidente aéreo, acidente que matou 10 pessoas*). 2. *Incidente* é episódio, atrito, fato de importância menor (*incidente diplomático, incidente entre os irmãos*).

acidente vascular cerebral — Conhecido pela sigla AVC. O termo popular é derrame, também correto, causado por obstrução ou rompimento de vasos cerebrais. Pode causar paralisia, alteração de consciência, ataques e problemas hemorrágicos. (Sinônimo: acidente vascular encefálico — AVE.)

Acie — Associação dos Correspondentes de Imprensa Estrangeira.

ACNUR — Alto Comissariado das Nações Unidas para Refugiados.

aconselhar — Pede objeto direto e indireto (preposição *a*): *O pai aconselhou o filho a dedicar-se mais aos estudos. Ninguém o aconselha a trabalhar de madrugada*.

acontecer — *Acontecer* não deve ser usado como curinga. No duro, no duro, ele tem a acepção de *ocorrer de repente*: *Caso acontecesse o ataque, haveria muitos mortos*. O verbo é bem-vindo na companhia dos pronomes indefinidos (tudo, nada, todos), demonstrativos (este, isto, aquilo) e o interrogativo (que): *Tudo pode acontecer durante o conflito. Aquilo não aconteceu de uma hora para outra. O que aconteceu?* Não use *acontecer* no sentido de *ser, haver, realizar-se, ocorrer, suceder, existir, verificar-se, dar-se, estar marcado para*: *O show acontece* (está marcado para) *às 22h. O festival aconteceu* (ocorreu) *no ano passado. Acontecem* (ocorrem) *injustiças no vestibular. As provas estão previstas para acontecer em setembro* (previstas para setembro).

acórdão — Plural: acórdãos.

Acre (o) — **Capital**: Rio Branco. **Situação geográfica**: sudoeste da Região Norte. **Área**: 164.122,28km². **Número de municípios**: 22. **Cidades principais**: Cruzeiro do Sul, Sena Madureira, Tarauacá, Feijó, Brasileia. **Limites**: Amazonas (N), Rondônia (L), Bolívia (SE), Peru (S e O). **População total**: 732.793 (2010). **Gentílico/estado**: acriano. **Gentílico/capital**: rio-branquense. **Hora local em relação a Brasília**: -2h.

Acrefi — Associação Nacional das Instituições de Crédito, Financiamento e Investimento.

Acresp — Associação Cultural e Recreativa dos Servidores Públicos.

acriano — originário do Acre.

ACS — Agente Comunitário de Saúde.

acusar — Pede objeto direto e indireto (preposição *de*): *O promotor acusou o réu de estelionato. Acusou-o de sonegação fiscal.*

ad aeternum — escreve-se assim.

ad nutum — A duplinha latina quer dizer a qualquer momento. *Funcionário demissível ad nutum* é o que pode perder o emprego sem aviso prévio.

adaptar — Pede objeto direto ou direto e indireto (preposição *a*): *Adaptou as regras do jogo. Adaptou o programa às exigências dos novos estudantes. Adaptou-se aos rigores do inverno de Nova York.*

Adasa-DF — Agência Reguladora de Águas e Saneamento.

ADDHU — Associação de Defesa dos Direitos Humanos.

Adecex — Agência de Desenvolvimento Econômico e Comércio Exterior do Distrito Federal.

ademais — Significa *além disso, de mais a mais*: *O dia estava frio; ademais, ele estava sem agasalho.*

Ademi — Associação de Dirigentes de Empresas do Mercado Imobiliário.

Adene — Agência de Desenvolvimento do Nordeste.

adentrar — Prefira a regência transitiva direta: *O time adentrou o campo.*

adentro — Escreve-se assim, coladinha: *Fugiu mato adentro. A discussão prosseguia noite adentro.*

adequar — Só se conjuga nas formas em que a sílaba tônica cai fora do radical (adeq). O presente do indicativo tem apenas duas pessoas (adequamos, adequais). Por não ter a 1ª pessoa do singular do presente do indicativo, não se flexiona no presente do subjuntivo e no imperativo negativo. Do imperativo afirmativo só tem a 2ª pessoa do plural (adequai). Os demais tempos e modos são regulares (adequei, adequaste, adequou, adequamos, adequastes, adequaram; adequava, adequavas, adequava, adequávamos, adequáveis, adequavam; adequarei; adequaria; adequasse; adequando; adequado). No sufoco, pode ser substituído por *adaptar*.

aderir — 1. Pede a preposição *a*: *O partido aderiu ao programa proposto pelo líder. Não se pode aderir a todos os modismos.*

2. Apresenta irregularidade na 1ª pessoa do singular do presente do indicativo e, por extensão, em todo o presente do subjuntivo. Presente do indicativo (eu adiro, tu aderes, ele adere, etc.), presente do subjuntivo (que eu adira, tu adiras, ele adira, etc.).

adiar — É deixar a realização de algo para depois. Por isso, abra os dois olhos. *Adiar para depois* é pleonasmo: *O presidente adiou a reunião. O diretor adiou a viagem para a próxima quarta-feira. Que tal adiar o casamento?*

adjetivo anteposto a mais de um substantivo (concordância) — Concorda com o mais próximo, ou seja, o primeiro deles: *má hora e lugar, sérios encargos e obrigações.* Exceção: Quando os substantivos são nomes próprios ou nomes de parentesco, o adjetivo vai sempre para o plural: *O Brasil admira os denodados Caxias e Tamandaré. O professor elogiou as aplicadas tia, prima e sobrinha.*

adjetivo posposto a dois ou mais substantivos (concordância) — Pode concordar com o mais próximo ou com todos, observando-se a primazia do masculino sobre o feminino e do plural sobre o singular: *Estudo a língua e a literatura portuguesa (ou portuguesas). Comprei uma bolsa e um sapato esportivo (ou esportivos).*

adjetivos compostos

1. Só o último elemento se flexiona tanto em número quanto em gênero: *povos anglo-germânicos, império austro-húngaro, relações euro-americanas, literatura franco-germânica, línguas indo-europeias, escola teuto-japonesa, relações sino-libanesas, tratado líbano-israelense, partidos social-democratas, governo democrata-cristão, esforços sobre-humanos, ações antissociais, cursos técnico-profissionais, operação médico-cirúrgica.* Exceção: *azul-marinho* (invariável), *claro-escuro (claros-escuros), surdo-mudo (surdos-mudos).*

Os adjetivos compostos referentes a cores são invariáveis quando o segundo elemento da composição é substantivo: *uniformes verde-oliva, blusas azul-turquesa, canários amarelo-ouro, sapatos verde-garrafa, vestidos vermelho-sangue, toalha azul-pavão.*

O adjetivo *ultravioleta* é invariável.

adjetivos gentílicos brasileiros — Procure no nome do estado.

adjetivos gentílicos estrangeiros — Açores (açoriano), Afeganistão (afegane, afegão), Além dos Alpes (transalpino), Além dos Andes (transandino), Além do Prata (transplatino), Além do Reno (transrenano), Alpes (alpino), Andes (andino), Angola (angolano), Aquém dos Alpes (cisalpino), Aquém dos Andes (cisandino), Aquém do Reno (cisrenano), Arezzo (aretino), Bagdá (bagdali), Bálcãs (balcânico), Batávia (batavo), Baviera (bávaro), Bélgica (belga), Bengala (bengalês), Beira (beirão), Bilbau (bilbaíno), Birmânia (birmanês), Borgonha (borguinhão), Braga (bracarense), Buenos Aires (portenho), Cairo (cairota), Camarões (camaronês), Canárias (canário), Ceilão (cingalês), Chipre (cipriota), Coimbra (coimbrão), Congo (congolês), Córsega (corso), Costa Rica (costa-riquenho, costa-ricense), Croácia (croata), Curdistão (curdo), Dalmácia (dálmata), Damasco (damasceno), Estados Unidos (norte--americano, americano ou estadunidense), Etiópia (etíope), Filipinas (filipino), Flandres (flamengo), Galícia (galego), Gália (gaulês), Gana (ganense), Genebra (genebrino), Goa (goense), Guatemala (guatemalteco), Guiné (guinéu), Honduras (hondurenho), Iêmen (iemenita), Índia (indiano), Iraque (iraquiano), Israel (israelense), Java (javanês), Jerusalém (hierosolimita, hierosolimitano, jerosolimita), Laos (laociano), Levante (levantino), Lima (limenho), Madagascar (madagascarense, malgaxe), Madri (madrilenho), Malásia (malaio), Manchúria (manchu), Milão (milanês), Minho (minhoto), Mônaco (monegasco), Mongólia (mongol), Níger (nigerino), Nigéria (nigeriano), Nova Zelândia (neozelandês), País de Gales (galês), Panamá (panamenho), Papuásia (papua), Parma (parmesão, parmesino), Patagônia (patagão), Pequim (pequinês), Porto (portuense), Porto Rico (porto-riquenho, porto-riquense), Rio da Prata (platino), Romênia (romeno), Salvador (salvadorenho), Sardenha (sardo), São Domingos (dominicano), Sião (siamês), Somália (somali), Tânger (tangerino), Terra do Fogo (fueguino), Trás-os-Montes (transmontano), Trento (tridentino), Trieste (triestino), Túnis (tunisino), Tunísia (tunisiano), Veneza (veneziano), Vietnã (vietnamita), Zaire (zairense), Zululândia (zulu).

admirar — Não pede preposição: *Admirava a democracia americana. Admiramos o trabalho apresentado. Sempre admiraram Picasso.*

admirar-se — Pede a preposição *de* ou *em*: *Admirou-se da eficiência dos novos contratados. Admira-se em superar as dificuldades que lhe têm sido apresentadas.*

ADVB — Associação dos Dirigentes de Marketing e Vendas do Brasil.

Advocacia-Geral da União — Instituição destinada a representar a União nas ações judiciais em que compareça como autora, ré, proponente, interveniente, litisconsorte (entra como parte solidária na ação de terceiro por ter o mesmo interesse de quem a ajuíza) ou que de qualquer modo a envolva. Também lhe cabe representar a União em questões extrajudiciais e funcionar como órgão de assessoramento jurídico do Poder Executivo.

AEA — Agência Europeia do Ambiente.

AEB — Agência Espacial Brasileira.

AEC — Associação Europeia de Cooperação (CE).

Aedes aegypti — Escreve-se em itálico. *Aedes* tem inicial maiúscula; *aegypti*, minúscula.

á-é-i-ó-u — Nome das primeiras letras.

aero — Pede hífen quando seguido de *h* e *o* (*aero-hidroterapia, aero-ondulante*). No mais, é tudo colado: *aeroclube, aeroespacial, aerosshopping*.

aerofólio — Peça instalada na parte traseira da carroceria para aproveitar a força do ar e, assim, pressionar o carro contra o solo, deixando-o mais estável.

Aesa — Agência Executiva de Gestão das Águas do Estado da Paraíba.

AEUDF — Associação de Ensino Unificado do Distrito Federal.

AFA — Academia da Força Aérea.

Afeganistão (o) — **Nome oficial:** Estado Islâmico do Afeganistão. **Nacionalidade:** afegã. **Localização:** Oriente Médio (Ásia Central). **Capital:** Cabul. **Extensão territorial:** 652.090km². **Divisão:** 31 províncias. **Cidades principais:** Cabul, Kandahar, Herat, Mazar-e-Sharif. **Limites:** Turcomenistão, Tadjiquistão, Uzbequistão (N), China (NE), Paquistão (L e S), Irã (O). **Idioma:** pashtu e dari (oficiais) e outras 30 línguas e dialetos. **Governo:** Estado islâmico. **Religião:** islâmica (oficial). **Hora local:** +7h30. **Clima:** subtropical árido (maior parte). **Data nacional:** 19/8 (Independência). **Moeda:** afegane. **População total:** 29.117.489 (2010).

affaire/affair — Significa caso, aventura, negócio. É substantivo masculino. Use-o sem grifo.

aficionado — É a forma nota 10. *Aficcionado* não existe.

afixar — Pede objeto direto e adjunto adverbial com a preposição *a*: *Mandou-o afixar o aviso à porta de entrada.*

Afora/a fora — 1. *Afora* quer dizer *à exceção de, além de, ao longo de*: *Afora o pai, veio toda a família. Exerceu alguns cargos, afora o de presidente da República. Viajou Brasil afora.* 2. Não confundir com *a fora*, que se opõe a *de dentro*: *De dentro a fora.*

AFP — Agence France Presse.

África do Sul (a) — **Nome oficial:** República da África do Sul. **Nacionalidade:** sul-africana. **Localização:** África austral.

Capitais: Pretória (administrativa), Cidade do Cabo (legislativa), Bloemfontein (judiciária). **Extensão territorial:** 1.221.037km². **Divisão:** nove províncias. **Cidades principais:** Cidade do Cabo, Johannesburgo, Durban, Pretória, Port Elizabeth. **Limites:** Botsuana, Zimbábue (N), Moçambique, Suazilândia (NE), Oceano Índico (L e S), Oceano Atlântico (O), Namíbia (NO). **Idioma:** africâner, inglês, xhosa, zulu, sotho, entre outras línguas oficiais. **Governo:** República presidencialista. **Religião:** cristã, com minorias hindu e islâmica. **Hora Local:** +5h. **Clima:** tropical (maior parte), mediterrâneo (extremo sul), árido tropical (NO), de montanha (O). **Data nacional:** 31/5 (República). **Moeda:** rand. **População total:** 50.492.408 (2010).

> **afro** — 1. Como substantivo ou adjetivo, flexiona-se normalmente: *os afro, as afra; povos afro, povos afros, música afro, músicas afro*. 2. Como prefixo, pede hífen na formação de adjetivos pátrios: *afro-americano, afro-brasileiro, afro-latino*. 3. Nos demais compostos, é tudo junto: *afrolatria, afrodescendente*.

Agá — Nome da 8ª letra do alfabeto.

Agemti-DF — Agência de Tecnologia da Informação.

agências de notícias — AFP — Agence France Presse (França); Ansa — Agência Internacional de Notícias (Itália); AP — Associated Press (EUA); DPA — Deutsche Presse Agentur (Alemanha); CBN — Central Brasileira de Notícias; EFE — Agência Internacional de Notícias (Espanha); Notimex — Agência de Notícias (México); Reuters — Agência

Internacional de Notícias (Inglaterra); Tass — Agência de Notícias (Rússia); UPI — United Press International (EUA); Xixhua — Agência de Notícia (China).

Agevisa — Agência Estadual de Vigilância Sanitária do Estado da Paraíba.

Agnu — Assembleia Geral das Nações Unidas.

agradar — 1. Prefira a regência transitiva indireta no sentido de satisfazer, contentar: *As medidas agradaram a patrões e empregados. A restrição ao crédito não agradou aos comerciantes.* 2. Na acepção de fazer agrados, acariciar, afagar, é transitivo direto: *A mãe agradava longamente o filho adormecido.*

agradecer — 1. Pede objeto direto de coisa e indireto de pessoa: *Agradeceu o presente. Agradeceu ao pai. Agradeceu o presente ao pai. Agradeço ao diretor pela promoção.* 2. Na substituição do alguém pelo pronome, é a vez do lhe: *Agradeço-lhe pela colaboração.*

agreement/agrément — A primeira é palavra inglesa; a segunda, francesa. Prefira *agreement*, mais usada nos dias de hoje.

agro — com hífen quando seguido de *h* ou *o*: *agro-história, agro-operário, agroindústria, agropecuária, agronegócios.*

AGU — Advocacia-Geral da União.

água-de-colônia — Mantém o hífen.

aguar — Indicativo: presente (águo, águas, água, aguamos, aguais, águam); pretérito perfeito (aguei, aguaste, aguou, aguamos, aguastes, aguaram); imperfeito (aguava, etc.); presente do subjuntivo (águe, águes, águe, aguemos, agueis, águem).

agudo — Manifestação repentina de sintomas de uma doença.

ah! — Interjeição que exprime admiração.

AI — Anistia Internacional (Amnesty International).

AID — Associação Internacional de Desenvolvimento (International Development Association).

Aids, aids — Síndrome da imunodeficiência adquirida, doença causada pelo vírus HIV. Não se recomenda usar o termo aidético em referência a portador do HIV.

AIFM — Autoridade Internacional dos Fundos Marinhos.

AIM — Sigla para AOL *instant messenger* e MSN *messenger*. São alguns dos programas mais populares de conversação em tempo real pela internet.

ainda continua — Redundância. Basta *continua*.

ainda continua/ainda mais — Não use. São pleonasmos: *Ele (ainda) continua doente. O trabalho (ainda) vai levar mais uma semana.*

airbag — Bolsa inflável que protege os ocupantes em caso de acidente. Pode ser instalada no painel, na parte superior das janelas, nas laterais dos bancos dianteiros. No caso de colisão, sensores acionam uma central eletrônica, que envia a "ordem" de disparo.

aja — Veja **haja/aja**.

ajudar — Transitivo direto ou indireto (preposição *a*) indiferentemente: *Ajudou o amigo. Ajudou ao amigo. Ajudou-o a concluir o trabalho.*

Aladi — Associação Latino-Americana de Integração.

Alagoas — **Capital**: Maceió. **Situação geográfica**: leste da Região Nordeste. **Área**: 27.779,343km². **Número de municípios**: 102. **Cidades principais**: Arapiraca, Palmeira dos Índios, União dos Palmares, Rio Largo. **Limites**: Pernambuco (N e NO), Sergipe (S), Bahia (SO), Oceano Atlântico (L). **População total**: 3.120.922. **Gentílico/estado**: alagoano. **Gentílico/capital**: maceioense. **Hora local em relação a Brasília**: a mesma.

Alalc — Associação Latino-Americana de Comércio Livre (extinta).

Albânia (a) — **Nome oficial**: República da Albânia. **Nacionalidade**: albanesa. **Localização**: Europa balcânica. **Capital**: Tirana. **Extensão territorial**: 28.748km². **Divisão**: 36 distritos. **Cidades principais**: Tirana, Durrës, Elbasan, Shkodër, Vlorë. **Limites**: Sérvia e Montenegro (N e NE), Macedônia (L), Grécia (S), mares Adriático e Jônico (O). **Idioma**: albanês (oficial), grego, dialetos regionais. **Governo**: República parlamentarista. **Religião**: islâmica, com minorias cristãs ortodoxas e católicas. **Hora local**: +4h. **Clima**: Mediterrâneo. **Data nacional**: 11/1 (República). **Moeda**: lek (novo lek). **População total**: 3.169.087 (2010).

Alca — Área de Livre Comércio das Américas.

alcançar — Transitivo direto, sem preposição: *Alcançou o objetivo perseguido. Alcançou o filho antes de chegar à esquina.*

álcool — Plural: *álcoois*.

Alcorão/Corão — Livro sagrado dos muçulmanos.

ALDF — Assembleia Legislativa do Distrito Federal.

alegreto — Trecho musical de caráter gracioso e leve. É forma aportuguesada, não pede grifo.

alegro — Trecho musical com andamento animado. Naturalizada, não pede grifo.

além — 1. Na formação de palavras compostas, usa-se sempre com hífen (*além-mar*, *além-túmulo*, *além-oceano*. Mas: *Alentejo*). 2. O *além* é inimigo do *também* e do *ainda*. Por isso são pleonásticas construções como esta: *Além do presidente, estavam também (ainda) os ministros*. Diga: *Além do presidente, estavam os ministros.*

além de + também (ou ainda) — *Além de* indica adição. *Também* e *ainda* transmitem a mesma ideia. Escrever "além de estudar, ele também trabalha" é pleonasmo. Use-os separadamente: *Além de estudar, trabalha. Estuda e também trabalha. Estuda e, ainda, trabalha.*

Alemanha (a) — **Nome oficial**: República Federal da Alemanha. **Nacionalidade**: alemã. **Localização**: Europa central. **Capital**: Berlim. **Extensão territorial**: 356.733km². **Divisão**: 16 estados, 10 da antiga RFA, 5 da extinta RDA (República Democrática da Alemanha) e Berlim. **Cidades principais**: Schleswig-Holstein, Bremen, Baixa Saxônia, Renânia do Norte-Vestfália, Hessen, Renânia-Palatinado, Sarre, Baden-Württemberg, Mecklemburgo-Pomerânia Ocidental, Hamburgo, Brandemburgo, Berlim, Saxônia-Anhalt, Saxônia, Turíngia, Baviera. **Limites**: Mares Báltico e do

Norte, Dinamarca (N), Polônia (L), República Tcheca (SE), Áustria, Suíça (S), França, Bélgica, Luxemburgo e Holanda (O). **Idioma:** alemão (oficial), dialetos regionais. **Governo:** República parlamentarista. **Religião:** protestante (luteranos) e católica, com minorias islâmicas. **Hora local:** +4h. **Clima:** temperado. **Data nacional:** 3/10 (unificação). **Moeda:** euro. **População total:** 82.056.775 (2010).

> **alertar** — Quando transitivo indireto, pede as preposições de, para, sobre ou contra: *O assessor alertou o ministro sobre (para) a repercussão da medida. Alerta-o sempre contra as drogas.*

alface — É feminina: *a alface, alface americana, alface crespa.*

alienação fiduciária em garantia — Cláusula usada nos contratos de compra e venda sob o regime de prestações sucessivas em que o comprador obtém apenas a posse do bem adquirido. Só será investido na condição de proprietário (posse definitiva e irrestrita do bem) depois de resgatar a última prestação. Ao vendedor reserva-se o direito de buscar e apreender o objeto vendido em caso de inadimplência do adquirente.

alternativa — 1. Alternativa não é sinônimo de opção. A alternativa se escolhe entre duas opções. Por isso, não diga *outra alternativa* ou *única alternativa*. Por quê? A alternativa é sempre outra. Se não há outra, só pode ser única: *A alternativa foi ficar. Não havia alternativa.* 2. Se forem mais de duas opções, dê passagem para uma destas palavras: *saída, possibilidade, recurso, opção.*

alto e bom som — A expressão não tem a preposição *em* (*em alto e bom som*): *O presidente anunciou a renúncia alto e bom som. Proclamou os vencedores alto e bom som. O delegado disse alto e bom som o que pensava do episódio.*

alto-falante — Plural: *alto-falantes.*

aludir — Pede a preposição *a*: *Aludiu ao problema com extrema cautela.*

alunissar/alunizar — Pousar suavemente na superfície lunar.

Alzheimer — Doença caracterizada pela deterioração do funcionamento cerebral. A causa é desconhecida. Geralmente, o processo é lento e contínuo, comprometendo memória e inteligência. Conhecida como mal de Alzheimer ou doença de Alzheimer (*mal* e *doença* devem ser grafadas com minúsculas).

Aman — Academia Militar das Agulhas Negras.

Amapá (o) — **Capital:** Macapá. **Situação geográfica:** nordeste da Região Norte. **Área:** 142.827,897km². **Número de municípios:** 16. **Cidade principal:** Santana. **Limites:** Guiana Francesa (N), Oceano Atlântico (L), Pará (S e O). **População total:** 668.689 (2010). **Gentílico/estado:** amapaense. **Gentílico/capital:** macapaense/manauense. **Hora local em relação a Brasília:** -1h a leste da linha que vai de Tabatinga a Porto Acre, -2h a oeste dessa linha.

amar — O verbo é transitivo direto: *João ama Maria. Maria ama João. João a ama. Maria o ama.*

Amazonas (o) — **Capital:** Manaus. **Situação geográfica:** centro da Região Norte.

Área: 1.559.161,682km². **Número de municípios:** 62. **Cidades principais:** Manacapuru, Tefé, Parintins, Itacoatiara. **Limites:** Venezuela, Roraima (N), Colômbia (NO), Pará (L), Mato Grosso (SE), Rondônia (S), Acre, Peru (SO). **População total:** 3.480.937 (2010). **Gentílico/estado:** amazonense. **Gentílico/capital:** manauense/manauara. **Hora local em relação a Brasília:** -1h a leste da linha que vai de Tabatinga a Porto Acre, -2h a oeste dessa linha.

AMB — Associação dos Magistrados Brasileiros.

AMB — Associação Médica Brasileira.

ambi — Pede hífen quando seguido de *h* e *i*. No mais, é tudo junto: *ambi-hilariante, ambi-ilusão, ambivalente, ambidestro.*

ambos — Depois de *ambos*, o substantivo deve ser antecedido de artigo: *ambos os alunos, ambos os países, ambas as provas.*

AME — Acordo Monetário Europeu.

amerissar — Pousar a aeronave na água.

amoled — tecnologia de televisores e monitores que são capazes de ligar e desligar seus pixels três vezes mais rápido do que outras comuns, o que permite a exibição mais fluída de filmes com bastante movimentação de câmera, tevê e celular.

amoral/imoral — *Amoral* é indiferente à moral. *Imoral* é contrário à moral: *Atos de crianças e loucos são amorais. Algumas religiões consideram imoral a relação sexual fora do casamento.*

ANA — Agência Nacional de Águas.

Anace — Associação Nacional dos Consumidores de Energia Elétrica.

Anacen — Associação Nacional dos Censores da Polícia Federal.

Anaceu — Associação Nacional dos Centros Universitários.

Anafi — Associação Nacional de Faculdades e Institutos Superiores.

Anafiso — Associação Nacional das Faculdades Integradas e Isoladas.

analisar, análise — Escreve-se com *s*.

Anatel — Agência Nacional de Telecomunicações.

Anbid — Associação Nacional dos Bancos de Investimentos.

Ancine — Agência Nacional do Cinema.

Ande — Associação Nacional de Desporto para Deficientes.

Ande — Associação Nacional de Educação.

Ande — Associação Nacional de Equoterapia.

Andes — Sindicato Nacional dos Docentes das Instituições de Ensino Superior.

Andifes — Associação Nacional dos Dirigentes das Instituições Federais de Ensino Superior.

Andima — Associação Nacional das Instituições do Mercado Financeiro.

Andorra — **Nome oficial:** Principado de Andorra. **Nacionalidade:** andorrana. **Localização:** Europa Ocidental (Pireneus). **Capital:** Andorra la Vella. **Extensão territorial:** 453km². **Divisão:** sete paróquias. **Cidades principais:** Andorra la Vella, Les Escaldes, Encamp. **Limites:** França (NO e NE), Espanha (SO e SE). **Idioma:** Catalão. **Governo:** Coprincipado parlamentarista. **Religião:** católica. **Hora local:** +4h. **Clima:** mediterrâneo. **Data nacional:** 8/9 (Pátria). **Moeda:** euro. **População total:** 85.116 (2010).

Android — sistema operacional criado pelo Google para *smartphones* e *tablets*.

Aneel — Agência Nacional de Energia Elétrica.

Anett — Associação Nacional das Escolas Técnicas e Tecnológicas.

aneurisma — É masculino.

anexo — 1. Concorda em gênero e número com o substantivo a que se refere: *carta anexa, documentos anexos.* 2. Não confunda com *em anexo*, que é invariável: *A carta segue em anexo. Os documentos estão sendo encaminhados em anexo.*

Anfavea — Associação Nacional dos Fabricantes de Veículos Automotores.

anfi — Pede hífen quando seguido de *h* e *i*. No mais, é tudo colado: *anfi-hexaedro, anfiteatro, anfioxo, anfípode.*

Anfope — Associação Nacional pela Formação dos Profissionais da Educação.

angina — Dor opressiva em qualquer parte do corpo. É, pois, sintoma, não enfermidade. A mais conhecida é a que se manifesta no peito (*Angina pectoris*), causada pela falta de oxigênio para o funcionamento do coração.

anglo — Usa-se com hífen na formação dos adjetivos pátrios: *anglo-americano, anglo-germânico, anglo-saxão.* Nos demais compostos, é tudo junto: *anglomaníaco, anglofilia, anglocatolicismo.*

Angola — **Nome oficial:** República de Angola. **Nacionalidade:** angolana. **Localização:** África austral. **Capital:** Luanda. **Extensão territorial:** 1.246.700km². **Divisão:** 18 províncias. **Cidades principais:** Luanda, Huambo, Benguela, Lobito, Lubango. **Limites:** República Democrática do Congo (N), Zâmbia (L), Namíbia (S), Oceano Atlântico (O). **Idioma:** português (oficial), umbundo, quimbundo, quicongo, ovimbundo, bacongo. **Governo:** República presidencialista. **Religião:** católica, protestante e animista. **Hora local:** +4h. **Clima:** Tropical. **Data nacional:** 11/11 (Independência). **Moeda:** novo kwanza. **População total:** 18.992.707 (2010).

ângulo de ataque — Termo usado na prática do off-road. É o ângulo que determina a aptidão de um 4x4 (carro com tração nas quatro rodas) em vencer obstáculo com alto grau de dificuldade.

anistiar — É transitivo direto: *O Congresso anistiou os rebeldes.*

ANJ — Associação Nacional de Jornais.

ano — Não use ponto para separar o milhar: *Portugal descobriu o Brasil em 1500. Em 1922, o Brasil tornou-se independente de Portugal. Você nasceu em 1994?*

ano-novo — Escreve-se com a inicial minúscula: *Deseje um feliz ano-novo.* Plural: *anos-novos.*

anorexia — Falta de apetite. Anorexia nervosa é distúrbio mais comum em mulheres jovens que se recusam a se alimentar e têm perda acentuada de peso.

anos + numeral — O numeral fica no singular. A razão é simples. Subentende-se a expressão *da década de*: *anos (da década de) sessenta, anos oitenta, anos vinte*.

ANP — Agência Nacional do Petróleo.

Anped — Associação Nacional de Pós-Graduação e Pesquisa em Educação.

ANS — Agência Nacional de Saúde Suplementar.

Ansa — Agenzia Nazionale Stampa Associata.

Ansa — Associação Nacional dos Servidores da Agricultura.

ansiar — Conjuga-se como *odiar*. Quando transitivo indireto, pede a preposição *por*: *Ansiava pela hora de encontrá-lo*.

Antaq — Agência Nacional de Transportes Aquaviários.

Antártida — O substantivo escreve-se dessa forma, mas o adjetivo é *antártico*: *continente antártico, zona antártica*.

ante — Pede hífen antes de *h* e *e*. Nos demais casos, escreve-se tudo junto: *ante-histórico, ante-estreia, anterreforma, anterrepublicano, antessala, antessocrático, antepasto, anteontem, antenupcial*.

anti — Pede hífen antes de *h* e *i*. No mais, é tudo junto: *anti-histórico, anti-humano, anti-imperialismo, anticristo, antiamericano, antirregional, antirregimental, antissistêmico, antissocial*. Quando se liga a nome próprio substituindo a preposição *contra*, usa-se com hífen: *anti-Dilma, anti-Sarney, anti-Estados Unidos*.

Antígua e Barbuda — **Nome oficial**: Antígua e Barbuda. **Nacionalidade**: antiguana. **Localização**: América Central (Antilhas). **Capital**: Saint John's (em Antígua). **Extensão territorial**: 440km². **Divisão**: seis paróquias e dois territórios. **Cidade principal**: Saint John's. **Limite**: Oceano Atlântico. **Idioma**: inglês (oficial) e inglês crioulo. **Governo**: Monarquia parlamentarista da Comunidade Britânica (o chefe de Estado é, formalmente, o monarca do Reino Unido). **Religião**: protestante (anglicanos) e católica. **Hora local**: -1h. **Clima**: tropical. **Data nacional**: 1º/11 (Independência). **Moeda**: dólar do Caribe Oriental (dólar do Caribe do Leste). **População total**: 85.900 (2010).

antropo — Pede hífen quando seguido de *h*. Nos demais casos, é tudo colado: *antropo-historiografia, antropologia, antropomorfo, antropossociologia*.

ANTT — Agência Nacional de Transportes Terrestres.

Anup — Associação Nacional das Universidades Particulares.

Anvisa — Agência Nacional de Vigilância Sanitária.

> **ao contrário/diferentemente** — 1. *Ao contrário* é contrário mesmo, o oposto (*sair x entrar, morrer x sobreviver, ficar em casa x ir para a rua*). 2. *Diferentemente* significa de forma diferente: *Diferentemente do publicado na pág. 20 da edição de ontem, o brinquedo custa R$ 50, não R$ 500*.

ao encontro de/de encontro a — 1. *Ao encontro de* quer dizer *em favor de* ou *na direção de*: *O projeto veio ao encontro de* seus interesses. *O resultado das eleições pareceu-lhe vir ao encontro das ambições do prefeito. Caminhou ao encontro do filho.* 2. Não confundir com *de encontro a*, que significa *contra*, em sentido contrário a: *O carro foi de encontro à árvore. O projeto vai de encontro às pretensões do governador.*

ao invés de/em vez de — 1. *Ao invés de* significa *ao contrário de*: *Ao invés de pobre, era rica. Ao invés de rir, chorou. Veio rápido ao invés de vir devagar.* 2. É comum confundir *ao invés de* com *em vez de*, que quer dizer *em lugar de*: *Em vez de Portugal, visitou a Espanha. Comprou carne em vez de peixe.* 3. Na dúvida, use *em vez de*. A expressão substitui *ao invés de*.

ao nível de/em nível de — 1. *Ao nível de* significa *à mesma altura*: *Santos está ao nível do mar.* 2. *Em nível de* tem os sentidos de *em instância, no âmbito, paridade, igualdade*: *A decisão foi tomada em nível de diretoria. O consenso só será possível em nível político. As duas chefias estão em nível presidencial.* 3. *A nível de* não existe. É praga.

aonde — Só se usa com verbo de movimento que exige a preposição *a*: *Aonde ele foi? Não sei aonde ele foi. Aonde o presidente quer chegar com essas manobras? Sei bem aonde o presidente quer chegar. Você sabe aonde esta estrada vai levar? Talvez ele saiba aonde conduziremos os hóspedes.*

AOS — Área Octogonal Sul (endereço de Brasília).

aos domingos/no domingo — 1. *Aos domingos* significa *todos os domingos*: *Vou à missa aos domingos. Há médicos que preferem dar plantão aos domingos. O comércio abre aos domingos.* Os demais dias da semana seguem a mesma regra. Pedem a preposição *a* quando indicam ação que se repete: *Os museus fecham às segundas-feiras* (todas as segundas). *Estudo inglês às terças e sextas. Costumo ir à livraria aos sábados.* 2. *No domingo* (*no sábado, na segunda*) quer dizer que o fato ocorre uma vez ou de vez em quando: *Paulo se casa no sábado. João Marcelo nasceu na sexta-feira. Quero ir ao cinema na quarta.*

AP — Associated Press.

APA — Associação Paulista de Avicultura.

Apae — Associação de Pais e Amigos dos Excepcionais.

apagão — É preferível a *blecaute*.

apagar — *Alguém apaga a luz, mas a luz se apaga.*

apartheid — Sem grifo.

Apec — Cooperação Econômica da Ásia e do Pacífico (Asia-Pacific Economic Cooperation).

apelar — 1. No sentido de interpor recurso, o verbo rege a preposição *de*: *Os advogados vão apelar da sentença. Os candidatos apelaram dos critérios adotados na prova.* 2. Na acepção de recorrer, a preposição é *para*: *O senador apelou para o presidente. O médico apelou para o bom senso do paciente. Para quem apelar nessas condições?* 3. Não use *apelou que*, construção inexistente em português.

apendicite — Inflamação do apêndice, saliência do intestino grosso. Quando a evolução é rápida (apendicite aguda), exige internação para retirada do apêndice (apendicectomia). Se há rompimento (apendicite perfurada), pode causar peritonite — inflamação abdominal séria.

apesar de/apesar do/apesar de o — 1. *Apesar de* antecede verbos, adjetivos ou substantivos sem artigo: *Apesar de estudar muito, não se classificou no concurso. Apesar de tímida, saiu-se bem na entrevista. Apesar de professor competente, tem dificuldade de manter a atenção dos alunos.* 2. *Apesar do (da)* vem antes de substantivo acompanhado de artigo: *Apesar do feriado, o comércio abriu. Apesar das férias longas, sente-se cansado. Apesar dos contratempos, conservou o bom humor.* 3. *Apesar de o (a)* se usa quando o artigo faz parte do sujeito. Aí, como dois bicudos, a preposição fica de um lado; o artigo, de outro: *Apesar de o governo negar, há risco de aumento da carga tributária. O programa não foi ao ar apesar de a TV o ter anunciado.*

APM — Associação de Pais e Mestres.

Apme — Associação de Produtores de Matérias Plásticas na Europa.

após — É artificial. Use-o em expressões consagradas (*ano após ano, dia após dia*). No mais, dê preferência ao *depois*: *Depois do sinal, deixe o recado. Depois de consultado o ministro, o presidente soltou a nota.*

aposentar — *O INSS aposenta o trabalhador. Mas o trabalhador se aposenta. Eu me aposento. Nós nos aposentamos.*

APP — Associação dos Profissionais de Propaganda.

Apple — família "i" — Todos os produtos da Apple começam com *i* minúsculo: iPad, iPhone, iPod, iMac.

> **apreender/aprender** — *Apreender* é fazer apreensão: *A polícia apreendeu a mercadoria. Aprender* é adquirir conhecimento, aptidão ou experiência: *Paulo aprendeu as manhas da política com rapidez. Treinou, mas não aprendeu as regras do jogo. Passou a vida e não aprendeu nada.*

aquele — Veja **este/esse/aquele**.

aquém — Nas composições, escreve-se sempre com hífen: *aquém-mar, aquém-oceano, aquém-fronteira*.

aquilo — Veja **este/esse/aquele**.

Arábia Saudita (a) — **Nome oficial**: Reino da Arábia Saudita. **Nacionalidade**: saudita. **Localização**: Oriente Médio. **Capital**: Riad. **Extensão territorial**: 2.149.690km². **Divisão**: 13 regiões. **Cidades principais**: Riad, Jidá, Meca, Ta'if, Medina. **Limites**: Jordânia, Iraque e Kuwait (N); Golfo Pérsico, Catar, Emirados Árabes Unidos e Omã (L). **Idioma**: árabe. **Governo**: Monarquia islâmica. **Religião**: islâmica (sunitas). **Hora local**: +6h. **Clima**: árido quente (maior parte), subtropical (N). **Data nacional**: 23/9 (Pátria). **Moeda**: rial. **População total**: 26.245.969 (2010).

árbitra — Feminino de *árbitro*.

arco-íris — Plural: *arco-íris*.

ar-condicionado/ar condicionado — Com hífen, é o aparelho. Sem hífen, o ar fresquinho.

Argélia (a) — **Nome oficial:** República Democrática e Popular da Argélia. **Nacionalidade:** argeliana. **Localização:** África. **Capital:** Argel. **Extensão territorial:** 2.381.741km². **Divisão:** 48 departamentos. **Cidades principais:** Argel, Orã, Constantina, Annaba, Blida, Sétif, Sidi Bel Abbes, Bejaia e Batna. **Limites:** Mar Mediterrâneo (N), Tunísia (NE), Líbia (L), Níger (S), Mali (SO), Mauritânia (SO), Marrocos (NO). **Idioma:** árabe. **Governo:** República presidencialista. **Religião:** islâmica (sunitas). **Hora local:** +4h. **Clima:** árido subtropical, mediterrâneo (litoral). **Data nacional:** 5/7 (Independência). **Moeda:** dinar argelino. **População total:** 35.422.589 (2010).

Argentina (a) — **Nome oficial:** República Argentina. **Nacionalidade:** argentina. **Localização:** América do Sul. **Capital:** Buenos Aires. **Extensão territorial:** 2.766.889km². **Divisão:** 22 províncias, o Território Nacional da Terra do Fogo e o Distrito Federal. **Cidades principais:** Buenos Aires, Córdoba, Rosário, La Plata, Mendoza, San Miguel de Tucumán, Santa Fé. **Limites:** Bolívia (N), Paraguai (NE), Brasil e Uruguai (L), Oceano Atlântico (L e SE), Chile (O). **Idioma:** espanhol. **Governo:** República presidencialista. **Religião:** católica. **Hora local:** a mesma de Brasília. **Clima:** de montanha (NO, SO, O), árido tropical (NE), árido frio (SE), temperado continental (S), tropical (N), subpolar (extremo sul). **Data nacional:** 25/5 (Revolução de 1810). **Moeda:** peso argentino. **População total:** 40.665.732 (2010).

arguir — Modo indicativo: presente (eu arguo, tu arguis, ele argui, nós arguimos, vós aguis, eles arguem); pretérito perfeito (argui, arguiste, arguiu, arguimos, arguistes, arguiram); pretérito imperfeito (arguia, arguias, arguia, arguíamos, arguíeis, arguiam); pretérito mais-que-perfeito (arguira, arguiras, arguira, etc.); futuro do presente (arguirei, arguirás, arguirá, arguiremos, arguireis, arguirão); futuro do pretérito (arguiria, arguirias, arguiria, etc.). Modo subjuntivo: presente (argua, arguas, argua, arguamos, arguais, arguam); pretérito imperfeito (arguisse, arguisses, arguisse, etc.).

armas antitanque — Podem ser lançadas manualmente (granadas de mão) ou movidas por um pequeno foguete (veja **lança foguetes antitanque**).

armas de artilharia — São classificadas pelo tamanho do calibre e pelo tipo de alimentação (veja verbetes). Subdividem-se em três categorias: canhões, obuseiros e morteiros (veja verbetes).

armas portáteis — São classificadas pelo peso, leves, médias ou pesadas, ou modo de alimentação (veja **modo de alimentação**).

- As leves podem ser disparadas com uma das mãos, sem necessidade de apoio extra. As médias necessitam dos dois braços para operá-las. As armas pesadas estão acima de 12 quilos e precisam de um suporte extra para serem manejadas.

- As armas leves dividem-se em três tipos: garruchas (de um ou dois tiros); revólveres (alimentadas por um carregador em forma de tambor) ou pistolas (alimentadas por um carregador vertical provido de mola).

- A menor arma média é a pistola-metralhadora (usamos o termo popular metralhadora de mão), normalmente em calibre de pistola (veja **calibre**). A carabina é um pouco maior e está entre o fuzil e as armas leves em termos de poder de fogo. A maior é o fuzil, que pode ser manual, semiautomático e automático. Outro bom exemplo é a espingarda, também conhecida pelo termo espanhol escopeta, que usa cartuchos de papelão.

- A menor arma pesada é o fuzil-metralhadora, equipado normalmente com um bipé (suporte em V invertido localizado sob o cano da arma), que normalmente usa um cartucho de fuzil (veja verbete **calibre**). A maior é a metralhadora de apoio, normalmente equipada com um tripé, em calibre 12,7mm (ou .50). Recentemente, alguns fabricantes lançaram fuzis capazes de disparar cartuchos pesados (de calibre igual ou superior a 12,7mm) para destruir veículos inimigos e eliminar oficiais adversários a distâncias superiores a 1.500 metros.

Armênia (a) — **Nome oficial**: República da Armênia. **Nacionalidade:** armênia. **Localização:** Sudeste europeu. **Capital:** Yerevan. **Extensão territorial:** 29.800km². **Divisão:** 11 regiões. **Cidades principais:** Yerevan, Gyumri, Vanadzor. **Limites:** Geórgia (N), Azerbaijão (L), Irã (S), Turquia (O). **Idioma:** armênio. **Governo:** República parlamentarista. **Religião:** cristã (apostólicos armênios). **Hora local:** +7h. **Clima:** temperado continental. **Data nacional:** 21/9 (Independência). **Moeda:** dram. **População total:** 3.090.379 (2010).

ARPB — Agência de Regulação do Estado da Paraíba.

ArPDF — Arquivo Público do Distrito Federal.

arqui — Usa-se hífen antes de *h* e *i*. Nos demais casos, é tudo junto: *arqui-histórico, arqui-inimigo, arquirresistente, arquissecular, arquimilionário, arquidiocese.*

arquiepiscopal — Adjetivo relativo a *arcebispo*.

arrear/arriar — *Arrear* é pôr arreios (*arrear o cavalo*). *Arriar* é baixar, pôr no chão (*arriar a bandeira, arriar a mala*).

arruinar — O presente do indicativo e do subjuntivo têm formas com acento no *i*. Ei-las: *arruíno, arruínas, arruína, arruinamos, arruinais, arruínam; arruíne, arruínes, arruíne, arruinemos, arruineis, arruínem.*

arteriosclerose — Arteriosclerose é o endurecimento e a perda de flexibilidade das artérias, causados por acúmulo de gordura nas paredes dos vasos sanguíneos. Quando há depósito de gordura nas grandes das artérias (ateromas), é chamada de aterosclerose. Ou seja, a aterosclerose é a arteriosclerose das grandes artérias, causada por ateromas.

artesão — Plural: *artesãos*. Feminino: *artesã, artesãs.*

Asbac — Associação dos Servidores do Banco Central.

Asbace — Associação Brasileira dos Bancos Estaduais.

Asbra — Associação Brasileira de Adolescência.

Asbra — Associação dos Policiais Civis, Militares e Funcionários Públicos dos Estados Federativos do Brasil.

Asbra — Associação dos Supermercados de Brasília.

> **ascendência** — É o contrário de descendência. Trata-se do vínculo de uma pessoa com os parentes que lhe deram origem (pai, mãe, avós, bisavós). Também é a origem (*ascendência árabe, ascendência russa, ascendência alemã*).
>
> **ascensão** — Ato de ascender, subir, elevar-se: *ascensão do balão, ascensão política, ascensão de Cristo*.

Asean — Associação das Nações do Sudeste Asiático.

aspas — As aspas, urubus do texto, devem ser usadas com parcimônia. Empregue-as obrigatoriamente em:

1. Citação:

   "A democracia seria o regime ideal se a liberdade solucionasse o problema econômico." (Júlio Furtado)

2. Declaração literal: *O presidente da Petrobras criticou, indignado, o que Ciro Gomes chamou de "oportunismo eleitoreiro".*

3. Palavras empregadas em sentido diferente do habitual (em geral com ironia): *Os participantes dos arrastões querem "administrar" os bens dos banhistas.*

   O presidente do partido cedeu "cordialmente" alguns de seus segundos para o concorrente.

4. Nome de artigo de jornal, título de matéria, capítulo de livro, poema, crônica, conto e similares:

   Na matéria "Falta comunicação", publicada...

   O conto "Dia da caça", de Rubem Fonseca, faz parte do livro O cobrador.

   Conhece o poema "Vou-me embora pra Pasárgada", de Manuel Bandeira?

   Li o artigo "A defesa geral do consumidor", de Marilena Lazzarini.

5. Apelidos, codinomes, alcunhas quando não vulgarizados (use aspas só na primeira referência): *Valter Machado, o "Machadão", mas Vicente Paulo da Silva, o Vicentinho.*

6. Apelido intercalado ao nome próprio: *Adílson "Maguila" Rodrigues, Maria das Graças "Xuxa" Menegel.*

   6.1. Se o apelido é incorporado oficialmente ao nome, as aspas não têm vez: *Luiz Inácio Lula da Silva.*

Observações:

1. Quando a citação não inicia o período, mas o encerra, o ponto fica depois das aspas: *Segundo Liberato Póvoa, "vai haver fraude nas eleições".*

2. Se a citação inicia e encerra o período, o ponto fica dentro das aspas: *"Se houver possibilidade de ficarmos juntos no governo, melhor." Essas palavras...*

3. Na hipótese de suspensão de uma frase escrita entre aspas, fecham-se

as aspas e abrem-se depois: *"A democracia? Vocês sabem o que é?"*, perguntou Clemenceau. *"O poder dos piolhos de comerem os leões."* "A democracia", escreveu Alceu Amoroso Lima, "é regime de convivência, não de exclusão."

4. Na transcrição de discursos, documentos e similares, abrem-se aspas no começo do texto e fecham-se só no final, não a cada início de parágrafo.

4.1. Se, porém, for acrescentado algum título auxiliar ou intertítulo, fecham-se as aspas antes dele e abrem-se depois.

5. Usam-se aspas simples em citação dentro da citação ou em títulos se necessário.

aspirar — É transitivo direto na acepção de inalar (*aspirar o ar, aspirar o perfume, aspirar o pó*). É transitivo indireto no sentido de pretender, desejar (*aspirar à felicidade, aspirar à promoção, aspirar ao emprego, aspirar a promoções*). Não aceita o pronome *lhe*. Use a ele, a ela: *Não aspira às honrarias do cargo. Não aspira a elas.*

ASR — Sistema de controle de tração automático. Impede que as rodas patinem em pisos com baixa aderência. A central ASR detecta se a roda está patinando ao calcular a diferença de giro entre as rodas dianteiras e traseiras.

assim como, bem como (concordância) — O verbo pode concordar com o primeiro sujeito ou com os dois. Observe a vírgula: *Paulo, assim como Maria, estuda medicina. Paulo assim como Maria estudam medicina. Paulo, bem como Maria, trabalha à noite. Paulo bem como Maria trabalham à noite.*

assinatura de fotos

Se a foto for:

1. De profissional do jornal: todas as imagens produzidas há mais de 15 dias deverão conter a data de produção no padrão D/M/AA (dia, mês, ano), exceto as produzidas especificamente para matérias, cadernos, capas. Ex: *Zuleika de Souza/CB/D.A Press — 16/6/08.*

Todas as imagens dos veículos do Grupo Diários Associados devem ser creditadas com a sigla do veículo/D.A Press. Ex: *José Varella/CB/D.A Press; Wagner Gil/ Esp. DP/D.A Press.*

2. Adquirida de agências, jornais, revistas e similares: é necessário identificar o nome do autor e a fonte. Ex: *Pedro Alencar/Reuters.*

3. De divulgação sem a fonte (é obrigatório o crédito do autor). Ex: *Celso Martins/ Divulgação.*

4. De freelancer dos Diários Associados (Nome do autor/Esp.* Sigla do veículo/ D.A Press). Ex: *Fátima Macedo/Esp. EM/ D.A Press.* *inserir espaço.

5. Com mais de uma fonte (Nome do autor/ Fonte/Fonte). Ex: *Paulo Carvalho/Agência O Globo/AE.*

6. Manipulação por computador sobre imagem (Arte sobre imagem):

Arte de Nome do ilustrador/Sigla do veículo sobre imagem de Nome do autor/ Fonte/D.A Press. Ex: *Arte de Patrícia Passos/DP sobre imagem de Paulo Carvalho/AE/D.A Press.*

6.1 quando o ilustrador e o autor pertencerem ao mesmo veículo dos Diários Associados, somente creditar no final (Arte de Nome do ilustrador sobre imagem de Nome do autor/Sigla do veículo/D.A Press). Ex: *Arte de Marcos Mendes sobre imagem de Paulo Henrique/CB/D.A Press.*

6.2 quando o ilustrador e os autores pertencerem a veículos diferentes dos Diários Associados, creditar D.A Press somente no final (Arte de Nome do ilustrador/Sigla do veículo sobre imagem de Nome do 1º autor/Sigla do veículo e Nome do 2º autor/Sigla do veículo/D.A Press). Ex: *Arte de Paulo Sérgio/DP sobre imagem de Paulo Henrique/CB e Jorge Gontijo/EM/D.A Press.*

6.3 quando houver mais de um autor, com fontes diferentes (Arte de Nome do ilustrador/Sigla do veículo sobre imagem de Nome do 1º autor/Fonte e Nome do 2º autor/Fonte/D.A Press). Ex: *Arte de Paulo Sérgio/DP sobre imagem de Raquel Saraiva/Agência O Dia e Pedro Alencar/Reuters/D.A Press.*

6.4 quando a imagem for de internet, com nome do autor (Arte de Nome do ilustrador/Sigla do veículo sobre imagem de Nome do autor ou copyright/nome do site*/D.A Press). Ex: *Arte de Paulo Sérgio/DP sobre imagem de Marcelo Dias/esportecandango.com.br/D.A Press.*

*retirar apenas o *www*.

6.5 quando a imagem for de internet, sem nome do autor (Arte de Nome do ilustrador/Sigla do veículo sobre imagem de nome do site*/D.A Press). Ex: *Arte de Paulo Sérgio/DP sobre imagem de Orkut.com/D.A Press.*

*retirar apenas o *www*.

7. Produzida por funcionário dos Diários Associados (Nome do funcionário/Sigla do veículo/D.A Press). Ex: *Adauto Cruz/CB/D.A Press.*

8. Imagem sem o nome do autor, sem a fonte e pertencente ao acervo dos Diários Associados (Arquivo + Sigla do veículo/D.A Press). Ex: *Arquivo DP/D.A Press.*

8.1. Arquivo de *O Cruzeiro*:

com o nome do autor (Nome do autor/O Cruzeiro/EM/D.A Press). Ex: *Eugênio Silva/O Cruzeiro/EM/D.A Press.*

sem o autor (Arquivo O Cruzeiro/EM/D.A Press). Ex: *Arquivo O Cruzeiro/EM/D.A Press.*

9. Imagem sem o nome do autor, sem a fonte e pertencente à outra instituição (Arquivo/Nome da instituição). Ex: *Arquivo/Memorial JK.*

10. Mais de uma imagem do mesmo autor:

quando o autor for do grupo (Fotos: Nome do autor/Sigla do veículo/D.A Press). Ex: Fotos: *Zuleika de Souza/CB/D.A Press.*

quando o autor não for do grupo (Fotos: Nome do autor/Fonte). Ex: Fotos: *Raquel Saraiva/Agência O Dia.*

assinatura de texto — Jornalista do Grupo Diários Associados: escrita em caixa-alta. Os veículos não são identificados: >> HELENA MADER >> FABIO MONTEIRO >> JORGE FREITAS (Se o repórter viajou a convite, a informação deve constar no fim da matéria, entre parênteses, em negrito e maiúscula: **O REPÓRTER VIAJOU A CONVITE**...).

Quando o autor não for jornalista do Grupo Diários Associados, mas a matéria for feita para um veículo do grupo, deve constar a identificação do veículo do qual o autor procede (em itálico): >> FULANO DE TAL DA *ZERO HORA*.

Quando o autor não for jornalista do Grupo Diários Associados, mas a matéria for feita especialmente para um veículo do grupo, deve constar sua identificação (em negrito): >> SICRANO DE TAL ESPECIAL PARA O **CORREIO**.

Se o repórter assina mais de uma matéria na mesma página, o nome aparece completo na primeira vez. Na segunda, vem no fim do texto, em caixa-alta, negrito e abreviado entre parênteses: >> ANTÔNIO MELANE (**AM**).

assistir — 1. No sentido de prestar assistência, ajudar, socorrer, é transitivo direto: *O médico assiste o enfermo*. 2. No de comparecer ou presenciar, pede a preposição *a*: *Três mil pessoas assistiram à posse do presidente. Os alunos assistiram ao programa educativo sem comentários*. 3. Nessa acepção, assistir rejeita o pronome *lhe*. Se for necessário empregar o pronome, use *a ele*, *a ela*.

Associtrus — Associação Brasileira de Citricultores.

assunção — Elevação a um cargo ou dignidade. Subida de Nossa Senhora ao céu: *Assunção de Nossa Senhora*.

astro — Pede hífen quando seguido de *h* e *o*. No mais, é tudo junto: *astro-história*, *astro-organização*, *astrofísica*, *astronave*.

até — 1. A preposição até não dispensa a preposição exigida pela regência de verbos e nomes em construções como estas: *Compulsório cai em até 60 dias. Compre em até 12 pagamentos. Metalúrgicos conseguem reajuste de até 60%.*
2. Acompanha *desde* em construções como esta: *Trabalhou desde o amanhecer até o pôr do sol.*

atender — Prefira a regência direta: *atender o pedido, atender o presidente, atender o chamado, atender a demanda*.

atentado violento ao pudor — Comete atentado violento ao pudor a pessoa que constrange alguém, mediante violência ou grave ameaça, a praticar ou permitir que com ela se pratique ato libidinoso diferente da conjunção carnal. Exemplo: submeter a vítima ao coito anal. A atualização da lei penal passou a tipificar como estupro o atentado violento ao pudor, quando alguém, pelo uso da força, em área pública ou em ambiente reservado, extrai da vítima os favores da excitação sexual.

aterrissar/aterrizar — Pousar em terra.

ater-se — Conjuga-se como *ter*. É sempre pronominal: *O deputado se ateve ao regimento. Não me atenho a miudezas. Quando ele se ativer no ocorrido, tomará providências.*

atingir — Transitivo direto: *Não conseguiu atingir o alvo. Atingiu o amigo no ponto mais sensível.*

atrás — Por ser pleonasmo condenável, não deve ser empregado em construção do tipo "há dois dias atrás". Sem o verbo haver, é legítimo seu emprego: *Tempos atrás, muitos condenavam o uso das minissaias.*

através de — A locução *através de* pertence à família do verbo atravessar. Deve, portanto, ser empregada no sentido de passar de um lado a outro, ou passar ao longo de: *Vejo o jardim através da janela* (meu olhar atravessa a janela e chega ao jardim). *O conceito de beleza mudou através dos tempos* (ao longo do tempo, o belo foi adquirindo significados diferentes). Evite usar *através de* em lugar de *mediante, por meio de, por intermédio de, graças a* ou da preposição *por*: *Falei com ele pelo telefone*. O acerto será feito *mediante acordo de líderes*. *A notícia chegou por intermédio dos familiares da vítima.*

áudio/audio — 1. *Áudio*, substantivo, tem acento: *O áudio está com defeito*. 2. *Audio*, elemento de composição, não aceita hífen nem acento. Com ele é tudo coladinho: *audiovisual, audioamplificador, audiometria.*

Austrália (a) — **Nome oficial:** Comunidade da Austrália. **Nacionalidade:** australiana. **Localização:** Oceania. **Capital:** Camberra. **Extensão territorial:** 7.713.364km². **Divisão:** seis estados, um território e territórios externos. **Cidades principais:** Sydney, Melbourne, Brisbane, Perth, Adelaide, Newcastle, Camberra. **Limites:** Estreito de Torres (N), Mares do Timor (NO), de Coral (NE) e da Tasmânia (SE), Oceano Índico (S e O). **Idioma:** inglês. **Governo:** Monarquia parlamentarista da Comunidade Britânica. **Religião:** protestante (anglicanos) e católica. **Hora local:** +13h. **Clima:** árido tropical (maior parte), subtropical (E), tropical (N e NO), mediterrâneo (S). **Data nacional:** 26/1 (Pátria). **Moeda:** dólar australiano. **População total:** 21.511.888 (2010).

Áustria (a) — **Nome oficial:** República da Áustria. **Nacionalidade:** austríaca. **Localização:** Europa Central. **Capital:** Viena. **Extensão territorial:** 83.853km². **Divisão:** nove províncias. **Cidades principais:** Viena, Salzburgo, Graz, Innsbruck. **Limites:** Alemanha, República Tcheca (N), Eslováquia (NO), Hungria (L). **Idioma:** alemão. **Governo:** República parlamentarista. **Religião:** católica e protestante (luteranos), com minoria islâmica. **Hora local:** +4h. **Clima:** temperado continental (maior parte), de montanha (SO). **Data nacional:** 26/10 (Pátria). **Moeda:** euro. **População total:** 8.387.491 (2010).

austro — Forma adjetivos pátrios sempre com hífen. No mais, é tudo junto: *austro-húngaro, austro-cubano, austro-brasileiro, austrofobia.*

auto — Pede hífen antes de *h* e *o*. No mais, é tudo junto: *auto-hipnose, auto-observação, autoajuda, autoescola, autorregulação, autossuficiência.*

autópsia ou autopsia — Exame do cadáver para designar a causa da morte. O mesmo que necropsia ou necrópsia.

auxílio-doença, auxílio-maternidade, auxílio-moradia — Assim, com hífen. Plural: *auxílios-doença, auxílios-maternidade, auxílios-moradia.*

avant-première — Use *pré-estreia.*

avaro — Significa *avarento*. Paroxítona, a sílaba tônica é *va*.

AVC — Veja **acidente vascular cerebral**.

aviões antissubmarinos — Aviões equipados com sensores e armas capazes de detectar e destruir submarinos inimigos, inclusive submersos.

aviões de alerta antecipado — Categoria de aviões e helicópteros cuja função é detectar objetivos aéreos, navais e terrestres adversários posicionados a longa distância e, geralmente, direcionar forças aliadas contra eles. Em inglês, são conhecidos pela sigla Awacs.

aviões de ataque — Usados para destruir alvos em terra com bombas e armas inteligentes.

aviões de combate — Divididos em caças, interceptadores, aviões de ataque, bombardeiros e de transporte.

aviões de guerra eletrônica — Variedade de aeronaves projetadas ou equipadas com sensores e/ou armas destinadas à neutralização dos sistemas eletrônicos inimigos, através de intensas emissões de micro-ondas ou disparo de mísseis/bombas especializados.

aviões de vigilância eletrônica — Tipo de aeronave que desempenha a monitoração — ou inteligência — das comunicações orais (atividade denominada Comint) ou dos radares e outros dispositivos eletrônicos adversários (assim designada Elint). Ao conjunto de ambas as missões dá-se a abreviatura de Sigint, inteligência de sinais.

avisar — Prefira a regência com objeto direto de pessoa e indireto da coisa avisada (preposição *de*): *Ela saiu para avisar o delegado. Vou avisar o pai da chegada do filho.*

Awacs — aviões de alerta antecipado. Designação norte-americana para uma aeronave capaz de detectar objetivos a longa distância e direcionar forças contra eles.

Azerbaijão (o) — **Nome oficial**: República do Azerbaijão. **Nacionalidade**: azerbaijana ou azeri. **Localização**: Europa. **Capital**: Baku. **Extensão territorial**: 86.600km². **Divisão**: duas repúblicas (Azerbaijão e Nakhitchevan) e uma região autônoma (Nagorno-Karabakh, controlada por combatentes armênios). **Cidades principais**: Nakhitchevan, Gäncä, Mingäçevir, Ali Bayramli. **Limites**: Federação Russa (N), Geórgia (NO), Mar Cáspio (L), Irã (S), Armênia (O). **Idioma**: azerbaijano. **Governo**: República presidencialista. **Religião**: islâmica (xiitas), com minorias ortodoxas. **Hora local**: +7h. **Clima**: temperado continental. **Data nacional**: 29/8 (Independência). **Moeda**: manat. **População total**: 8.933.928 (2010).

azul-celeste — É invariável: *blusa azul-celeste, blusas azul-celeste, calça azul-celeste, calças azul-celeste.*

azul-ferrete — É invariável: *vestidos azul-ferrete, camisas azul-ferrete.*

azul-marinho/marinho — São invariáveis: *sapato azul-marinho, sapatos azul-marinho, blusa azul-marinho, blusas azul-marinho, sapatos marinho, blusas marinho.*

B

b — 2ª letra do alfabeto. Plural: *bês, bb*.

baby-sitter — Pessoa contratada por hora para cuidar de criança. Não é sinônimo de babá. Escreva-a sem grifo.

bacanal — É irmãzinha de *farra*. Ambas são femininas: a farra, a bacanal.

Bacen — Banco Central.

bacharel em direito — É alguém que se formou em ciências jurídicas. Não é advogado. Advogado é o profissional que, formado em ciências jurídicas, se habilitou ao exercício da advocacia depois de aprovado em exame ministrado pela Ordem dos Advogados do Brasil.

bagdali — Adjetivo relativo a Bagdá: *museu bagdali, crianças bagdalis*.

Bahamas (as) — **Nome oficial**: Comunidade das Bahamas. **Nacionalidade**: bahamense, baamês, baamiano, bahamiano. **Localização**: América Central (Antilhas). **Capital**: Nassau. **Extensão territorial**: 13.878km². **Divisão**: não há. **Cidades principais**: Nassau, Freeport, Marsh Harbour. **Limites**: Oceano Atlântico (N e L) e Mar do Caribe (S e O). **Idioma**: inglês. **Governo**: Monarquia parlamentarista da Comunidade Britânica. **Religião**: batista, protestante (anglicana) e católica. **Hora local**: -2h. **Clima**: tropical. **Data nacional**: 10/7 (Independência). **Moeda**: dólar das Bahamas. **População total**: 345.736 (2010).

Bahia (a) — **Capital**: Salvador. **Situação geográfica**: sul da Região Nordeste. **Área**: 564.830,859km². **Número de municípios**: 417. **Cidades principais**: Feira de Santana, Vitória da Conquista, Itabuna, Ilhéus, Juazeiro. **Limites**: Alagoas, Sergipe, Pernambuco, Piauí (N), Oceano Atlântico (L), Minas Gerais, Espírito Santo (S), Goiás, Tocantins (O). **População total**: 14.021.432 (2010). **Gentílico/estado**: baiano. **Gentílico/capital**: soteropolitano. **Hora local em relação a Brasília**: a mesma.

baixar/abaixar — Veja **abaixar/baixar**.

bala — Projétil disparado por arma de fogo (veja **armas portáteis**, **calibre** e **modo de alimentação**).

bala de borracha — Teoricamente não letal, mas pode matar se atingir tecidos menos resistentes, como o olho. Feita para ser disparada de espingardas. Triplica de tamanho ao sair da arma.

bala de urânio exaurido — Empregada por aviões e helicópteros de ataque. Usa urânio que perdeu a maior parte de sua radiatividade depois de empregado como combustível em usinas atômicas. Como é mais denso, penetra a blindagem de tanques gerando grande força cinética e calor. Seus dejetos são apontados como causa do aumento de casos de câncer no sul do Iraque.

balança/balanço — Balança comercial. Balanço de pagamentos.

Bálcãs/Balcãs — Existem as duas pronúncias. Prefira a paroxítona. Sílaba tônica *bál*.

balim — Chumbo disparado por espingarda ou escopeta (veja **armas portáteis**, **calibre** e **modo de alimentação**).

Banespa — Banco do Estado de São Paulo S.A.

Bangladesh — **Nome oficial**: República Popular de Bangladesh. **Nacionalidade**: bengalesa. **Localização**: Ásia meridional (Indostão). **Capital**: Dacca. **Extensão territorial**: 143.998km². **Divisão**: seis regiões.

Cidades principais: Dacca, Chittagong, Khulna. **Limites:** Índia (N, L e O), Mianmar (SE), Golfo de Bengala (S). **Idioma:** bengali. **Governo:** República parlamentarista. **Religião:** islâmica com minoria hindu. **Hora local:** +9h. **Clima:** tropical com chuvas de monção. **Data Nacional:** 26/3 (Independência). **Moeda:** taca. **População total:** 164.425.491 (2010).

banir — Defectivo, é preguiçoso que só. Não tem a primeira pessoa do singular do presente do indicativo (eu bano) nem o filhote dela, o presente do subjuntivo (que eu bana, tu banas, ele bana). Só se conjuga nas formas em que o *n* é seguido de *e* ou *i*: *banes, bane, banimos, banem; bani, baniu, banimos, baniram; bania, bania, baníamos, baniam; banirei, banirás, banirá, baniremos, banirão; banisse, banisse, baníssemos, banissem; banindo, banido*. E por aí vai.

Banorte — Banco Nacional do Norte S.A.

barato/barata — 1. Se for advérbio, *barato* se mantém inflexível. Na dúvida, há duas dicas. Uma: a oração se constrói com os verbos custar, pagar ou similares. A outra: o complemento do verbo pode ser substituído pelos advérbios pouco ou menos: *Nos Estados Unidos, a gasolina custa barato* (pouco). *Paguei barato* (pouco) *pelo quadro no leilão. Em Natal, as lagostas custam mais barato* (menos) *que em Campina Grande*. 2. Se adjetivo, varia em gênero e número. No caso, a frase será construída com verbo de ligação (ser, estar, ficar, permanecer, continuar, andar): *Com o Plano Real, a margarina ficou mais barata. Produtos de primeira necessidade são baratos na Venezuela. Como as verduras estão baratas!* 3. A regra vale para *caro/cara*.

Barbados — **Nome oficial:** Barbados. **Nacionalidade:** barbadiana. **Localização:** América Central. **Capital:** Bridgetown. **Extensão territorial:** 430km². **Divisão:** 11 paróquias. **Cidade principal:** Speightstown. **Limite:** Oceano Atlântico. **Idioma:** inglês. **Governo:** Monarquia parlamentarista da Comunidade Britânica. **Religião:** protestante (anglicanos e outros). **Hora local:** -1h. **Clima:** tropical. **Data Nacional:** 30/11 (Independência). **Moeda:** dólar de Barbados. **População total:** 256.552 (2010).

Barein — **Nome oficial:** Estado do Barein. **Nacionalidade:** bareinita. **Localização:** Oriente Médio. **Capital:** Manama. **Extensão territorial:** 678km². **Divisão:** 12 distritos. **Cidades principais:** Ar Rifa', Al Muharraq. **Limite:** Golfo Pérsico. **Idioma:** árabe. **Governo:** Emirado islâmico. **Religião:** islâmica (xiitas e sunitas) com minorias cristãs. **Hora local:** +7h. **Clima:** tropical árido. **Data nacional:** 16/12 (Pátria). **Moeda:** dinar do Barein. **População total:** 807.131 (2010).

barra de scroll — Prefira barra de rolagem. Clica-se nela para o texto do word (ou da página de internet) subir ou descer.

Basa — Banco da Amazônia S.A.

basquete — Preferível a *basquetebol*.

bastante — Pode ser adjetivo ou advérbio. Quando adjetivo, modifica o substantivo e se flexiona em número (*motivos bastantes, bastantes vezes*). O advérbio é invariável (*comer bastante, bastante* *caros, bastante tarde*). Na dúvida, substitua bastante por *muito*. Se for adjetivo, flexiona-se (*motivos muitos, muitas vezes*); se advérbio, mantém-se invariável (*comer muito, muito caro, muito tarde*).

bastar — 1. Cuidado com a concordância quando o sujeito vem depois do verbo: *Bastam algumas horas (algumas horas bastam). Bastam-me duas horas para concluir o trabalho (duas horas me bastam para concluir o trabalho).* 2. Seguido da preposição *de*, é impessoal, mantém-se invariável: *Basta de brigas. Basta de lamúrias. Basta de promessas.*

bate-boca, bate-bola, bate-coxa, bate-papo — Plural: só o substantivo se flexiona: *bate-bocas, bate-bolas, bate-coxas, bate-papos.*

bater — 1. Quando significa dar pancada em alguma coisa ou vencer alguém, é transitivo direto: *Bateu os pregos quase sem fazer ruído. O Brasil bateu a Rússia em partida decisiva.*
2. Observe a diferença: *Bateu à porta* (para se anunciar). *Bateu na porta* (não para se anunciar, mas por outra razão, talvez raiva).
3. Na indicação de horas, concorda com o numeral: *Bateram dez horas.*

bater pino — Anomalia de funcionamento identificada por sons de timbre metálico. Ocorre quando a combustão é antecipada. Pode furar o cabeçote e danificar o pistão.

BB — Banco do Brasil.

BBC — British Broadcasting Corporation.

BBS — Bulletin Board System.

BC — Banco Central do Brasil.

BDMG — Banco de Desenvolvimento de Minas Gerais S.A.

bê — 2ª letra do alfabeto. Plural: *bês, bb.*

bê-á-bá/beabá — Plural: *bê-á-bás, beabá.*

beija-mão — Plural: *beija-mãos.*

beisebol — Assim, aportuguesado.

Belarus — **Nome oficial**: República de Belarus (antiga Bielorrússia). **Nacionalidade:** bielorrussa. **Localização:** Europa Oriental. **Capital:** Minsk. **Extensão territorial:** 207.600km². **Divisão:** seis regiões e a capital. **Cidades principais:** Homyel, Mahilyow, Vitsyebsk, Hrodna. **Limites:** Federação Russa (N e L), Letônia (NO), Ucrânia (S), Polônia (O), Lituânia (NO). **Idioma:** bielo-russo e russo. **Governo:** República presidencialista. **Religião:** ortodoxa. **Hora local:** +5h. **Clima:** temperado continental. **Data nacional:** 9/9 (Pátria). **Moeda:** rublo bielo-russo. **População total:** 9.587.940 (2010).

Bélgica (a) — **Nome oficial**: Reino da Bélgica. **Nacionalidade:** belga. **Localização:** Europa Ocidental. **Capital:** Bruxelas. **Extensão territorial:** 30.519km². **Divisão:** três regiões. **Cidades principais:** Antuérpia, Gante, Charleroi, Liège, Bruxelas. **Limites:** Holanda (N), Alemanha (NE e L), Luxemburgo (SE), França (S e O) e Mar do Norte (NO). **Idioma:** francês, alemão e holandês. **Governo:** Monarquia parlamentarista (integrante da União Europeia). **Religião:** católica. **Hora local:** +4h. **Clima:** temperado oceânico. **Data nacional:** 21/7

(Independência). **Moeda:** euro. **População total:** 10.697.588 (2010).

Belize — **Nome oficial:** Belize. **Nacionalidade:** belizenha. **Localização:** América Central. **Capital:** Belmopan. **Extensão territorial:** 22.965km². **Divisão:** seis distritos. **Cidades principais:** Cidade de Belize, Orange Walk, San Ignácio, Dangriga, Belmopan, Corozal. **Limites:** México (N), Mar do Caribe (L e SE), Guatemala (O). **Idioma:** inglês. **Governo:** Monarquia parlamentarista da Comunidade Britânica. **Religião:** católica e protestante. **Hora local:** -3h. **Clima:** tropical chuvoso. **Data nacional:** 10/9 (Pátria). **Moeda:** dólar de Belize. **População total:** 312.928 (2010).

BEM — Banco do Estado do Maranhão S.A.

bem — Use hífen quando a palavra que segue tem vida autônoma na língua ou quando é exigência da pronúncia. Comparando-se *bem-fazer* com *benfazejo*, é possível ver o que significa vida autônoma (*fazer* existe independente de *bem*, *fazejo* não). Sem hífen, *bem-aventurança* sugeriria a silabação be-ma-ven-tu-ran-ça. Escrevem-se, pois, com hífen: bem-acabado, bem-aceito, bem-amado, bem-apanhado, bem-apessoado, bem-arranjado, bem-arrumado, bem-aventurado, bem-aventurança, bem-bom, bem-comportado, bem-conceituado, bem-disposto, bem-dotado, bem-educado, bem-estar, bem-fazer, benfeito, bem-comportado, bem-criado, bem-ditoso, bem-dormido, bem-educado, bem-encarado, bem-ensinado, bem-estar, bem-falante, bem-humorado, bem-intencionado, bem-mandado, bem-me-quer, bem-nascido, bem-parecido, bem-posto, bem-querer, bem-sonante, bem-sonância, bem-sucedido, bem-visto. Na dúvida, consulte o dicionário.

bem como / assim como — Veja **assim como**.

bem feito — Interjeição de aplauso usada ironicamente: *Caiu? Bem feito!*

bem-querer — Plural: *bem-quereres*.

bem-te-vi — Plural: *bem-te-vis*.

Bem-vindo — Escreve-se assim, com hífen. *Benvindo* é nome de pessoa.

beneficência/beneficente — Sem *i* (não escreva *beneficiência*, *beneficiente*): *Beneficência Portuguesa*, *campanha beneficente*.

benfeito — Contrário de malfeito: *trabalho benfeito*.

Benin — **Nome oficial:** República do Benin. **Nacionalidade:** beninense. **Localização:** África Ocidental. **Capital:** Porto Novo. **Extensão territorial:** 112.622km². **Divisão:** 12 departamentos. **Cidades principais:** Parakou, Abomey. **Limites:** Burkina Fasso e Níger (N), Nigéria (L), Golfo da Guiné (S), Togo (O). **Idioma:** francês. **Governo:** República presidencialista. **Religião:** animista, com minorias católicas, islâmicas e protestantes. **Hora local:** +4h. **Clima:** tropical. **Data nacional:** 30/11 (Pátria). **Moeda:** franco CFA. **População total:** 9.211.741 (2010).

bento/benzido — Use *bento* com os auxiliares ser e estar (*foi bento, está bento*) e *benzido* com ter e haver (*tinha benzido, havia benzido*).

beque — Assim, aportuguesado.

best-seller — Sem grifo.

bi — Pede hífen quando seguido de *h* e *i*. No mais, é tudo junto: *bi-harmônico, bi-ilíaco, biatleta, bicampeão, birregional, bissistêmico*.

bianual/bienal — Prefira: bianual é duas vezes ao ano. Bienal, uma vez a cada dois anos

bicho de sete cabeças — Plural: *bichos de sete cabeças*.

bicho do mato — Plural: *bichos do mato*.

bicho-carpinteiro — Plural: *bichos-carpinteiros*.

bicho-de-pé — Plural: *bichos-de-pé*.

bicho-papão — Plural: *bichos-papões*.

bico de pena — Plural: *bicos de pena*.

bico-de-papagaio/bico de papagaio — Com hífen: planta. Sem hífen: formação óssea. Plural: *bicos-de-papagaio, bicos de papagaio*.

BID — Banco Interamericano de Desenvolvimento (Inter-American Development Bank).

bienal — Veja **bianual/bienal**.

bijuteria — Assim, aportuguesado.

bimensal/bimestral — 1. *Bimensal* é duas vezes por mês, quinzenal: *revista bimensal*. 2. Não confunda com *bimestral*, que significa uma vez a cada dois meses: *prestações intermediárias bimestrais*.

bio — Pede hífen quando seguido de *h* (*bio-história*). No mais, é tudo colado: *biologia, bioenergia, biossegurança, biorritmo*.

biópsia/biopsia — Retirada de fragmentos de tecidos para exames microscópicos. As duas formas existem. Prefira *biópsia*, mais usual.

biótipo e biotipo — Existem as duas pronúncias. Prefira *biotipo*, é mais usual.

BIS — Banco para Compensações Internacionais (Bank for International Settlements).

bispo — Feminino: *episcopisa*. Adjetivo: *episcopal*.

bit — Dígito binário. Use a palavra sem grifo.

blá-blá — O plural do prato preparado com peixe, óleo de palma e legumes é *blá-blás*.

blá-blá-blá — Plural: *blá-blá-blás*.

black tie — Sem grifo.

blecaute — Prefira *apagão*.

blitz — Plural: *blitzes* (forma cada vez mais consagrada). Existem as formas portuguesas — *batida, operação policial*.

bloco do motor — Estrutura de suporte do motor na qual ficam os cilindros e os suportes do virabrequim. Pode ser feita de ferro fundido ou de liga de alumínio. Apresenta uma série de ranhuras de reforço nos pontos mais críticos. Na parte superior, é fechado pelo cabeçote e, por baixo, pelo reservatório de óleo (cárter).

blogar — ação de postar um texto no blogue.

blogue — Forma aportuguesada.

Bluetooth — Tecnologia de transmissão de dados sem fio, de curto alcance, via rádio.

Blu-ray — também conhecido como BD (de *blu-ray disc*) é um formato de disco óptico. É o sucessor do DVD e capaz de armazenar filmes em *Full HD* de até 4 horas sem perda de qualidade. Deve ser grafado com a primeira maiúscula por ser uma marca.

BM&F — Bolsa de Mercadorias & Futuros.

BN — Biblioteca Nacional.

BNB — Banco do Nordeste do Brasil.

BNDES — Banco Nacional de Desenvolvimento Econômico e Social.

BNM — Bolsa Nacional de Mercadorias.

boa parte de (concordância) — O verbo pode concordar com *parte* ou com o complemento: *Boa parte dos deputados saiu* (concorda com parte). *Boa parte dos deputados saíram* (concorda com deputado).

boa-fé — Plural: *boas-fés*.

boa-noite — O cumprimento grafa-se com hífen. Plural: *boas-noites*.

boas-entradas — Escreve-se assim.

boas-festas — Grafa-se com hífen.

boa-tarde — O cumprimento se grafa com hífen. Plural: *boas-tardes*.

boa-vida — Com hífen. Plural: *boas-vidas*.

boca a boca — Substantivo ou locução adverbial escrevem-se sem hífen: *Confiou no boca a boca para divulgar a qualidade da comida. A versão circulou boca a boca*.

boca de fumo — Plural: *bocas de fumo*.

boca de lobo — Bueiro. Plural: *bocas de lobo*.

boca de sino — Plural: *bocas de sino*.

boca de siri — Plural: *bocas de siri*.

boca de urna — Sem hífen. Plural: *bocas de urna*.

boca do lixo — Plural: *bocas do lixo*.

boca-de-leão (planta) — Plural: *bocas-de-leão*.

boca-de-lobo — Espécie de erva. Plural: *bocas-de-lobo*.

boca-livre — Plural: *bocas-livres*.

boemia/boêmia — 1. Com ou sem acento, significa vida despreocupada, alegre.
2. Só com acento, a região da República Tcheca.

boia-fria — Plural: *boias-frias*.

boi-bumbá — Plural: *bois-bumbás* e *bois-bumbá*.

Bolívia (a) — **Nome oficial**: República da Bolívia. **Nacionalidade:** boliviana. **Localização:** América do Sul. **Capital:** La Paz. **Extensão territorial:** 1.098.581km². **Divisão:** nove departamentos. **Cidades principais:** La Paz, Santa Cruz de la Sierra, Cochabamba, El Alto, Oruro. **Limites:** Brasil (N e L), Argentina e Paraguai (S), Chile e Peru (O). **Idioma:** espanhol, quíchua e aimará. **Governo:** República presidencialista. **Religião:** católica, com minorias protestantes. **Hora local:** -1h. **Clima:** equatorial (depressão amazônica), de montanha (antiplano). **Data nacional:** 6/8 (Independência). **Moeda:** boliviano. **População total:** 10.030.832 (2010).

Bolsa Escola/Bolsa Família — 1. O programa é nome próprio e masculino: *O Bolsa Escola trouxe prestígio para o Distrito Federal. O Bolsa Família amplia os benefícios do Bolsa Escola*. 2. O benefício, nome comum e feminino: *A bolsa escola mantém as crianças na escola. Paulo não recebeu a bolsa família porque teve problemas de identificação*.

bolsos — Pronuncia-se com o *o* fechado (bôlsos).

bom gosto — Sem hífen.

bom humor — Sem hífen.

bom senso — Sem hífen.

bomba de dispersão — São contêineres que levam dezenas de bombas menores. Ao cair, os contêineres realizam um movimento giratório, que espalha as bombas menores por uma grande área.

bomba inteligente — São bombas de queda livre guiadas por sensor a laser ou pré-programadas por meio de um sistema GPS (que determina a posição do alvo por meio de satélite).

bomba-d'água — Plural: *bombas-d'água*.

bombardeiros — Aviões de grande porte e alcance para o transporte de grandes cargas de bombas e mísseis de ataque ao solo.

bomba-relógio — Plural: *bombas-relógio* e *bombas-relógios*.

bom-dia — O cumprimento se escreve com tracinho. Plural: *bons-dias*.

bom-mocismo — Plural: *bons-mocismos*.

bom-tom — Plural: *bons-tons*.

Bósnia e Herzegóvina (a) — **Nome oficial**: República da Bósnia-Herzegóvina. **Nacionalidade**: bósnia. **Localização**: Europa balcânica. **Capital**: Sarajevo. **Extensão territorial**: 51.129km². **Divisão**: duas entidades autônomas (Federação Croata-Mulçumana e República Sérvia da Bósnia). **Cidades principais**: Banja Luka, Zenica, Tuzla, Mostar. **Limites**: Croácia (N e O), Sérvia (L), Sérvia e Montenegro (L e SE). **Idioma**: bósnio. **Governo**: República presidencialista tripartite. **Religião**: islâmica, ortodoxa sérvia e católica. **Hora local**: +4h. **Clima**: temperado continental. **Data nacional**: 3/3 (Independência). **Moeda**: marco convertível. **População total**: 3.759.633 (2010).

bossa-nova — O adjetivo se escreve com hífen. O substantivo não: *A bossa nova revolucionou a MPB. Gosto de música bossa-nova. São bons cantores bossa-nova*.

bota-fora — Plural: *bota-foras*.

Botsuana — **Nome oficial**: República de Botsuana. **Nacionalidade**: bechuana, botsuanesa, botsuana. **Localização**: África austral. **Capital**: Gaborone. **Extensão territorial**: 581.730km². **Divisão**: 11 distritos. **Cidades principais**: Gaborone, Francistown, Malepolole, Selebi-Phikwe. **Limites**: Zâmbia (N), Zimbábue (L), África do Sul (S), Namíbia (O e N). **Idioma**: inglês. **Governo**: República presidencialista. **Religião**: protestante, animista e minoria católica. **Hora local**: +5h. **Clima**: tropical de altitude. **Data nacional**: 30/9 (Pátria). **Moeda**: pula. **População total**: 1.977.569 (2010).

Bovespa — Bolsa de Valores do Estado de São Paulo.

bracarense — Adjetivo relativo a Braga.

Brasil (o) — **Nome oficial**: República Federativa do Brasil. **Nacionalidade:** brasileira. **Localização:** Leste da América do Sul. **Capital:** Brasília. **Extensão territorial:** 8.514.876km². **Divisão:** 26 estados e o Distrito Federal. **Cidades principais:** São Paulo, Rio de Janeiro, Salvador, Belo Horizonte, Porto Alegre. **Limites:** Guiana, Venezuela, Suriname, Guiana Francesa (N), Colômbia (NO), Peru, Bolívia (O), Paraguai, Argentina (SO), Uruguai (S), Oceano Atlântico (L, SE, NE). **Idioma:** português. **Governo:** República presidencialista. **Religião:** católica, minorias protestantes e afro-brasileiras. **Hora local:** a mesma de Brasília. **Clima:** equatorial, tropical, subtropical e semiárido. **Data nacional:** 7/9 (Independência). **Moeda:** real. **População total:** 190.732.694 habitantes (2010).

Brasiliatur — Empresa Brasiliense de Turismo.

Brasis (brasis) — No sentido de território brasileiro, grafa-se com inicial minúscula: *Viajamos muitos meses por esses brasis.* No acepção de plural de Brasil, escreve-se com inicial maiúscula: *Você falou em dois Brasis. A qual deles se refere?*

BRB — Banco de Brasília.

browser — Programa para navegar na internet, como o Internet Explorer, Mozilla, Netscape Navigator.

buganvília — Forma portuguesa de *bougainvillea*.

buldogue — Dessa forma.

bulevar — Assim, aportuguesada.

Bulgária (a) — **Nome oficial**: República da Bulgária. **Nacionalidade:** búlgara. **Localização:** Europa balcânica. **Capital:** Sófia. **Extensão territorial:** 110.912km². **Divisão:** nove regiões. **Cidades principais:** Plovdiv, Varna, Burgas, Ruse, Stara Zagora, Pleven. **Limites:** Romênia (N), Mar Negro (L), Turquia (SE), Grécia (S), Macedônia (SO), Sérvia e Montenegro (O). **Idioma:** búlgaro. **Governo:** República parlamentarista. **Religião:** ortodoxa, com minoria islâmica. **Hora local:** +5h. **Clima:** temperado continental. **Data nacional:** 9 e 10/9 (Pátria), 7/11 (Revolução). **Moeda:** lev. **População total:** 7.497.282 (2010).

bulimia — Distúrbio psíquico em que a pessoa come de maneira compulsiva e depois provoca vômitos ou utiliza laxantes para eliminar os alimentos ingeridos.

buquê de — Segue substantivo no plural: *buquê de flores, buquê de rosas, buquê de margaridas.*

Burkina Fasso — **Nome oficial:** República de Burkina Fasso. **Nacionalidade:** burquinense. **Localização:** África saheliana. **Capital:** Ouagadougou. **Extensão territorial:** 274.200km². **Divisão:** 45 províncias. **Cidades principais:** Bobo Dioulasso, Koudougou, Ouahigouya, Banfora. **Limites:** Mali (N e O), Níger (L), Benin (SE), Togo e Gana (S), Costa do Marfim (SO). **Idioma:** francês. **Governo:** República com sistema misto. **Religião:** animista, islâmica e minorias católicas, protestantes. **Hora local:** +3h. **Clima:** tropical. **Data nacional:** 11/12

(República), 3/1 (Revolução de 1966). **Moeda:** franco CFA. **População total:** 16.286.706 (2010).

Burundi — **Nome oficial:** República de Burundi. **Nacionalidade:** burundinesa. **Localização:** África Oriental. **Capital:** Bujumbura. **Extensão territorial:** 27.834km². **Divisão:** 15 províncias. **Cidades principais:** Gitega, Bururi, Ngozi. **Limites:** Ruanda (N), Tanzânia (L e S), República Democrática do Congo, Lago Tanganica (O). **Idioma:** francês e quirundi. **Governo:** República presidencialista. **Religião:** católica, protestante, com minoria islâmica. **Hora local:** +5h. **Clima:** tropical. **Data nacional:** 1º/7 (Independência). **Moeda:** franco de Burundi. **População total:** 8.518.862 (2010).

Butão (o) — **Nome oficial:** Reino do Butão. **Nacionalidade:** butanesa. **Localização:** Ásia meridional. **Capital:** Thimphu. **Extensão territorial:** 47.000km². **Divisão:** 18 distritos. **Cidade principal:** Phuntsholing. **Limites:** China (N), Índia (L, S e O). **Idioma:** zoncá, nepalês, inglês. **Governo:** Monarquia tradicional. **Religião:** budista, hindu, minoria islâmica. **Hora local:** +9h. **Clima:** de montanha. **Data nacional:** 17/12 (Pátria). **Moeda:** ngultrum. **População total:** 708.484 (2010).

BVRJ — Bolsa de Valores do Rio de Janeiro.

byte — contém oito bits.

C

c — 3ª letra do alfabeto. Plural: *cês, cc*.

cá — Nome da 11ª letra do alfabeto Plural: *cás, kk*.

cabeça-dura — Plural: *cabeças-duras*.

cabeça-inchada — Plural: *cabeças--inchadas*.

cabeçote — Parte superior do motor, na qual ficam as válvulas. A peça fecha a parte de cima dos cilindros, onde ocorre a combustão. Pode ser feito de ferro fundido ou alumínio.

cabeleireiro — Deriva de cabeleira, daí os dois ii.

caber — Cuidado com a conjugação: caibo, cabe, cabemos, cabem; coube, coube, coubemos, couberam; cabia, cabia, cabíamos, cabiam; coubesse, coubesse, coubéssemos, coubessem; couber, couber, coubermos, couberem; cabendo; cabido.

Cabo Verde — **Nome oficial:** República de Cabo Verde. **Nacionalidade:** cabo-verdiana. **Localização:** África Ocidental. **Capital:** Praia. **Extensão territorial:** 4.033km² **Divisão:** 14 condados. **Cidades principais:** Mindelo, São Filipe. **Limite:** Oceano Atlântico. **Idioma:** português, português crioulo. **Governo:** República parlamentarista. **Religião:** católica, minoria protestante. **Hora local:** +2h. **Clima:** tropical. **Data nacional:** 5/7 (Independência), 12/9 (Pátria). **Moeda:** escudo cabo-verdiano. **População total:** 512.582 (2010).

cabo-verdiano — Adjetivo relativo a Cabo Verde.

cabra — Adjetivo: *caprino*.

caças — Usados para combater aviões inimigos. Possuem grande capacidade de manobra.

Cacex — Carteira de Comércio Exterior do Banco do Brasil (extinta).

cachê — Escreve-se assim.

cada — O pronome *cada* não suporta a solidão. Deve estar sempre acompanhado de substantivo, de numeral ou do pronome *qual*: *Os livros custam R$ 50 cada um. Cada qual fez o trabalho a seu modo. Cada servidor colaborou com R$ 20. Distribuímos 30 quilos de alimentos para cada família.*

cada/todo — *Cada* indica diversidade de ação, particulariza: *Usa cada dia um vestido* (não repete o traje). *Cada filho tem um comportamento. Cada macaco no seu galho. Dava brinquedos a cada criança. Todo* generaliza. Significa qualquer: *Todo dia é dia. Dava brinquedos a toda criança.*

cada em sujeito composto (concordância) — O verbo fica no singular se os núcleos do sujeito composto forem precedidos de *cada*: *Na estante, cada livro, cada dicionário, cada enfeite deve ficar no lugar certo. Cada gesto, cada movimento, cada palavra implica alegria e saudade.*

cada um — Antes de substantivo singular, o *um* não tem vez. Por quê? *Cada* encerra ideia de unidade: *Falou com cada deputado* (não: *cada um deputado*). *Deu um bom-dia a cada criança. Distribuiu comida a cada família. O programa ia ao ar a cada hora. A cada real gasto, pedia prestação de contas.*

cada um (concordância) — O verbo vai para a 3ª pessoa do singular: *Cada um deles tomou um rumo. Cada uma das camisas custou acima de R$ 50. Cada um de nós sairá em horários diferentes.*

Cade — Conselho Administrativo de Defesa Econômica.

Caesb — Companhia de Saneamento Ambiental do Distrito Federal.

café espresso — Assim, *espresso* com *s*.

Cagepa — Companhia de Água e Esgoto da Paraíba.

cãibra — Espasmo muscular doloroso provocado geralmente por excesso de esforço físico (câimbra).

cáiser — Forma portuguesa de kaiser, imperador da Alemanha. Plural: *cáiseres*.

> **caixa** — A palavra joga em dois times. É feminina na acepção de recipiente onde se guarda algo e de seção de banco, loja ou repartição pública onde se pagam contas ou se recebe dinheiro: *a caixa de joias, a caixa do banco, a caixa do supermercado*. A pessoa que trabalha como caixa? Se for mulher, será *a caixa*. Se homem, *o caixa*.

caixa dois/caixa 2 — Assim.

caixa eletrônico — É sempre masculino.

caixa postal — O número não é antecedido de vírgula. Quando acompanhado de número, letra maiúscula: *Não encontrei a caixa postal. Caixa Postal 45.*

caixa-preta — Assim, com hífen.

cal — É substantivo feminino. Plural: *as cales, as cais*.

calço hidráulico — Ocorre quando o motor aspira água pela entrada de ar, chegando aos cilindros.

cálculo — Formação sólida, de tamanho variável, de acúmulo de sais minerais e outras substâncias que se localizam nas vias urinárias, biliares e nas glândulas salivares. Conhecido popularmente como pedra. É importante classificar o cálculo. *Cálculo renal*, por exemplo.

calda/cauda — Bichos, vestidos, piano têm *cauda*. Doces, *calda*.

calibre — Diâmetro interno do cano de qualquer arma de fogo. Limita a largura do projétil.

Calibres de armas portáteis

Pode ser medido em milímetros, décimos de polegada (também conhecido como ponto) e por peso (número de chumbos necessários para se obter uma onça de peso). Muitas vezes a descrição em agências ou boletins militares e policiais é feita sem a medida apropriada, o que pode causar confusão — pistola 7,65 (em lugar de 7,65mm) ou revólver calibre 38 (em lugar de .38). Esses são alguns calibres comuns:

Métricos

Usados em pistolas: 6,5mm, 7,65mm, 9mm, 10mm e 11mm. Acima de 9mm são de uso privativo das Forças Armadas e polícias estaduais e federal.

Usado em metralhadoras de mão: 9mm.

Usados em fuzis, fuzis automáticos e metralhadoras médias e pesadas: 5,56mm, 7,62mm, 12,7mm e 14,5mm. De uso privativo das Forças Armadas e polícias estaduais e federal.

Décimo de polegada ou ponto (usar sempre a equivalência em milímetros entre parênteses).

Pistolas e revólveres: .22 (5,56mm), .32 (7,65mm), .38 (9mm), .40 (10mm), .44 (10,5mm) e .45 (11,5mm). Acima de .40 são de uso privativo das Forças Armadas e polícias estaduais e federal.

Usados em metralhadoras de mão: .45 (11,5mm). De uso privativo das Forças Armadas e polícias estaduais e federal.

Usados em fuzis, fuzis automáticos e metralhadoras médias e pesadas: .22 (5,56mm), .30 (7,62mm) e .50 (12,7mm). De uso privativo das Forças Armadas e polícias estaduais e federal.

Peso do chumbo (usados apenas em espingardas, também conhecidas como escopetas). Neste caso específico, quanto maior o número de referência, menor será o calibre. Ou seja: 20 é menor que 12.

Calibre 20 e Calibre 12: são armas de caça e livres para uso dentro da regulamentação vigente. Fora da categoria de uso privativo das Forças Armadas e polícias estaduais e federal.

Calibre (artilharia) — A partir de 15mm, a arma de fogo passa a ser classificada como peça de artilharia. Podem ser automáticas, normalmente usada como arma antiaérea, ou como arma de apoio ou antitanque. São classificadas em milímetros ou polegadas. Calibres mais comuns:

Métricos

Antiaéreas: 20mm, 23mm, 25mm, 30mm, 35mm, 40mm, 57mm e 76mm.

Apoio 75mm, 76mm, 81mm (usado apenas em morteiros), 100mm, 105mm, 106mm, 122mm, 130mm, 152mm, 155mm e 175mm.

Usados em tanques de guerra: 100mm, 105mm, 120mm e 125mm.

Polegadas (normalmente de uso naval): 4,5 polegadas (115mm), 5 polegadas (127mm) e 8 polegadas (203mm).

calúnia — Atribuir falsamente a alguém fato definido na lei como crime. Exemplo: dizer que tal pessoa fraudou documento público para auferir vantagem.

câmara — Os deputados federais se reúnem na Câmara dos Deputados. Os estaduais, nas assembleias legislativas. Os de Brasília, na Câmara Legislativa. (Câmara Distrital não existe. Os deputados é que são distritais.)

câmara de combustão — Espaço formado pela parte interna do cabeçote, pelas paredes dos cilindros e pela superfície do pistão quando se encontra no ponto mais alto.

Camarões — **Nome oficial:** República de Camarões. **Nacionalidade:** camaronesa. **Localização:** África equatorial. **Capital:** Iaundé. **Extensão territorial:** 475.442km². **Divisão:** 10 províncias. **Cidades principais:** Douala, Bafoussam, Garoua, Maroua. **Limites:** Nigéria (N e NO), Chade e República Centro-Africana (L), Congo (SE), Gabão (S), Guiné Equatorial (SO), Golfo da Guiné (O). **Idioma:** francês, inglês, fang, duala, dialetos regionais. **Governo:** república presidencialista. **Religião:** animista, católica, protestante, islâmica. **Hora local:** +4h. **Clima:** tropical e equatorial. **Data nacional:** 20/5 (Pátria). **Moeda:** franco CFA. **População total:** 19.958.351 (2010).

Camboja (o) — **Nome oficial:** Reino do Camboja. **Nacionalidade:** cambojana. **Localização:** Ásia meridional. **Capital:** Phnom Penh. **Extensão territorial:** 181.035km². **Divisão:** 22 províncias. **Cidades principais:** Battambang, Kompong Cham, Pursat. **Limites:** Tailândia e Laos (N), Vietnã (L e S), Golfo da Tailândia (O). **Idioma:** khmer, vietnamita, francês. **Governo:** Monarquia parlamentarista. **Religião:** budista, minoria islâmica. **Hora local:** +10h. **Clima:** tropical. **Data nacional:** 12/5 (Constituição), 7/1 (Libertação). **Moeda:** riel. **População total:** 15.053.112 (2010).

Camicase — Forma portuguesa de *kamikaze*.

camionete ou caminhonete — Essas são as grafias.

câmpus — Usamos a forma aportuguesada. Plural: *câmpus*.

CAN — Correio Aéreo Nacional.

Canadá (o) — **Nome oficial:** Canadá. **Nacionalidade:** canadense. **Localização:** América do Norte. **Capital:** Ottawa. **Extensão territorial:** 9.976.139km². **Divisão:** dez províncias e dois territórios. **Cidades principais:** Toronto, Montreal, Vancouver, Edmonton, Calgary, Québec. **Limites:** Oceano Ártico (N), Alasca (NO), Oceano Atlântico (L), EUA (S), Oceano Pacífico (O). **Idioma:** inglês, francês. **Governo:** Monarquia parlamentarista da Comunidade Britânica. **Religião:** católica, protestante, minorias ortodoxas e judaicas. **Hora Local:** -2h. **Clima:** temperado continental, subpolar, de montanha. **Data nacional:** 1º/7 (Confederação de 1867). **Moeda:** dólar canadense. **População total:** 33.889.747 (2010).

candidato — Pede a preposição *a*: *Candidato à Presidência da República*.

candidatura — Rege a preposição *a*: *Sua candidatura ao Senado tem sido bem recebida*.

canhão — Arma ou peça de artilharia. Dispara tiros tensos (em linha reta) diretamente contra o alvo — veja **armas de artilharia**, **calibre** (armas de artilharia) e **modo de alimentação**.

Capes — Coordenação de Aperfeiçoamento de Pessoal de Nível Superior.

carabina — Arma que dispara cartuchos de baixa potência. Seu porte é inferior ao do fuzil. Pode ser manual, automática e semiautomática (veja **armas portáteis**, **calibre** (armas portáteis) e **modo de alimentação**).

Caracas — Adjetivo pátrio: *caraquenho*.

cara-pintada — Plural: *caras-pintadas*.

caráter — Tem plural. É *caracteres: político de bom caráter, políticos de bons caracteres; mau caráter, maus caracteres*.

carecer — Pede a preposição *de*: *O partido carece de líderes*.

Caricom — Mercado Comum e Comunidade do Caribe.

carioca — Refere-se à cidade do Rio de Janeiro. *Fluminense*, ao estado do Rio.

cargos e títulos — Grafam-se com a inicial minúscula: *presidente da República, senador, deputado, ministro da Fazenda, arcebispo, general, rei, príncipe*. Dom se escreve com a inicial maiúscula: *D. Pedro II, Dom Eugênio Sales*.

carnaval — Festa pagã, escreve-se com a inicial minúscula: *O carnaval do Rio e o de Salvador atraem milhões de turistas*.

caro/cara — Veja **barato/barata**.

caroços — Pronúncia: *o* aberto (caróços).

carro de combate — Termo técnico para **tanque de guerra** (veja verbete).

carro-bomba — Plural: *carros-bomba* ou *carros-bombas*.

carro-chefe — Plural: *carros-chefes*.

carro-forte — Plural: *carros-fortes*.

carro-guincho — Plural: *carros-guincho* ou *carros-guinchos*.

carro-leito — Plural: *carros-leito* e *carros-leitos*.

carro-pipa — Plural: *carros-pipa* ou *carros-pipas*.

carrossel — Escreve-se assim, sem *u*. Plural: *carrosséis*.

carta precatória — Pedido de um juiz para que outro de comarca diferente realize certos atos processuais. Exemplo: ouvir em audiência testemunha residente fora da localidade onde tramita o processo.

carta rogatória — Pedido de um Estado soberano a outro para que realize certos procedimentos judiciais. Exemplo: notificar determinado banco sobre depósito feito por pessoa acusada de remessa ao exterior de dinheiro roubado no país de origem. E, no caso, requerer à Justiça do país rogado o bloqueio do depósito até conclusão do processo movido contra o remetente.

carta-bomba — Plural: *cartas-bomba* ou *cartas-bombas*.

Cartago — Adjetivo correspondente: *cartaginês, púnico*.

cartão-postal — Plural: *cartões-postais*.

cárter — Reservatório localizado sob o bloco do motor para armazenar óleo lubrificante.

cartum — Prefira a forma aportuguesada a *cartoon*.

casa — Quando se trata da própria residência, não se usa com artigo. Por isso não admite crase: *Voltei a casa depois das 10 horas*.

casar — No sentido de contrair núpcias, é pronominal: *Paulo se casou no fim do ano. O padre casa os noivos, mas os noivos se casam*.

cassete — Não tem plural quando qualifica substantivo: *fita cassete, fitas cassete*.

cataclismo — É masculino.

catalão — Plural: *catalães*.

cataplasma — É substantivo feminino: *O médico receitou uma cataplasma de tabaco*.

Catar (o) — **Nome oficial:** Estado de Catar. **Nacionalidade:** catariana, catarense. **Localização:** Oriente Médio. **Capital:** Doha. **Extensão territorial:** 11.000km². **Divisão:** nove municipalidades. **Cidades principais:** Ar-Rayyan, Al-Wakrah, Umm Sa'id. **Limites:** Golfo Pérsico (N e L), Emirados Árabes Unidos (S), Arábia Saudita (O). **Idioma:** árabe. **Governo:** emirado islâmico. **Religião:** islâmica (sunitas). **Hora local:** +7h. **Clima:** árido tropical. **Data nacional:** 3/9 (Pátria). **Moeda:** rial de Catar. **População total:** 1.508.322 (2010).

catequese/catequizar — O substantivo se escreve com *s*; o verbo, com *z*.

cateter — Oxítona, não tem acento. Plural: *cateteres*. Tubo fino e oco introduzido no corpo para medir pressão, aplicar ou eliminar substâncias e desobstruir estruturas. O cateterismo é utilizado quando se trata de procedimento destinado a resolver ou diagnosticar problemas cardíacos.

caubói — Prefira a forma aportuguesada a *cowboy*. Ou *vaqueiro*.

cavalo — Adjetivo: *equino, hípico, cavalar*.

Cazaquistão (o) — **Nome oficial:** República do Cazaquistão. **Nacionalidade:** cazaque. **Localização:** Ásia central. **Capital:** Astana. **Extensão territorial:** 2.717.300km². **Divisão:** 14 regiões e a capital. **Cidades principais:** Almaty, Qaraghandy, Shymkent, Taraz. **Limites:** Federação Russa (N e NO), Mongólia (L), China (SE), Quirguistão, Uzbequistão, Turcomenistão (S), Mar Cáspio (O). **Idioma:** cazaque, russo. **Governo:** república presidencialista. **Religião:** islâmica (sunitas), minoria ortodoxa. **Hora local:** +9h. **Clima:** árido frio. **Data nacional:** 16/12 (Independência). **Moeda:** Tenge. **População total:** 15.753.460 (2010).

CBA — Confederação Brasileira de Automobilismo.

CBAt — Confederação Brasileira de Atletismo.

CBAV — Confederação Brasileira de Automobilismo Virtual.

CBB — Confederação Brasileira de Balonismo.

CBB — Confederação Brasileira de Basquetebol.

CBBC — Confederação Brasileira de Basquete em Cadeira de Rodas.

CBC — Confederação Brasileira de Ciclismo.

CBCa — Confederação Brasileira de Canoagem.

CBCM — Confederação Brasileira de Culturismo e Musculação.

CBCS — Confederação Brasileira de Caça Submarina.

CBDA — Confederação Brasileira de Desportos Aquáticos.

CBDance — Confederação Brasileira de Dança Esportiva.

CBDCR — Confederação Brasileira de Dança em Cadeira de Rodas.

CBDE — Confederação Brasileira de Desporto Escolar.

CBDG — Confederação Brasileira de Desportos no Gelo.

CBDS — Confederação Brasileira de Desportos Surdos.

CBDV — Confederação Brasileira de Desporto de Deficientes Visuais.

CBE — Confederação Brasileira de Esgrima.

CBEE — Centro Brasileiro de Energia Eólica (UFPE).

CBER — Confederação Brasileira de Esportes Radicais.

CBF — Confederação Brasileira de Futebol.

CBFDV — Confederação Brasileira de Futebol Digital e Virtual.

CBFS — Confederação Brasileira de Futebol de Salão.

CBFV — Confederação Brasileira de Futevôlei.

CBG — Confederação Brasileira de Ginástica.

CBG — Confederação Brasileira de Golfe.

CBH — Confederação Brasileira de Hipismo.

CBHG — Confederação Brasileira de Hóquei sobre Grama e Indoor.

CBJ — Confederação Brasileira de Judô.

CBJJ — Confederação Brasileira de Jiu-Jitsu.

CBK — Confederação Brasileira de Karate.

CBL — Câmara Brasileira do Livro.

CBLA — Confederação Brasileira de Lutas Associadas.

CBLB — Confederação Brasileira de Luta de Braço e Halterofilismo.

CBM — Confederação Brasileira de Motociclismo.

CBMDF — Corpo de Bombeiros Militar do Distrito Federal.

CBME — Confederação Brasileira de Montanhismo e Escalada.

CBMT — Confederação Brasileira de Muay Thai.

CBMTB — Confederação Brasileira de Mountain Bike.

CBO — Confederação Brasileira de Orientação.

CBP — Confederação Brasileira de Pádel.

CBPDS — Confederação Brasileira de Pesca e Desportos Subaquáticos.

CBPM — Confederação Brasileira de Pentlato Moderno.

CBR — Confederação Brasileira de Remo.

Cbrasb — Confederação Brasileira de Bodyboard.

CBRu — Confederação Brasileira de Rugby.

CBS — Columbia Broadcasting System.

CBS — Confederação Brasileira de Surdos.

CBSk — Confederação Brasileira de Skate.

CBSurf — Confederação Brasileira de Surf.

CBT — Confederação Brasileira de Tênis.

CBTarco — Confederação Brasileira de Tiro com Arco.

CBTD — Confederação Brasileira de Tiro Defensivo.

CBTE — Confederação Brasileira de Tiro Esportivo.

CBTEA — Confederação Brasileira de Trampolim e Esportes Aquáticos.

CBTKD — Confederação Brasileira de Taekwondo.

CBTM — Confederação Brasileira de Tênis de Mesa.

CBTrekking — Confederação Brasileira de Trekking.

CBTri — Confederação Brasileira de Triathlon.

CBTU — Companhia Brasileira de Transportes Urbanos.

CBV — Confederação Brasileira de Voleibol.

CBVM — Confederação Brasileira de Vela e Motor.

CBVT — Confederação Brasileira de Vale-Tudo e Thai Boxing.

CBVV — Confederação Brasileira de Voo a Vela.

CBX — Confederação Brasileira de Xadrez.

CCBB — Centro Cultural Banco do Brasil.

Ccug — Centro de Convenções Ulysses Guimarães (Brasília).

CDDPH — Conselho de Defesa dos Direitos da Pessoa Humana.

CDL — Câmara de Dirigentes Lojistas.

CD-ROM, CD-R, CD-RW — O primeiro refere-se aos CDs que podem ser lidos (ter o conteúdo exibido) pelo computador. *CD-R* são CDs graváveis, nos quais se inserem músicas, arquivos, programas. *CD-RW* quer dizer CD regravável.

cê — Nome da terceira letra do alfabeto. Plural: *cês* ou *cc*.

Ceajur — Centro de Assistência Judiciária do Distrito Federal.

Ceao — Comunidade Econômica da África Ocidental.

cear — O sufixo formador de verbos é *-ear*. Não existem, por isso, verbos terminados em *-eiar*. Daí *passear* e *frear*. Conjugação: *-ce* vira *-cei* quando for tônica: *ceio, ceias, ceia, ceamos, ceais, ceiam; ceei, ceaste, ceou, ceamos, ceastes, cearam; ceava, ceavas, ceava; que eu ceie, ele ceie, nós ceemos, vós ceeis, eles ceiem*.

Ceará (o) — **Capital:** Fortaleza. **Situação geográfica:** norte da Região Nordeste. **Área:** 148.825km². **Número de municípios:** 184. **Cidades principais:** Caucaia, Juazeiro do Norte, Maracanaú, Sobral, Crato, Itapipoca. **Limites:** Oceano Atlântico

(N), Rio Grande do Norte, Paraíba (L), Pernambuco (S), Piauí (O). **População total:** 8.452.381 (2010). **Gentílico/estado:** cearense. **Gentílico/capital:** fortalezense. **Hora local em relação a Brasília:** a mesma.

Ceasa — Central de Abastecimento do Distrito Federal.

CEB — Companhia Energética de Brasília.

cebolão — Interruptor que aciona o ventilador do sistema de arrefecimento (resfriamento) do motor. É disparado por termostato. Quando não funciona, leva ao superaquecimento e pode fazer o motor fundir.

ceder — Pede a preposição *a*: *Cedeu aos apelos do líder.*

CEDH — Convenção Europeia dos Direitos do Homem.

CEDR — Comitê Europeu de Direito Rural.

Ceea — Comunidade Europeia da Energia Atômica (também designada por Euratom).

CEF — Caixa Econômica Federal.

cefaleia — Termo técnico que designa dor de cabeça. Se for necessário utilizá-lo, deve-se explicar o sentido.

Cefet — Centro Federal de Educação Tecnológica.

Cefic — Conselho Europeu das Federações das Indústrias Químicas.

Cehap — Companhia Estadual de Habitação Popular do Estado da Paraíba.

CEI — Comunidade dos Estados Independentes.

Ceilândia — Usa-se sem artigo: *Ceilândia, de Ceilândia, em Ceilândia.*

cela/sela — *Cela*: aposento, quarto de dormir pequeno, quarto de penitenciária. *Sela*: arreio de cavalo. Forma do verbo selar: *eu selo, ele sela.*

Celpe — Companhia Energética de Pernambuco.

Ceme — Central de Medicamentos.

Cemig — Companhia Energética de Minas Gerais.

censo/senso — *Censo* é recenseamento (censo demográfico). *Senso* é juízo, capacidade de julgar, avaliar, sentir: *bom senso, senso moral, senso de humor, senso artístico, senso do ridículo.*

censor/sensor — *Censor*: pessoa que censura. *Sensor*: aparelho (radar, sonar) que detecta alvos ou mudanças no ambiente.

Cepal — Centro de Estudos Parapsicológicos da América Latina.

Cepal — Comissão Econômica para a América Latina e o Caribe (ONU).

CEPCD — Centro Europeu de Prevenção e Controle das Doenças.

Cepedisa — Centro de Estudos e Pesquisas de Direito Sanitário.

Cerj — Companhia de Eletricidade do Rio de Janeiro.

cerrar/serrar — *Cerrar*: fechar (*cerrar a porta, as janelas, as cortinas*). *Serrar*: cortar com serra (*serrar a madeira, serrar o tronco, serrar o galho*).

certificar — Tem dupla regência: a) objeto direto de pessoa e indireto daquilo que se certifica: *Certifiquei-o da punição que lhe fora imposta.* e b) objeto direto da coisa certificada e indireto de pessoa: *Certifiquei-lhe o ocorrido.*

cervic (i, o) — Sem hífen: *cervicartrose, cervicalgia.*

cervo/servo — *Cervo* é veado. *Servo*, criado.

cesárea/cesariana — Escrevem-se assim: o primeiro com *e*, o segundo com *i*.

Cespe — Centro de Seleção e de Promoção de Eventos.

cessão — Ato de ceder: *cessão de direitos.*

CET — Companhia de Engenharia de Tráfego.

Ceteb — Centro de Ensino Tecnológico de Brasília.

Cetec — Fundação Centro Tecnológico de Minas Gerais.

Cetran — Conselho Estadual do Trânsito.

CFC — Conselho Federal de Contabilidade.

CFM — Conselho Federal de Medicina.

Cgaei — Coordenação Geral de Apoio às Escolas Indígenas.

CGDF — Corregedoria-Geral do Distrito Federal.

CGT — Confederação Geral dos Trabalhadores.

chá/xá — *Chá* é a bebida. *Xá*, título do soberano da Pérsia (Irã).

Chade (o) — **Nome oficial:** República do Chade. **Nacionalidade:** chadiana, chadiense. **Localização:** África saheliana. **Capital:** Ndjamena. **Extensão territorial:** 1.284.000km². **Divisão:** 14 prefeituras. **Cidades principais:** Moundou, Bongor, Sarh, Abéché. **Limites:** Líbia (N), Sudão (L), República Centro-Africana (S), Camarões (SO), Níger (O). **Idioma:** árabe, francês, sara, baguirmi, dialetos regionais. **Governo:** república presidencialista. **Religião:** islâmica, católica, protestante, animista. **Hora Local:** +4h. **Clima:** tropical e árido tropical. **Data nacional:** 11/8 (Independência). **Moeda:** franco CFA. **População total:** 11.506.130 (2010).

chamado — Cuidado com o modismo. Use *chamado* só quando você falar de algo cujo nome não é o referido, mas é conhecido como tal. Não há por que escrever, por exemplo, os "chamados exames preventivos". Exame preventivo é exame preventivo. O cinema não é a "chamada" sétima arte. É a sétima arte. As praças onde se reúnem os drogados não é a "chamada" cracolândia. É a cracolândia. As ONGs não são o "chamado" terceiro setor. São o terceiro setor.

chamar — Tem diferentes regências. 1. Na acepção de *mandar vir*, é transitivo direto: *chamar o médico, chamar o secretário, chamar Maria, chamar os filhos*; 2. na de dar nome, transitivo direto ou indireto: *chamaram-no salvador* ou *chamaram-lhe salvador*; 3. na de invocar, transitivo indireto com preposição por: *Chamou por Deus. Chamou pelo filho antes de desaparecer.*

chamar a atenção — Assim, com o substantivo precedido do artigo (*chamar a atenção de alguém*). Não use a construção viciosa chamar alguém à atenção (*ele foi chamado à atenção pelo irmão*).

champanhe — Prefira o substantivo masculino: *o champanhe.*

chassi — Prefira a forma aportuguesada a *chassis.*

chat — bate-papo pela internet.

chauvinismo — Escreve-se assim, com *au*. Pronuncia-se "chovinismo".

chavões e modismos — Surpresa é importante ingrediente do estilo. Chama a atenção e desperta a curiosidade. É o gosto pelo inusitado. O chavão vai de encontro à novidade. A palavra ou expressão, tantas vezes repetida, torna-se arroz de festa. *Pontapé inicial, abrir com chave de ouro, cair como uma bomba* & cia. tiveram frescor algum dia. Hoje soam como coisa velha. Transmitem a impressão de repórter preguiçoso, incapaz de surpreender. Xô! Eis exemplos: a cada dia que passa, a duras penas, a olho nu, a olhos vistos, a ordem é se divertir, à saciedade, a sete chaves, a todo vapor, a toque de caixa, abertura da contagem, abrir com chave de ouro, acertar os ponteiros, agarrar-se à certeza de, agradar a gregos e troianos, alto e bom som, alimentar a esperança, amanhecer do dia, antes de mais nada, ao apagar das luzes, aparar as arestas, apertar os cintos, arregaçar as mangas, ataque fulminante, atear fogo às vestes, atingir em cheio, atirar farpas, baixar a guarda, barril de pólvora, bater em retirada, cair como uma bomba, cair como uma luva, caixinha de surpresas, caloroso abraço, campanha orquestrada, cantar vitória, cardápio da reunião, carta branca, chegar a um denominador comum, chover no molhado, chumbo grosso, colocar um ponto-final, com direito a, comédia de erros, como manda a tradição, como se sabe, como já é conhecido, como todos sabem, comprar briga, conjugar esforços, corações e mentes, coroar-se de êxito, correr por fora, cortina de fumaça, dar o último adeus, de mão beijada, deitar raízes, deixar a desejar, debelar as chamas, depois de longo e tenebroso inverno, desbaratar a quadrilha, detonar um processo, de quebra, dispensa apresentação, divisor de águas, do Oiapoque ao Chuí, erro gritante, efeito dominó, em compasso de espera, em pé de igualdade, em polvorosa, em ponto de bala, em sã consciência, em última análise, eminência parda, empanar o brilho, encostar contra a parede, esgoto a céu aberto, estar no páreo, faca de dois gumes, familiares inconsoláveis, fazer as pazes com a vitória, fazer das tripas coração, fazer uma colocação, fazer vistas grossas, fez o que pôde, fez por merecer, fonte inesgotável, fugir da raia, gerar polêmica, hora da verdade, importância vital, inflação galopante, inserido no contexto, jogo de vida ou morte, lavar a alma, lavrar um tento, leque de opções, levar à barra dos tribunais, líder carismático, literalmente tomado, lugar ao sol, luz no fim do túnel, mal traçadas linhas, menina dos olhos, morto prematuramente, na ordem do dia, na vida real, no fundo do poço, óbvio ululante, ovelha negra, página virada, parece que foi ontem, passar em brancas nuvens, pelo andar da carruagem, perder o bonde da história, perder um ponto precioso, perdidamente apaixonado, perfeita sintonia, petição de miséria, poder de fogo, pomo da discórdia, pôr a casa em ordem, prendas domésticas, preencher uma lacuna, procurar chifre em cabeça de cavalo, propriamente dito, quebrar o protocolo, requinte de crueldade, respirar aliviado, reta final, rota de colisão, ruído ensurdecedor, sair de mãos abanando, sagrar-se campeão, saraivada de golpes, sentir na pele, separar o joio do trigo, sério candidato, ser o azarão, sorriso amarelo, tecer comentários, ter boas razões para, tirar do bolso do colete, tirar o cavalo da chuva, tirar uma conclusão, tiro de misericórdia, trair-se pela emoção, trazer à tona, trocar farpas, via de regra, via de fato, voltar à estaca zero.

checape — Exame médico completo.

chefa/chefe — Prefira, para o feminino, *chefe*. *Chefa* tem, em geral, sentido pejorativo.

chegada — Pede a preposição *a*: *Aplaudiram o presidente na triunfal chegada à capital. Chegada a São Paulo. Chegada à igreja.*

chegar — Rege a preposição *a*: *Chegou a Brasília. Chegou ao trabalho*. Há duas exceções. Uma: chegar em casa. A outra: as locuções de tempo que pedem a preposição *em*: Chegou em cima da hora. Chegou em tempo de assistir à aula inaugural.

cheque/xeque — *Cheque* é de banco. Pode ter fundos ou não. Daí cheque com fundos, cheque sem fundos (não fundo). *Xeque* é a jogada de xadrez (*xeque-mate*) ou o título de poderosos árabes (*xeque saudita*).

cheque-caução — Plural: *cheques-caução*.

Chesf — Companhia Hidroelétrica do São Francisco.

Chile (o) — **Nome oficial**: República do Chile. **Nacionalidade**: chilena. **Localização**: América do Sul. **Capital**: Santiago. **Extensão territorial**: 756.945km². **Divisão**: 13 regiões. **Cidades principais**: Antofagasta, Viña del Mar, Valparaíso, Talcahuano. **Limites**: Peru (N), Bolívia (NE), Argentina (L), Oceano Pacífico (O), Oceano Atlântico (SE). **Idioma**: Espanhol. **Governo**: República presidencialista. **Religião**: católica, minoria protestante. **Hora Local**: -1h. **Clima**: de montanha, árido tropical, mediterrâneo, temperado oceânico. **Data nacional**: 18/9 (Independência). **Moeda**: peso chileno. **População total**: 17.134.708 (2010).

chimpanzé — Escreve-se assim.

China (a) — **Nome oficial**: República popular da China. **Nacionalidade**: chinesa. **Localização**: Ásia Oriental. **Capital**: Pequim. **Extensão territorial**: 9.596.961km². **Divisão**: 24 províncias, cinco regiões autônomas, três municipalidades, duas regiões administrativas especiais. **Cidades principais**: Xangai, Tianjin, Wuhan, Chongqing, Shenyang, Guangzhou. **Limites**: Mongólia (N), Federação Russa (NE), Coreia do Norte, Mar Amarelo, Estreito de Formosa (L), Vietnã, Laos, Mianmar (S), Butão, Índia, Nepal (SO), Paquistão, Tadjiquistão, Quirguistão (O), Cazaquistão (NO). **Idioma**: mandarim, cantonês, min, vu, dialetos regionais. **Governo**: República de partido único. **Religião**: taoista, budista, minorias islâmicas. **Hora local**: +11h. **Clima**: de montanha, árido frio e de monção. **Data nacional**: 1º e 2/10 (Pátria). **Moeda**: yuan. **População total**: 1.354.146.443 (2010). **Adjetivos referentes**: chinês, sínico, sino.

chipCobol — Linguagem de programação.

Chipre (o) — **Nome oficial**: República do Chipre. **Nacionalidade**: cipriota, cíprio. **Localização**: Oriente Médio. **Capital**: Nicósia. **Extensão territorial**: 9.251km². **Divisão**: seis distritos. **Cidades principais**: Limassol, Larnaca. **Limite**: Mar Egeu. **Idioma**: grego, turco. **Governo**: República presidencialista. **Religião**: ortodoxa grega, minoria islâmica. **Hora local**: +5h. **Clima**: mediterrâneo. **Data nacional**: setor grego: 25/3 (Independência da Grécia). **Moeda**: libra cipriota, lira turca. **População total**: 879.723 (2010).

chipset — Conjunto de chips de computador.

chique — Sinônimo de *elegante, bem trajado*. Já está naturalizada.

chocar — 1. No sentido de bater, ir de encontro, pede a preposição *com*: *O carro chocou violentamente com a árvore. Os planos do ministro chocaram com os das empreiteiras*. Bater e colidir podem ser usados como sinônimos.
2. Na acepção de ofender, melindrar, é transitivo direto: *O desdém do pai chocou o filho*.

chope — Assim, aportuguesado. Plural: *chopes*.

choque — Refere-se ao estado de má irrigação (perfusão) dos tecidos. Choque hipovolêmico é causado pela redução do volume de sangue ou fluidos no organismo.

chutar a gol — Chutar a bola contra a meta adversária.

CIA — Agência Central de Inteligência (Central Intelligence Agency).

Ciad — Centro Interdisciplinar de Atenção ao Deficiente.

cidadão — Plural: *cidadãos*. Feminino: *cidadã, cidadãs*.

cidade-satélite — Prefira cidade do Distrito Federal.

cilindrada — Volume dos cilindros. Permite saber a capacidade de esforço que o motor pode desenvolver. Ex: *1.000cc* ou *motor 1.0*.

Cime — Comitê Intergovernamental para as Migrações Europeias.

Cimi — Conselho Indigenista Missionário.

Cinep — Companhia de Desenvolvimento da Paraíba.

Cingapura — **Nome oficial:** República de Cingapura. **Nacionalidade:** cingapuriana, cingapusense. **Localização:** Ásia meridional. **Capital:** Cidade de Cingapura. **Extensão territorial:** 618km². **Divisão:** não há. **Cidade principal:** Cidade de Cingapura. **Limites:** Estreito de Johor (N), Estreito de Cingapura (L e S), Estreito de Malaca (O). **Idioma:** malaio, mandarim, tâmil, inglês. **Governo:** República parlamentarista. **Religião:** taoísta, budista, islâmica, cristã, minoria hindu. **Hora local:** +11h. **Clima:** equatorial. **Data nacional:** 9/8 (Pátria). **Moeda:** dólar de Cingapura. **População total:** 4.836.691 (2010).

cinquenta — Não existe *cincoenta*.

cinza — O adjetivo é invariável: *terno (cor da) cinza, ternos cinza; camisa cinza, camisas cinza*.

cinza-claro, cinza-escuro — São invariáveis: *terno cinza-claro, ternos cinza-claro; bolsa cinza-claro, bolsas cinza-claro; sapatos cinza-escuro; sandálias cinza-escuro*.

círculo vicioso — É essa a expressão.

circum — Pede hífen quando seguido de *vogal, h, m* e *n*. No mais, é tudo junto: *circum-ambiente, circum-escolar, circum-hospitalar, circum-marítimo, circum-navegação, circunferência, circumpercorrer, circuncentrar*.

CISL — Confederação Internacional dos Sindicatos Livres.

cisma — Tem dois gêneros e dois significados. *O cisma* quer dizer dissidência ou cisão religiosa. *A cisma*, devaneio, capricho, ideia fixa.

Cist — Centro Internacional para a Ciência e a Tecnologia.

cisto — Estrutura fechada, em forma de pequenos sacos, que acumula secreções bloqueadas. Pode estar localizada em várias partes do corpo. O mesmo que *quisto*.

Cites — Convenção sobre o Comércio Internacional das Espécies da Fauna e da Flora Selvagens Ameaçadas de Extinção (Convenção de Washington).

CL — Comércio Local (endereço de Brasília).

clã — Substantivo masculino: *o clã, chefe do clã*.

CLAnf — Carro lagarta anfíbio do Corpo dos Fuzileiros Navais. Usado na retomada da Vila Cruzeiro e do Morro do Alemão no Rio de Janeiro.

clichê — Lugar-comum (veja **chavões e modismos**).

clipe — Assim, naturalizado.

CLN — Comércio Local Norte (endereço de Brasília).

CLS — Comércio Local Sul (endereço de Brasília).

CLSW — Comércio Local Sudoeste (endereço de Brasília).

cluster — Conjunto de computadores conectados que funcionam como um supercomputador, com alta capacidade de processamento. Mais usado em pesquisas científicas.

cluster bomb — bomba de dispersão.

CMA — Conselho Mundial da Alimentação (ONU).

CMB — Casa da Moeda do Brasil.

CMB — Colégio Militar de Brasília.

CMB — Confederação das Santas Casas de Misericórdia, Hospitais e Entidades Filantrópicas.

CMB — Conselho Mundial de Boxe (World Boxing Council).

CMI — Centro de Mídia Independente.

CMI — Conselho Mundial de Igrejas (World Council of Churches).

CMMA — Conselho Municipal de Meio Ambiente.

CMN — Conselho Monetário Nacional.

CMTC — Companhia Municipal de Transportes Coletivos.

CN — Congresso Nacional.

CNA — Confederação da Agricultura e Pecuária do Brasil.

Cnas — Conselho Nacional de Assistência Social (MDS).

CNBB — Conferência Nacional dos Bispos do Brasil.

CNC — Confederação Nacional do Comércio, de Bens, Serviços e Turismo.

CNCT — Cadastro Nacional de Competência em Ciência e Tecnologia.

CNCT — Cadastro Nacional de Cursos de Educação Profissional de Nível Técnico.

CNDM — Conselho Nacional dos Direitos da Mulher.

CNE — Conselho Nacional de Educação.

Cnen — Comissão Nacional de Energia Nuclear.

CNI — Confederação Nacional da Indústria.

CNJ — Conselho Nacional de Justiça.

CNMP — Conselho Nacional do Ministério Público.

CNN — Cable News Network.

CNPCP — Conselho Nacional de Política Criminal e Penitenciária.

CNPE — Conselho Nacional de Política Energética.

CNPq — Conselho Nacional de Desenvolvimento Científico e Tecnológico.

CNRM — Comissão Nacional de Residência Médica.

CNS — Conselho Nacional de Saúde.

CNTC — Confederação Nacional dos Trabalhadores no Comércio.

CNTE — Confederação Nacional dos Trabalhadores em Educação.

CNTI — Confederação Nacional dos Trabalhadores na Indústria.

Cnuad — Conferência das Nações Unidas para o Ambiente e Desenvolvimento.

Cnudci — Comissão das Nações Unidas para o Direito Comercial Internacional.

CNUDH — Comissão das Nações Unidas para os Direitos Humanos.

Cnudr — Centro das Nações Unidas para o Desenvolvimento Regional.

co — Não aceita hífen: *cogestão, coavalista, coautor, coerdeiro, cogerador, coeleito, cofundador*.

COB — Comitê Olímpico Brasileiro.

Cobra — Confederação Brasileira de Aeromodelismo.

cociente — Variação de *quociente*. Não confundir com *coeficiente*.

Codata — Companhia de Processamento de Dados da Paraíba.

Codeplan — Companhia de Planejamento do Distrito Federal.

Codhab-DF — Companhia de Desenvolvimento Habitacional.

Coea — Coordenação-Geral de Educação Ambiental.

Coeja — Coordenação-Geral de Educação de Jovens e Adultos.

Coelce — Companhia Energética do Ceará.

Cofeci — Conselho Federal de Corretores de Imóveis.

Cofecon — Conselho Federal de Economia.

COI — Comitê Olímpico Internacional (International Olympic Committee).

Coimbra — Adjetivos referentes: *coimbrão, conimbricense*.

colchão/coxão — O *colchão* fica na cama. O *coxão*, mole ou duro, no açougue. É a coxa grandona do boi.

coleção de... — Segue substantivo no plural: *coleção de selos, coleção de carrinhos,* *coleção de moedas, coleção de fotografias antigas.*

cólera — Tanto a doença (cólera-morbo) quanto a ira são nomes femininos.

coletivo (concordância) — O sujeito coletivo leva o verbo para o singular: *O rebanho era composto por mais de cinco mil cabeças de reses. O povo aplaudiu o espetáculo.*

cólica — Dor aguda causada por contração abrupta da camada muscular de uma víscera oca (útero, intestino). A cólica renal é produzida pela passagem da pedra (cálculo) pelas vias urinárias.

coligação — Pede a preposição *de*: *coligação de partidos políticos.*

coligado — Rege as preposições *com, contra, para, por*: *Coligado com o PT. Coligado contra o PT. Coligado para enfrentar o PT. Coligado por afinidades políticas.*

coligar — No sentido de unir para um fim comum, associar-se por coligação, é transitivo direto, não pede preposição: *Os interesses mútuos coligaram os dois partidos.*

coligar-se — Rege as preposições *a* e *contra*: *Os pequenos partidos coligaram-se ao PT. Os grandes partidos coligaram-se contra o PT.*

colocação dos pronomes átonos — No português do Brasil, embora haja grande flexibilidade de emprego, algumas regras devem ser observadas:

1. Não se inicia frase com pronome átono, prática aceita na língua falada, mas rejeitada pela norma culta: *Dirigiu-lhe a palavra. Obrigou-o a retirar-se da reunião. Apresentaram-se respeitosamente.*

2. É obrigatória a próclise (colocação do pronome antes do verbo) quando o verbo vem precedido das seguintes partículas que a atraem:

2.1. palavras negativas (não, nunca, jamais, ninguém, nenhum, nada, nem): *Não me telefone amanhã. Ninguém o procurou na ausência do diretor. Nada se sabe a seu respeito. Não se sente bem, nem se sente à vontade.*

2.2. advérbios, quando não vêm separados por vírgula: *Aqui se fala português. Talvez nos encontremos no aeroporto. Amanhã o apanharei em casa às duas horas.* (Mas: *Aqui, fala-se português. Ontem, pediu-me dinheiro emprestado.*)

Atenção, muita atenção. Não generalize. Às vezes, a vírgula separa termos intercalados. Mas, lá atrás, permanece a palavra em que o pronome se ampara: *O presidente disse que, apesar dos pesares, se entenderá com a oposição.*

2.3. pronomes relativos (que, qual, onde, cujo, quanto): *O candidato que se apresentou primeiro tirou a melhor nota da prova. A cidade onde se encontraram fica a 100 quilômetros de São Paulo. A carnaúba, da qual se falou no simpósio, é nativa das regiões semiáridas do Nordeste. Trouxe tudo quanto lhe pedi.*

2.4. pronomes indefinidos (quem, alguém, ninguém, tudo, todos, nada, algum, nenhum, poucos, muitos): *Muitos se negaram a abandonar o recinto. Alguém me escreveu, mas não se identificou.*

2.5. conjunções subordinativas (que, se, porque, porquanto, como, já que, desde que, visto que, embora, conquanto, ainda que, se bem que, se, caso, contanto que, desde que, conforme, consoante, de modo que, de maneira que, de forma que, para que, a fim de que, à medida que, à proporção que, quando, até que, tanto que): *Quero que se retirem imediatamente. Como se classificou em primeiro lugar, já foi convocada. Se me convidarem, irei.*

2.6. pronomes interrogativos (por que, como, onde, quando, quanto, quem): *Por que você lhe telefonou? Onde ele o encontrou? Por que sua saída o abalou tanto? Quanto lhe custou o carro novo? Como se chega a sua casa?*

2.7. palavras exclamativas (quanto, como, quem): *Quanto me custou chegar até aqui! Como se bebe nesta cidade! Quem me dera viver essa aventura!*

3. As orações que exprimem desejo também exigem a próclise: *Deus o acompanhe! Que os anjos lhe digam amém!*

4. Nas locuções verbais:

4.1. não se usa pronome átono depois do particípio: *Haviam me convidado* (nunca: *haviam convidado-me*).

4.2. na presença de partícula atrativa, coloca-se o pronome antes do verbo auxiliar ou depois do verbo principal (exceto particípio): *Não lhe vou telefonar* ou *Não vou telefonar-lhe*.

5. Evite a mesóclise (colocação do pronome no meio do verbo conjugado no futuro do presente ou futuro do pretérito: *Convencê-lo-íamos a aceitar. Far-lhe-ei este favor*). Para fugir dela, use o sujeito: *Nós o convenceríamos a aceitar. Eu lhe farei este favor.*

Dica para acertar sempre: Os bons gramáticos concordam que a colocação dos pronomes no Brasil tomou os próprios rumos. Reduzem-se a duas normas. Uma: não inicie frase com pronome átono. A outra: ponha o pronome sempre antes do verbo: *Dize-me com quem andas que te direi quem és. O visitante se tinha retirado antes da sobremesa. A morte não me poderia assustar depois de tudo o que passei. Continuamos a nos exercitar em línguas estrangeiras.*

Iniciar a frase com pronome átono tem dois significados. Um é claro: quer dizer não começar o período: *Ofereceu-me aumento de salário. Foi-se embora sem se despedir.* O outro é malandro. Não parece, mas é. Quando ocorre pausa que desampara o pronome, ele vai para trás. Que pausa? Vírgula ou ponto e vírgula. Compare: *Aqui se fala português. Aqui, fala-se português. Severino chantageou o presidente? Não; deu-lhe conselhos. Para se retirar, pediu-me autorização.*

Abra o olho. A exceção confirma a regra. Ela se refere aos pronomes *o* e *a*. Quando antecedidos da preposição *a*, a pronúncia torce a língua. Não sai. Aí, só há uma solução. Mandar o pequenino para trás do verbo. Compare: *Continuo a a querer. Continuo a querê-la.*

colocar uma questão — Não use. Escolha *questionar, perguntar* e similares.

Colômbia (a) — **Nome oficial:** República da Colômbia. **Nacionalidade:** colombiana. **Localização:** América do Sul. **Capital:** Bogotá. **Extensão territorial:** 1.138.914km². **Divisão:** 32 departamentos e a capital. **Cidades principais:** Cali, Medellín, Barranquilla, Cartagena. **Limites:** Mar do Caribe (N), Venezuela,

Brasil (L), Peru, Equador (S), Oceano Pacífico, Panamá (O). **Idioma:** espanhol. **Governo:** República presidencialista. **Religião:** católica. **Hora local:** -2h. **Clima:** de montanha e equatorial. **Data nacional:** 20/7 (Independência). **Moeda:** peso colombiano. **População total:** 46.300.196 (2010).

colorir — Conjuga-se como *abolir*.

Colsan — Associação Beneficente de Coletas de Sangue.

com (concordância) — Quando os núcleos do sujeito estão ligados pela conjunção *com*, ocorrem duas hipóteses: se o *com* tiver valor de *e*, o verbo vai para o plural; se significar *em companhia de*, concordará com o núcleo do sujeito, e o termo por ele introduzido virá entre vírgulas: *O ministro com* (= e) *os assessores responderam às perguntas dos parlamentares com desenvoltura. O acusado, com* (= na companhia) *a mulher, os filhos e o advogado, apresentou-se ao delegado.*

com nós — *Com nós* só se emprega quando vem acompanhado por palavras reforçadoras, como *próprios, mesmos, todos: Os livros ficarão com nós todos. As crianças saíram com nós dois ontem à noite. Queremos estar de bem com nós próprios.* Não aparecendo palavras de reforço, usa-se *conosco: Os livros ficarão conosco. As crianças saíram conosco. Querem estar de bem conosco.*

coma — *A coma* é a cabeleira vasta e crescida. *O coma*, estado mórbido de inconsciência: *O enfermo estava em coma profundo. Trata-se de coma induzido.*

Comam — Coordenadoria-Geral da Marinha Mercante.

comandante-chefe — Evite a forma *comandante em chefe*.

começar a — A locução exige a preposição *a*: *Começou a chover. O governo começa a tomar as providências para resolver o problema. A CPI começou a desmontar esquemas antigos.*

commodity — Plural: *commodities*.

como sendo — É dispensável: *Foi considerado (como sendo) o melhor jogador do século. A presidente o julgou (como sendo) a pessoa ideal para o cargo. Fernanda o avaliou (como sendo) tímido para o papel.*

Comores (Ilhas Comores) — **Nome oficial:** República Federal Islâmica de Comores. **Nacionalidade:** comorense. **Localização:** África Oriental. **Capital:** Moroni. **Extensão territorial:** 2.235km². **Divisão:** três ilhas. **Cidades principais:** Mutsamudu, Mitsamiouli, Domoni. **Limite:** Oceano Índico. **Idioma:** árabe, francês, comorense. **Governo:** República presidencialista. **Religião:** islâmica, com minoria católica. **Hora local:** +6h. **Clima:** tropical. **Data nacional:** 6/7 (Independência). **Moeda:** franco comorense. **População total:** 691.351 (2010).

comparecer — Pede a preposição *a*: *Compareceu ao encontro dos chefes de Estado.*

competir — Conjuga-se como *preferir: prefiro (compito), prefere (compete), preferimos (competimos), preferem (competem); prefira (compita), prefira (compita), preferimos (compitamos), prefiram (compitam); preferindo (competindo), preferido (competido).*

complicar/complicar-se: *Os impostos complicam a vida do cidadão, mas o cidadão se complica.*

comprimento/cumprimento: *Atenção ao comprimento da saia, da estrada, do corredor. Não se esqueça do cumprimento na entrada e na saída.*

comunicar — Pede objeto direto de coisa e indireto de pessoa: *O presidente comunicou a decisão aos deputados presentes.* Atenção: ninguém pode ser *comunicado*, mas informado, avisado.

Conab — Companhia Nacional de Abastecimento.

Conade — Conselho Nacional dos Direitos da Pessoa Portadora de Deficiência.

Conaes — Comissão Nacional de Avaliação da Educação Superior.

Conarq — Conselho Nacional de Arquivos.

Conasems — Conselho Nacional de Secretarias Municipais de Saúde.

Conass — Conselho Nacional de Secretários de Saúde.

Concefet — Conselho de Dirigentes dos Centros Federais de Educação Tecnológica.

concertar/consertar — *Concertar* é harmonizar. *Consertar*, reparar, restaurar.

concerto/conserto — 1. *Concerto* é harmonia (*concerto das nações, concerto da orquestra sinfônica*). 2. *Conserto*, remendo, reparo (*conserto do carro, conserto da estrada, conserto do aparelho*). Os verbos mantêm o significado dos substantivos: harmonizar e reparar: *concertar opiniões, consertar o chuveiro.*

Concine — Conselho Nacional de Cinema.

concordância com porcentagem — 1. Com o número anteposto ao verbo, prefere-se a concordância com o termo posposto: *Quinze por cento da população absteve-se de votar. Cerca de 1% dos votantes tumultuaram o processo eleitoral.* 2. Com o número percentual determinado por artigo, pronome ou adjetivo, não há alternativa. A concordância se fará só com o numeral: *Os 10% restantes deixaram para votar nas primeiras horas da tarde. Uns 8% da população economicamente ativa ganham acima de 10 mil dólares. Este 1% de indecisos decidirá o resultado. Bons 30% dos candidatos faltaram à convocação.* 3. Com o número percentual posposto ao verbo, a concordância se faz obrigatoriamente com o numeral: *Abstiveram-se de votar 30% da população. Tumultuou o processo 1% dos candidatos inconformados com a flagrante discriminação.*

concordância com se — 1. Nas frases construídas com o pronome apassivador *se*, facilmente se cometem erros de concordância. Por isso, preste atenção dobrada a elas. O primeiro passo é procurar-lhes o sujeito. O verbo, como de regra, deve concordar com ele. *Exige-se boa aparência* (Que é que se exige? Boa aparência, sujeito). *Procuram-se candidatos* (Que é que se procura? Candidatos, sujeito). *Adotaram-se medidas severas* (Que é que se adotou? Medidas severas, sujeito). Em caso de dúvida, recorra a este truque: construa a frase com o verbo ser: *Boa aparência é exigida. Candidatos são procurados. Medidas severas são adotadas.* Se o verbo ser ficar no plural, o verbo da frase também deve ficar. Se no singular, o verbo o acompanhará. 2. Nem sempre o *se* é pronome apassivador. Em geral, na voz passiva, o verbo é seguido de substantivo sem preposição (*Procuram-se digitadores. Vendem-se carros novos e usados. Alugam-se casas*). Se não for seguido de substantivo, ocorrem duas possibilidades: 1) o verbo será acompanhado de preposição (*Trata-se **de** problemas domésticos. Obedece-se **aos** superiores*), ou 2) não será seguido de substantivo (*Come-se **bem** em Brasília. Dorme-se **regularmente** nas cidades barulhentas*). O verbo, no caso, permanece na terceira pessoa do singular.

concordância nominal — Na concordância nominal, observe dois pormenores. Um: se o adjetivo vem antes ou depois do substantivo. O outro: se modifica um ou mais de um substantivo.

1. Se o adjetivo modifica um só substantivo, com ele concorda em gênero e número, quer esteja anteposto, quer posposto: *casa branca, alvas paredes, livro grosso, trabalhos pesados*.

2. Se vier anteposto a mais de um substantivo, concorda com o mais próximo, ou seja, o primeiro deles: *má hora e lugar, sérios encargos e obrigações*.

3. Exceção: Quando os substantivos são nomes próprios ou nomes de parentesco, o adjetivo vai sempre para o plural: *O Brasil admira os denodados Caxias e Tamandaré. Elogiou as aplicadas tia, prima e sobrinha*.

4. O adjetivo, quando posposto a dois ou mais substantivos, pode concordar com o mais próximo ou com os dois, observando-se a primazia do masculino sobre o feminino e do plural sobre o singular: *Estudo a língua e a literatura portuguesa (portuguesas). Comprei uma bolsa e um tênis esportivo (esportivos)*.

5. Quando dois ou mais adjetivos se referem ao mesmo substantivo determinado pelo artigo, aceitam-se estas construções: *Estudo as literaturas brasileira e portuguesa. Estudo a literatura brasileira e a portuguesa*.

6. O adjetivo *possível*, em construções do tipo *o mais... possível, o melhor possível, o pior possível*, concorda com o artigo: *o mais elegante possível, os mais elegantes possíveis; o melhor possível, os melhores possíveis; o pior possível, os piores possíveis*.

7. *Anexo, incluso, junto, bastante, nenhum, leso, meio, mesmo, próprio* e *só* concordam com o substantivo a que se referem: *Meio-dia e meia (hora), meias verdades, bastantes pessoas, requerimentos inclusos, cópias anexas, homens nenhuns, nenhumas causas, lesa-pátria, leso-patriotismo, ela mesma, elas mesmas, nós próprios. Nós estamos totalmente sós*.

8. As expressões *um e outro* e *nem um nem outro* devem ser seguidas de um substantivo no singular: *um e outro candidato; uma e outra porta; nem um nem outro aluno*. **Atenção**: *Se um e outro* for seguido de adjetivo, o substantivo fica no singular e o adjetivo no plural: *Um e outro candidato eleitos, uma e outra sentença justas*.

concordância verbal — Regra: o verbo concorda em pessoa e número com o sujeito: *Os deputados votarão hoje projeto polêmico. Ele e eu somos repórteres. Free Jazz promete sua edição mais polêmica*.

Casos especiais:

1. Sujeito composto

1.1. anteposto ao verbo: o verbo vai para o plural: *Paulo e Deise foram indiciados ontem*.

1.2. posposto ao verbo: o sujeito pode concordar com o núcleo mais próximo ou com todos eles: *Vai chegar o pai, a mãe e os filhos. Vão chegar o pai, a mãe e os filhos.*

1.3. seguido de um aposto resumidor, como *tudo, nada, ninguém, todos*: o verbo concorda com o aposto: *Jogos, conversação, danças, nada o distraía. Amor, dinheiro, fama, tudo passa.*

1.4. com os núcleos ligados pelas locuções aditivas *não só... mas também, tanto... quanto*, prefira o plural: *Não só Paulo, mas também Luís participaram do evento. Tanto os debates promovidos pelas principais redes de televisão quanto a propaganda eleitoral gratuita contribuem decisivamente para o esclarecimento do eleitor.*

1.5. com os núcleos ligados pela conjunção *com*: se o *com* tiver valor de *e*, o verbo vai para o plural; se significar *em companhia de*, concordará com o núcleo do sujeito: *O ministro com (= e) seus assessores responderam às perguntas dos parlamentares com desenvoltura. O acusado, com (= na companhia) a mulher, os filhos e o advogado, apresentou-se ao delegado.* Use *e* para indicar adição; e *com*, companhia. É mais claro.

1.6. com os núcleos ligados pela conjunção *nem*, o verbo, preferencialmente, vai para o plural: *Nem eu nem ele estivemos em Roma no ano passado.*

1.7. com os núcleos ligados pelas conjunções *ou... ou*: a) se indicar exclusão ou sinonímia, o verbo vai para o singular: *Ou Fernando Henrique ou Lula seria presidente do Brasil. A glotologia ou linguística é a ciência que se ocupa da linguagem humana.* b) se indicar inclusão (= e), o verbo vai para o plural: *Casamento ou divórcio são regulamentados por lei.* c) se indicar retificação, o verbo concorda com o núcleo mais próximo: *Os autores ou autor da melhor reportagem receberá o prêmio. O autor ou os autores da melhor reportagem receberão o prêmio. Ele ou nós redigiremos o requerimento.*

1.8. sujeito representado por *um ou outro*: verbo no singular — *Um ou outro pode gerar a temida crise.*

1.9. Sujeito representado por *um e outro*: prefira o verbo no plural — *Um e outro miraram-se de alto a baixo. Um e outro candidato classificaram-se.*

1.10. Sujeito representado por *nem um nem outro*: verbo no singular — *Nem um nem outro aceitou o convite para o jantar.*

1.11. Sujeito representado pelas expressões partitivas (*a maioria de, a maior parte de, grande parte de, metade de* e equivalentes) acompanhado de nome: o verbo pode concordar com o partitivo ou com o nome — *A maior parte dos refugiados tomou (tomaram) o caminho de Damasco. Metade dos candidatos desistiu (desistiram).*

1.12. Sujeito representado por coletivo: verbo no singular — *O rebanho era composto por mais de 5 mil cabeças de reses.*

1.13. Sujeito construído com expressões que indicam quantidade aproximada (*mais de, menos de, cerca de perto de*) seguida de numeral: o verbo concorda com o numeral — *Mais de uma pessoa ganhou na loteria. Mais de 100 pessoas ganharam na loteria.* Atenção: Se houver ideia de reciprocidade, o verbo vai obrigatoriamente para o plural: *Mais de um dos convidados se entreolharam com cumplicidade.*

1.14. *Dar, bater, ser* e *soar* + horas: o verbo concorda com o número que indica as horas: *Deram cinco horas. São cinco horas. É meio-dia. Soaram três horas na igreja Matriz.*

1.15. Sujeito representado pelo pronome relativo *que* em construções do tipo: *Fui eu que te dei o vestido. Não somos nós que fizemos isso. Foi ele que me orientou*, o verbo concorda com o antecedente do pronome *que*.

1.16. Sujeito representado pelo pronome *quem*: pode ficar na terceira pessoa do singular ou concordar com o antecedente: *Fui eu quem fez o trabalho (fiz).*

1.17. Sujeito representado pela expressão *um dos que* ou *um daqueles que*: o verbo pode ficar no singular, concordando com um, ou no plural, concordando com *os* ou *aqueles*: *Não sou um daqueles que prometem, mas não cumprem (promete, cumpre).*

1.18. Sujeito constituído dos pronomes *qual, quais, quantos, alguns, muitos, vários*, seguidos de um pronome pessoal reto: a) o verbo ficará no singular se o pronome interrogativo ou indefinido estiver no singular: *Qual de nós fará o trabalho? Um deles é o finalista do concurso.* b) o verbo concordará com o pronome indefinido, interrogativo ou pessoal, indiferentemente: *Muitos de nós foram (fomos) à inauguração da Bienal de Arte.*

1.19. Sujeito representado por *nome próprio*: a) usado só na forma do plural e precedido de artigo: o verbo concorda com o artigo: *Os Estados Unidos invadiram o Iraque. Os Andes ficam na América do Sul. O Amazonas banha o Brasil e os países vizinhos.*

Atenção: Em nome de obras, mesmo no plural e acompanhado de artigo, prefira o verbo no singular: *Os miseráveis imortalizou Victor Hugo. Os pássaros é um filme de suspense.* b) usado no plural, sem artigo: verbo no singular — *Minas Gerais fica na Região Sudeste. Alagoas tem as mais belas praias do Brasil.*

1.20. Sujeito representado por oração desenvolvida ou reduzida: verbo no singular: *Ler e escrever é suficiente para o trabalho que se dispõe a executar.*

1.21. Os verbos *impessoais*, por não possuírem sujeito, conjugam-se sempre na 3ª pessoa do singular. São eles: a) os que indicam fenômenos da natureza: *chover, gear, nevar, alvorecer, anoitecer, ventar, trovejar*; b) *fazer*, ao exprimir fenômeno da natureza (*Faz frio. Faz calor*) ou contagem de tempo (*Faz cinco anos que moro aqui. Faz duas horas que cheguei*); c) *haver* no sentido de existir, acontecer ou de contagem de tempo: *Cheguei há duas horas. A aula começou há pouco. Houve alguns distúrbios nas últimas eleições. Havia duas pessoas ali sentadas*; d) *ser* e *estar*, com referência a tempo: *Está frio. É cedo.*

2. Verbo *ser* — Quase sempre o verbo *ser* pode concordar com o sujeito ou o predicativo (complemento do verbo). Na dúvida, observe a precedência seguinte: da pessoa sobre a coisa (*Os filhos são sua alegria*); do substantivo próprio sobre o comum (*Helena era as delícias da casa*); do concreto sobre o abstrato (*A sua paixão são os livros. Os livros são sua paixão*); do plural sobre o singular (*Os livros eram a biblioteca*); o pronome pessoal sobre o substantivo (*O professor sou eu*); o substantivo sobre o pronome

não pessoal (*Quem são os visitantes? Tudo são flores na infância*).

2.1. São invariáveis as locuções *é muito, é pouco, é mais de, é menos de, é tanto* junto de especificação de quantidade, medida, preço, tempo, valor: *Dois mil reais é muito. Quinze anos é tanto tempo! Dois quilos é pouco.*

2.2. Na determinação de datas, dias e horas, não estando claro o sujeito, o verbo concorda com o predicativo: *Hoje é 1º. de maio. Hoje são 21 de maio. É uma hora. São três horas.*

concorrer — Rege as preposições *a* e *com*: *Ele concorre ao Senado* (apresenta-se como candidato). *Concorre com o velho amigo nas eleições* (tem a mesma pretensão, compete).

concussão — É crime cometido por funcionário público. Consiste em exigir vantagem ilícita para si ou para outrem, de forma direta ou indireta, ainda que fora da função ou antes de assumi-la, mas sempre em razão dela.

condolências — Usa-se sempre no plural: *Assinou o livro de condolências. Vai apresentar condolências à família.*

Condsef — Confederação dos Trabalhadores no Serviço Público Federal.

Confen — Conselho Federal de Entorpecentes.

conferir — Atenção ao modismo. *Confere-se a conta, conferem-se os dados.* Conferir um filme, uma peça ou um show? Deixe-o para lá.

conformar — Pede objeto direto e indireto. Diz-se conformar alguma coisa a outra ou com outra: *Conformou os interesses pessoais aos (ou com) reclamos do tempo.*

confraternizar — Não é pronominal: *Os soldados libaneses confraternizaram com os sírios. Eles confraternizam todos os fins de ano.*

Congo (o) — **Nome oficial:** República do Congo. **Nacionalidade:** congolesa. **Localização:** África equatorial. **Capital:** Brazzaville. **Extensão territorial:** 342.000km². **Divisão:** 10 regiões e 6 comunas. **Cidades principais:** Pointe-Noire, Loubomo. **Limites:** Camarões e República Centro-Africana (N), República Democrática do Congo (L e S), Enclave de Cabinda (S), Oceano Atlântico (O), Gabão (NO). **Idioma:** francês, quicongo, lingala e dialetos regionais. **Governo:** República presidencialista. **Religião:** católica, animista, protestante, minoria islâmica. **Hora local:** +4h. **Clima:** equatorial e tropical. **Data nacional:** 15/8 (Independência). **Moeda:** franco CFA. **População total:** 3.758.678 (2010).

conhaque — Já está aportuguesado.

Conin — Conselho Nacional de Informática e Automação.

Consea — Conselho Nacional de Segurança Alimentar e Nutricional.

Consed — Conselho Nacional de Secretários de Educação.

conserto — Veja **concerto/conserto**.

consigo — O pronome consigo é exclusivamente reflexivo (só se usa em relação ao próprio sujeito do verbo): *Levou consigo tudo que lhe pertencia. O fotógrafo* *não levou nada consigo. O desvairado falava consigo mesmo.*

consistir — Pede a preposição *em*: *O desafio consiste em avaliar com isenção os prós e os contras.*

constar — Rege as preposições *de* e *em*: *Seu nome consta na lista (ou da lista).*

Constituição — Letra maiúscula.

constituir — 1. Não pede preposição: *A cobrança de ágio constitui um dos maiores desafios que o governo precisa enfrentar. Acordar cedo não constitui problema. Constituiu uma firma comercial. Constituiu advogado.* 2. *Constituir-se* tem a mesma regência, é transitivo direto: *Constitui-se problema.*

cônsul — Feminino: *consulesa* (tanto a mulher do cônsul quanto a titular do consulado).

Conta-corrente — Grafa-se com hífen.

Contag — Confederação Nacional dos Trabalhadores na Agricultura.

Contee — Confederação Nacional dos Trabalhadores em Estabelecimentos de Ensino.

continência — Diga *prestar continência*, não *bater continência*.

contra — Pede hífen antes de *h* e *a*. Nos demais casos, é tudo coladinho: *contra-harmonia, contra-argumento, contra-ataque, contrarreforma, contrassenso, contracheque, contramão.*

Contran — Conselho Nacional de Trânsito.

contratorpedeiro — Nome técnico para *destróier* (veja verbete).

contratura — Lesão muscular provocada por movimento abrupto ou exagerado. É diferente de contração, encurtamento temporário das fibras musculares.

convencer — 1. No sentido de fazer crer, pede a preposição *de*: *Convenceram-no da oportunidade do projeto.* 2. Na acepção de convencer alguém a fazer algo, exige a preposição *a*: *Convenceram-no a adotar medidas pouco populares.*

conversão/converter — 1. *Converter a* significa mudar de crença, de religião, de partido, de modo de vida: *Converteu o amigo ao cristianismo. Paulo converteu-se ao liberalismo.*
2. *Converter em* quer dizer transformar, trocar por algo de valor equivalente: *Converter ouro em papel-moeda. Converter salários em dólares.*
3. A mesma regra vale para conversão e convertido: *A conversão aos novos padrões foi lenta e gradual. Convertido ao islamismo, revelou-se fiel seguidor do Corão. A conversão dos salários em euros agradou aos trabalhadores. A conversão dos valores em dólares desapontou os profissionais.*

convidar — 1. Rege a preposição *para*: *O presidente convidou os assessores para a festa de confraternização.* 2. Antes de infinitivo, exige a preposição *a*: *Convidei-o a entrar.*

convir — 1. Transitivo indireto: *A emenda convém aos partidos pequenos. Os senadores convieram na reforma do regimento. Conviemos com nossos amigos em que voltaríamos antes das 10 horas.* 2. Conjuga-se como *vir*, respeitadas as regras de acentuação: *venho (convenho), vem (convém), vimos (convimos), vêm (convêm); vim (convim), veio (conveio), viemos (conviemos),* *vieram (convieram); vier (convier), vier (convier), viermos (conviermos), vierem (convierem); vindo (convindo).*

cooler — Também conhecido como ventoinha, é peça do computador que serve para ventilar o gabinete e impedir que suas placas e circuitos (feitos de metal) derretam com o funcionamento intenso.

Copa — Comitê das Organizações Profissionais Agrícolas da União Europeia.

Copersucar — Cooperativa de Produtores de Cana, Açúcar e Álcool do Estado de São Paulo.

copidesque — Assim, aportuguesado.

copyright — Direito exclusivo de imprimir, reproduzir ou vender obra literária, científica ou artística. Escreve-se sem grifo.

cor-de-rosa — Mantém o hífen.

Corecon — Conselho Regional de Economia.

Coreia do Norte (a) — **Nome oficial**: República Democrática Popular da Coreia. **Nacionalidade:** norte-coreana. **Localização:** Ásia Oriental. **Capital:** Pyongyang. **Extensão territorial:** 120.538km². **Divisão:** nove províncias e duas cidades especiais. **Cidades principais:** Nampo, Hamhung, Chongjin. **Limites:** China (N e NO), Federação Russa (NE), Mar do Japão (L), Coreia do Sul (S), Mar Amarelo (SO). **Idioma:** coreano. **Governo:** República de partido único. **Religião:** confucionista, com minoria budista. **Hora local:** +12h. **Clima:** temperado continental. **Data nacional:** 15/8 (Libertação), 9/9 (Independência). **Moeda:** won norte-coreano. **População total:** 23.990.703 (2010).

Coreia do Sul (a) — **Nome oficial**: República da Coreia. **Nacionalidade:** sul-coreana. **Localização:** Ásia Oriental. **Capital:** Seul. **Extensão territorial:** 99.016km². **Divisão:** nove províncias e 6 cidades especiais. **Cidades principais:** Pusan, Taegu, Inch'on, Taljon. **Limites:** Coreia do Norte (N), Mar do Japão (L), Estreito da Coreia (S), Mar Amarelo (O). **Idioma:** coreano. **Governo:** República presidencialista. **Religião:** budista, protestante, minoria católica. **Hora local:** +12h. **Clima:** temperado continental. **Data nacional:** 15/8 (Independência), 3/10 (Pátria). **Moeda:** won sul-coreano. **População total:** 48.500.717 (2010).

cores

1. Quando a palavra que designa cor for um adjetivo, concorda em gênero e número com o substantivo: *mesa branca, folhas verdes, paredes azuis, vestido vermelho, radiação infravermelha.* Exceção: marinho (*vestido marinho, vestidos marinho; blusa marinho, blusas marinho*) e ultravioleta (*raio ultravioleta, raios ultravioleta*).

2. Estando subentendida a expressão *cor de*, o adjetivo mantém-se invariável: *toalhas (cor de) pérola, ternos (cor de) cinza, vestidos (cor de) rosa, uniforme (cor de) oliva, carros (cor de) vinho, colares (cor de) marfim, embalagens (cor de) carmim, tecidos furta-cor.*

3. Nos adjetivos compostos, preste atenção à classe gramatical das palavras que os compõem:

3.1. Adjetivo + adjetivo ou palavra invariável + adjetivo — só o segundo varia: *olhos castanho-escuros, camisas verde-amarelas, blusas azul-escuras, paredes verde-escuras, esforços sobre-humanos, bravuras sobre-humanas, atitudes antissociais*. Exceção: *azul-marinho* e *azul-celeste*, que são invariáveis (*sapato azul-marinho, sapatos azul-marinho; blusa azul-celeste, blusas azul-celeste*).

3.2. Adjetivo + substantivo ou substantivo + adjetivo — ambos permanecem invariáveis: *saias azul-turquesa, olhos verde-mar, uniformes verde-oliva; bandeiras amarelo-canário, vestidos rosa-claro, bolsas castor-escuro*.

corpo a corpo — Plural: *os corpo a corpo* ou *os corpos a corpos*.

correção de falas — Salvo casos excepcionais, em que a fala constitui informação importante na identificação do personagem, corrigem-se os erros grosseiros de morfologia e sintaxe. Mas respeita-se o nível do discurso apresentado. Caso se queira enfatizar os deslizes, escreve-se *sic* entre parênteses. As três letrinhas fazem as vezes de Pilatos. Informam que o jornal não tem nada a ver com os tropeços.

correlação verbal — 1. O futuro do subjuntivo indica que o verbo é de realização provável. Exige o correlato no presente ou futuro do presente: *Se tiver dinheiro, (vou, irei) à Europa nas férias. Se frequentar a escola cedo, a criança se alfabetiza (alfabetizará) com facilidade*. 2. O pretérito imperfeito do subjuntivo avisa que o verbo é de realização improvável. Pede o futuro do pretérito: *Se tivesse dinheiro, iria à Europa. Se frequentasse a escola cedo, a criança se alfabetizaria com facilidade*.

correr atrás/correr de — Abra os dois olhos. *Corra atrás do lucro. Mas corra do prejuízo*.

correr risco — *Corre-se risco de morte, ou risco de morrer, ou risco de perder a vida*.

correto/corrigido — *Correto* é adjetivo (*trabalho correto, conta correta, texto correto*). *Corrigido* é o particípio de *corrigir*: *Ele tinha corrigido o discurso. O discurso foi corrigido*.

corveta — Navio de escolta usado em atividades costeiras.

Cós — *Cós da calça, cós da saia, cós da bermuda*.

coser/cozer — A pronúncia é a mesma. Mas o significado, não. *Coser* é costurar. *Cozer*, cozinhar.

Cosern — Companhia Energética do Rio Grande do Norte.

costa/costas — *Costa*: litoral (*a costa brasileira, a costa africana*). *Costas*: tronco, parte posterior: *dor nas costas*.

Costa do Marfim (a) — **Nome oficial**: República da Costa do Marfim. **Nacionalidade:** marfinense. **Localização:** África Ocidental. **Capital:** Yamoussoukro. **Extensão territorial:** 322.463km². **Divisão:** 16 regiões. **Cidades principais:** Bouaké, Daloa, Korhogo. **Limites:** Mali e Burkina Fasso (N), Gana (L), Oceano Atlântico

(S), Libéria e Guiné (O). **Idioma:** francês, diúla, baulê, beté, senufo. **Governo:** República presidencialista. **Religião:** islâmica, católica, animista, minoria protestante. **Hora local:** +3h. **Clima:** subequatorial de floresta, tropical úmido, tropical seco. **Data nacional:** 7/12 (Independência). **Moeda:** franco CFA. **População total:** 21.570.746 (2010).

Costa Rica (a) — Nome oficial: República da Costa Rica. **Nacionalidade:** costa-riquenha. **Localização:** América Central. **Capital:** São José. **Extensão territorial:** 51.100km². **Divisão:** sete províncias. **Cidades principais:** Alajuela, Cartago. **Limites:** Nicarágua (N), Mar do Caribe (L), Oceano Pacífico (O), Panamá (S e SE). **Idioma:** espanhol, espanhol crioulo, inglês crioulo. **Governo:** República presidencialista. **Religião:** católica, com minoria protestante. **Hora local:** -3h. **Clima:** equatorial. **Data Nacional:** 7/12 (Independência). **Moeda:** colón costa-riquenho. **População total:** 4.639.827 (2010).

cota ou quota — Prefira *cota*.

coto — Extremidade de uma parte remanescente do corpo que foi amputada.

coxão — Veja **colchão/coxão**.

CPLP — Comunidade dos Países de Língua Portuguesa.

CPRM — Companhia de Pesquisa de Recursos Minerais.

Cptec — Centro de Previsão de Tempo e Estudos Climáticos.

CPTM — Companhia Paulista de Trens Metropolitanos.

crase — Ocorre crase se dois *aa* se encontrarem. O casório se realiza quando a preposição *a* encontra o artigo definido *a*, ou o demonstrativo *a*, ou o *a* inicial dos pronomes demonstrativos *aquele, aquela, aquilo*: *O êxito é obstáculo à liberdade. Entreguei o relatório àquele homem.*

Excluindo-se o caso dos pronomes demonstrativos, só haverá crase antes de palavra feminina, clara ou subentendida: *Obedecemos à lei. Fui à Editora Nacional e à (editora) José Olympio. Canta à (moda de, maneira de) Julio Iglesias.*

1. Forma fácil de descobrir se ocorre crase é substituir a palavra feminina por uma masculina (não precisa ser sinônima). Apareceu *ao*? Sinal de acento grave: Por exemplo: *Fui a cidade*. Com crase ou sem crase? Trocando-se *cidade* por *teatro*, temos: *Fui ao teatro*. Logo, *fui à cidade*.

Outros exemplos: *Obedecemos à lei (ao regulamento). Dirigiu-se à cidade (ao parque). Prêmio natural às ambições espirituais (aos trabalhos). Fez referência à tradução (ao texto) à qual (texto ao qual) nos temos dedicado.*

2. Com o verbo *ir*, siga estes passos: substitua-o por *voltar* e oriente-se pela quadra: Se, ao voltar, volto da,/Craseio o a./Se, ao voltar, volto de,/Crasear pra quê?

Vou a Paris, a Roma e a Londres (Volto *de* Paris, *de* Roma e *de* Londres). Crasear pra quê? *Vou à Paris da alta costura, à Londres do fogo e à Roma do Coliseu* (Volto *da* Paris da alta costura, *da* Londres do fogo e *da* Roma do Coliseu). Então crase no *a*.

3. Use a crase em locuções adverbiais, pre-positivas e conjuntivas formadas por palavras femininas: *à vista, às vezes, às escuras, às pressas, à noite, à tarde, à moda de, às apalpadelas, às tontas, às claras, à direita, à esquerda, à uma hora, à base de, à custa de, à força de, à espera de, à medida que, à proporção que.*

4. A locução *a distância* pode ou não aparecer com crase. Use *à distância* se a distância estiver determinada; *a distância*, se não o for: *A distância, pequenos barcos moviam-se vagarosos. Os soldados marchavam à distância de 20 metros. Ele não via bem a distância. Vi Maria à distância de cerca de 200 metros.*

5. Com a palavra *casa*, haverá crase se o substantivo *casa* for qualificado; não haverá, se ele aparecer sem qualificativo: *Só de madrugada, voltou a casa. Ela voltou à casa de Paulo. Todos correram à casa da mãe.*

6. Com a palavra *terra*, no sentido de terra firme, aparece crase. No sentido de *volta* (do mar para a terra), não: *Os marinheiros voltaram felizes a terra. Estava feliz de retornar à terra de onde viera.*

7. Por questão de clareza, usa-se crase antes das locuções que exprimem meio ou instrumento: *Bateu a carta à máquina. Pagou a compra à vista. O terreno está à venda. Matou-o à bala. Trabalho feito à mão.*

8. Nunca haverá crase: 1. antes de palavra masculina sem que haja uma feminina subentendida: *Venda a prazo. Andar a pé.* Mas *bife à* (moda) *Churrascaria Galeto. Não foi à Livraria Nacional, mas à* (livraria) *Saraiva.* 2. antes de verbo: *Começou a escrever.* 3. nas locuções com elementos repetidos: *cara a cara, frente a frente, gota a gota, uma a uma.* 4. com o *a* no singular antes de palavra feminina no plural: *Assistiu a reuniões em dois lugares diferentes.*

9. É facultativo o uso da crase antes de nome próprio feminino ou pronomes adjetivos possessivos femininos: *Dirigiu-se à (a) minha cidade. Dei o livro à (a) Maria.*

9.1. Se o possessivo estiver substituindo o substantivo, a crase é obrigatória: *Não fui à (a) sua cidade, mas à minha.*

Crea — Conselho Regional de Engenharia, Arquitetura e Agronomia.

Creci — Conselho Regional de Corretores de Imóveis.

crepom — Escreve-se assim.

crer — a 3ª pessoa do plural do presente do indicativo perdeu o acento: *eu creio, ele crê, nós cremos, eles creem.* O mesmo ocorreu com *leem, veem, deem* e derivados.

criar novo — Baita redundância. Só se cria o novo: *Criaram-se oportunidades de trabalho no Entorno. O presidente prometeu criar 8 milhões de empregos.*

crime culposo — É o crime cometido por imprudência, negligência ou imperícia. Exemplo: por excesso de velocidade em pista limitada a 60km/h, o motorista perde o controle do veículo. Atropela, fere ou mata uma pessoa. O crime é culposo porque o motorista agiu com imprudência e negligência. Outro exemplo: o médico extrai o apêndice do paciente quando devia extrair-lhe a vesícula. O crime é culposo porque o médico agiu com imperícia.

crime doloso — O crime é doloso quando o infrator quis o resultado ou assumiu o risco de produzi-lo. O dolo pode ser efetivo ou eventual. Exemplo de dolo efetivo: alguém saca o revólver e mata o desafeto. O criminoso desejava cometer o assassinato e o cometeu. Exemplo de dolo eventual: alguém saca o revólver e dispara um tiro para comemorar a vitória de seu time. A bala atinge e mata uma pessoa. O autor do disparo não queria matar ninguém, mas assumiu o risco de produzir o resultado: a morte.

CRM — Conselho Regional de Medicina.

CRN — Comércio Residencial Norte (endereço de Brasília).

Croácia (a) — **Nome oficial**: República da Croácia. **Nacionalidade**: croata. **Localização**: Europa balcânica. **Capital**: Zagreb. **Extensão territorial**: 56.538km². **Divisão**: 21 condados. **Cidades principais**: Split, Rijeka, Osijek. **Limites**: Eslovênia (N e NO), Hungria (NE), Sérvia e Montenegro, Bósnia e Herzegóvina (L), Mar Adriático (S e O). **Idioma**: croata, sérvio, húngaro, italiano. **Governo**: República presidencialista. **Religião**: católica, ortodoxa, minoria islâmica. **Hora local**: +4h. **Clima**: temperado continental. **Data nacional**: 8/10 (Independência). **Moeda**: kuna. **População total**: 4.409.659 (2010).

crônico — Doença ou sintomas de evolução longa.

croqui — O singular escreve-se dessa forma, sem *s*.

CRS — Comércio Residencial Sul (endereço de Brasília).

CRT — Abreviatura para *cathode ray tube*, ou tubo de raios catódicos, dispositivo que faz a imagem aparecer no monitor.

CRT — Monitores tradicionais.

Crub — Conselho de Reitores das Universidades Brasileiras.

cruise control — Sistema capaz de manter constante a velocidade preestabelecida. Muita gente chama de piloto automático.

crupiê — Essa é a forma aportuguesada.

cruzador — Navio de combate multifunção de grande porte, capaz de ser utilizado em atividades de escolta ou ofensiva. Dotado de armas para qualquer tipo de combate.

cruzamentos sintáticos — 1. Os cruzamentos resultam de contaminação: de duas formas ou estruturas equivalentes surge uma terceira, que rompe a correlação. Por exemplo: O *seja* pede o par *seja* (*seja inverno, seja verão*); o *ou*, outro *ou* (*ou no inverno ou no verão*); o *quer*, outro *quer* (*quer no inverno, quer no verão*). A mistura de um e outro constitui cruzamento que prejudica a harmonia do texto (*seja no inverno ou no verão; quer no inverno ou no verão*). 2. Outras construções que exigem paralelismo: *de... a* (*de segunda a sexta feira*, nunca *de... às*); *das... às* (*das 14h às 16h*, não *de 14 às 16h*); *não... mas* (*Não moro em São Paulo, mas em Brasília*); *tanto... quanto* (*Estudo tanto francês quanto inglês*); *não só... mas também* (*Não só gosto de cinema, mas também de teatro*).

CSCE — Conferência sobre a Segurança e a Cooperação na Europa.

CSN — Companhia Siderúrgica Nacional.

CTA — Centro Técnico Aeroespacial.

CTBTO — Comitê Preparatório para a Organização do Tratado de Proibição de Testes Nucleares (ONU).

Ctic — Coordenação Técnica de Intercâmbio Comercial.

CTNBio — Comissão Técnica Nacional de Biossegurança.

Cuba — **Nome oficial**: República de Cuba. **Nacionalidade**: cubana. **Localização**: América Central. **Capital**: Havana. **Extensão territorial**: 110.861km². **Divisão**: 14 províncias, uma municipalidade especial. **Cidades principais**: Santiago de Cuba, Camaguey, Holguín, Santa Clara. **Limites**: Estreito da Flórida (N), Oceano Atlântico (L), Mar do Caribe (S), Canal de Yucatán (O). **Idioma**: espanhol. **Governo**: República de partido único. **Religião**: católica, com minorias protestantes e afro-cubanas. **Hora local**: -2h. **Clima**: tropical. **Data nacional**: 1º/1 (Liberdade), 25 a 27/7 (Aniversário da Revolução), 10/1 (Independência). **Moeda**: peso cubano. **População total**: 11.204.351 (2010).

cujo — O emprego do *cujo* impõe duas exigências. Uma: indicar posse. A outra: dispensar o artigo: *Lula, cujo discurso foi aplaudido em Davos, recebeu críticas no Brasil. A mulher cuja filha morreu mora em Brasília. Paulo Coelho, cujos livros fazem sucesso nos cinco continentes, pertence à Academia Brasileira de Letras.*

cumprir — Pode ser transitivo direto ou indireto: *Cumpriu o dever (ou com o dever).*

curinga/coringa — Você fala da vela usada na proa das barcaças? Escreva *coringa*. Fala da carta de baralho que muda de valor segundo a posição? Ou de pessoas e coisas que têm mil e uma utilidades? Dê a vez a *curinga*.

currículo — É a forma portuguesa. Plural: *currículos*.

curriculum vitae — Forma latina, escreve-se sem grifo.

curta/curta-metragem — Plural: *curtas, curtas-metragens*.

> **custar** — 1. No sentido de *demorar*, se seguido de infinitivo, pede a preposição *a*: *Custei a concluir o trabalho. O senador custou a receber o repórter que ia entrevistá-lo.*
> 2. Com o significado de *ser difícil, ser custoso*, só se conjuga na 3ª pessoa do singular: *Custa-me acreditar na sinceridade do candidato. Custou-lhes decifrar a letra da mensagem.*

customizar — Prefira *personalizar*.

CUT — Central Única dos Trabalhadores.

CVM — Comissão de Valores Mobiliários.

CVRD — Companhia Vale do Rio Doce.

czar — Plural: *czares*. Feminino: *czarina*.

D

d — 4ª letra do alfabeto. Plural: *dês, dd*.

d.C. — Depois de Cristo.

DAC — Departamento de Aviação Civil.

dado a — Concorda com o substantivo em gênero e número: *dadas as circunstâncias, dado o exposto, dados os antecedentes*.

DAEE — Departamento de Águas e Energia Elétrica.

DAP — Departamento de Abastecimento e Preços.

DAP — Departamento de Aptidão ao Pronaf.

daqui a — Veja **há/havia/daqui a**.

dar + horas (concordância) — O verbo concorda com o número que indica as horas: *Deram cinco horas. Deu meio-dia e meia.*

dar à luz — A regência é *dar à luz alguém*: *Maria deu à luz gêmeos prematuros.*

data — Faça a concordância com o numeral: *Hoje é 1º. de novembro. Hoje são 15 de março.*

data venia — Expressão latina, significa *com o devido consentimento*. Dispensa grifo.

data-base — Plural: *datas-base*.

Dataprev — Empresa de Tecnologia e Informações da Previdência Social.

datas

1. Os meses se escrevem com inicial minúscula.
2. Não tem vez o dígito 0 antes do número referente ao dia do mês: *8 de janeiro*, não *08 de janeiro*.
3. Não se usa ponto para separar o milhar na indicação de ano: *1500, 1922, 1994.*
4. Desnecessário escrever *dia* antes do dia, *mês* antes do mês ou *ano* antes do número respectivo:

   O acordo foi assinado em 22 de março de 1993 (não *no dia 22 de março do ano de 1993*). *Em outubro haverá eleições* (não *no mês de outubro*).

5. O primeiro dia do mês é 1º, não 1: *1º de janeiro, 1º de março.*
6. A concordância deve ser feita com o numeral: *Hoje é 1º de novembro. Hoje são 15 de março.*
7. Salvo em casos especiais, como tabelas, quadros ou gráficos, não se empregam notações abreviadas: *O presidente visitará a Inglaterra em 12 de dezembro* (não *em 12.12*).
8. Ao preparar a matéria, o dia seguinte é sempre *amanhã*, nunca *sábado, domingo* ou *terça-feira*.

datas comemorativas — Grafam-se com a letra inicial maiúscula: *Primeiro de Maio, 21 de Abril, Sete de Setembro, Proclamação da República, Dia das Mães, Dia dos Namorados, Dia da Árvore, Natal, Guerra dos Farrapos.*

Datasus — Departamento de Informática do SUS.

dê — Nome da quarta letra do alfabeto. Plural: *dês* ou *dd*.

de ele — Veja **de o/de ele/de este**.

de encontro — Veja **ao encontro/de encontro**.

de este — Veja **de o/de ele/de este**.

de forma que, de modo que & similares — Como locuções conjuntivas, não aceitam o plural *de formas que, de modos que*.

de o/de ele/de este — 1. Antes do sujeito, não se usa a combinação da preposição com o artigo. Preposição e artigo ficam soltos. Na frase *Os técnicos do Banco Central descartam a ideia de o governo impor suspensão do reajuste*, o substantivo *governo* é o sujeito. Por isso não há combinação da preposição *de* com o artigo *o*. Outros exemplos: *Apesar de o ministro (sujeito) negar, é certa a edição de nova medida provisória. A fim de o povo (sujeito) se familiarizar com a nova moeda, ampla campanha será veiculada pelos meios de comunicação de massa*. 2. A mesma regra se aplica a *de este* e *de ele*: *Apesar de essa informação (sujeito) ter sido confirmada... A fim de ele (sujeito) continuar no páreo...*

de... a/da... à — Eis a dica: lé com lé, cré com cré. *De* é preposição pura. Faz par com *a*, também preposição pura. *Da* (*do*) é combinação da preposição com artigo. *À* também: *de segunda a sexta, da pág. 25 à 42, do parque à superquadra, das 14h às 18h.*

debaixo/de baixo — *Debaixo* é *sob* (*debaixo da mesa, debaixo do tapete*). *De baixo* se usa nos demais casos: *de baixo para cima, roupa de baixo.*

debênture — Plural: *debêntures.*

decano — Feminino: *decana.*

Decap — Departamento de Polícia Judiciária da Capital.

decisão — Pede as preposições *em* ou *sobre*: *A decisão do governo em converter as mensalidades pela média desagradou a todos. Não se pode tomar de improviso decisão sobre assunto de tamanha gravidade.*

declinar — No sentido de recusar, pede a preposição *de*: *O deputado declinou do convite.*

Decom — Departamento de Defesa Comercial.

Decon — Programa Estadual de Proteção e Defesa do Consumidor.

decreto-lei — Plural: *decretos-leis.*

deficit — Plural: *deficits.*

Deic — Departamento Estadual de Investigações sobre o Crime Organizado.

delphi — Linguagem de programação.

DEM — Democratas (partido político).

demais/de mais — 1. Use *demais*: a) no sentido de *muito, excessivamente*: *Comeu demais*. b) na acepção de *ademais, além disso*: *Na viagem, esteve em museus, foi ao teatro, visitou amigos, fez compras. Demais, proferiu duas conferências*. c) como pronome indefinido, com o valor de *os restantes*: *Cinco dos presentes levantaram-se. Os demais permaneceram sentados.*
2. *De mais* se opõe a *de menos*: *Recebi troco de mais, não de menos. Até aí, nada de mais.*

demolir — Conjuga-se como *abolir.*

Denatran — Departamento Nacional de Trânsito.

dengue — A doença é feminina. O dengo, masculino: *A dengue preocupa o governo na época da chuva. O dengue é a marca de crianças mimadas. E de marmanjos também.*

Dentel — Departamento Nacional de Telecomunicações.

dentre — Veja **entre/dentre**.

denúncia — Texto escrito por membro do Ministério Público para denunciar ao juiz criminal prática de crime, nomear o infrator ou infratores e requerer a condenação. No âmbito do direito civil, pode significar, também, a comunicação que faz um dos contratantes a outro ou outros sobre o desejo de encerrar o contrato mediante fixação de prazo para cessação de seus efeitos.

> **depois + particípio** — Com particípio, deve-se usar a locução *depois de*, não *após*: *depois de editada a medida provisória, depois de publicado, depois de promulgada* (nunca: *após editada, após publicado, após promulgada*).

depor — 1. Conjuga-se como *pôr*. 2. Exige a preposição *em*: *O acusado depôs na PF. Vai depor na CPI.*

DER — Departamento de Estradas de Rodagem (existe em cada estado e no Distrito Federal).

derrame — Veja **acidente vascular cerebral**.

derreter/derreter-se — *O sol derrete o sorvete, mas o sorvete se derrete.*

desapercebido/despercebido — Parecido não é igual. 1. *Desapercebido* quer dizer desprevenido. 2. *Despercebido* significa ignorado, sem ser notado: *O contrabando passou despercebido na fronteira sul do país.*

descarrilhar/descarrilar — As duas formas figuram no dicionário. Prefira *descarrilar*.

descendência — Vínculo da pessoa com os descendentes (filhos, netos, bisnetos).

descrição/discrição — 1. *Descrição* é o ato de descrever (*descreve-se uma pessoa, uma roupa, um ambiente*). 2. *Discrição* opõe-se à saliência. Significa reserva, modéstia: *A mãe da noiva vestiu-se com discrição. Apresentou o projeto com discrição, sem o esperado oba-oba.*

descriminar/discriminar — 1. *Descriminar* é inocentar, deixar de ser crime: *Gabeira luta para descriminar o uso da maconha.* 2. *Discriminar* é distinguir, tratar de maneira diferente: *A legislação não discrimina a mulher. A Constituição diz que discriminar é crime.*

desde — 1. Como expressão de tempo, indica sempre tempo passado. Pode ser usada sozinha ou com a preposição *até*: *Estou aqui desde segunda-feira. Dormiu desde o anoitecer até o nascer do sol.* 2. Nunca se usa seguida de crase ou combinada com outra preposição: *Estou aqui desde as duas horas. Ele está aqui desde o meio-dia. Trabalha nos Correios desde o ano passado.* (Veja **a partir de**)

desobedecer — Rege a preposição *a*: *Os amotinados desobedeceram ao delegado.*

despensa/dispensa — Uma letra faz a diferença. 1. *Despensa* é o lugar onde se guardam mantimentos. 2. *Dispensa*, desobrigação: *Pegou o azeite na despensa. Pediu dispensa do serviço.*

despercebido — Veja **desapercebido/despercebido**.

Dest — Departamento de Coordenação e Governança das Empresas Estatais.

destróier — Navio de combate multifunção de médio porte, capaz de ser utilizado em atividades de escolta ou ofensiva. Dotado de armas para qualquer tipo de combate.

deter — Conjuga-se como *ter*. Atenção para o futuro e o pretérito imperfeito do subjuntivo:

se eu detiver, ele detiver, nós detivermos, eles detiverem; se eu detivesse, ele detivesse, nós detivéssemos, eles detivessem.

Detran — Departamento de Trânsito (existe em cada estado e no Distrito Federal).

DFTrans — Transporte Urbano do Distrito Federal.

dia — O dia começa à 0h e termina às 24h. A madrugada se estende da 0h às 4h; a manhã, das 5h às 12h; a tarde, das 12h às 18h; a noite, das 19h às 24h. 24 horas é o fim de um dia; 0h o começo de outro.

dia a dia — Sem hífen.

diabete, diabetes — Masculino ou feminino, com *s* ou sem *s*. Mas atenção: mesmo com *s*, é singular: *o diabetes sacarino, a diabetes sacarina*. Há duas formas: diabetes insípido (perda da capacidade renal de reter água, que se perde na urina); e a mais comum, diabetes melito, doença provocada pela falta de insulina (hormônio secretado pelo pâncreas). Acarreta o aumento do nível de açúcar no sangue.

diálogos — Em português, o travessão introduz o diálogo. É preferível às aspas, norma da língua inglesa. Mas há ocasiões em que a estrangeira se impõe — nas falas curtas ou na intercalação de palavras literais no texto: *A presidente da CLP na Câmara, Fátima Bezerra (PT-RN), reconhece que a comissão mais nova do Congresso ainda é marginalizada e pouco conhecida: "Ainda não conseguimos mudar essa realidade. Tememos que o interesse da sociedade civil organizada pelo trabalho oferecido por essa comissão diminua justamente por causa da lentidão".*

As eleições estão marcadas para 18 de setembro. "Defendemos que o partido tenha autonomia frente ao governo", diz o candidato.

Dieese — Departamento Intersindical de Estatística e Estudos Socioeconômicos.

difamação — Atribuir a alguém fato ofensivo à reputação. Exemplo: dizer que tal pessoa hostiliza os pobres e bajula os ricos.

diferencial — Mecanismo que permite às rodas de um lado girar a velocidades diferentes em relação às do outro lado, em curvas. Isso é necessário porque as rodas de fora percorrem uma distância maior. Todos os veículos o têm.

diferentemente — Quer dizer *de forma diferente*. É a palavra que em geral introduz o *Erramos: Diferentemente do informado...*

dignar-se — Pede a preposição *de*: *Não se dignou de cumprimentar os presentes.* Também se usa sem preposição: *Não se dignou cumprimentar os presentes.*

diminutivo — Diminutivo dos nomes terminados em *l*, *r* e *ão* exige atenção dobrada. O *s* do plural da palavra primitiva muda de lugar. Vai para o diminutivo: *animal (animaizinhos), papel (papeizinhos), flor (florezinhas), portão (portõezinhos), pão (pãezinhos).*

Dinamarca (a) — **Nome oficial:** Reino da Dinamarca. **Nacionalidade:** dinamarquesa. **Localização:** Europa nórdica. **Capital:** Copenhague. **Extensão territorial:** 43.077km². **Divisão:** 14 condados e a capital. **Cidades principais:** Århus, Odense, Ålborg, Esbjerg. **Limites:** Estreito de

Kattegat (N), Mar Báltico (L), Alemanha (S), Mar do Norte (O). **Idioma:** dinamarquês. **Governo:** Monarquia parlamentarista. **Religião:** protestante (luteranos), minoria islâmica. **Hora local:** +4h. **Clima:** temperado oceânico. **Data nacional:** 5/6 (Constituição). **Moeda:** coroa dinamarquesa. **População total:** 5.481.283 (2010).

dinheiro 1. Adote esta fórmula: *R$ 5, R$ 10.230, R$ 38 milhões, R$ 3,8 milhões.* 2. Na impossibilidade de fazer o arredondamento, escreva o número completo: *R$ 3.840.720,50.* 3. Quantias expressas em dólar podem ser precedidas de US$. Não use representação gráfica de outras moedas estrangeiras. 3.1 Os valores em moeda estrangeira devem ser acompanhados do equivalente em real entre parênteses: *US$ 50 (R$ 85).*

discrição — Veja **descrição/discrição**.

discriminar — Veja **descriminar/discriminar**.

disfunção erétil — Dificuldade do homem em manter ereção para a relação sexual. Prefira o coloquial, *impotência*.

dispensa — Veja **despensa/dispensa**.

disputa — Rege a preposição *por*: *A disputa pelo primeiro lugar. A disputa por uma vaga no serviço público.*

disputar — É transitivo direto, não pede preposição: *Os candidatos disputavam o território palmo a palmo.*

distrair/distrair-se — *O palhaço distrai o público, mas o público se distrai.*

distribuir — Rege várias preposições: *Distribuiu agendas a todos os presentes. Distribuiu os presentes entre todos. Distribuiu as responsabilidades por todos. Distribuiu a arrecadação com todos.*

Distrito Federal (o) — **Capital:** Brasília. **Situação geográfica:** Região Centro-Oeste. **Área:** 5.787,784km². **Cidades principais:** Brasília, Taguatinga, Gama e Sobradinho. **Limites:** Planaltina de Goiás (N), Formosa (NE e L), Minas Gerais (L), Cristalina, Luziânia (S), Santo Antônio do Descoberto (SO e O), Corumbá de Goiás (O), Padre Bernardo (NO). **População total:** 2.562.963 (2010). **Gentílico/capital:** brasiliense. **Hora local:** -3h em relação ao Meridiano de Greenwich.

divisa/fronteira/limite — *Divisa* separa estados. *Fronteira*, países. *Limite*, cidades.

dizer — Atenção para a conjugação: *eu digo, ele diz, nós dizemos, eles dizem; disse, disse, dissemos, disseram; dizia, dizia, dizíamos, diziam; direi, dirá, diremos, dirão; diria, diria, diríamos, diriam; diga, diga, digamos, digam; disser, disser, dissermos, disserem; dissesse, dissesse, disséssemos, dissessem.*

dizer/falar — Veja **falar/dizer**.

Djibuti (o) — **Nome oficial:** República do Djibuti. **Nacionalidade:** djibutiense. **Localização:** África. **Capital:** Djibuti. **Extensão territorial:** 23.200km². **Divisão:** djibutiense. **Cidades principais:** 'Ali Sabîh, Tadjoura, Dikhil. **Limites:** Eritreia (N), Etiópia (S e O), Golfo de Áden (L), Somália (SE). **Idioma:** árabe, francês, afar, issa. **Governo:** República presidencialista. **Religião:** islâmica (sunitas), minoria católica. **Hora local:** +6h. **Clima:** árido tropical.

Data nacional: 27/6 (Independência). **Moeda:** franco do Djibuti. **População total:** 879.053 (2010).

DMTU-DF — Departamento Metropolitano de Transportes Urbanos.

Dnaee — Departamento Nacional de Águas e Energia Elétrica.

DNER — Departamento Nacional de Estradas de Rodagem.

Dnit — Departamento Nacional de Infraestrutura de Transportes.

Dnocs — Departamento Nacional de Obras Contra as Secas.

DNPDC — Departamento Nacional de Proteção e Defesa do Consumidor.

DNPM — Departamento Nacional de Produção Mineral.

doar — A terminação *-oo* perdeu o chapeuzinho: *doo, doa, doamos, doam; doe, doe, doemos, doem*. E por aí vai.

DOI — Declaração de Operações Imobiliárias.

2G — Esse termo, típico da telefonia celular, abrange as tecnologias GSM/GPRS e TDMA, denominadas de segunda geração. Celulares com esses sistemas, além de servir para falar, navegam na internet e permitem o download de alguns programas, como joguinhos. Mas tudo em velocidade muito baixa.

dois-pontos — Depois de dois-pontos, ora se usa letra maiúscula, ora minúscula. Depende do que vem depois. 1. Se for enumeração ou explicação, é a vez da pequenina: *A questão era esta: perdera a eleição. Na livraria, comprou as seguintes obras: o dicionário do Houaiss, a gramática do Celso Cunha e o livro* Raízes do Brasil. 2. Se for citação ou a frase de alguém, a grandona pede passagem: Fernando Pessoa escreveu: *"Tudo vale a pena se a alma não é pequena"*. O ministro respondeu sem pestanejar: *"Providências serão tomadas"*.

Dominica — **Nome oficial:** Comunidade da Dominica. **Nacionalidade:** dominicana. **Localização:** América Central. **Capital:** Roseau. **Extensão territorial:** 751km². **Divisão:** dez paróquias. **Cidades principais:** Portsmouth, Marigot. **Limites:** Oceano Atlântico (N, S, L), Mar do Caribe (O). **Idioma:** inglês, inglês crioulo. **Governo:** República parlamentarista. **Religião:** católica, minoria protestante. **Hora local:** -1h. **Clima:** tropical. **Data nacional:** 3/11 (Independência). **Moeda:** dólar do Caribe do Leste. **População total:** 71.008 (2010).

dona de casa — Plural: *donas de casa*.

Dops — Departamento de Ordem Política e Social.

dor de cotovelo — Plural: *dores de cotovelo*.

Dort — Distúrbio osteomuscular relacionado ao trabalho.

dot pitch — Medida de resolução para monitores.

Down — A síndrome de Down é causada pela ocorrência de um cromossomo a mais. Caracteriza-se por retardo mental e anormalidades físicas. Não use o termo *mongoloide* para designar o portador da síndrome.

download e upload — Termos que se referem à troca de informações entre um computador conectado à internet e uma página da web ou um provedor de acesso. Fazer um download (ou baixar) significa transferir determinado conteúdo (texto, foto, música, vídeo) de uma página ou provedor para o micro. Fazer um upload significa enviar informações do seu computador para a internet.

DPDC — Departamento de Proteção e Defesa do Consumidor.

DPT — Veja **tríplice**.

drinque — Já está naturalizado.

DRT — Delegacia Regional do Trabalho.

DST — Sigla para doenças sexualmente transmissíveis. De interesse dos serviços de saúde, não informa com clareza ao leitor. É recomendável usar o nome da doença ou doenças em questão e informar a forma de contaminação.

DTV — Selo presente nos televisores que contam com conversor integrado de TV digital no padrão brasileiro.

DTVi — Selo presente nos televisores que contam com conversor integrado de TV digital no padrão brasileiro. O *i* significa que o telespectador poderá interagir com os programas. Por exemplo, opinar em enquetes, comprar roupas que o ator/atriz estiver usando.

Dumping — Artifício da economia protecionista que, para incentivar as exportações, lança no mercado internacional produtos pelo preço do custo ou abaixo do custo, elevando-o excessivamente no mercado interno, de forma que compense o prejuízo e favoreça aos trustes e cartéis a colocação dos excedentes. Escreve-se sem grifo.

DVD — Disco óptico com capacidade de armazenamento maior do que o CD.

E

é — 5ª letra do alfabeto. Plural: *és, ee*.

é + adjetivo — Olho na companhia do sujeito. Se ele vem determinado por pronome ou artigo, a locução se flexiona. Caso contrário, mantém-se imutável: *É proibido entrada de estranhos. É proibida a entrada de estranhos. É necessário paciência. A paciência é necessária. Não é necessário inspetoras na escola. Não são necessárias as inspetoras na escola. Água é bom. Esta água é boa para a saúde.*

é bom — Veja **é + adjetivo**.

é muito/é pouco/é mais de/é menos de/é suficiente (concordância) — Essas locuções, acompanhadas de especificação de quantidade, medida, preço, tempo e valor, são invariáveis: *Dois mil reais é muito. Quinze anos é tanto tempo! Dois quilos é pouco. Dez reais é suficiente.*

é necessário — Veja **é + adjetivo**.

e nem — 1. *Nem* significa *e não*. Por isso é redundante dizer *e nem* em construções como estas: *Os candidatos dizem que ainda não acertaram os contratos (e) nem definiram as equipes de vídeo. A atriz nunca esteve tão bela (e) nem tão sensual. Ele não saiu (e) nem participou da reunião.* 2. No sentido de *nem sequer*, o uso de *e nem* é livre: *Ouviu as acusações e nem se abalou.*

é perguntado — Não use. Dê passagem à estrutura portuguesa. Em vez de "quando o ministro é perguntado", escreva "quando perguntaram ao ministro".

é preciso — Veja **é + adjetivo**.

é preferível — Olho na regência. É preferível uma coisa *a* outra (não: *do que* outra): *É preferível sair a ficar em casa. No verão, é preferível comer alimentos leves a pesados.*

é proibido — Veja **é + adjetivo**.

é que — Como partícula de reforço, de realce, é invariável: *Ele (é que) leva vantagem. Eu (é que) sei geografia. Paulo (é que) trabalha com seriedade.*

e que — Só empregue *e que* quando houver o primeiro quê, claro ou subentendido. Na falta dele, o paralelismo estará sendo desrespeitado: *As pesquisas revelam grande número de indecisos e que pode haver segundo turno no Distrito Federal* (corrigindo: *as pesquisas revelam grande número de indecisos e a possibilidade de segundo turno no Distrito Federal*). *Os trabalhadores precisam assegurar o poder de compra dos salários e que seja mantida a garantia de emprego* (corrigindo: *os trabalhadores precisam garantir o poder de compra dos salários e manter a garantia do emprego*).

EBC — Empresa Brasileira de Comunicação.

ECA — Comissão Econômica para a África (ONU).

ECE — Comissão Econômica para a Europa (ONU).

eclâmpsia (ou eclampsia) — Doença que pode acometer as mulheres nos últimos meses de gravidez, caracterizada por hipertensão, edemas e convulsões.

e-commerce — Comércio eletrônico. Escreve-se assim, com hífen.

Ecosoc — Conselho Econômico e Social (ONU).

ECT — Empresa Brasileira de Correios e Telégrafos.

edema — Acúmulo de líquido nos tecidos, inchaço.

edge — Tecnologia de transmissão de dados de alguns celulares GSM. É uma das primeiras modalidades de conexão à internet rápida (ou de banda larga) pelo celular, alcançando um máximo de 220kbps de velocidade de envio e recebimento de dados. Quanto mais rápida a transmissão, mais velozmente os e-mails chegam, os sites são exibidos, os arquivos são baixados da internet.

EFE — Agência Espanhola de Notícias.

efe — Nome da 6ª letra do alfabeto. Plural: *efes, ff*.

Efics — Sistema Europeu de Informação e de Comunicação Florestais.

Efsa — Autoridade Europeia para a Segurança dos Alimentos.

Egito (o) — **Nome oficial**: República Árabe do Egito. **Nacionalidade:** egípcia. **Localização:** África do Norte. **Capital:** Cairo. **Extensão territorial:** 1.001.449km². **Divisão:** 27 governadorias. **Cidades principais:** El Gîza, Alexandria, Porto Said, Luxor, Tebas, Mênfis, El Minya, Suez. **Limites:** Mar Mediterrâneo (N), Israel (NE), Mar

Vermelho (L), Sudão (S), Líbia (O). **Idioma:** árabe. **Governo:** República presidencialista. **Religião:** islâmica (sunitas), minoria cristã. **Hora local:** +5h. **Clima:** árido subtropical. **Data Nacional:** 23/7 (Revolução). **Moeda:** libra egípcia. **População total:** 84.474.427 (2010).

eixo cardã — Liga o câmbio ao diferencial traseiro nos carros de tração traseira. O cardã tem a função de ligar a saída do câmbio à caixa do diferencial. Em geral, é formado por um eixo tubular com juntas instaladas em uma ou em ambas as extremidades.

EJA — Educação de Jovens e Adultos.

El Salvador — **Nome oficial:** República de El Salvador. **Nacionalidade:** salvadorenha. **Localização:** América Central. **Capital:** São Salvador. **Extensão territorial:** 21.041km². **Divisão:** 14 departamentos. **Cidades principais:** Soyapango, Santa Ana, San Miguel, Mejicanos. **Limites:** Honduras (NE), Oceano Pacífico (S), Guatemala (O). **Idioma:** espanhol, náuatle. **Governo:** República presidencialista. **Religião:** católica, minoria protestante. **Hora local:** -3h. **Clima:** tropical. **Data nacional:** 15/9 (Independência). **Moeda:** colón salvadorenho. **População total:** 6.194.126 (2010).

ele — Nome da 12ª letra do alfabeto. Plural: *eles, ll*.

electro/eletro — Pede hífen quando seguido de *h* e *o*: *eletro-óptica, eletro-hidráulico, eletrocardiograma, eletromagnetismo, eletrodoméstico*.

eleição — Rege as preposições *de, entre, para*: *Eleição de condomínio. Em português,* *muitas vezes é livre a eleição entre a próclise e a ênclise. A eleição para a Presidência da República transcorreu em absoluta normalidade.*

eleito — Rege as preposições *para* e *por*. Também se emprega sem preposição: *O Congresso, eleito para redigir a nova Carta... O presidente, eleito pela vontade livre do povo... Collor, eleito presidente em 1989...*

Eletrobras — Centrais Elétricas Brasileiras S.A.

Eletronorte — Centrais Elétricas do Norte do Brasil S.A.

el-rei — Com hífen.

em anexo — É invariável: *Os documentos seguem em anexo. A carta, em anexo, foi assinada há três dias.*

em cima de/embaixo de — Escrevem-se assim.

em dia — Pontual no compromisso. Não existe *em dias*: *Estou em dia* (não: *em dias*) *com o pagamento das prestações.*

em face de — É a locução correta. *Face a* não existe.

em frente de — Veja **à frente**.

em mão — Evite a forma plural (*em mãos*). Use *em mão*.

em nível de — Veja **ao nível de**.

em princípio/a princípio — Veja **a princípio/em princípio**.

em prol de — Tem o sentido de *em favor de, em proveito de*: *Organizaram cruzada em prol da moral e dos bons costumes*. Não confundir com *pró*, advérbio (*nem pró nem contra*), ou substantivo (*os prós e os contras*).

em que/onde — Veja **onde/em que**.

em vez de — Veja **ao invés de**.

EMA — Agência Europeia de Medicamentos.

Emap — Empresa Maranhense de Administração Portuária.

Emater — Empresa de Assistência Técnica e Extensão Rural.

Emater-DF — Empresa de Assistência Técnica e Extensão Rural.

embaixadora/embaixatriz — *Embaixadora*, feminino de *embaixador*, exerce a função de embaixador. A *embaixatriz* é a mulher do embaixador.

embaixo — Escreve-se assim.

embolia — Obstrução de artéria ou veia por uma massa anormal conduzida pelo sangue, como coágulos, gotículas de gordura, corpos estranhos ou mesmo o ar.

Embrapa — Empresa Brasileira de Pesquisa Agropecuária.

Embratel — Empresa Brasileira de Telecomunicações S.A.

Embratur — Instituto Brasileiro de Turismo.

eme — Nome da 3ª letra do alfabeto. Plural: *emes, mm*.

EME — Estado-Maior do Exército.

emergir/imergir — Não troque as bolas. *Emergir* é vir à tona. *Imergir*, mergulhar.

Emfa — Estado-Maior das Forças Armadas.

emigração — Veja **emigrar/imigrar/migrar**.

emigrar/imigrar/migrar — 1. *Emigrar* é sair do país. 2. *Imigrar*, entrar no país. 3. *Migrar*, movimentar-se: *Oito milhões de libaneses emigraram para a América. Seis milhões imigraram para o Brasil. Durante o período de seca, nordestinos migram para o Sudeste. Emigração, imigração e migração obedecem à mesma lógica. Emigrante, imigrante e migrante também.*

eminente/iminente — 1. *Eminente* é ilustre, elevado (*eminente ministro, edifício eminente*). 2. *Iminente* significa prestes a acontecer: *chuva iminente, morte iminente*.

Emirados Árabes Unidos (os) — **Nome oficial:** Emirados Árabes Unidos. **Nacionalidade:** árabe. **Localização:** Oriente Médio. **Capital:** Abu Dhabi. **Extensão territorial:** 83.600km². **Divisão:** sete emirados. **Cidades principais:** Dubai, Sharjah, Al Ain. **Limites:** Catar e Golfo Pérsico (N), Omã e Golfo de Omã (L), Arábia Saudita (S e O). **Idioma:** árabe. **Governo:** federação de emirados islâmicos. **Religião:** islâmica (sunitas), minorias cristã e hindu. **Hora local:** +7h. **Clima:** árido tropical. **Data nacional:** 2/12 (Dia Nacional). **Moeda:** dirham. **População total:** 4.707.307 (2010).

empatar — Atenção à regência. O time empata com outro *por* ou *de*: *A França empatou com a Alemanha por 3 a 3 (de 3 a 3)*.

Emurb — Empresa Municipal de Urbanização.

Enade — Exame Nacional de Desempenho de Estudantes.

Enap — Escola Nacional de Administração Pública.

encarar de frente — Redundância braba. Basta *encarar*. Quer reforço? Pode ser encarar *com firmeza, com determinação, com coragem*.

encarregar — Pede objeto direto e indireto (preposição *de*): *O presidente encarregou o ministro de proceder às negociações preliminares*.

encenação/exibição — Exibe-se algo pronto (um quadro, um filme, uma escultura). Uma peça de teatro ganha vida a cada representação. É encenada, representada (não *exibida*).

encerrar/encerrar-se — *O apresentador encerra o programa, mas o programa se encerra.*

endemia — Doença que existe constantemente em determinado lugar. Pode atacar número grande ou pequeno de indivíduos.

endereços de Brasília — Com as iniciais maiúsculas: *W3 Sul, L2 Norte, Setor Comercial Sul*.

endoscopia — Exame visual (feito com endoscópio) da parte interna de uma cavidade do corpo ou víscera. É mais frequente a referência ao exame do aparelho gástrico, mas não se limita a ele.

ene — Nome da 14ª letra do alfabeto. Plural: *enes, nn*.

Enem — Exame Nacional do Ensino Médio.

enfrentar de frente — Pleonasmo. Basta *enfrentar*. Se quiser reforço, pode ser *com firmeza, com determinação*.

Enisa — Agência Europeia para a Segurança das Redes e da Informação.

enquanto — 1. É conjunção proporcional que equivale a *ao passo que*. Deve ser empregada em orações proporcionais ou temporais: *Enquanto estive fora, a tiragem do jornal aumentou 10%. Enquanto eu falo, você escreve*. 2. Não empregue *enquanto* em lugar de *na qualidade de* ou *como*: *Eu, enquanto presidente da CPI, posso pedir a quebra do sigilo bancário de todos os envolvidos. Enquanto mãe, sinto-me no direito de exigir obediência de meu filho*.

entre/dentre — *Dentre* é combinação das preposições *de* e *entre*. Use-a só quando puder substituí-la por *do meio de*: *O macaco saiu dentre duas árvores. Cristo ressurgiu dentre os mortos*. Afora esse emprego, use a preposição *entre*.

entre mim e ele — Regidas de preposição, as formas dos pronomes pessoais são *mim* e *ti*: *Conversa entre mim e você, conversa entre mim, ti e o diretor, conversa entre mim e ele*.

entre si/entre eles — Use *entre si* quando houver ideia de reciprocidade: *Marido e mulher brigavam entre si. As línguas se comunicam entre si. As classes tinham dificuldade de trocar experiências entre si*. Use *entre eles* (entre elas) quando não houver ideia de reciprocidade: *Circulou entre eles durante duas horas sem ser notado. Briga de marido e mulher deve ser mantida entre eles*.

entre um e outro — O *entre* exige a conjunção *e*, não *a*: *O acidente ocorreu entre as 2h15 e as 2h40. A discussão se travou entre o presidente e o ministro. Entre um e outro ponto vão cerca de 200 metros*.

entreter — Conjuga-se como *ter*, mas com acento na terceira pessoa do singular do presente do indicativo (*ele entretém*).

entrever — conjuga-se como *ver: entrevejo, entrevê, entrevemos, entreveem, entrevi, entrevia, entrevimos, entreviram*. E por aí vai.

entrevistas — As entrevistas no formato pingue-pongue trarão o nome do entrevistador, veículo e entrevistado só no abre. A pergunta virá em negrito. A resposta, em tipo normal.

EPDB — Estrada Parque Dom Bosco (endereço de Brasília).

epidemia — Aumento súbito do número de casos de uma doença num determinado lugar.

episcopisa — Feminino de *bispo*.

EPTG — Estrada Parque Taguatinga.

EQN — Entrequadra Norte.

EQS — Entrequadra Sul.

Equador (o) — **Nome oficial**: República do Equador. **Nacionalidade:** equatoriana. **Localização:** América do Sul. **Capital:** Quito. **Extensão territorial:** 283.561km². **Divisão:** 21 províncias. **Cidades principais:** Guayaquil, Cuenca, Machala, Santo Domingo de los Colorados. **Limites:** Colômbia (N), Peru (L e S), Oceano Pacífico (O). **Idioma:** espanhol, quéchua. **Governo:** República presidencialista. **Religião:** católica. **Hora local:** -2h. **Clima:** equatorial. **Data nacional:** 10/8 (Independência de Quito). **Moeda:** sucre. **População total:** 13.774.909 (2010).

era uma vez — Mantém-se no singular mesmo quando seguida de substantivo plural: *Era uma vez uma princesa, era uma vez sete anões, era uma vez dois lobos.*

Eric Schmidt (Google) — Escreve-se assim.

Eritreia — **Nome oficial:** República da Eritreia. **Nacionalidade:** eritreia (masculino: eritreu). **Localização:** África. **Capital:** Asmara. **Extensão territorial:** 117.600km². **Divisão:** seis regiões. **Cidades principais:** Assab, Keren, Massaua. **Limites:** Mar Vermelho (N e L), Djibuti (SE), Etiópia (S), Sudão (O). **Idioma:** árabe, tigrínia, afar, tigre, bilein. **Governo:** República presidencialista. **Religião:** islâmica, cristã. **Hora local:** +6h. **Clima:** árido tropical. **Data nacional:** 24/5 (Independência). **Moeda:** nakfa. **População total:** 5.223.994 (2010).

erre — Nome da 18ª letra do alfabeto. Plural: *erres, rr.*"

Esaf — Escola de Administração Fazendária (Brasília).

Escap — Comissão Econômica e Social para a Ásia e o Pacífico (ONU).

escopeta — Veja **espingarda**.

escore — Use essa forma aportuguesada.

Escwa — Comissão Econômica e Social para a África Ocidental (ONU).

esfíncter — Plural: *esfíncteres*. Pronúncia usual: *esfíncteres* (proparoxítona).

ESG — Escola Superior de Guerra.

esgotar — *O repórter esgota a matéria, mas ele se esgota.*

Eslováquia (a) — **Nome oficial:** República Eslovaca. **Nacionalidade:** eslovaca.

Localização: Europa central. **Capital:** Bratislava. **Extensão territorial:** 49.035km². **Divisão:** 3 províncias. **Cidades principais:** Kosice, Presov, Nitra, Zilina, Banská Bystrica. **Limites:** Polônia (N), República Tcheca (NO), Ucrânia (L), Hungria (S), Áustria (O). **Idioma:** eslovaco, húngaro, tcheco, ucraniano, ruteno, rom. **Governo:** República parlamentarista. **Religião:** católica, minorias protestante e ortodoxa. **Hora local:** +4h. **Clima:** temperado continental. **Data nacional:** 1º/1 (Dia da Pátria), 1º/9 (Dia da Constituição). **Moeda:** coroa eslovaca. **População total:** 5.411.640 (2010).

Eslovênia (a) — **Nome oficial:** República da Eslovênia. **Nacionalidade:** eslovena. **Localização:** Europa balcânica. **Capital:** Liubliana. **Extensão territorial:** 20.251km². **Divisão:** 60 distritos. **Cidades principais:** Maribor, Kranj, Celje. **Limites:** Áustria (N), Hungria (L), Croácia (S), Itália, Mar Adriático (O). **Idioma:** esloveno, húngaro, italiano. **Governo:** República parlamentarista. **Religião:** católica. **Hora local:** +4h. **Clima:** temperado continental. **Data nacional:** 8/10 (Independência). **Moeda:** euro. **População total:** 2.024.912 (2010).

esmoler — Pessoa que dá esmola. É oxítona.

Espanha (a) — **Nome oficial:** Reino da Espanha. **Nacionalidade:** espanhola. **Localização:** Europa Ocidental. **Capital:** Madri. **Extensão territorial:** 504.782km². **Divisão:** 17 comunidades autônomas, cinco territórios. **Cidades principais:** Barcelona, Valencia, Sevilha, Zaragoza. **Limites:** Baía de Biscaia (N), França, Andorra (NE), Mar Mediterrâneo (L), Estreito de Gibraltar (S), Oceano Atlântico, Portugal (O). **Idioma:** espanhol, catalão, galego, valenciano, basco/euskera. **Governo:** Monarquia parlamentarista. **Religião:** católica, com minoria islâmica. **Hora local:** +4h. **Clima:** mediterrâneo, oceânico. **Data nacional:** 12/10 (Hispanidade). **Moeda:** euro. **População total:** 45.316.586 (2010).

espectador/expectador — 1. *Espectador* pertence à família de espetáculo. Significa aquele que assiste a qualquer ato ou espetáculo. 2. *Expectador* joga no time de expectativa. Significa aquele que tem expectativa, que está na expectativa.

Espep — Escola de Serviço Público do Estado da Paraíba.

esperto/experto — *Esperto* é sabido, vivo, habilidoso. *Experto*, especialista, entendido, perito, que tem experiência.

espiar/expiar — *Espiar* é observar, olhar, espreitar (*espiar pela fechadura*). *Expiar* é remir, pagar por faltas: *Como expiar os pecados? Ele expia os crimes na cadeia.*

espingarda — Apesar de ser um espanholismo, usamos o termo escopeta, que se popularizou. Arma alimentada por cartuchos de papelão carregados de balins (pequenos chumbos de forma circular) ou balas de borracha, concebidas para desacordar as vítimas (veja **armas portáteis, calibre (armas portáteis)** e **modo de alimentação**).

Espírito Santo (o) — **Capital:** Vitória. **Situação geográfica:** leste da Região Sudeste. **Área:** 46.098,571km². **Número de municípios:** 78. **Cidades principais:** Cachoeiro de Itapemirim, Vila Velha, Cariacica, Serra. **Limites:** Bahia (N), Oceano Atlântico (L), Rio de Janeiro (S), Minas Gerais (O). **População total:** 3.512.672 (2010). **Gentílico/estado:** capixaba. **Gentílico/estado:** capixaba, espírito-santense. **Gentílico/capital:** vitoriense. **Hora local em relação a Brasília:** a mesma.

esposa/esposo — prefira mulher e marido.

esquivar-se — Rege as preposições *a* e *de*: *Esquivou-se à pergunta. Esquivou--se dos perseguidores.*

esquizofrenia — Doença psiquiátrica que provoca perda de contato com a realidade.

esse — Nome da 19ª letra do alfabeto. Plural: *esses, ss.*

esse — Veja **este/esse/aquele**.

establishment — Sem grifo.

estada/estadia — Use *estada* para designar permanência de pessoa em algum lugar: *Minha estada em Nova York será curta.* Use *estadia* para designar permanência de navio no porto, avião em aeroporto ou veículos automotores em garagem ou estacionamento: *A estadia do navio no porto de Santos custa caro. A greve obrigou a estadia do avião no aeroporto por dois dias. Mesmo pagando estadia, é difícil conseguir vaga no estacionamentos de Brasília.*

Estado/estado — Escreve-se com a letra inicial maiúscula quando empregado em seu sentido político: *O grande desafio do novo governo é diminuir o tamanho do Estado.* Ao designar unidade da Federação, tem a inicial minúscula (estado do Rio Grande do Sul).

Estados Unidos (concordância) — Leva o verbo ao plural: *Os Estados Unidos mantêm liderança no bloco dos países ocidentais.* O plural permanece mesmo na sigla: *EUA vencem a competição.*

Estados Unidos (os) — **Nome oficial:** Estados Unidos da América. **Nacionalidade:** americana, norte-americana, estadunidense. **Localização:** América do Norte. **Capital:** Washington. **Extensão territorial:** 9.363.520km². **Divisão:** 50 estados e o distrito de Colúmbia. **Cidades principais:** Nova Iorque, Los Angeles, Chicago, Houston, Filadélfia. **Limites:** Canadá (N), Oceano Pacífico (O), Oceano Atlântico (L), México, Golfo do México (S). **Idioma:** inglês, espanhol. **Governo:** República presidencialista. **Religião:** protestante, católica, minorias judaica e islâmica. **Hora local:** -2h. **Clima:** temperado continental (L), subtropical (SE), de montanha (SO), árido tropical (SO), mediterrâneo (costa O), árido frio (NO). **Data nacional:** 4/7 (Independência). **Moeda:** dólar. **População total:** 317.641.087 (2010).

este/esse/aquele — Os pronomes demonstrativos indicam situação no espaço, no tempo e no texto.

1. Situação no espaço — *Este* indica que o objeto está perto da pessoa que fala (pode ser reforçado com o advérbio *aqui*): *esta bolsa* (aqui); *este jornal* (referindo--se ao jornal que está perto); *esta sala* (a sala onde a pessoa que fala ou escreve está). *Esse* informa que o objeto está perto da pessoa com quem se fala (pode ser reforçado com o advérbio *aí*): *esse livro* (o livro está perto da pessoa com quem se fala); *essa sala* (a sala onde a pessoa

com quem se fala ou a quem se escreve está). *Aquele* diz que o objeto está longe tanto da pessoa que fala quanto da pessoa com quem se fala (pode ser reforçado pelos advérbios *lá* ou *ali*): *Aquele quadro lá; aquele livro ali.*

2. Situação no tempo — *Este* indica tempo presente: *este ano, este mês, esta semana* (o ano, o mês e a semana em que estamos); *este fim de semana* (o fim de semana próximo, que o falante considera presente). *Esse* ou *aquele* exprimem tempo passado (*esse*, passado próximo; *aquele*, distante): *Visitei Brasília pela primeira vez em 1970. Nesse (ou naquele) tempo eu morava em Porto Alegre.*

3. Situação no texto — *Este* indica referência anterior: *Paul Valéry deu esta sugestão aos escritores: "Entre duas palavras, escolha sempre a mais simples; entre duas palavras simples, escolha a mais curta"* (a sugestão é anunciada antes e expressa depois). *Esse* anuncia referência posterior: *"Entre duas palavras, escolha sempre a mais simples; entre duas palavras simples, escolha a mais curta." Essa sugestão, escrita por Paul Valéry no início do século, é um dos mandamentos do texto jornalístico.*

4. Também se empregam os pronomes *este* e *aquele* em frases do tipo *Conheço Paulo e João. Este estuda jornalismo; aquele, letras.* Nessa construção, o *este* indica o nome mais próximo do pronome (João) e *aquele*, o mais distante (Paulo). (As mesmas regras aplicam-se aos pronomes *isto, isso, aquilo.*)

este ano/neste ano — Tanto faz: *Pode-se viajar este ano (neste ano). Vi Paulo esta semana (nesta semana). Comecei a trabalhar este mês (neste mês).*

estelionato — Ocorre estelionato quando alguém utiliza documento falso para obter vantagem ilícita em prejuízo alheio. Também comete estelionato quem usa de ardil, artifício ou qualquer meio fraudulento para induzir alguém em erro e, assim, conseguir vantagem ilícita. Exemplo: induzir investidor a adquirir ações de uma sociedade que sabe insolvente e, por meio de semelhante ardil, obter lucro. A emissão de cheques sem fundos é a forma mais corriqueira de estelionato.

estender — Grafa-se assim, com *s*.

Estônia (a) — **Nome oficial**: República da Estônia. **Nacionalidade:** estoniana. **Localização:** Europa báltica. **Capital:** Tallinn. **Extensão territorial:** 45.100km². **Divisão:** 15 condados. **Cidades principais:** Tartu, Narva, Kohtla-Järve, Pärnu. **Limites:** Golfo da Finlândia (N), Federação Russa (L), Letônia (S), Mar Báltico (O). **Idioma:** estoniano, russo. **Governo:** República parlamentarista. **Religião:** protestante (luteranos), com minoria ortodoxa. **Hora local:** +5h. **Clima:** temperado continental. **Data nacional:** 21/7 (República), 20/8 (Independência). **Moeda:** coroa estoniana. **População total:** 1.339.459 (2010).

estória/história — Modernamente, usa-se *história* tanto para designar fatos quanto ficção: *a história da Branca de Neve, a história da construção de São Paulo, a história da ascensão do PT no Brasil.*

estragar/estragar-se — *O sol estragou a fruta, mas a fruta se estragou.*

estrangeirismos — As línguas adoram bater papo. Umas influenciam as outras. Quanto maior o contato, maior a influência. No século 19, o português sofreu grande influência do francês. Assimilou várias palavras do idioma de Victor Hugo. Abajur, garagem, bufê, balé servem de exemplo. No 20, o inglês chegou com força total. Falado pela potência planetária, que vende como ninguém sua música, seu cinema e sua tecnologia, impôs-se como língua internacional. O português incorporou muitos vocábulos. Como lidar com eles? Fora matérias especiais, impera a regra da preferência. 1. Dê preferência à palavra vernácula: *pré-estreia*, não *avant-première*; *primeiro-ministro* (*premiê*), não *premier*. 2. Prefira a forma aportuguesada ao estrangeirismo: *gangue, chique, xampu, recorde, cachê, butique, buquê, uísque, conhaque, panteão, raiom, gim*. 3. Se a importada estiver incorporada ao português em sua grafia original, escreva-a sem grifo ou qualquer destaque: *rock, marketing, shopping, show, know-how, software, hardware, smoking, habeas corpus, marine, punk, lobby* (praticamente todos os estrangeirismos usados pela imprensa se enquadram nesse caso). 4. Só os vocábulos que precisam de tradução devem ser escritos em grifo (a tradução vai entre parênteses sem grifo). 5. Traduza as citações em língua estrangeira, mesmo que muito conhecidas: *"Le style c'est l'homme même"* ("O estilo é o próprio homem"). 6. Derivados de línguas estrangeiras se tornam híbridos: mantêm a estrutura original do vocábulo e acrescentam os sufixos ou prefixos da língua portuguesa: *Byron* (*byroniano*), *Kant* (*kantiano*), *Marx* (*marxista*), *kart* (*kartódromo*), *Weber* (*weberiano*), *Thatcher* (*thatcherismo*). 7. Os nomes de órgãos e entidades de outros países devem ficar claros para o leitor. Traduza-os ou escreva, depois do nome estrangeiro, o nome completo. Quando houver, cite congênere brasileira: *Federal Reserve, o banco central americano*.

estrato/extrato — Estrato é camada (*estrato social*). Extrato é extraído: *extrato de tomate, extrato da conta bancária*.

estrear — Conjuga-se como *passear*: *passeio* (*estreio*), *passeias* (*estreias*), *passeia* (*estreia*), *passeamos* (*estreamos*), *passeiam* (*estreiam*).

estrear novo — É pleonasmo. Só se estreia o novo.

estresse — Desgaste físico e emocional resultante do excesso de situações que exigem atenção e adaptação permanentes. A forma aportuguesada é preferível à inglesa *stress*. Aportuguese também todos os derivados: *estressado, estressar, estressante*. Não se podem misturar estruturas. É erro escrever, por exemplo, *stresse* ou *estress*.

estupro — Atenção à grafia. O crime de estupro consiste em constranger mulher ao ato sexual mediante violência ou grave ameaça. Quando a vítima é menor de 14 anos ou portadora de deficiência mental, os pressupostos da violência e da grave ameaça não necessitam ser provados. São presumidos. Em tal caso, haverá aumento da pena correspondente à metade da punição estabelecida no Código Penal.

esvaziar — *O líder esvaziou a sessão, mas a sessão se esvaziou.*

etc. — Com ponto da abreviatura obrigatório e precedido facultativamente de vírgula: *Comprou cadernos, lápis, gramáticas, dicionários (,) etc.*

Ethernet — Marca registrada (pela Xerox, Intel e DEC) para um tipo de rede que transporta dados a 10 megabits por segundo.

Etiópia (a) — **Nome oficial:** República Democrática da Etiópia. **Nacionalidade:** etíope. **Localização:** África. **Capital:** Adis-Abeba. **Extensão territorial:** 1.104.300km². **Divisão:** nove estados e a capital. **Cidades principais:** Adis-Abeba, Dire Dawa, Nazret. **Limites:** Eritreia (N), Somália e Djibuti (L), Quênia (S), Sudão (O). **Idioma:** amárico. **Governo:** República parlamentarista. **Religião:** cristianismo, islamismo, crenças tradicionais, sem religião. **Hora local:** +6h. **Clima:** árido tropical (N) e tropical (S). **Data nacional:** 12/9 (Revolução popular). **Moeda:** birr. **População total:** 84.975.606 (2010).

Euro-Aim — Organização Europeia para o Mercado do Audiovisual Independente.

Eurofound — Fundação Europeia para a Melhoria das Condições de Vida e de Trabalho.

Europol — Serviço Europeu de Polícia.

Eurostat — Serviço de Estatística da União Europeia.

Eurydice — Rede de informação sobre educação na Europa.

Eutelsat — Organização Europeia de Telecomunicações por Satélite.

ex — Indica cessação de estado anterior. Pede hífen: *ex-deputado, ex-combatente, ex-diretor, ex-tuberculoso, ex-marido.* Cuidado com o emprego desse prefixo. Delfim Neto é ex-ministro do Planejamento, não ex-ministro do Planejamento no governo Figueiredo. João Figueiredo é ex-presidente do Brasil, não ex-presidente no período 1978-82.

ex officio — Significa por dever do cargo. Escreve-se sem hífen e sem grifo.

exceção — Assim, com *ç*.

exceder — 1. Rege objeto direto ou indireto: *O resultado da competição excedeu as expectativas da torcida. O primeiro excede ao segundo.* 2. Com adjunto adverbial, pede a preposição *em*: *O Palmeiras excede o Guarani em disciplina.*

excisão — Cortar ou dissecar uma formação estranha de qualquer parte do corpo.

exibição — Veja **encenação/exibição**.

exonerar — Pede objeto direto e indireto (preposição *de*): *O presidente exonerou-o do cargo.*

explodir — Modernamente, o verbo ganhou a primeira pessoa do singular do presente do indicativo. Tornou-se regular: *eu explodo, ele explode, nós explodimos, eles explodem; eu explodi, ele explodiu, nós explodimos, eles explodiram; eu explodia, ele explodia, nós explodíamos, eles explodiam; que eu exploda, ele exploda.* E por aí vai.

expremido/expresso — Particípios do verbo *exprimir*. Use *exprimido* com os auxiliares ter e haver (*tinha expremido,* *havia expremido*) e *expresso* com ser e estar (*foi expresso, estava expresso*).

expressado/expresso — Use *expressado* com os auxiliares ter e haver e *expresso* com ser e estar: *Os eleitores haviam (tinham) expressado a vontade por meio do voto. A vontade dos eleitores foi (está) expressa nas urnas.*

expressões partitivas (a maioria de, a maior parte de, grande parte de, metade de e equivalentes) acompanhadas de nome — o verbo pode concordar com o partitivo ou com o nome: *A maior parte dos refugiados tomou (tomaram) o caminho de Damasco. Metade dos candidatos desistiu (desistiram).*

expulsado/expulso — Use *expulsado* com os auxiliares ter e haver (*tinha expulsado, havia expulsado*) e *expulso* com ser e estar (*foi expulso, está expulso*).

extensão — Grafa-se assim, com *x*.

exterior — No sentido de *estrangeiro*, grafa-se com a inicial minúscula: *O presidente fará poucas viagens ao exterior este ano.*

extinguido/extinto — Use *extinguido* com os auxiliares ter e haver (*tinha extinguido, havia extinguido*) e *extinto* com ser e estar (*foi extinto, estava extinto*).

extorquir — Significa arrancar. O verbo faz uma exigência. O objeto direto tem de ser coisa. Nunca pessoa. Extorque-se alguma coisa. Não alguém: *Fiscais extorquiram dinheiro do empresário. A polícia extorquiu o segredo. Extorquiram a fórmula ao farmacêutico.*

extra — Como adjetivo, flexiona-se em número: *hora extra, horas extras; trabalho extra, trabalhos extras.* Pede hífen quando seguido de *a* e *h*. No mais, é tudo junto: *extra-abdominal, extra-alcance, extra-humano, extra-hospitalar, extraclasse, extraordinário.*

extrema-unção — A Igreja mudou o nome do sacramento. Agora se chama *unção dos enfermos*.

F

f — 6ª letra do alfabeto. Plural: *efes, ff*.

FAC — Fundação Assis Chateaubriand (Grupo Diários Associados),

face a — Essa construção é condenada em português. Use *em face de*: *Em face da reivindicação dos trabalhadores, o governo nomeou comissão para estudar as propostas.*

fácil de fazer — Não: *fácil de se fazer* (o *se* sobra).

fac-símile — Forma aportuguesada. Plural: *fac-símiles*.

FADC — Fundação Abrinq pelos Direitos da Criança.

FAE — Fundação de Assistência ao Estudante.

falar/dizer — *Falar* não equivale a *dizer, afirmar, declarar*. Significa dizer palavras, expressar-se por meio de palavras: *Rui Barbosa fala várias línguas. Falou com o governador. Não falará sobre o assunto. O apelo da criança fala ao coração.* Na dúvida, substitua o *falar* pelo *dizer*. Se der certo, o *falar* está no lugar errado. Dê vez ao *dizer*: *O ministro falou (disse) que o aumento do* *preço da gasolina se deve a fatores externos. Quem falou (disse) isso?*

falas — Veja **correção de falas**.

> **falir** — 1. Defectivo, *falir* só se conjuga nas formas em que não se confunde com *falar*. São aquelas em que aparece o *i* depois do *l*. No presente do indicativo, só o nós e o vós têm vez (*falimos, falis*). O presente do subjuntivo não existe. Os demais tempos conjugam-se normalmente: *fali, faliu, falimos, faliram; falia, falia, falíamos, faliam; falirei, falirá, faliremos, falirão; faliria, faliria, faliríamos, faliriam; falindo; falido*.
> 2. As formas inexistentes podem ser supridas. O verbo *quebrar* é uma saída. A expressão *abrir falência*, outra.

faltar — É intransitivo. Cuidado com a concordância: *Falta uma hora. Faltam três dias. Faltam recursos para concluir o programa*.

fantasma — Como adjetivo, grafa-se sem hífen. Flexiona-se no plural: *trem fantasma, funcionário fantasma, navios fantasmas*.

FAO — Organização das Nações Unidas para a Agricultura e Alimentação (Food and Agriculture Organization).

FAP — Fundação de Apoio à Pesquisa do Distrito Federal.

Fapema — Fundação de Amparo à Pesquisa e ao Desenvolvimento Científico e Tecnológico do Maranhão.

Fapesp — Fundação de Amparo à Pesquisa do Estado de São Paulo.

Fasubra — Federação dos Sindicatos de Trabalhadores das Universidades Públicas Brasileiras.

fatal — Veja **vítima fatal**.

fato real — É pleonasmo. Basta fato.

fax — Não tem plural: *Recebi um fax. Enviei dois fax*.

faz dois dias/fez cinco anos — Na contagem de tempo, *fazer* é impessoal. Fica sempre na 3ª pessoa do singular.

fazer — 1. Na contagem de tempo, é impessoal. Conjuga-se só na terceira pessoa do singular: *Faz cinco anos que trabalho no banco. Faz duas horas que ele chegou. Fazia muitos anos que não ia ao Rio.* 2. É também impessoal quando indica fenômeno da natureza: *Faz frio. Faz calor.* 3. A impessoalidade do verbo contagia o auxiliar que o acompanha: *Deve fazer cinco anos que cheguei a Brasília. Vai fazer duas horas que o filme começou. Devia fazer muitos anos que não ia ao Rio*.

fazer erros/fazer aulas/fazer falta/fazer mortes — *Fazer* não substitui *cometer, praticar, ter*: cometer erros, cometer faltas, ter aulas, assistir a aulas, causar mortes, provocar mortes.

fazer que/fazer com que — Ambas as formas são corretas. Prefira *fazer que*: *Manobra feliz fez que todos lhe apoiassem a proposta*.

FBI — Federal Bureau of Investigation (Departamento de Investigação Federal).

FCBIA — Fundação Centro Brasileiro para a Infância e Adolescência.

FCDF — Fundação Cultural do Distrito Federal.

Febem — Fundação Estadual do Bem-Estar do Menor.

Febraban — Federação Brasileira de Bancos.

Fecom — Fundo Europeu de Cooperação Monetária.

Federação — nome próprio ao significar conjunto dos estados + o Distrito Federal: *A Federação é composta de 26 estados e o Distrito Federal. Minas e São Paulo são importantes unidades da Federação brasileira.*

FEDF — Federação Espírita do Distrito Federal.

FEDF — Fundação Educacional do Distrito Federal.

feedback — Sem grifo. O equivalente em português é *retroalimentação, retorno, resposta.*

felicitar — Transitivo direto. Com adjunto adverbial, pede a preposição *por*: *Felicitou o filho pelo êxito no vestibular.*

FEM — Fundo Educacional do Mercosul.

fêmur — Adjetivo correspondente: *femoral* (*músculo femoral, artéria femoral*).

Fenaban — Federação Nacional dos Bancos.

Fenabrave — Federação Nacional da Distribuição de Veículos Automotores.

ferir/ferir-se — Quando o sujeito pratica e sofre a ação, o verbo é pronominal. Compare: *Paulo feriu Maria. Maria se feriu. Eu me feri. Nós nos ferimos. Eles se feriram.*

FGTS — Fundo de Garantia do Tempo de Serviço.

FGV — Fundação Getulio Vargas.

FHB — Fundação Hemocentro de Brasília.

FHDF — Fundação Hospitalar do Distrito Federal.

FIA — Federação Ibero-Americana de Acústica.

FIA — Federação Internacional de Automobilismo.

Fibra — Federação das Indústrias do Distrito Federal.

fibrilação — Tremores ou contrações rápidas e descoordenadas de pequenas fibras musculares.

fibroma — Tumor benigno de tecido conjuntivo. Pode ocorrer em qualquer parte do corpo. É mais comum no útero.

ficar de pé/ficar em pé — Tanto faz. Mas, em ambas, *pé* fica no singular.

Fida — Fundo Internacional de Desenvolvimento Agrícola.

Fide — Federação Internacional de Direito Europeu.

Fidep — Fundo de Incentivo para o Desenvolvimento do Ensino e Pesquisa.

FIDH — Federação Internacional de Direitos Humanos.

Fies — Fundo de Financiamento ao Estudante do Ensino Superior.

Fifa — Federação Internacional de Futebol Associado (Fédération Internationale de Football Association).

figadal — Vem de fígado.

Fiji — **Nome oficial:** República de Fiji. **Nacionalidade:** fijiana. **Localização:** Oceania. **Capital:** Suva. **Extensão territorial:** 18.274km². **Divisão:** cinco regiões. **Cidades principais:** Suva, Lautoka, Nadi, Lami, Labasa, Nausori. **Limite:** Oceano

Pacífico. **Idioma:** fijiano, inglês (oficiais), hindi. **Governo:** República parlamentarista. **Religião:** cristã, hindu, com minoria islâmica. **Hora local:** +15h. **Clima:** tropical. **Data nacional:** 11/10 (Independência). **Moeda:** dólar fijiano. **População total:** 854.098 (2010).

filantropo — É paroxítono.

Filipinas (as) — **Nome oficial:** República das Filipinas. **Nacionalidade:** filipina. **Localização:** Sudoeste asiático. **Capital:** Manila. **Extensão territorial:** 300.000km². **Divisão:** 13 Províncias, a capital e a região autônoma de Mindanao. **Cidades principais:** Manila, Quezon City, Caloocan, Davao. **Limite:** Oceano Pacífico. **Idioma:** filipino e inglês. **Governo:** República presidencialista. **Religião:** católica, protestante, com minoria islâmica. **Hora local:** +11h. **Clima:** equatorial. **Data nacional:** 2/6 (Independência). **Moeda:** peso filipino. **População total:** 93.616.853 (2010).

fim/final — Use *fim* como substantivo e *final* como adjetivo: *Fim de semana, fim do filme, fim do ano, fim da novela; partida final, solução final, capítulo final.*

Finame — Financiamento de Máquinas e Equipamentos.

Finep — Financiadora de Estudos e Projetos.

Finlândia (a) — **Nome oficial:** República da Finlândia. **Nacionalidade:** finlandesa. **Localização:** Europa nórdica. **Capital:** Helsinque. **Extensão territorial:** 338.145km². **Divisão:** 12 províncias. **Cidades principais:** Helsinque, Espoo, Tampere, Vantaa, Turku. **Limites:** Noruega (N), Rússia (L), Golfo da Finlândia (S), Golfo de Bótnia e Suécia (O). **Idioma:** finlandês e sueco. **Governo:** República com forma mista de governo. **Religião:** cristã (luteranos), minoria ortodoxa. **Hora local:** +5h. **Clima:** temperado continental. **Data nacional:** 6/12 (Independência). **Moeda:** euro. **População total:** 5.345.826 (2010).

Fiocruz — Fundação Oswaldo Cruz.

Fipe — Fundação Instituto de Pesquisas Econômicas.

Fisa — Fédération Internationale du Sport Automobile (Federação Internacional de Automobilismo Esportivo).

fisco — Escreve-se com a inicial minúscula.

FIT — Federação Internacional de Tênis (International Tennis Federation).

FIT — Federação Internacional de Trampolim.

FIVB — Federação Internacional de Voleibol (Fédération Internationale de Volleyball).

FIY — Federação Internacional de Yoga (International Yoga Federation).

flagrante/fragrante — *Flagrante* é evidente (*injustiça flagrante*) ou ato de ser surpreendido (*apanhado em flagrante, flagrante de pedofilia*). *Fragrante* quer dizer perfumado: *flores fragrantes.*

flash — Plural: *flashes*. Escreve-se sem grifo.

flecha — com *ch*: *Índios usam arco e flecha.*

flerte — Já está aportuguesado.

flog — O conceito é parecido com o de blogue, mas com destaque para a fotografia.

Os internautas que têm fotolog o usam tanto para expor fotografias artísticas, quanto para mostrar fotos pessoais.

florir — Conjuga-se como *falir*.

fluminense — Refere-se ao estado do Rio de Janeiro.

FME — Fundo Monetário Europeu.

FMI — Fundo Monetário Internacional.

FMI — International Monetary Fund (Fundo Monetário Internacional).

FNCE — Fórum Nacional dos Conselhos Estaduais de Educação.

FND — Fundo Nacional de Desenvolvimento.

FNDE — Fundo Nacional de Desenvolvimento da Educação.

FNS — Fundo Nacional de Saúde.

Fnulad — Fundo das Nações Unidas para a Luta contra o Abuso de Drogas.

Fnur — Fundo das Nações Unidas para os Refugiados.

foguete antitanque — Arma portátil que dispara apenas uma granada antitanque movida a foguete, também conhecida como bazuca (nome de um lança foguetes antitanque usado na Segunda Guerra Mundial pelos norte-americanos). O mais difundido atualmente é o RPG-7 de fabricação russa. As Forças Armadas brasileiras usam modelos lançáveis de tubos descartáveis. Esses tubos vazios são muito encontrados na posse de traficantes, mas não possuem nenhuma utilidade letal. Servem para intimidar grupos rivais.

foguete de saturação — Arma de artilharia. Normalmente são usados em lançadores múltiplos para cobrir uma grande faixa de terreno. O Brasil fabrica o melhor desses sistemas, o Astros (veja **armas de artilharia**, **calibre** (armas de artilharia) e **modo de alimentação**).

fora da lei — Invariável, não tem feminino, masculino, singular ou plural: *o fora da lei, a fora da lei, os fora da lei, as fora da lei*.

foragir-se — Defectivo, conjuga-se como *falir*.

força-tarefa — Plural: *forças-tarefa* ou *forças-tarefas*.

formar — *O diretor forma a equipe, mas a equipe se forma. A universidade forma o aluno, mas o aluno se forma*.

> **formar/formar-se** — Em algumas construções, o verbo é pronominal. *A universidade forma o aluno, mas o aluno se forma. Assim como eu me formo, ela se forma, nós nos formamos, eles se formam.*

Fórmula 1 (F-1), Fórmula 3 (F-3), Fórmula 3000, Fórmula Ford, Fórmula Indy (F-Indy) — Escrevem-se assim.

Forplad — Fórum Nacional de Pró-Reitores de Planejamento e Administração.

Forpronu — Força de Proteção das Nações Unidas.

fórum — Assim, com acento.

foto — Pede hífen quando seguido de *h* e *o*. No mais, é tudo colado: *foto-heliografia, fotojornalismo, fotossíntese, fotofobia, fotoirradiação, fotoelétrico*. Diminutivos: *fotinha, fotozinha*.

fotolog — Veja **flog**.

FRA — Agência dos Direitos Fundamentais da União Europeia.

fragata — Navio de combate especializado usado em escolta. Pode ser antissubmarino ou antiaéreo.

Franave — Companhia de Navegação do São Francisco.

França (a) — **Nome oficial**: República Francesa. **Nacionalidade**: francesa. **Localização**: Europa Ocidental. **Capital**: Paris. **Extensão territorial**: 551.500km². **Divisão**: 22 regiões administrativas, quatro Departamentos de Ultramar, quatro Territórios de Ultramar e duas Coletividades Territoriais. **Cidades principais**: Paris, Marselha, Lyon, Toulouse, Nice, Estrasburgo, Nantes, Bordeaux, Saint-Étienne, Montpellier, Le Havre, Rennes, Reims, Toulon, Lille, Brest. **Limites**: Bélgica e Canal da Mancha (N), Luxemburgo e Alemanha (NE), Suíça e Itália (L), Mar Mediterrâneo (S), Andorra e Espanha (SO). **Idioma**: francês. **Governo**: República com sistema misto. **Religião**: católica, minorias islâmica e protestante. **Hora local**: +4h. **Clima**: temperado oceânico, mediterrâneo (S). **Data nacional**: 14/7 (Queda da Bastilha). **Moeda**: euro. **População total**: 62.636.580 (2010).

frankenstein — Escreve-se assim.

frear — Conjuga-se como *cear* e *passear*.

free shop — Plural: *free shops*.

freelancer — Pessoa que executa trabalhos profissionais sem vínculo empregatício; frila. Escreve-se sem grifo.

frei/frade — 1. *Frei* é forma reduzida de *frade*. Usa-se só antes do nome singular (nunca sobrenome): *frei Carlos, frei Daniel*. 2. Com sobrenome, mais de um nome ou na segunda referência, é a vez de *frade, frades*: *Falei com o frade Castro. Referiu-se aos frades Carlos e Daniel.*

freio a tambor — Tipo de freio no qual duas sapatas com material de atrito são pressionadas por dentro do tambor contra a parte interna da roda.

freio a disco — Tipo de freio no qual um disco de metal gira com a roda. Acionado o pedal, uma pinça e um conjunto de pastilhas impedem a rotação do disco.

,frente a frente — Sem crase.

friíssimo — Superlativo de frio.

frio/quente — 1. Usa-se para tempo: *tempo quente, tempo frio, dia quente, dia frio, tarde quente, tarde fria*. 2. A temperatura não pode ser quente ou fria. É alta ou baixa, elevada ou reduzida.

fronteira — Veja **divisa/fronteira/limite**.

FUB — Fundação Universidade de Brasília.

fugir — Rege as preposições *a* e *de*: *fugir ao perigo, fugir da polícia, fugir dos problemas*.

fui eu que — O verbo concorda com o antecedente do quê: *Fui eu que falei com ele. Não fomos nós que assinamos o contrato. Foi ele que me orientou.*

fui eu quem — O verbo pode concordar com o pronome pessoal ou manter-se na 3ª pessoa do singular: *Fui eu quem bateu a porta. Foi ele quem bateu a porta. Fomos nós quem bateu a porta. Foram* *eles quem bateu a porta. Fui eu quem bati a porta. Foi ele quem bateu a porta. Fomos nós quem batemos a porta. Foram eles quem bateram a porta.*

full HD — Presente nos televisores capazes de captar imagens em alta definição superior a 1080p.

Funabem — Fundação Nacional do Bem-Estar do Menor.

Funai — Fundação Nacional do Índio.

Funap — Fundação de Amparo ao Trabalhador Preso do Distrito Federal.

Funarte — Fundação Nacional de Artes.

Funasa — Fundação Nacional de Saúde.

Funbec — Fundação Brasileira para o Desenvolvimento do Ensino de Ciências.

Fundaj — Fundação Joaquim Nabuco.

Fundarpe — Fundação do Patrimônio Histórico e Artístico de Pernambuco.

Fundeb — Fundo de Manutenção e Desenvolvimento da Educação Básica e de Valorização dos Profissionais da Educação.

Fundef — Fundo de Manutenção e Desenvolvimento do Ensino Fundamental e de Valorização do Magistério.

Fundescola — Fundo de Fortalecimento da Escola.

Funrural — Fundo de Assistência e Previdência do Trabalhador Rural.

furta-cor — Plural: *furta-cor* ou *furta-cores*: *sedas furta-cor, sedas furta-cores.*

furto — Subtração de coisa alheia móvel para si ou para outrem. Não confundir com roubo. Exemplo: alguém furta uma mala no aeroporto enquanto o proprietário compra o bilhete aéreo.

Fust — Fundo de Universalização dos Serviços de Telecomunicações.

Fuvest — Fundação Universitária para o Vestibular.

fuzil — Arma portátil de alta capacidade de uso privativo das Forças Armadas e polícias estaduais e federal. Pode ser manual, semiautomático ou automático (veja **armas portáteis**, **calibre** (armas portáteis) e **modo de alimentação**).

fuzil automático — Dispara rajadas. Tipo de arma extremamente comum entre narcotraficantes e quadrilhas organizadas, apesar de ser de uso privativo das Forças Armadas e polícias estaduais e federal. Os modelos mais comuns são o M16, AK-47 e o FAL. O AR-15 é uma versão semiautomática do M16.

fuzil pesado — Capaz de disparar cartuchos pesados (de calibre igual ou superior a 12,7mm) para destruir veículos inimigos e eliminar adversários a distâncias superiores a 1.500 metros (veja **armas portáteis**, **calibre** (armas portáteis) e **modo de alimentação**). De uso privativo das Forças Armadas e polícias estaduais e federal.

fuzil-metralhadora — Equipado normalmente com um bipé (suporte em V invertido localizado sob o cano da arma). Normalmente usa um cartucho de fuzil (veja **armas portáteis**, **calibre** (armas portáteis) e **modo de alimentação**). Dispara rajadas. De uso privativo das Forças Armadas e polícias estaduais e federal. Os mais comuns no Brasil são o Browning BAR .30 e o Madsen 7,62mm (fabricados entre 1920 e 1930). Retirados de uso pelos militares, alguns foram entregues a polícias militares e podem ser encontrados nas mãos de traficantes. Também foram apreendidos nas mãos do narcotráfico fuzis-metralhadoras de fabricação checa (ZK-96), usados anteriormente pela Bolívia.

G

g — 7ª letra do alfabeto. Plural: *gês, gg*.

G20 — Grupo dos 19 países de economias desenvolvidas e emergentes, mais a União Europeia (África do Sul, Alemanha, Arábia Saudita, Argentina, Austrália, Brasil, Canadá, China, Coreia do Sul, Estados Unidos, França, Índia, Indonésia, Itália, Japão, México, Reino Unido, Rússia e Turquia).

G8 — Grupo das oito autoproclamadas nações democráticas mais industrializadas (França, Estados Unidos, Reino Unido, Alemanha, Itália, Japão, Canadá e Rússia).

Gabão (o) — **Nome oficial:** República Gabonesa. **Nacionalidade:** gabonense. **Localização:** África equatorial. **Capital:** Libreville. **Extensão territorial:** 267.667km². **Divisão:** nove regiões. **Cidades principais:** Port-Gentil, Franceville. **Limites:** Camarões (N), Congo (L e S), Oceano Atlântico (O), Guiné Equatorial (NO). **Idioma:** francês. **Governo:** República mista. **Religião:** cristianismo, islamismo, ateísmo. **Hora local:** +4h. **Clima:** equatorial. **Data nacional:** 17/8 (Independência). **Moeda:** franco CFA. **População total:** 1.501.266 (2010).

GAE — Gratificação de Atividade Executiva.

Gâmbia — **Nome oficial:** República de Gâmbia. **Nacionalidade:** gambiana. **Localização:** África Ocidental. **Capital:** Banjul. **Extensão territorial:** 11.295km². **Divisão:** seis províncias. **Cidades principais:** Serekunda, Brikama, Bakau, Farafenni. **Limites:** Senegal (N, L e S), Oceano Atlântico (O). **Idioma:** inglês. **Governo:** República presidencialista. **Religião:** islâmica, minorias cristã e animista. **Hora local:** +3h. **Clima:** equatorial. **Data nacional:** 18/2 (Independência). **Moeda:** dalasi. **População total:** 1.750.732 (2010).

Gana — **Nome oficial:** República de Gana. **Nacionalidade:** ganense. **Localização:** África Ocidental. **Capital:** Acra. **Extensão territorial:** 238.533km². **Divisão:** seis províncias. **Cidades principais:** Acra, Kumasi, Tamale, Tema, Sekondi-Takoradi. **Limites:** Burkina Fasso (N), Togo (L), Golfo da Guiné (S), Costa do Marfim (O). **Idioma:** inglês. **Governo:** República presidencialista. **Religião:** animista, islâmica, protestante, cristã africana, católica. **Hora local:** +3h. **Clima:** equatorial. **Data nacional:** 6/3 (Independência). **Moeda:** cedi. **População total:** 24.332.755 (2010).

Gandhi — Escreve-se assim.

gângster — Plural: *gângsteres*.

ganha-pão — Plural: *ganha-pães*.

ganhar — 1. Modernamente se usa o particípio *ganho* com todos os auxiliares: *tem ganho, havia ganho, foi ganho, estava* *ganho*. 2. Use as preposições *por* ou *de* para expressar resultado numérico: *O São Paulo ganhou o jogo de 3 a 1 ou por 3 a 1*.

ganhar grátis — É pleonasmo. Basta *ganhar*.

Gapa — Grupo de Apoio e Prevenção da Aids.

garçom — Com *m* no final. Plural: *garçons*.

garrucha — Arma simples, de alimentação manual, carregada por trás (culatra). Cada cano é acionado por gatilho diferente (veja **armas portáteis**, **calibre** (armas portáteis) e **modo de alimentação**).

gastar — O particípio *gasto* acompanha os auxiliares ser e estar; *gastado*, ter e haver: *tem gastado, havia gastado, estava gasto, foi gasto*. Modernamente, usa-se *gasto* com todos os auxiliares: *foi gasto, está gasto, tinha gasto, havia gasto*.

gastro — Nas palavras compostas, pede hífen quando seguido de *h* e *o* (*gastro-hepático, gastro-observador*). No mais, escreve-se sem hífen (*gastrobronquite*). Quando o segundo elemento começa por vogal, mantém-se o *o*: *gastroenterite*.

gastroenterite — Inflamação do estômago e do intestino causada por infecção bacteriana ou viral. A forma gastrenterite também é correta.

Gatt — General Agreement on Tariffs and Trade (Acordo Geral de Tarifas e Comércio).

gay — Plural: *gays*.

GB — Veja **HD (hard disk)**.

GB (gigabyte) — Unidade de medida de memória tanto RAM quanto em disco rígido.

GDF — Governo do Distrito Federal.

gê — Nome da 7ª letra do alfabeto. Plural: *gês* ou *gg*.

GEA — Gabinete Europeu do Ambiente.

GED — Gratificação de Estímulo à Docência.

GEF — Fundo Mundial para o Meio Ambiente.

Geipot — Empresa Brasileira de Planejamento de Transportes.

gêmeos — 1. Designa as pessoas nascidas do mesmo parto ou cada uma delas (gêmeo): *Maria deu à luz gêmeos. Um gêmeo morreu logo depois do parto*. 2. Quando nascem três, são trigêmeos; quatro, quadrigêmeos ou quádruplos; cinco, quíntuplos; seis, sêxtuplos; sete, sétuplos; oito, óctuplos; nove, nônuplos; dez, décuplos.

geminado — *As casas são geminadas, não "germinadas"*.

gene — *Gene*, não *gen*, é a unidade hereditária que determina as características de um indivíduo.

gênero — Cargos e funções, se exercidos por mulher, escrevem-se no feminino. *Presidente* (ou presidenta), *agente administrativa, secretária-executiva* servem de exemplo. Atenção ao exagero. Siga a índole da língua. Na concorrência de feminino e masculino, fique com o masculino plural. *Filhos* engloba filhos e filhas. *Brasileiros*, brasileiros e brasileiras. *Amigos*, amigos e amigas. Não caia no modismo irritante de discriminar — sem necessidade — o sexo das pessoas: *os presentes e as presentes, os leitores e as leitoras, os embaixadores e as embaixadoras*. Cruz-credo!

genitor/genitora — Prefira *pai* e *mãe*.

gente — A forma de tratamento *a gente*, coloquial, equivale a *nós*. Leva o verbo sempre para a terceira pessoa do singular (*a gente fez, a gente trabalha*). O adjetivo concorda com o sujeito: *A gente estava cansado* (homem). *A gente estava cansada* (mulher).

geo — Pede hífen quando seguido de *h* e *o* (*geo-história, geo-hidrografia, geo-observação*). No mais, escreve-se tudo junto: *geoeconômico, geossinclinal*.

Geórgia (a) — **Nome oficial:** República da Geórgia. **Nacionalidade:** georgiana. **Localização:** Extremo leste europeu. **Capital:** Tbilisi. **Extensão territorial:** 69.700km². **Divisão:** quatro regiões. **Cidades principais:** Tbilisi, Kutaisi, Zugdidi, Gori, Marneuli, Batumi, Rustavi. **Limites:** Rússia (N e L), Azerbaijão (L e S), Armênia, Turquia (S), Mar Negro (O). **Idioma:** georgiano. **Governo:** República presidencialista. **Religião:** ortodoxa (georgianos, armênios e russos), islâmica. **Hora local:** +7h. **Clima:** temperado continental. **Data nacional:** 9/4 (Independência). **Moeda:** lari. **População total:** 4.219.191 (2010).

geral — Pede hífen na designação de cargos, órgãos ou instituições: *secretário-geral, secretaria-geral, diretor-geral, diretoria-geral*.

gerir — Conjuga-se como *preferir*. Em algumas pessoas, a clareza manda substituir o verbo. Em vez de *eu giro*, escreva *eu administro, eu gerencio, eu dirijo*.

gerúndio (colocação) — A oração reduzida de gerúndio exige a posposição do sujeito: *Baixando os juros, a taxa de câmbio vai saltar para R$ 1,50 no dia seguinte* (jamais escreva: *Os juros baixando...*).

gerúndio + embora: O gerúndio repele o *embora*. Não escreva *embora sendo, embora saindo, embora trabalhando*, mas *embora seja, embora saia, embora trabalhe*.

gerúndio progressivo — 1. O gerúndio constrói orações subordinadas adverbiais que exprimem modo (*saiu cantando*), tempo (*chegando o presidente, os ministros se levantaram*), condição (*mandando-me sair, obedeço*), causa (*chegando cedo, pôde concluir o trabalho*). 2. Como oração adjetiva, só tem vez o gerúndio progressivo: "Vi Jesus expulsando os vendilhões do templo" (isto é: *Vi Jesus, que estava expulsando os vendilhões do templo*). 3. A índole da língua rejeita o emprego do gerúndio não progressivo em oração adjetiva: "Recebi uma caixa contendo 20 charutos". O gerúndio, aí, não é progressivo (*que estava contendo*). Corrigindo: *Recebi uma caixa com 20 charutos* ou *Recebi uma caixa que continha 20 charutos*.

gestão — É sinônimo de administração (*gestão de Dilma, gestão passada*). Não use *gestão* no sentido de negociação, conversação ou entendimento.

GID — Gratificação de Incentivo à Docência.

gigabytes (GB) — Veja **HD (hard disk)**.

gigante — como adjetivo, flexiona-se em número: *onda gigante, ondas gigantes*.

glamour/glamoroso/glamorizar — Escrevem-se assim.

globe-trotter — Pessoa que viaja mundo afora.

GNU — Projeto criado pelo cientista Richard Stallman, em 1984, com o objetivo de criar um sistema operacional capaz de ser usado, adaptado e distribuído por qualquer pessoa sem que ela tenha de pagar licença de uso (princípio contrário ao da Microsoft, criadora do sistema operacional Windows).O GNU deu origem ao software livre. O Windows é um software proprietário.

Goiás — **Capital:** Goiânia. **Situação geográfica:** leste da Região Centro-Oeste. **Área:** 340.103,467km². **Número de municípios:** 246. **Cidades principais:** Anápolis, Luziânia. **Limites:** Tocantins (N), Minas Gerais (L e SE), Bahia (L), Mato Grosso do Sul (SO), Mato Grosso (O). **População total:** 6.004.045 (2010). **Gentílico/estado:** goiano. **Gentílico/capital:** goianiense. **Hora local em relação a Brasília:** a mesma.

golpe de Estado — Só o substantivo *Estado* escreve-se com a inicial maiúscula.

gonorreia — Doença infecciosa, sexualmente transmissível, provocada pela bactéria gonococo. Também conhecida como blenorragia.

gota — Acúmulo de ácido úrico nas articulações. Causa inflamação e dor.

gota a gota — Escreve-se assim, sem crase.

gourmet — Apreciador ou conhecedor de pratos finos. Não confunda com *gourmand*, que significa guloso, pessoa que come muito.

governo — Escreve-se com a letra inicial maiúscula quando fizer parte oficial do nome: *Governo do Distrito Federal* (mas *governo federal, governo da presidente Dilma Rousseff*).

grã/grão — Forma reduzida de grande: *grão* (masculino) e *grã* (feminino). Usa-se sempre com hífen: *grão-duque, grã-duquesa*.

grã-fino — Feminino: *grã-fina*. Plural: *grã-finos, grã-finas*.

grama — 1. A medida de massa é masculina (*o grama, o quilograma*). 2. A relva é feminina: *a grama do jardim*.

Granada — **Nome oficial:** Granada. **Nacionalidade:** granadina. **Localização:** América Central (Antilhas). **Capital:** St. George's. **Extensão territorial:** 344km². **Divisão:** oito conselhos e uma cidade. **Cidade principal:** St. George's. **Limite:** Oceano Atlântico. **Idioma:** inglês. **Governo:** Monarquia parlamentarista da Comunidade Britânica. **Religião:** católica, protestante. **Hora local:** -1h. **Clima:** tropical. **Data nacional:** 7/2 (Independência). **Moeda:** dólar do Caribe Oriental. **População total:** 104.342 (2010).

Grande + nome de cidade — Em *a Grande São Paulo, a Grande Brasília, a Grande Curitiba*, subentende-se a palavra *cidade*. Daí o feminino. Se o nome da cidade for antecedido do artigo *o*, o masculino se mantém: *o Grande Rio, o Grande Cairo*.

grande número de (concordância) — Trata-se do partitivo. O verbo pode concordar com o núcleo do sujeito (número) ou com o complemento: *Grande número de estudantes saiu (saíram)*. 2. Se o verbo vem anteposto ao sujeito, concorda com o sujeito: *Saiu grande número de estudantes*.

gratuito — Pronuncia-se como *circuito* e *fortuito*.

grave — Condição que apresenta risco de morte.

gravidez — Evite o plural *gravidezes*. Use *gestações*.

Grécia (a) — **Nome oficial:** República Helênica. **Nacionalidade:** grega. **Localização:** Europa balcânica. **Capital:** Atenas. **Extensão territorial:** 131.990km². **Divisão:** dez regiões. **Cidades principais:** Atenas, Salônica, Pireu, Patras, Heráclion. **Limites:** Albânia (NO), Macedônia e Bulgária (N), Turquia (NE), Mar Egeu (L), Mar Mediterrâneo (S e O), Mar Jônico (O). **Idioma:** grego. **Governo:** República parlamentarista. **Religião:** ortodoxa grega, minoria islâmica. **Hora local:** +5h. **Clima:** mediterrâneo. **Data nacional:** 25/3 (Independência). **Moeda:** euro. **População total:** 11.183.393 (2010).

greco — Na formação dos adjetivos pátrios compostos, usa-se sempre com hífen (*greco-romano, greco-germânico*). Nos demais compostos, sem hífen: *grecolatria*.

grifo — Use grifo para escrever:

1. Nome de jornais (exceto o jornal para o qual se escreve, grafado em negrito), cadernos e suplementos do jornal, revistas, livros, peças, novelas, óperas, filmes, músicas, obras de arte, seção de jornal ou revista, programas de TV, vídeo e rádio, palestras, exposições, CDs, teses, dissertações, monografias, jogos: *Cidades, Turismo, Jornal do Brasil, Playboy, Dom Casmurro, Vestido de noiva, Tropicaliente, Aída, O poderoso chefão, Detalhes, Gioconda, Diário Econômico, Jornal da Globo, Um piano ao cair da noite*.

2. Palavras estrangeiras de uso não vulgarizado, que precisam de tradução (veja **estrangeirismos**): *off-side* (impedimento de jogador de futebol), *à clef* (à chave). Os estrangeirismos comuns são grafados no mesmo tipo do texto: shopping, gay, know-how.

3. Nomes científicos (o primeiro elemento tem inicial maiúscula; o segundo, minúscula): *Coffea arabica* (café), *Rhea americana* (ema).

4. Endereços eletrônicos: *fulano.detal@dabr.com.br*.

grosso modo — Significa *de modo grosseiro, impreciso, aproximado*. Não deve ser precedida da preposição *a*: A avaliação preliminar revelou, grosso modo, lucro superior a 100 mil dólares.

GSM — Sistema Mundial de Comunicações Móveis.

GSM/GPRS, CDMA e TDMA — Tecnologias usadas pelas operadoras de telefonia celular.

guarda — Forma nomes compostos. Olho na flexão. Se *guarda* for verbo, mantém-se invariável (*guarda-roupas, guarda-pós, guarda-chuvas, guarda-vidas, guarda-móveis, guarda-costas*). Se for substantivo, flexiona-se (*guardas-civis, guardas-noturnos, guardas-florestais, guardas-mores*).

Guatemala (a) — **Nome oficial:** República da Guatemala. **Nacionalidade:** guatemalteca. **Localização:** América Central. **Capital:** Cidade da Guatemala. **Extensão territorial:** 108.889km². **Divisão:** 22 departamentos. **Cidades**

principais: Cidade da Guatemala, Mixco, Villa Nueva, Chinautla, Amatitlán. **Limites:** México (N e O), Belize e Mar do Caribe (L), Honduras e El Salvador (SE), Oceano Pacífico (S). **Idioma:** espanhol. **Governo:** República presidencialista. **Religião:** católica, protestante, minorias sincretistas. **Hora local:** -3h. **Clima:** tropical. **Data nacional:** 15/9 (Independência). **Moeda:** quetzal. **População total:** 14.376.881 (2010).

guerra fria — Nome comum, grafa-se com letras minúsculas.

guia — *Ele é o guia da excursão. Ela, a guia.* No sentido geral, *o guia*: *A senadora foi escolhida para ser o guia do grupo.*

Guiana (a) — **Nome oficial:** República da Guiana. **Nacionalidade:** guianense. **Localização:** América do Sul. **Capital:** Georgetown. **Extensão territorial:** 214.969km². **Divisão:** dez regiões. **Cidades principais:** Georgetown, Linden, New Amsterdam. **Limites:** Oceano Atlântico (N), Venezuela (NO), Suriname (L), Brasil (S e SO). **Idioma:** inglês. **Governo:** República mista. **Religião:** protestante, católica, hindu, islâmica. **Hora local:** -1h. **Clima:** tropical (N) e equatorial (S). **Data nacional:** 23/2 (República). **Moeda:** dólar guianense. **População total:** 761.442 (2010).

Guiné Equatorial (a) — **Nome oficial:** República da Guiné Equatorial. **Nacionalidade:** guinéu-equatoriana. **Localização:** África equatorial. **Capital:** Malabo. **Extensão territorial:** 28.051km². **Divisão:** sete regiões. **Cidades principais:** Malabo, Bata. **Limites:** Camarões (N), Gabão (L e S), Oceano Atlântico (O). **Idioma:** espanhol e francês. **Governo:** República presidencialista. **Religião:** católica, animista. **Hora local:** +4h. **Clima:** equatorial. **Data nacional:** 5/3 (Independência). **Moeda:** franco CFA. **População total:** 693.385 (2010).

Guiné (a) — **Nome oficial:** República da Guiné. **Nacionalidade:** guineana. **Localização:** África. **Capital:** Conacri. **Extensão territorial:** 245.857km². **Divisão:** oito províncias. **Cidades principais:** Conacri, Nzérékoré, Kankan. **Limites:** Senegal e Mali (N), Guiné-Bissau (NO), Serra Leoa e Libéria (S), Costa do Marfim (L), Oceano Atlântico (O). **Idioma:** francês. **Governo:** República presidencialista. **Religião:** islamismo, minorias cristãs. **Hora local:** +3h. **Clima:** tropical. **Data nacional:** 2/10 (República). **Moeda:** franco guineano. **População total:** 10.323.755 (2010).

Guiné-Bissau (a) — **Nome oficial:** República da Guiné-Bissau. **Nacionalidade:** guineense. **Localização:** África Ocidental. **Capital:** Bissau. **Extensão territorial:** 36.125km². **Divisão:** nove regiões. **Cidades principais:** Bissau, Bafatá, Gabu. **Limites:** Senegal (N), Guiné (L e S), Oceano Atlântico (SO e S). **Idioma:** português, português crioulo, dialetos regionais. **Governo:** República mista. **Religião:** crenças tradicionais, islamismo, minorias cristãs. **Hora local:** +3h. **Clima:**

equatorial. **Data nacional:** 10/9 (Independência). **Moeda:** franco CFA. **População total:** 1.647.380 (2010).

Guinness — Escreve-se assim.

H

h — 8ª letra do alfabeto. Plural: *agás, hh*.

há — Na contagem de tempo, indica passado: *Cheguei há duas horas. Mora aqui há cinco anos. Trabalha na empresa há pouco.*

há... atrás — O *há* indica tempo passado. Por isso rejeita a preposição *atrás* em construções do tipo *Cheguei há duas horas atrás*. Diga: *Cheguei há duas horas* ou *Cheguei duas horas atrás*.

há/havia/daqui a — 1. Na indicação de tempo, o verbo haver expressa ação passada ou iniciada no passado: *Trabalho no jornal há dois anos. Fui à Europa há um mês. Cheguei há pouco.*
2. Se o verbo que acompanha haver estiver no pretérito imperfeito ou mais-que-perfeito, usa-se *havia*, não *há*: *Paulo estava esperando havia muito tempo. Maria estivera em Brasília havia duas semana.*
3. *Daqui a* exprime ação futura: *Haverá eleições daqui a dois meses. Daqui a mais ou menos duas horas começará o programa. O diretor vai chegar daqui a pouco.*

habeas corpus — Medida judicial que pode ser ajuizada por qualquer pessoa (não é necessário representação por advogado) para garantir a liberdade de ir e vir, violada ou sob ameaça de violação. Diz-se que o habeas corpus é preventivo quando ajuizado para evitar prisão iminente ou em fase de cogitação pela autoridade. Expressão latina, escreve-se sem grifo. A forma reduzida é hábeas.

habeas data — Escreve-se sem grifo.

habitat natural — É pleonasmo. Fique com *habitat*.

haicai — Poema japonês constituído de três versos, dos quais dois são pentassílabos e um, o segundo, heptassílabo.

Haiti (o) — **Nome oficial:** República do Haiti. **Nacionalidade:** haitiana. **Localização:** América Central (Antilhas). **Capital:** Porto Príncipe. **Extensão territorial:** 27.750km². **Divisão:** nove departamentos. **Cidades principais:** Porto Príncipe, Carrefour, Delmas. **Limites:** Oceano Atlântico (N), República Dominicana (L), Mar do Caribe (S), passagem de Sotavento (O). **Idioma:** francês e crioulo. **Governo:** República com forma mista de governo. **Religião:** católica, afro-americanas, protestante. **Hora local:** -2h. **Clima:** tropical. **Data nacional:** 1º/1 (Independência). **Moeda:** gourde. **População total:** 10.188.175 (2010).

haja/aja — *Haja* é forma do verbo haver; *aja*, do agir: *É importante que haja critérios na seleção. Talvez ele aja sem pensar.*

haja vista/haja visto — 1. *Haja vista*, expressão invariável, tem o significado de *veja-se*: *Ocorreram alguns imprevistos, haja vista a chegada dos estudantes ao comício.* 2. *Haja visto* é o pretérito perfeito composto do verbo ver: *que eu haja visto, que tu hajas visto, que ele haja visto.*

handebol — Escreve-se desse jeitinho.

handheld ou PDA (personal digital assistant, ou assistente pessoal digital) — Agendas eletrônicas, palmtops, pocket PCs, etc.

hanseníase — Doença infecciosa causada pelo bacilo de Hansen. Nunca usar os termos *lepra, leproso* ou *morfético*. O enfermo é *hanseniano*.

haver — Impessoal, só se conjuga na 3ª pessoa do singular em dois empregos. 1. No sentido de existir ou ocorrer: *Há três pessoas na sala. Houve distúrbios durante a passeata.* 2. Na contagem de tempo passado: *Moro em Natal há cinco anos. Fui a Olinda há duas semanas. Estava na cidade havia dois meses.*

HD — Abreviatura de *High Definition*. Presente nos televisores capazes de captar imagens em alta definição, mas não superior a 1080p.

HD (hard disk) — Substituível por *disco rígido*, peça do computador que tem por função armazenar dados. A quantidade de dados que cabem no HD de um computador comum é medida em gigabytes (GB).

HDB — Hospital de Base de Brasília.

HDL — High-Density Lipoprotein.

helicóptero de ataque — Helicóptero armado e artilhado, equipado com mísseis, canhões e foguetes para destruir alvos adversários.

help — Prefira *arquivo de ajuda* ou *ajuda on-line*.

hematoma — Acúmulo de sangue em tecido ou órgão do corpo.

hemero — Pede hífen quando seguido de *h* e *o*. No mais, é tudo colado: *hemerobibliografia, hemeroteca*.

hemi — Pede hífen quando seguido de *h*. Nos demais casos, escreve-se tudo junto: *hemi-hidratado, hemiparasita, hemiacrografia, hemissimétrico, hemirrombo*.

hemiplégico — Que está com paralisia de um dos lados do corpo.

hemodiálise — Terapia de depuração do sangue por meio de aparelho que age como rim artificial. Não usar a forma genérica diálise, que pode ser aplicada em outros contextos.

hepato — Pede hífen quando seguido de *h* e *o*. No mais, é tudo colado: *hepatogástrico, hepatointestinal*.

hepta — Pede hífen quando seguido de *h* e *a*. No mais, é tudo junto: *hepta-hidratação, heptabranco, heptacampeão*.

hérnia — Condição que ocorre quando um tecido ou órgão sai de sua posição normal e pressiona a região vizinha, formando caroço ou tumor.

hétero — Substantivo: o hétero.

hetero — Pede hífen quando seguido de *h* e *o*. No mais, é tudo junto: *hétero-hemorragia, hétero-orexia, heterossexual, heterogêneo*.

hexa — Pede hífen quando seguido de *h* e *a*. Nos demais casos, vem tudo junto: *hexa-hidratação, hexa-álcool, hexacampeão, hexadecimal, hexaédrico, hexarreator, hexassubstituto*.

HFA — Hospital das Forças Armadas (DF).

HFAB — Hospital da Força Aérea de Brasília.

hidro — Pede hífen quando seguido de *h* ou *o*. No mais, é tudo junto: *hidro-herderita, hidro-oforia, hidroavião, hidromedicina, hidrorrepelente, hidrossemeadura, hidroelétrica* (existe a variante *hidrelétrica*).

hífen — Procure o prefixo na ordem alfabética.

hi-lit (hi-lift) — Macaco com capacidade para levantar um veículo 4x4 até 1,6m.

hindu/indiano — *Hindu* é o seguidor do hinduísmo. *Indiano* é o adjetivo relativo à Índia.

hiper — Usa-se hífen quando seguido de *h* ou *r*. No mais, é tudo junto: *hiper-herói, hiper-realismo, hipermercado, hipersensual.*

hipo — Pede hífen quando seguido de *o*. Nos demais casos, é tudo colado: *hipo-ovarismo, hipoparanoico, hipossarcose, hiporrino, hipotireoidismo.*

hipotireoidismo — Escreve-se assim.

hippie — Plural: *hippies*. Escreve-se sem grifo.

hispano — Exige hífen quando entra na composição dos adjetivos pátrios. Nos demais casos, não: *hispano-americano, hispanomania.*

história — Veja **estória/história**.

HIV — Vírus da imunodeficiência humana, causador da Aids. Como o nome se refere a uma sigla formada de três letras, grafar em caixa-alta.

hoje é/hoje são — Na determinação de datas, dias e horas, não estando claro o sujeito, o verbo concorda com o predicativo: *Hoje é 1º de dezembro. Hoje são 25 de novembro. É uma hora. São duas horas.*

Holanda (a) — **Nome oficial:** Reino dos Países Baixos. **Nacionalidade:** holandesa. **Localização:** Europa Ocidental. **Capital:** Amsterdã (oficial), Haia (sede do governo). **Extensão territorial:** 40.844km². **Divisão:** 12 províncias. **Cidades principais:** Amsterdã, Roterdã, Haia, Utrecht, Eindhoven, Groningen, Tilburg, Haarlem. **Limites:** Mar do Norte (N e O), Alemanha (L), Bélgica (S). **Idioma:** holandês. **Governo:** Monarquia parlamentarista. **Religião:** protestante, católica, minoria islâmica, ateísta. **Hora local:** +4h. **Clima:** temperado oceânico. **Data nacional:** 30/4 (Aniversário da Rainha). **Moeda:** euro. **População total:** 16.653.346 (2010).

homem-bomba — Plural: *homens-bombas, homens-bomba.*

homo — Pede hífen quando seguido de *h* e *o*. No mais, é tudo junto: *homo-ousiano, homofobia, homossexual.*

Honduras — **Nome oficial:** República de Honduras. **Nacionalidade:** hondurenha. **Localização:** América Central (istmo). **Capital:** Tegucigalpa. **Extensão territorial:** 112.088km². **Divisão:** 18 departamentos. **Cidades principais:** Tegucigalpa, San Pedro Sula, Choloma, La Ceiba, El Progreso, Choluteca. **Limites:** Golfo de Honduras e Mar do Caribe (N), Guatemala (NO), Nicarágua (S). **Idioma:** espanhol. **Governo:** República presidencialista. **Religião:** católica, minorias protestantes. **Hora local:** -3h. **Clima:** tropical. **Data nacional:** 15/9 (Independência). **Moeda:** lempira. **População total:** 7.615.584 (2010).

hora/ora — 1. *Hora* significa 60 minutos: *A velocidade da via é de 60km por hora. Ganha R$ 100 por hora de trabalho.* 2. *Ora* quer dizer agora: *Por ora, a velocidade é de*

40km por hora. O governo não pretende, por ora, editar nova medida provisória.

hora extra — Sem hífen. Plural: *horas extras*.

horas — 1. Sempre se usam com artigo: *Trabalha entre as 2h e as 16h*. 2. A abreviatura de hora é *h*; de minuto é *min*; de segundo, *s* (sem ponto). 3. Não há plural das abreviaturas. 4. As horas que indicam duração não se abreviam: *A reunião durou 11 horas* (não *11h*). 5. Não se observam espaços entre o número e a abreviatura: *3h15, 0h30*. 6. Só se escreve *min* se forem especificadas as horas até segundo: *3h15min16*. (Em cronometragem esportiva, usam-se as abreviaturas *h, min* e *s*, mas milésimos de segundo dispensam abreviatura: *5h30min2s35*.) 7. Quando o fato ocorre em local com fuso horário diferente do de Brasília, escreve-se o horário equivalente entre parênteses: *O jogo começará às 17h30 (14h30 em Brasília)*.

hors-concours — Apresentado em exposições ou concursos sem concorrer a prêmios. Escreve-se sem grifo.

hortelão — Feminino: *horteloa*. Plural: *hortelãos, hortelões, horteloas*.

hortifrutigranjeiros — Grafa-se assim.

HPV — Papilomavírus, causador de verrugas genitais ou condilomas. Alguns subtipos estão ligados ao aparecimento de câncer de colo do útero. Escreve-se em caixa-alta, por se tratar de sigla formada de três letras.

Hran — Hospital Regional da Asa Norte (DF).

Hras — Hospital Regional da Asa Sul (DF).

HRT — Hospital Regional de Taguatinga (DF).

HTML — Hyper Text Markup Language.

HTML, XML — Especificações criadas para dar nome à linguagem que permite a troca de informações pela internet.

HTTP — Hypertext Transfer Protocol.

HUB — Hospital Universitário de Brasília.

Hugo — Human Genome Organization (Organização do Genoma Humano).

Hungria (a) — **Nome oficial:** República da Hungria. **Nacionalidade:** húngara. **Localização:** Europa central. **Capital:** Budapeste. **Extensão territorial:** 93.032km². **Divisão:** 19 condados e a capital. **Cidades principais:** Budapeste, Debrecen, Miskolc, Szeged, Pécs, Gy r. **Limites:** Eslováquia (N), Romênia e Ucrânia (L), Sérvia e Montenegro e Croácia (S), Áustria e Eslovênia (O). **Idioma:** húngaro. **Governo:** República parlamentarista. **Religião:** católica, protestante. **Hora local:** +4h. **Clima:** temperado continental. **Data nacional:** 4/4 (Libertação). **Moeda:** forim. **População total:** 9.973.141 (2010).

hurra/urra — *Hurra* é a exclamação. *Urra*, forma do verbo urrar.

Huufma — Hospital Universitário da Universidade Federal do Maranhão.

I

i — 9ª letra do alfabeto. Plural: *is, ii*.

IAA — Instituto do Açúcar e do Álcool.

IAB — Instituto de Arquitetos do Brasil.

IAB — Instituto dos Advogados Brasileiros.

IAEA — Agência Internacional de Energia Atômica (ONU).

Iapas — Instituto de Administração Financeira da Previdência e Assistência Social.

Ibama — Instituto Brasileiro do Meio Ambiente e dos Recursos Naturais Renováveis.

Ibase — Instituto Brasileiro de Análises Sociais e Econômicas.

IBC — Instituto Brasileiro do Café.

IBCC — Instituto Brasileiro de Controle do Câncer (SP).

IBDF — Instituto Brasileiro de Desenvolvimento Florestal.

ibero — Na composição de adjetivos pátrios, liga-se ao segundo elemento com hífen: *ibero-americano, ibero-germânico, ibero-francês*. 2. Nos demais casos, tudo junto: *iberolatria, iberorromance*. 3. Paroxítona, a sílaba tônica é *be* (bé).

IBGE — Instituto Brasileiro de Geografia e Estatística.

Ibict — Instituto Brasileiro de Informação em Ciência e Tecnologia.

Ibram — Instituto do Meio Ambiente e dos Recursos Hídricos do Distrito Federal.

ICQ — Corruptela do inglês *I seek you*, eu procuro você.

icterícia — Sinal clínico (não é doença) em que a pele e o branco dos olhos ficam amarelados por excesso de bilirrubina no sangue. Tem causas variadas. A mais comum é o mau funcionamento do fígado.

IDH — Índice de Desenvolvimento Humano.

IEA — International Energy Agency (Agência Internacional de Energia).

IED — Sigla para *improvised explosive device*. São objetos explosivos improvisados instalados em estradas para destruir caminhões e veículos blindados inimigos. Muito empregados pela resistência iraquiana e pelo Talibã, no Afeganistão. Neste manual, usamos o termo **mina improvisada** (veja verbete).

IEEE 1394 — Mais um dispositivo para troca de dados entre computador e equipamentos, como tocadores de MP3, máquinas digitais, notebooks, etc. A Apple, criadora dessa tecnologia, chama-a de Firewire. Nos produtos da Sony, o nome usado para ela é i.Link. O dispositivo IEEE 1394 (ou Firewire, ou i.Link) caracteriza-se por permitir a conexão de 63 diferentes tipos de equipamentos e por transmitir dados a uma velocidade de 50MB por segundo.

Iêmen (o) — **Nome oficial:** República do Iêmen. **Nacionalidade:** iemenita. **Localização:** Oriente Médio. **Capital:** Sanaa. **Extensão territorial:** 527.968km². **Divisão:** 17 províncias. **Cidades principais:** Sanaa, Áden, Ta'izz, Hodeidah. **Limites:** Arábia Saudita (N), Omã (L), Golfo de Áden (S), Mar Vermelho (O). **Idioma:** árabe. **Governo:** República presidencialista. **Religião:** islâmica (sunitas e xiitas). **Hora local:** +6h. **Clima:** árido tropical. **Data nacional:** 22/5 (Reunificação). **Moeda:** rial iemenita. **População total:** 24.255.928 (2010).

IEP — Instituto Europeu de Patentes.

Ifes — Instituições Federais de Ensino Superior.

Ifma — Instituto Federal do Maranhão.

Ifpe — Instituto Federal de Pernambuco.

IFRN — Instituto Federal de Educação, Ciência e Tecnologia do Rio Grande do Norte.

IFV — Transporte de tropas blindado.

Igreja/igreja — Escreve-se com a inicial maiúscula quando se tratar da instituição e com minúscula quando se referir a templo: *O cardeal defendeu a posição da Igreja. Lutava-se para separar a Igreja do Estado. A velha senhora ia à igreja todos os domingos.*

Ilhas Marshall (as) — **Nome oficial:** República das Ilhas Marshall. **Nacionalidade:** marshallina. **Localização:** Oceania. **Capital:** Majuro. **Extensão territorial:** 181km². **Divisão:** 33 municipalidades. **Cidades principais:** Darrit, Dalap, Uliga. **Limite:** Oceano Pacífico. **Idioma:** inglês e marshallês. **Governo:** República parlamentarista. **Religião:** cristianismo, outras, agnosticismo e ateísmo. **Hora local:** +15h. **Clima:** equatorial. **Data nacional:** 22/12. **Moeda:** dólar americano. **População total:** 54.439 (2010).

Ilhas Salomão (as) — **Nome oficial:** Ilhas Salomão. **Nacionalidade:** salomônica. **Localização:** Oceania. **Capital:** Honiara. **Extensão territorial:** 28.896km². **Divisão:** 4 distritos subdivididos em conselhos de governo. **Cidades principais:** Honiara, Gizo, Auki. **Limite:** Oceano Pacífico. **Idioma:** inglês. **Governo:** Monarquia parlamentarista da Comunidade Britânica. **Religião:** cristianismo. **Hora local:** +14h. **Clima:** equatorial. **Data nacional:** 7/7 (Independência). **Moeda:** dólar das Ilhas Salomão. **População total:** 535.699 (2010).

Imaflora — Instituto de Manejo e Certificação Florestal e Agrícola.

Imbel — Indústria de Material Bélico do Brasil.

imbróglio — Escreve-se assim.

IME — Instituto Monetário Europeu.

imergir — Veja **emergir/imergir**.

imigração — Veja **emigrar/imigrar/migrar**.

imigrar — Veja **emigrar/imigrar/migrar**.

iminente — Veja **eminente/iminente**.

IML — Instituto de Medicina Legal ou Instituto Médico Legal.

impeachment — Sem grifo.

> *implicar* — 1. Empregado no sentido de produzir como consequência, é transitivo direto, não pede preposição: *No caso da casa própria, a suspensão do reajuste implicaria subsídio aos mutuários. A mudança do ministro implicou alteração da equipe econômica.*
>
> 2. No sentido de envolver, comprometer, é transitivo direto e indireto: *A testemunha implicou o deputado no escândalo.*
>
> 3. Na acepção de ter implicância, é transitivo indireto, pede a preposição com: *O diretor implicou com ele no primeiro encontro.*

impostos e taxas — Grafam-se com a inicial maiúscula: *Imposto de Renda, Imposto sobre Circulação de Mercadorias (ICM), Taxa do Lixo.*

imprimido/impresso — Use *imprimido* com os auxiliares ter e haver (*havia imprimido, tinha imprimido*) e *impresso* com ser e estar (*foi impresso, estava impresso*).

impugnar — Transitivo direto: *A Justiça impugnou o resultado das eleições.*

IN — Imprensa Nacional.

in extremis — Escreve-se sem grifo.

Inamps — Instituto Nacional de Assistência Médica da Previdência Social (substituído pelo SUS, em 1993).

Inas — Instituto de Assistência à Saúde dos Servidores do Distrito Federal.

Inaugurar — *Inauguramos alguma coisa, mas alguma coisa se inaugura. O governador inaugura o Restaurante do Povo. Inaugura-se hoje o Restaurante do Povo.*

Inaugurar o novo — É pleonasmo. Basta *inaugurar*.

INB — Indústrias Nucleares do Brasil.

incendiar — Conjuga-se como *odiar*.

inclusive/até — 1. *Inclusive* não é partícula de reforço. Deve ser empregada como antônimo de *exclusive* (*O curso se estende de 24 de janeiro a 2 de fevereiro, inclusive*).
2. Não a use como sinônimo de até em frases como esta: *O presidente sugeriu, inclusive, que o preço dos combustíveis poderia cair.* O certo é: *O presidente sugeriu que os preços dos combustíveis até poderiam cair.*

incontinência — Dificuldade de um órgão ou estrutura em conter ou armazenar substância líquida ou sólida.

incontinente/incontinenti — *Incontinente* é exagerado, sem moderação. *Incontinenti*, imediatamente, sem demora.

Incra — Instituto Nacional de Colonização e Reforma Agrária.

independente/independentemente — 1. O adjetivo *independente* quer dizer livre: *O Brasil ficou independente em 1822.* 2. *Independentemente*, advérbio, significa *sem levar em conta*: *Ganha o mesmo salário independentemente do número de horas trabalhadas.*

Índia (a) — **Nome oficial:** República da Índia. **Nacionalidade:** indiana. **Localização:** Ásia meridional. **Capital:** Nova Délhi. **Extensão territorial:** 3.287.590km². **Divisão:** 26 estados e sete territórios. **Cidades principais:** Mumbai, Calcutá, Nova Délhi, Chennai, Bangalore, Hyderabad. **Limites:** China, Nepal e Bangladesh (N), Paquistão (NO), Mianmar e Bangladesh (NE), Golfo de Bengala (L), Oceano Índico (S), Mar da Arábia (O). **Idioma:** hindi e inglês. **Governo:** República parlamentarista. **Religião:** hindu, islâmica, minorias católica, protestante, sikh, budista e jainista. **Hora local:** +8h30. **Clima:** de monção (maior parte), tropical, equatorial (S), árido tropical (NO), de montanha (N). **Data nacional:** 15/8 (Independência). **Moeda:** rupia indiana. **População total:** 1.214.464.312 (2010).

indiano — Veja **hindu/indiano**.

indicar — Quem indica indica alguma coisa ou alguém, mas não *indica que*.

índios — Nomes de tribos indígenas se escrevem com inicial minúscula seguindo as normas da língua portuguesa: os tupis, os guaranis, os ianomâmis. Flexionam-se apenas em número: o índio calapalo, os índios calapalos, a índia calapalo, as índias calapalos.

indiscrição — Escreve-se assim, com *i*. O adjetivo correspondente se grafa com *e*: *indiscreto*.

Indonésia (a) — **Nome oficial:** República da Indonésia. **Nacionalidade:** indonésia. **Localização:** Sudoeste Asiático. **Capital:** Jacarta. **Extensão territorial:** 1.904.569km². **Divisão:** 27 províncias. **Cidades principais:** Jacarta, Surabaia, Bandung, Medan, Semarang. **Limites:** Mar da China (N), Mar das Celebes (NE), Oceano Índico (O), Malásia (N da ilha de Bornéu), Papua-Nova Guiné (L). **Idioma:** indonésio, línguas e dialetos regionais. **Governo:** República presidencialista. **Religião:** islâmica, com minorias cristã, hindu e budista. **Hora local:** +10h. **Clima:** equatorial. **Data nacional:** 17/8 (Independência). **Moeda:** rupia indonésia. **População total:** 232.516.771 (2010).

Inep — Instituto Nacional de Estudos e Pesquisas Educacionais Anísio Teixeira.

Ines — Instituto Nacional de Educação de Surdos.

infante — Feminino: *infanta*.

infantojuvenil — Escreve-se assim.

infarto — Área de necrose de algum órgão do corpo (coração, pulmão, cérebro e outros) provocada pela interrupção do fornecimento de sangue. Sempre especificar, no caso de infarto do coração, que se trata de infarto do miocárdio.

infecção — Condição provocada pela penetração e proliferação, no corpo, de organismos prejudiciais à saúde, como vírus, bactérias, fungos e protozoários. Não deve ser usada como sinônimo de contaminação.

infinitivo — Um dos assuntos mais polêmicos da língua. Até hoje os gramáticos não chegaram a consenso sobre o emprego do infinitivo pessoal. O princípio básico que orienta o uso é a clareza. A flexão serve para indicar, sem ambiguidade, o sujeito do processo expresso pelo verbo. Assim, rigorosamente, só é obrigatória a flexão quando o infinitivo tem sujeito próprio, diferente do da oração principal: *Saí (eu) mais cedo para irmos (nós) ao teatro*.

Se o infinitivo não estivesse flexionado, a frase estaria correta, mas não clara. Ao dizer *Saí mais cedo para ir ao teatro*, o sujeito do verbo ir seria *eu* (o mesmo da primeira oração), o que não corresponde à verdade. Eis outros exemplos: *Era a última oportunidade de Branco e Zinho participarem da Copa. Para os governadores cortarem gastos, era necessário sacrificar projetos sociais. Ao sairmos de casa, começou a chover. Ouvia gritarem ao longe.*

Essa regra tem uma exceção: quando o sujeito do infinitivo for um pronome pessoal átono (me, te, o, nos, vos, os) que serve, ao mesmo tempo, de complemento dos verbos ver, ouvir, deixar, fazer e mandar: *Vi-os abandonar o recinto constrangidos. Depois de receber-nos cerimoniosamente, ouviu-nos reclamar das agruras da seca. O governo mandou-os devolver o dinheiro recebido a mais. Faça-os chegar a tempo, por favor. Ouviu-nos fazer projetos.*

Se o princípio básico que rege o emprego do infinitivo é a clareza, não se deve flexioná-lo quando a presença de outros índices é capaz de marcar o sujeito do verbo, como: 1. nas locuções verbais, em que a desinência do verbo auxiliar já indica o sujeito: *Conseguimos sair cedo porque adiantamos o trabalho do fim de semana.* 2. nas orações em que o sujeito da oração principal é o mesmo da oração subordinada: *Saímos (nós) para fazer (nós) a entrevista.* 3. quando não há referência a nenhum sujeito: *"Navegar é preciso, viver não é preciso".* 4. quando, precedido da preposição *de*, preenche duas condições: ter sentido passivo e servir de complemento nominal a adjetivos como *fácil, possível, bom, raro* e assemelhados: *Livros bons de ser lidos (serem lidos). Trabalhos difíceis de fazer (serem feitos). Ações passíveis de contestar (serem contestadas). Joias raras de encontrar (serem encontradas).*

inflamação — Reação a um estímulo anormal (pode ser físico, químico ou biológico) em vasos e tecidos próximos. As áreas inflamadas apresentam calor, rubor e aumento de tamanho.

infligir/infringir — 1. *Infligir* significa aplicar pena, repreensão, castigo: *A decisão do Congresso inflige novas perdas aos trabalhadores.* 2. *Infringir* equivale a transgredir, violar, desrespeitar: *Suas palavras infringiram o regulamento.*

informar — Quem informa informa: 1. alguém: *A revista tem obrigação de informar os leitores.* 2. *de* alguma coisa: *O governo vai informar das mudanças na política de câmbio.* 3. alguém *de* ou *sobre* alguma coisa: *O diretor do Banco Central informou os parlamentares sobre as mudanças na política cambial. Ele informou-os da mudança de cálculo.* 4. alguma coisa *a* alguém: *Informei ao diretor que os encontros estavam cancelados. Informei-lhe o resultado do sorteio.* 5. Informar-se *de* ou *sobre* alguma coisa: *Informei-me dos (ou sobre os) possíveis desdobramentos da crise.*

infra — Pede hífen antes de *h* e *a*. Nos demais casos, é grafado diretamente ligado ao radical: *infra-humano, infra-assinado, infraestrutura, infrarregional, infrassom, infravermelho, infraconstitucional.*

Infraero — Empresa Brasileira de Infraestrutura Aeroportuária.

infravermelho — Concorda em gênero e número com o substantivo a que se refere: *luz infravermelha, luzes infravermelhas.*

infringir — Veja **infligir/infringir**.

iniciar — *O presidente iniciou a sessão, mas a sessão se iniciou.*

injúria — A injúria se manifesta quando alguém é ofendido em sua dignidade ou decoro. Exemplo: chamar uma pessoa de corrupta (sem especificar qual o crime de corrupção cometido). Se especificar o crime, sabendo falsa a imputação, comete calúnia.

Inmarsat — Organização Internacional de Telecomunicações Marítimas por Satélite.

Inmet — Instituto Nacional de Meteorologia.

Inpa — Instituto Nacional de Pesquisas da Amazônia.

INPC — Índice Nacional de Preços ao Consumidor.

Inpe — Instituto Nacional de Pesquisas Espaciais.

Inpi — Instituto Nacional da Propriedade Industrial.

INSS — Instituto Nacional do Seguro Social.

instituição — Escreve-se com a letra inicial maiúscula: *Presidência da República, Senado Federal, Ministério da Fazenda, Poder Executivo, Poder Legislativo, Poder Judiciário, Igreja, Justiça, Exército.* 2. Os cargos e títulos grafam-se com a inicial minúscula: *presidente da República, senador, deputado, ministro da Fazenda, arcebispo, general, rei, príncipe.*

Instraw — Instituto Internacional de Treinamento e Pesquisa para o Desenvolvimento das Mulheres (ONU).

Intelsat — Organização Internacional de Telecomunicações por Satélite.

intempestivo — Veja **tempestivo/intempestivo**.

inter — Pede hífen quando seguido de *h* e *r*. Nos demais casos, é tudo junto: *inter-helênico, inter-racial, intersocial, intercolegial.*

interceptadores — Aviões especializados na destruição de bombardeiros.

interessar — 1. a alguém: *A matéria interessa ao sindicato. A informação não lhes interessa.* 2. alguém em alguma coisa: *Interessei-o na empresa.*

intermediar — Conjuga-se como *odiar*: *odeio (intermedeio), odeia (intermedeia), odiamos (intermediamos), odeiam (intermedeiam); odiei (intermediei), odiou (intermediou), odiamos (intermediamos), odiaram (intermediaram); odiava (intermediava); que eu odeie (intermedeie).* E por aí.

internet — Escreve-se com inicial minúscula.

intervir — Conjuga-se como o verbo *vir*: *venho (intervenho), vem (intervém), vimos (intervimos), vêm (intervêm); vim (intervim), veio (interveio), viemos (interviemos), vieram (intervieram); vinha (intervinha); virei (intervirei); viria (interviria); vier (intervier), vier (intervier), viermos (interviermos), vierem (interviereм); viesse (interviesse).* O gerúndio e o particípio têm a mesma forma — *vindo (intervindo).*

intra — 1. Usa-se hífen antes de *h* e *a*. Nos demais casos, é grafado diretamente ligado ao radical: *intra-atômico, intra-arterial, intra-histórico, intraintestinal, intrauterino, intrarregional, intrassistêmico, intramuscular.*

intubação (ou entubação) — Colocação de um tubo ou sonda em um paciente. É importante especificar sempre o tipo e a função da intubação utilizada.

investir — 1. intransitivo: *Em época de inflação alta, saber investir constitui questão de sobrevivência.* 2. Investir contra: *No assalto, o ladrão investiu contra o dono da casa.* 3. Investir alguém *de* ou *em*: *O presidente investiu o ministro de poderes extraordinários. O governador investiu Paulo de Castro no cargo de secretário da Saúde.* 4. Investir alguma coisa *em*: *Os empresários brasileiros investem pouco dinheiro no treinamento dos trabalhadores.* 5. Pronominal (investir-se): *Investiu-se no cargo com grande desenvoltura.*

iOS — sistema operacional da Apple, que atende apenas a aparelhos da marca.

IP — Internet protocol, ou protocolo da internet.

IPCA — Índice Nacional de Preços ao Consumidor Amplo.

IPDF — Instituto de Planejamento Territorial e Urbano do Distrito Federal.

Ipea — Instituto de Pesquisa Econômica Aplicada.

Ipen — Instituto de Pesquisas Energéticas e Nucleares.

Iphan — Instituto do Patrimônio Histórico e Artístico Nacional.

Iprev/DF — Instituto de Previdência dos Servidores do Distrito Federal.

ípsilon — letra do alfabeto (y). Plural: *ípsilons*.

ipsis litteris — Textualmente, significa pelas mesmas letras. Escreve-se sem acento e sem grifo.

ipsis verbis — Quer dizer pelas mesmas palavras. Escreve-se sem grifo.

ipso facto — Escreve-se assim.

IPT — Instituto de Pesquisas Tecnológicas.

IPTU — Imposto Predial e Territorial Urbano.

IPVA — Imposto sobre Propriedade de Veículos Automotores.

Ir a/ir para — 1. *Ir a* indica deslocamento breve: *ir ao cinema, ir ao teatro, ir a São Paulo.* 2. *Ir para*, deslocamento longo, em geral implica mudança: *ir para São Paulo, ir para a França.*

irá + infinitivo — Não use. O futuro composto se forma com o presente do indicativo do verbo ir. Em vez de *irei investigar*, escreva *vou investigar*. Em lugar do *irá estudar*, fique com *vai estudar*. E assim por diante.

Irã (o) — **Nome oficial:** República Islâmica do Irã. **Nacionalidade:** iraniana. **Localização:** Oriente Médio. **Capital:** Teerã. **Extensão territorial:** 1.648.000km². **Divisão:** 28 províncias. **Cidades principais:** Teerã, Mashhad, Esfahan, Karaj, Tabriz, Shiraz. **Limites:** Azerbaijão e Mar Cáspio (N), Turquia e Armênia (NO), Turcomenistão (NE), Afeganistão e Paquistão (L), Golfo de Omã (S), Golfo Pérsico (S), Iraque (O). **Idioma:** persa, curdo, azari, balúchi, árabe, armênio. **Governo:** República islâmica presidencialista. **Religião:** islâmica. **Hora local:** +6h30. **Clima:** árido subtropical. **Data nacional:** 11/2 (Pátria). **Moeda:** rial iraniano. **População total:** 75.077.547 (2010).

Iraque (o) — **Nome oficial:** República do Iraque. **Nacionalidade:** iraquiana. **Localização:** Oriente Médio. **Capital:** Bagdá. **Extensão territorial:** 438.317km². **Divisão:** 15 governadorias e três regiões autônomas. **Cidades principais:** Bagdá, Mossul, Irbil, Kirkuk, Basra, Najaf. **Limites:** Turquia (N), Irã (L), Arábia Saudita (S), Kuwait e Golfo Pérsico (SE). **Idioma:** árabe, curdo. **Governo:** República parlamentarista. **Religião:** cristianismo. **Hora local:** +6h. **Clima:** tropical árido. **Data nacional:** 17/7 (Pátria). **Moeda:** dinar iraquiano. **População total:** 31.466.698 (2010).

irascível — Assim, com um *r*.

IRC (Internet Relay Chat) — Uma das primeiras redes de bate-papo da internet. Não confundir com o nome do programa mais usado para ela, o mIRC.

Irlanda (a) — **Nome oficial:** República da Irlanda. **Nacionalidade:** irlandesa. **Localização:** Europa Ocidental. **Capital:** Dublin. **Extensão territorial:** 70.284km². **Divisão:** quatro províncias. **Cidades principais:** Dublin, Cork, Galway, Limerick, Waterford. **Limites:** Irlanda do Norte (N), Mar da Irlanda (L), Canal de São Jorge (S), Oceano Atlântico (O). **Idioma:** irlandês e inglês. **Governo:** República com forma mista de governo. **Religião:** católica, minoria protestante. **Hora local:** +3h. **Clima:** temperado oceânico. **Data nacional:** 17/3 (São Patrício). **Moeda:** euro. **População total:** 4.589.002 (2010).

isentado/isento — Use *isentado* com os auxiliares ter e haver (*tinha isentado*, *havia isentado*) e *isento* com ser e estar (*foi isento*, *estava isento*).

islã — No sentido de islamismo, religião muçulmana, grafa-se com a inicial minúscula. Na acepção de mundo muçulmano, é nome próprio.

Islândia (a) — **Nome oficial:** República da Islândia. **Nacionalidade:** islandesa. **Localização:** Europa (Atlântico Norte). **Capital:** Reykjavík. **Extensão territorial:** 103.000km². **Divisão:** sete distritos. **Cidades principais:** Kópavogur, Hafnarfjördur, Akureyri. **Limites:** Mar da Groelândia (N), Oceano Atlântico (L, S e O). **Idioma:** islandês. **Governo:** República com forma mista de governo. **Religião:** protestante (luteranos). **Hora local:** +3h. **Clima:** subpolar (maior parte) e temperado oceânico (S). **Data nacional:** 17/6 (Pátria). **Moeda:** coroa islandesa. **População total:** 329.279 (2010).

ISO — International Organization for Standardization (Organização Internacional para Padronização).

isquemia — Diminuição ou supressão da irrigação sanguínea para uma parte do organismo devido a uma obstrução.

Israel — **Nome oficial:** Estado de Israel. **Nacionalidade:** israelense. **Localização:** Oriente Médio. **Capital:** Jerusalém (capital nacional), Tel Aviv (reconhecida internacionalmente). **Extensão territorial:** 22.145km². **Divisão:** seis distritos. **Cidades principais:** Jerusalém, Tel Aviv, Haifa, Holon. **Limites:** Líbano (N), Síria (NE), Golfo de Acaba (S), Mar Morto e Jordânia (L), Egito e Mar Mediterrâneo (O). **Idioma:** hebraico, árabe, inglês. **Governo:** República parlamentarista. **Religião:** judaica, com minorias islâmica, cristã e drusa. **Hora local:** +5h. **Clima:** mediterrâneo. **Data nacional:** 14/5 (Independência). **Moeda:** novo shekel. **População total:** 7.285.033 (2010).

israelense/israelita — *Israelense* é o natural ou o habitante de Israel. *Israelita* se refere à religião judaica ou ao povo de Israel no sentido bíblico: *praça israelense, templos israelitas*.

ISSN — International Standard Serial Number (Número Internacional Normalizado das Publicações em Série).

isto/isso/aquilo — Veja **este/esse/aquele**.

ITA — Instituto Tecnológico de Aeronáutica.

Itália (a) — **Nome oficial:** República Italiana. **Nacionalidade:** italiana. **Localização:** Europa Ocidental. **Capital:** Roma. **Extensão territorial:** 301.268km². **Divisão:** 20 regiões. **Cidades principais:** Roma, Milão, Nápoles, Turim, Palermo, Gênova, Bolonha, Florença, Catânia, Bari, Veneza, Messina, Verona, Trieste, Tarento, Pádua. **Limites:** Áustria e Suíça (N), França (NO), Eslovênia (NE), Mar Adriático (L), Mar Mediterrâneo (S e O). **Idioma:** italiano, siciliano, vêneto, sardo, friulano, romagnolo. **Governo:** República parlamentarista. **Religião:** católica. **Hora local:** +4h. **Clima:** mediterrâneo. **Data nacional:** 2/6 (República). **Moeda:** euro. **População total:** 60.097.564 (2010).

Itamaraty — Com *y*.

ITI — Instituto Nacional de Tecnologia da Informação.

J

j — 10ª letra do alfabeto. Plural: *jotas, jj*.

já — Use o monossílabo só para indicar mudança de estado: *O pai já não acredita na inocência da filha* (ele acreditava, mas deixou de fazê-lo). Não recorra a ele para aumentar a linha: *Presidente da Venezuela (já) ameaça romper com os Estados Unidos.*

já/mais — Nas indicações temporais, onde couber *já*, o *mais* não tem vez: *Quando o socorro chegou, o acidentado já não respirava* (não: *não respirava mais*). *Já não há leis que inibam as invasões em Brasília* (não: *não há mais leis*). *Quando se divorciou, já não vivia com o marido* (não: *não vivia mais*).

jabuticaba — Escreve-se com *u*.

Jamaica (a) — **Nome oficial:** Jamaica. **Nacionalidade:** jamaicana. **Localização:** América Central. **Capital:** Kingston. **Extensão territorial:** 10.990km². **Divisão:** 14 paróquias. **Cidades principais:** Kingston, Spanish Town, Portmore, Montego Bay, May Pen. **Limite:** Mar do Caribe. **Idioma:** inglês. **Governo:** Monarquia parlamentarista. **Religião:** protestante, católica, rasta. **Hora local:** -2h. **Clima:** tropical. **Data nacional:** 6/8 (Independência). **Moeda:** dólar jamaicano. **População total:** 2.729.909 (2010).

Japão (o) — **Nome oficial:** Japão. **Nacionalidade:** japonesa. **Localização:** Ásia Oriental. **Capital:** Tóquio. **Extensão territorial:** 377.801km². **Divisão:** 47 prefeituras. **Cidades principais:** Tóquio, Osaka, Yokohama, Nagoya, Sapporo, Kobe, Kyoto. **Limites:** China (SO), Rússia, Coreia do Norte e Coreia do Sul (O), Mar de Okhotsk (N), Mar da China Oriental e Taiwan (S) e Oceano Pacífico (L). **Idioma:** japonês. **Governo:** Monarquia parlamentarista. **Religião:** budismo, xintoísta, minoria cristã. **Hora local:** +12h. **Clima:** temperado continental. **Data nacional:**

11/2 (Fundação do país). **Moeda:** iene. **População total:** 126.995.411 (2010).

JBB — Jardim Botânico de Brasília.

Jim Balsillie (Blackberry) — Escreve-se assim.

Jnict — Junta Nacional de Investigação Científica e Tecnológica.

jogging — Tem dois significados: 1. como prática esportiva, ação de correr lentamente ou andar em passos ritmados, e 2. vestuário esportivo usado sobretudo para praticar jogging. Escreve-se sem grifo.

Jordânia (a) — **Nome oficial:** Reino Hachemita da Jordânia. **Nacionalidade:** jordaniana. **Localização:** Oriente Médio. **Capital:** Amã. **Extensão territorial:** 89.342km². **Divisão:** oito províncias. **Cidades principais:** Zarqa, Irbid, Ar-Rusayfah. **Limites:** Síria (N), Iraque (L), Arábia Saudita (S e L), Israel (O). **Idioma:** árabe. **Governo:** Monarquia parlamentarista. **Religião:** islâmica (sunitas), minoria cristã. **Hora local:** +5h. **Clima:** árido subtropical. **Datas nacionais:** 25/5 (Independência), 18/8 (Coroação do Rei), 15/11 (Aniversário do Rei). **Moeda:** dinar jordaniano. **População total:** 6.472.392 (2010).

jota — Nome da 10ª letra do alfabeto. Plural: *jotas, jj.*

Joue — Jornal Oficial da União Europeia.

JPEG, MPEG, MP3 — Extensões usadas em arquivos de fotografia, vídeo e música, respectivamente.

juízes e tribunais — Juízes e tribunais não dão pareceres. Sentenciam, ordenam, mandam, determinam, condenam, absolvem. É errado dizer que o juiz ou o tribunal opinou ou deu parecer a favor ou contra alguém.

júnior — Plural: *juniores.* Abreviatura do sobrenome Júnior: Jr.

junta homocinética — Peça articulada que permite manter a velocidade entre o eixo de transmissão e a roda, independentemente do movimento da suspensão.

juntamente com/junto com — Prefira *com: O presidente, com* (e não *juntamente com*) *os ministros da Fazenda e da Saúde, participou da solenidade de entrega de comendas.*

junto a — É comum ver-se a locução *junto a* empregada inadequadamente em diferentes contextos: *intermediou empréstimos junto ao Banco do Brasil; comprou o passe do jogador junto ao Barcelona; entendimentos junto ao BID. Junto a* tem emprego muito restrito. Equivale a *adido a* (*embaixador do Brasil junto ao Vaticano*). Fora esse caso, deve-se procurar a preposição correta: *intermediou empréstimos no* (ou *do*) *Banco do Brasil, comprou do Barcelona o passe do jogador; entendimentos com o BID.*

Justiça/justiça — Use a inicial grandona quando se tratar do Poder Judiciário e pequenina nos demais casos: *A Justiça ordenou o pagamento dos militares. Não agiu com justiça. Fez justiça com as próprias mãos.*

K

k — 11ª letra do alfabeto. Plural: *kas* ou *kk.*

kafkiano — Adjetivo relativo ao escritor tcheco Franz Kafka (1883-1924).

KB (quilobyte) — Unidade de medida de memória tanto RAM quanto em disco rígido.

kg — Abreviatura de quilograma. Escreve-se sem espaço, sem ponto e sem plural: *200kg*.

KHz (quilo-hertz), MHz (mega-hertz), GHz (giga-hertz) — Unidades de medida de frequência, erroneamente atribuídas à velocidade dos processadores.

kibutz — Plural: *kibutzes*.

Kiribati (o) — **Nome oficial:** República de Kiribati. **Nacionalidade:** quiribatiana. **Localização:** Oceania. **Capital:** Bairiki. **Extensão territorial:** 726km². **Divisão:** 3 grupos de ilhas. **Cidade principal:** Bairiki. **Limite:** Oceano Pacífico. **Idioma:** ikiribati (oficial), inglês. **Governo:** República presidencialista. **Religião:** católica, protestante, minoria bahaísta. **Hora local:** +15h. **Clima:** equatorial. **Data nacional:** 12/7 (Independência). **Moeda:** dólar australiano. **População total:** 100.835 (2010).

km — Abreviatura de quilômetro. Escreve-se sem-sem-sem — sem espaço, sem ponto e sem plural: *10km*.

Kuwait (o) — **Nome oficial:** Estado do Kuwait. **Nacionalidade:** kuwaitiana. **Localização:** Oriente Médio (Golfo Pérsico). **Capital:** Cidade do Kuwait. **Extensão territorial:** 17.818km². **Divisão:** cinco governadorias. **Cidades principais:** As-Salimiyah, Qalib ash Shuyukh, Hawalli. **Limites:** Iraque (N e O), Golfo Pérsico (L), Arábia Saudita (S). **Idioma:** árabe. **Governo:** Emirado islâmico. **Religião:** islâmica, com minoria católica.

Hora local: +6h. **Clima:** árido subtropical. **Data nacional:** 25/2 (Pátria). **Moeda:** dinar kuwaitiano. **População total:** 3.050.744 (2010).

Kubitschek — Escreve-se dessa forma.

kW — Símbolo do quilowatt.

L

l — 12ª letra do alfabeto. Plural: *eles, ll*.

labaredas de fogo — É pleonasmo. Basta *labaredas*.

lady — Usa-se sem artigo: *Falou com Lady Di. Lady Di morreu em acidente automobilístico*.

laissez-faire — Significa não intervenção no que fazem os outros. Também empregado para indicar a não interferência do Estado em determinadas atividades econômicas dos cidadãos. Escreve-se sem grifo.

lança foguetes antitanque — Arma portátil que dispara apenas uma granada antitanque movida a foguete, também conhecida como bazuca (nome de um lança foguetes antitanque usado na Segunda Guerra Mundial pelos norte-americanos). O mais difundido atualmente é o RPG-7 de fabricação russa.

lançar o novo — É pleonasmo. Basta *lançar*.

Laos (o) — **Nome oficial:** República Democrática Popular do Laos. **Nacionalidade:** laosiana. **Localização:** Ásia meridional (Indochina). **Capital:** Vientiane. **Extensão territorial:** 236.800km². **Divisão:** 17 províncias. **Cidades principais:** Savannakhét,

Pkxé, Xam Nua. **Limites:** China (N), Mianmar (NO), Vietnã (L), Camboja (S), Tailândia (O). **Idioma:** laosiano (oficial), francês, tai, futheung, hmong. **Governo:** República de partido único. **Religião:** budista, crenças tradicionais, minorias cristã e islâmica. **Hora local:** +10h. **Clima:** tropical com chuvas de monções. **Data nacional:** 2/12 (Pátria). **Moeda:** kip laosiano. **População total:** 6.436.093 (2010).

laparoscopia — Exame visual do interior da cavidade abdominal feito com o laparoscópio introduzido por meio de pequeno orifício.

laparotomia — Abertura cirúrgica do abdome para diagnóstico dos órgãos internos e preparação para cirurgias.

laptop — Escreve-se assim.

laser — Com *s*: *raio laser*. Não confunda com *lazer* (folga, descanso).

latino — Pede hífen na formação de adjetivos compostos (*latino-americano, latino-eclesiástico, latino-eslavo, latino-helênico*) e quando seguido de *h* e *o*. Nos demais casos, fica: *latinofobia, latinofilia, latinomania*.

lato sensu — Significa em sentido lato, o contrário de *stricto sensu*. Escreve-se sem grifo.

LBA — Legião Brasileira de Assistência.

LBV — Legião da Boa Vontade.

LCD — Tela de cristal líquido, com design fino e moderno.

LCD e CRT — Tecnologias usadas em monitores de computador.

LCI — Navio de desembarque de tropas de infantaria.

LDB — Lei de Diretrizes e Bases da Educação Nacional.

Liechtenstein — **Nome oficial:** Principado de Liechtenstein. **Nacionalidade:** liechtensteinense. **Localização:** Europa central. **Capital:** Vaduz. **Extensão territorial:** 160km². **Divisão:** dois distritos. **Cidade principal:** Schaan. **Limites:** Suíça (N, S e O), Áustria (L). **Idioma:** alemão. **Governo:** Monarquia parlamentarista. **Religião:** católica, com minoria protestante. **Hora local:** +4h. **Clima:** de montanha. **Data nacional:** 14/2. **Moeda:** franco suíço. **População total:** 35.446 (2010).

LED — Monitores e televisores LED nada mais são que aparelhos LCD que possuem iluminação feita por lâmpadas de LED, o que fornece mais qualidade da imagem e esquenta menos. Sigla de *light-emitting diode* ou diodo emissor de luz.

legendário/lendário — Embora tenham a mesma origem, *legendário* e *lendário* usam-se em contextos diferentes. *Ayrton Senna, uma legenda do esporte, é personagem legendário. O Negrinho do Pastoreio é uma lenda gaúcha, e ele, o Negrinho, personagem lendário.*

legiferar/legiferante — Assim, sem *s*.

lei — Use letra maiúscula quando a lei tiver número ou nome: *Lei 2.328, Lei de Diretrizes e Bases da Educação, Lei Áurea*. Na segunda referência, letra minúscula.

Lei Magna, Lei Maior — Iniciais maiúsculas.

lembrar — Quem lembra: 1. lembra alguma coisa: *A nova casa lembrava velhos casarões paulistas*. 2. lembra alguma coisa *a* alguém ou alguém *de* alguma coisa: *O professor lhe lembrou a data da prova. A secretária lembrou o chefe de que a campanha estava em execução*. 3. lembra-*se de* alguma coisa ou *de* alguém: *Lembrou-se do compromisso assumido. Lembrou-se do amigo distante*.

ler — Atenção ao presente do indicativo: eu leio, ele lê, nós lemos, eles leem. (A reforma ortográfica cassou o acento do hiato *eem*.)

LER — Lesão por esforço repetitivo.

lesa/leso — É adjetivo, não verbo. Deve concordar em gênero e número com o substantivo a que se refere: *lesa-pátria, leso-patriotismo, lesas-pátrias, lesos-patriotismos*.

Lesoto (o) — **Nome oficial:** Reino do Lesoto. **Nacionalidade:** lesota. **Localização:** África austral. **Capital:** Maseru. **Extensão territorial:** 30.355km². **Divisão:** 10 distritos. **Cidades principais:** Maputsoe, Teyateyaneng, Mafeteng. **Limite:** África do Sul. **Idioma:** inglês, sessoto. **Governo:** Monarquia parlamentarista. **Religião:** católica, protestante, animista. **Hora local:** +5h. **Clima:** tropical de altitude. **Data nacional:** 4/10 (Independência). **Moeda:** loti. **População total:** 2.084.182 (2010).

Letônia (a) — **Nome oficial:** República da Letônia. **Nacionalidade:** letã. **Localização:** Europa báltica. **Capital:** Riga. **Extensão territorial:** 64.500km². **Divisão:** 26 distritos. **Cidades principais:** Daugavpils, Liepaja, Jelgava, Jurmala. **Limites:** Estônia (N), Federação Russa (L), Belarus (SE), Lituânia (S), Golfo de Riga, Mar Báltico (O). **Idioma:** letão (oficial), russo. **Governo:** República parlamentarista. **Religião:** protestante, católica, minoria ortodoxa. **Hora local:** +5h. **Clima:** temperado continental. **Data nacional:** 21/7 (República), 21/8 (Independência). **Moeda:** lats. **População total:** 2.240.265 (2010).

leucemia — Tipo de câncer caracterizado pela produção desordenada de células brancas do sangue (leucócitos).

lhe/o — 1. *Lhe* tem duas funções. Uma: funciona como objeto indireto. No caso, complementa verbo transitivo indireto. É o caso de oferecer, agradecer, obedecer: *Ofereci-lhe um cafezinho* (quem oferece oferece alguma coisa a alguém). *Agradeço-lhe o favor* (quem agradece agradece alguma coisa a alguém). *Obedecemos-lhe sem discussão* (quem obedece obedece a alguém). A outra: funciona como adjunto adnominal. Substitui o possessivo *seu, sua, dele, dela*: *Acariciou-lhe os cabelos* (acariciou seus cabelos). *Invejou-lhe o vestido* (invejou o vestido dela). *Encheu-lhe os bolsos de balas* (encheu seus bolsos de balas). 2. O *o* e o *a* funcionam como objeto direto: *João a ama* (João ama Maria). *O diretor os cumprimentou* (o diretor cumprimentou os funcionários).

Líbano (o) — **Nome oficial:** República do Líbano. **Nacionalidade:** libanesa.

Localização: Oriente Médio. **Capital:** Beirute. **Extensão territorial:** 10.400km². **Divisão:** seis províncias. **Cidades principais:** Trípoli, Sayda, Tiro, An Nabatiyah at Tahta. **Limites:** Síria (N e L), Israel (S), Mar Mediterrâneo (O). **Idioma:** árabe (oficial), francês, curdo, armênio. **Governo:** República parlamentarista. **Religião:** islâmica, católica, ortodoxa, drusa. **Hora local:** +5h. **Clima:** mediterrâneo. **Data nacional:** 21/11 (Independência). **Moeda:** libra libanesa. **População total:** 4.254.583 (2010).

Libéria (a) — Nome oficial: República da Libéria. **Nacionalidade:** liberiana. **Localização:** África Ocidental. **Capital:** Monróvia. **Extensão territorial:** 111.369km². **Divisão:** 13 condados. **Cidades principais:** Zwedru, Buchanan, Yekepa, Harper. **Limites:** Guiné (N), Serra Leoa (NO), Costa do Marfim (L), Oceano Atlântico (S e O). **Idioma:** inglês (oficial), bassa, kpellé, kru, outros dialetos regionais. **Governo:** República presidencialista. **Religião:** animista, protestante, islâmica, minoria católica. **Hora local:** +3h. **Clima:** equatorial chuvoso. **Data nacional:** 26/7 (Independência). **Moeda:** dólar liberiano. **População total:** 4.101.767 (2010).

Líbia (a) — Nome oficial: República Árabe Líbia Popular e Socialista. **Nacionalidade:** líbia. **Localização:** África do Norte. **Capital:** Trípoli. **Extensão territorial:** 1.759.540km². **Divisão:** três províncias. **Cidades principais:** Benghazi, Misratah. **Limites:** Mar Mediterrâneo (N), Tunísia (NO), Egito (L), Chade (S), Sudão (SE), Níger (SO), Argélia (O). **Idioma:** árabe. **Governo:** República de partido único. **Religião:** islâmica (sunitas). **Hora local:** +5h. **Clima:** árido subtropical (N) e tropical (S). **Data nacional:** 1º/9 (Revolução). **Moeda:** dinar líbio. **População total:** 6.545.619 (2010).

líder/liderança — Seja concreto. *Liderança é a qualidade do líder, o espírito de chefia: O regimento prevê voto de liderança. O chefe deve ter liderança. O técnico, sem liderança, não conseguiu evitar o conflito. Esta é a sala da liderança do partido.* 2. *Líder* é a pessoa que exerce a liderança: *Os líderes (não: as lideranças) do Congresso discutiram o projeto hoje. O presidente vai negociar com os líderes (não: lideranças) que se opõem ao projeto.*

liminar — Decisão proferida em processo pelo juiz (antes de citar a parte contrária) para assegurar que o direito pleiteado não pereça durante o período de tramitação da demanda. Exemplo: alguém ajuíza ação contra o poder público para impugnar ato administrativo que determina a demolição de sua casa por julgá-la construída em área de preservação ambiental. Sem a suspensão imediata do ato pelo juiz, o imóvel será derrubado. Assim, de nada valerá eventual sentença definitiva que reconheça a legitimidade da construção.

limite — Veja **divisa/fronteira/limite**.

limusine — Dessa forma.

linfoma — Tumor nos tecidos linfáticos (geralmente maligno).

líquor (ou líquido cefalorraquidiano) — Líquido que fica entre as membranas que revestem o cérebro e a medula. É colhido para exames, entre outros casos, quando há suspeita de meningite.

litoral — Nome comum, escreve-se com a inicial minúscula: *litoral nordestino, litoral gaúcho, litoral catarinense*.

Lituânia (a) — **Nome oficial:** República da Lituânia. **Nacionalidade:** lituana. **Localização:** Europa báltica. **Capital:** Vilnius. **Extensão territorial:** 65.200km². **Divisão:** 10 distritos. **Cidades principais:** Kaunas, Klaipeda. **Limites:** Letônia (N), Belarus (L e S), Polônia (SO), Mar Báltico, província de Kaliningrado (O). **Idioma:** lituano (oficial), russo, polonês. **Governo:** República parlamentarista. **Religião:** católica, com minoria protestante. **Hora local:** +5h. **Clima:** temperado continental. **Data nacional:** 20/7 (República), 11/3 (Independência). **Moeda:** litas. **População total:** 3.255.324 (2010).

lobby, lobista — Adote essas formas.

longa-metragem — Com hífen. Plural: *longas-metragens*.

LPD — Navio doca para operação de helicópteros e LCIs em ações de desembarque de tropas.

LST — Navio de desembarque de tanques.

Lua/lua — Letra maiúscula quando nomear o astro (*eclipse da Lua, os americanos fincaram a bandeira na Lua*). Letra minúscula quando nomear a claridade da Lua (*a claridade da lua*).

luso — Nos adjetivos pátrios, escreve-se com hífen. Nos demais casos, é tudo colado: *luso-brasileiro, luso-americano, luso-germânico, lusófono, lusofonia*.

luxação — Deslocamento que leva à perda do contato entre duas superfícies de uma articulação.

Luxemburgo — **Nome oficial:** Grão-Ducado de Luxemburgo. **Nacionalidade:** luxemburguesa. **Localização:** Europa. **Capital:** Luxemburgo. **Extensão territorial:** 2.586km². **Divisão:** 12 cantões. **Cidades principais:** Esch-sur-Alzette, Differdange, Dudelange, Pétange. **Limites:** Bélgica (N e O), Alemanha (L), França (S). **Idioma:** luxemburguês (oficial), alemão, francês. **Governo:** Monarquia parlamentarista. **Religião:** católica, com minorias protestante e islâmica. **Hora local:** +4h. **Clima:** temperado oceânico. **Data nacional:** 23/6 (Pátria). **Moeda:** euro. **População total:** 491.772 (2010).

M

m — 13ª letra do alfabeto. Plural: *emes, mm*.

MAB — Movimento dos Atingidos por Barragens.

MAB — Museu de Arte da Bahia.

MAB — Museu de Arte de Brasília.

Macedônia (a) — **Nome oficial:** República da Macedônia. **Nacionalidade:** macedônia. **Localização:** Europa balcânica. **Capital:** Skopje. **Extensão territorial:** 25.713km². **Divisão:** 34 distritos. **Cidades principais:** Bitola, Kumanovo, Prilep, Tetovo. **Limites:** Sérvia e Montenegro (N), Bulgária (L), Grécia (S), Albânia (O). **Idioma:** macedônio (oficial), albanês, sérvio, croata, turco, valaco, rom. **Governo:** República parlamentarista. **Religião:** ortodoxa, islâmica. **Hora local:** +4h. **Clima:** mediterrâneo. **Data nacional:** 8/9 (Independência). **Moeda:** dinar macedônio. **População total:** 2.043.360 (2010).

macho/fêmea — Para distinguir o gênero do animal, acrescenta-se *macho* ou *fêmea*: *cobra macho, cobra fêmea, jacarés machos, jacarés fêmeas*. 2. Ao se referir a pessoas ou coisas, *macho* se flexiona em gênero e número: *mulher macha, mulheres machas; homem macho, homens machos*.

maçom — Assim, com *m*.

má-criação/malcriação — Existem as duas formas.

macro — Pede hífen quando seguido de *h* ou *o*: *macro-história, macro-organização, macroeconomia, macrorregião, macrossistema*.

Madagascar — **Nome oficial:** República Democrática de Madagáscar. **Nacionalidade:** malgaxe. **Localização:** África Oriental (Oceano Índico). **Capital:** Antananarivo. **Extensão territorial:** 587.041km². **Divisão:** 28 regiões. **Cidades principais:** Toamasina, Antsirabe, Mahajanga, Fianarantsoa. **Limites:** Oceano Índico (N, L e S), Canal de Moçambique (O). **Idioma:** malgaxe, francês (oficiais), hova, dialetos regionais. **Governo:** República parlamentarista. **Religião:** animista, católica, protestante, minoria islâmica. **Hora local:** +6h. **Clima:** tropical (maior parte) e árido tropical (extremo sul). **Data nacional:** 26/6 (Independência). **Moeda:** ariary. **População total:** 20.146.442 (2010).

MAE — Mercado Atacadista de Energia Elétrica.

maior empresa x primeira empresa — Diz-se a maior empresa do Brasil ou a primeira empresa em faturamento. É redundante misturar o numeral com o adjetivo maior como *a primeira maior empresa, a segunda maior empresa, a quarta maior empresa*.

mais/já — Veja **já/mais**.

mais/mas — 1. *Mais* é o contrário de *menos*: *Estudo mais (menos) que ele. Gostaria de viajar mais (menos)*. 2. *Mas* quer dizer porém, todavia, contudo: *Não apurou, mas escreveu a matéria*.

> **mais bem/mais mal** — 1. Antes de particípio, usa-se *mais bem* ou *mais mal*: *As francesas são as mulheres mais bem vestidas da Europa. É o candidato mais mal classificado nas pesquisas. Apresentou o relatório mais bem redigido da reunião.*
>
> 2. Se a frase indicar gradação, mesmo com particípio emprega-se *melhor* ou *pior*: *Foi mal orientado e pior classificado. Os discursos eram bem redigidos e melhor proferidos. A peça foi bem ensaiada e melhor representada.*
>
> 3. Quando o advérbio não for seguido de particípio, empregue *melhor* ou *pior*: *Teve o pior desempenho de sua carreira. Saiu-se melhor do que esperava. Apresentou o pior relatório da reunião.*
>
> 4. Na comparação, usa-se *bem* e *mal*: *Na prova, saiu-se mais bem do que mal.*

mais bom — Ao comparar atributos ou qualidades, use *mais bom* ou *mais mau*: *Paulo é mais bom que mau* (não use: *Paulo é melhor que pior*). A mesma construção serve para *grande* e *pequeno*: *A casa é mais grande que pequena* (não: *A casa é maior que menor*).

mais de, menos de, cerca de, perto de (concordância) — Sujeito construído com expressões que indicam quantidade aproximada (mais de, menos de, cerca de, perto de) seguido de numeral leva o verbo a concordar com o numeral: *Mais de uma pessoa ganhou na loteria. Mais de 100 pessoas ganharam na loteria.* Atenção: Se houver ideia de reciprocidade, o verbo vai obrigatoriamente para o plural: *Mais de um dos convidados se entreolharam com cumplicidade.*

mais grande — Veja **mais bom**.

mais mal — Veja **mais bem/mais mal**.

mais mau — Veja **mais bom**.

mais pequeno — Veja **mais bom**.

maiúsculas e minúsculas — Além dos nomes próprios e início de período, grafe com a inicial maiúscula:

1. Atos de autoridades — leis, medidas provisórias, decretos, portarias quando se especifica o número ou o nome: *Lei nº 2.348, de 26.1.92; Medida Provisória nº 242, Decreto nº 945, Lei Afonso Arinos, Lei Antitruste.*

1.1. Na segunda referência ou na ausência do número, usa-se a inicial minúscula: *A medida provisória que trata das mensalidades escolares. A lei que o presidente da República acaba de homologar.*

2. Organizações e instituições — *Presidência da República, Senado Federal, Ministério da Fazenda, Poder Executivo, Poder Legislativo, Poder Judiciário, Igreja, Justiça, Exército.*

2.1. Cargos e títulos se grafam com a inicial minúscula: *presidente da República, senador, deputado, ministro da Fazenda, arcebispo, general, rei, papa, príncipe.*

3. Constituição e sinônimos — *Carta Magna, Lei Maior, Lei Fundamental, Carta.*

4. Estado em seu sentido político — *A sociedade precisa controlar o Estado.*

4.1. Grafe com inicial minúscula as palavras que designam divisões geográficas ou legais (continente, país, estado, município, cidade, capital, governo, comarca, departamento): *estado do Rio Grande do Sul, município de São Paulo.*

5. União e Federação usadas em sentido político ou de divisão territorial — *A Constituição enumera as competências da União. Compõem a Federação brasileira os 26 estados e o Distrito Federal.*

6. Datas comemorativas, fatos históricos ou importantes e festas religiosas — *Primeiro de Maio, Sete de Setembro, Proclamação da República, Dia das Mães, Dia dos Namorados, Dia da Árvore, Natal, Páscoa, Guerra dos Farrapos.*

6.1. Escrevem-se com a inicial pequenina: As festas pagãs: *carnaval, ano-novo*. Também: *quaresma, semana santa, quarta-feira de cinzas, sábado de aleluia.*

7. Pontos cardeais: *Norte, Sul, Leste, Oeste.*

7.1. Se o ponto cardeal define direção ou limite geográfico, usa-se a inicial minúscula: *O carro avançava na direção sul. Cruzou o Brasil de norte a sul, de leste a oeste.*

8. Regiões do Brasil: *Região Sul, o Sul do Brasil, Região Centro-Oeste, o Centro-Oeste, o Nordeste.*

9. Endereços de Brasília: *W3 Sul, L2 Norte, 208 Norte.*
10. Hemisférios longitudinais: *Oriente* e *Ocidente.*
11. Eras históricas e épocas notáveis: *Antiguidade, Idade Moderna, Renascimento, Belle Époque.*
12. Topônimos seguidos do nome: *Avenida Paulista, Rua Sete de Setembro, Praça Dom Feliciano, Largo do Arouche, Parque Ibirapuera, Setor Comercial Sul, Rio Amazonas, Cordilheira do Andes, Baía de Guanabara, Cabo da Boa Esperança, Mar Mediterrâneo, Oceano Atlântico.*
13. Nomes científicos de famílias animais e vegetais (o segundo elemento com minúscula): *Coffea arabica* (em grifo).
14. Aeroporto, escola, hospital, casa de saúde, estádio, teatro, cinema, hotel, partido, igreja, etc. quando seguidos do nome: *Aeroporto Internacional Tom Jobim, Escola Classe n° 2, Colégio Pedro II, Hospital de Base de Brasília, Casa de Saúde São Brás, Estádio Olímpico, Teatro Castro Alves, Sala Martins Pena, Cine João Pessoa, Hotel Boa Viagem, Partido Socialista Brasileiro, Igreja de Dom Bosco, Avenida Tambaú.*

14.1. Quando não for seguido do nome, escreve-se com inicial minúscula: *O presidente chegou ao aeroporto às 14h10.*

15. Seleções e campeonatos esportivos: *Seleção Brasileira, Seleção Chinesa de Vôlei Feminino, Campeonato Nacional, Copa do Mundo, Olimpíada.*
16. Partidos políticos e os respectivos organismos dirigentes: *Partido Socialista Brasileiro, Diretório Nacional, Executiva.*
17. Governo, quando for parte oficial do nome: *Governo do Distrito Federal* (mas: *governo federal, o governo do presidente Lula*).
18. Oração incluída dentro de parênteses quando constitui oração à parte, completa, precedida de ponto. No caso, começa com letra maiúscula e termina por ponto: *Na praça, o sentimento geral era de grande frustração. (Nenhum candidato se dignara comparecer ao comício.)*
19. Nome de comendas e ordens: *Medalha do Pacificador, Cruz do Mérito Empreendedor JK, Medalha do Mérito de Brasília.*
20. Nome de impostos e taxas: *Imposto de Renda, Taxa Referencial, Contribuição Provisória sobre Movimentação Financeira.*
21. Bolsa de valores — É nome próprio? Escreve-se com as iniciais grandonas: *Bolsa de Valores de São Paulo, Bolsas de Valores de Tóquio e Seul.* É genérica, sem especificação? Iniciais pequenas: *As bolsas despencaram com a divulgação dos números da economia americana. Investir na bolsa exige conhecimento. A recuperação da economia brasileira repercutiu nas bolsas sul-americanas.*
22. Nome de grupos de teatro, bandas e similares, congressos, seminários, produções artísticas, científicas e literárias, jornais e revistas: *Os Melhores do Mundo, Paralamas do Sucesso, O Globo, Quatro Rodas, Cúpula Árabe, Congresso Internacional de Odontologia.*

As partículas que aparecem no interior dos títulos (artigos, preposições e suas combinações e conjunções) escrevem-se com minúsculas, independentemente do número de sílabas: *Passagem para a Índia, Triste fim de Policarpo Quaresma.*

23. Citação: quando vem depois de dois-pontos, a citação começa com letra maiúscula. Caso contrário, com minúscula: Fernando Pessoa escreveu: *"Tudo vale a pena se a alma não é pequena"*. Segundo Fernando Pessoa, *"tudo vale a pena se a alma não é pequena"*. Só a primeira maiúscula — Nome de livros, filmes, peças teatrais, obras musicais, telenovelas, programas de televisão, artigos, editoriais, matérias, poemas, contos, discos, nome de palestras, seminários e similares — *Memórias de um sargento de milícias, O poderoso chefão, Os pequenos burgueses, A flauta mágica, Pátria minha, Tela quente, Jornal das dez, Lula e as reformas, Crianças e trabalho, Bethania canta Vinicius*. Tudo maiúsculo — A indicação de página nas chamadas de capa: *PÁGINA 5, GABARITO, PÁGINAS 6 E 7, TEMA DO DIA, PÁGINAS 12 A 14*. Tudo minúsculo: ano-novo; áreas do saber: *medicina, direito, economia, letras*; capital; capital federal; cargos e funções: *presidente, governador, assessor, rei, papa, ministro*; carnaval; católico; protestante; umbandista; espírita; evangélico; decretos; leis; medidas provisórias (seguidos de mais de um número); ecossistemas: *cerrado, savana, floresta*; ensino fundamental; ensino médio; ensino superior; estado (unidade da Federação): *estado de Goiás, estado do Amazonas, estado de São Paulo*; fazer justiça; fisco; governo: *governo Lula, governo do estado, governo federal*; internet; item: *item alimentos, item vestuário, item educação*; metrô; ministério (sem especificação); nome de disciplinas: *português, matemática, história, ciências*; país; quaresma; quarta-feira de cinzas; réveillon; sábado de aleluia; van, vans; web.

majestade — Escreve-se assim, com *j*.

mal — Pede hífen antes de *vogal* e *h*: *mal-agradecido, mal-educado, mal-intencionado, mal-humorado*. (A regra tem tantas exceções que não há saída — consulte o dicionário.)

mal/mau — *Mal* é o contrário de *bem*; *mau*, o oposto de *bom*. Na dúvida, faça a substituição: *mau humor* (bom humor), *mau datilógrafo* (bom datilógrafo), *homem mau* (homem bom), *mal-humorado* (bem-humorado), *mal-estar* (bem-estar), *mal-agradecido* (bem-agradecido), *mau português* (bom português).

Malásia (a) — **Nome oficial:** Federação da Malásia. **Nacionalidade:** malasiana. **Localização:** Ásia meridional (Insulíndia). **Capital:** Kuala Lumpur. **Extensão territorial:** 329.749km². **Divisão:** 13 regiões e 2 territórios federais. **Cidades principais:** Ipoh, Klang, Petaling Jaya. **Limites:** Tailândia, Mar da China (N), Mar de Celebes (L), Cingapura, Estreito de Johor (S), Estreito de Malaca (O), Brunei (NO). **Idioma:** malaio (oficial), chinês, inglês, tâmil. **Governo:** Monarquia parlamentarista. **Religião:** islâmica, budista, crenças tradicionais, minorias hindu e cristã. **Hora local:** +11h. **Clima:** equatorial. **Data nacional:** 31/8 (Pátria). **Moeda:** ringgit. **População total:** 27.913.990 (2010).

Malaui (o) — **Nome oficial:** República do Malaui. **Nacionalidade:** malauiana. **Loca-**

lização: África Oriental. **Capital:** Lilongwe. **Extensão territorial:** 118.484km². **Divisão:** três regiões. **Cidades principais:** Blantyre, Mzuzu. **Limites:** Tanzânia (N), Moçambique (L e S), Zâmbia (O). **Idioma:** inglês (oficial), chicheua. **Governo:** República presidencialista. **Religião:** protestante, católica, cristã africana, islâmica, animista. **Hora local:** +5h. **Clima:** tropical (maior parte) e tropical de altitude (O). **Data nacional:** 6/7 (Independência). **Moeda:** kwacha. **População total:** 15.691.784 (2010).

mal de Alzheimer ou doença de Alzheimer: *mal* e *doença* escrevem-se com letra minúscula.

Maldivas (as) — **Nome oficial:** República das Maldivas. **Nacionalidade:** maldiva, maldivana. **Localização:** Oceano Índico. **Capital:** Malé. **Extensão territorial:** 298km². **Divisão:** 21 distritos. **Cidade principal:** Malé. **Limite:** Oceano Índico. **Idioma:** maldivense (oficial), inglês. **Governo:** República presidencialista. **Religião:** islâmica (sunitas). **Hora local:** +8h. **Clima:** equatorial. **Data nacional:** 7/1 (Pátria). **Moeda:** rupia das Maldivas. **População total:** 313.920 (2010).

Mali (o) — **Nome oficial:** República do Mali. **Nacionalidade:** malinesa. **Localização:** África saheliana. **Capital:** Bamaco. **Extensão territorial:** 1.240.192km². **Divisão:** oito regiões e a capital. **Cidades principais:** Sikasso, Ségou, Mopti, Koutiaba. **Limites:** Argélia (N), Níger (L), Costa do Marfim, Guiné (S), Burkina Fasso (SE), Mauritânia, Senegal (O). **Idioma:** francês (oficial), bambara, fulani, sonrai, tuaregue, soninke, dogon, árabe. **Governo:** República com forma mista de governo. **Religião:** islâmica, animista, minoria cristã. **Hora local:** +3h. **Clima:** tropical (maior parte) e árido tropical (N). **Data nacional:** 22/9 (Independência). **Moeda:** franco CFA. **População total:** 13.323.104 (2010).

Malta — **Nome oficial:** República de Malta. **Nacionalidade:** maltesa. **Localização:** Europa Ocidental (Mediterrâneo). **Capital:** Valletta. **Extensão territorial:** 316km². **Divisão:** seis regiões. **Cidades principais:** Birkirkara, Qormi, Mosta, Zabbar. **Limite:** Mar Mediterrâneo. **Idioma:** maltês, inglês (oficiais), italiano. **Governo:** República parlamentarista. **Religião:** católica. **Hora local:** +4h. **Clima:** mediterrâneo. **Data nacional:** 22/9 (Independência). **Moeda:** euro. **População total:** 409.999 (2010).

mandado — Ordem judicial: *mandado de prisão.*

mandado de segurança — Atenção: é *mandado*, não *mandato*. Impetra-se mandado de segurança contra o poder público ou instituições de direito público, autarquias e fundações mantidas por verbas oficiais. A sentença no mandado de segurança, por ocasião do julgamento do mérito, é sempre concessiva ou não da segurança. O mandado de segurança não é aplicável na área criminal. Por isso é errado dizer que alguém foi solto em virtude de mandado de segurança.

mandato — Representação, delegação: *O mandato de senador é de oito anos.*

mandato — Poderes que alguém atribui a outrem para representá-lo ou praticar atos em seu nome. O mesmo que procuração. Denomina-se mandante quem outorga (delega) os poderes; mandatário quem os vai exercer.

manter a mesma — Pleonasmo. Basta *manter.*

mão de obra — Plural: *mãos de obra.*

Mapa — Ministério da Agricultura, Pecuária e Abastecimento.

mapa-múndi — Plural: *mapas-múndi.*

Maranhão (o) — **Capital:** São Luís. **Situação geográfica:** oeste da Região Nordeste. **Área:** 331.935,507km². **Número de municípios:** 217. **Cidades principais:** Imperatriz, Caxias. **Limites:** Oceano Atlântico (N), Piauí (L), Tocantins (S e SO), Pará (O). **População total:** 6.569.683 (2010). **Gentílico/estado:** maranhense. **Gentílico/capital:** ludovicense, são-luisense. **Hora local em relação a Brasília:** a mesma.

marcha a ré — Escreve-se assim.

Marrocos — **Nome oficial:** Reino de Marrocos. **Nacionalidade:** marroquina. **Localização:** África do Norte. **Capital:** Rabat. **Extensão territorial:** 446.550km². **Divisão:** sete regiões e duas prefeituras. **Cidades principais:** Casablanca, Fès. **Limites:** Estreito de Gibraltar, Mar Mediterrâneo (N), Argélia (L e SE), Oceano Atlântico (O). **Idioma:** árabe (oficial), dialetos berberes, francês. **Governo:** Monarquia parlamentarista. **Religião:** islâmica (sunitas), minoria cristã. **Hora local:** +3h. **Clima:** mediterrâneo (litoral), árido subtropical (centro), de montanha (L). **Data nacional:** 18/11 (Independência). **Moeda:** dirham marroquino. **População total:** 32.381.283 (2010).

mas — É antecedido por vírgula quando liga orações: *Estudou, mas não conseguiu promoção. Trabalha, mas ganha pouco. Maria não só estuda, mas também trabalha. Nós não só fomos a João Pessoa, mas também a Natal e Recife.*

Masp — Museu de Arte de São Paulo Assis Chateaubriand.

Maspe — Museu da Arte Sacra de Pernambuco.

mass media — Meios de comunicação de massa. Escreve-se sem grifo.

mata atlântica — Nome comum, escreve-se com inicial minúscula: *A mata atlântica precisa de proteção.*

matado/morto — Usa-se *matado* com os auxiliares ter e haver (*havia matado, tinha matado, tem matado*) e *morto* com ser e estar (*foi morto, estava morto*).

material — Com o significado de conjunto de componentes, dispensa o plural: *material de construção, material escolar, material atômico.*

matéria-prima — Plural: *matérias-primas.*

Mato Grosso — **Capital:** Cuiabá. **Situação geográfica:** oeste da Região Centro-Oeste. **Área:** 903.329,700km². **Número de municípios:** 141. **Cidades principais:** Rondópolis, Várzea Grande, Cáceres, Barra do Garças. **Limites:** Amazonas, Pará (N), Tocantins, Goiás (L), Mato Grosso do Sul (S), Rondônia, Bolívia (O). **População total:** 3.033.991 (2010). **Gentílico/estado:** mato-grossense. **Gentílico/capital:** cuiabano. **Hora local em relação a Brasília:** - 1h.

Mato Grosso/Mato Grosso do Sul — Não pedem artigo: *Sou de Mato Grosso. Sou de Mato Grosso do Sul. Nasceu em Mato Grosso. Falou de Mato Grosso do Sul.*

Mato Grosso do Sul — **Capital:** Campo Grande. **Situação geográfica:** sul da Região Centro-Oeste. **Área:** 357.145,836km². **Número de municípios:** 78. **Cidades principais:** Dourados, Corumbá, Três Lagoas. **Limites:** Mato Grosso (N), Goiás, Minas Gerais (NE), São Paulo (L), Paraná (SE), Paraguai (S e SO), Bolívia (O). **População total:** 2.449.341 (2010). **Gentílico/estado:** mato-grossense-do-sul. **Gentílico/capital:** campo-grandense. **Hora Local em relação a Brasília:** -1h.

mau — Ver **mal/mau.**

mau-caráter — Plural: *maus-caracteres.*

Maurício — **Nome oficial:** Maurício. **Nacionalidade:** mauriciana. **Localização:** África Oriental (Oceano Índico). **Capital:** Port Louis. **Extensão territorial:** 2.040km². **Divisão:** nove distritos. **Cidades principais:** Beau Bassin, Vacoas-Phoenix, Curepipe, Quatre Bornes. **Limite:** Oceano Índico. **Idioma:** inglês (oficial), francês crioulo, hindi. **Governo:** República parlamentarista. **Religião:** hindu, católica, islâmica, minoria protestante. **Hora local:** +7h. **Clima:** tropical. **Data nacional:** 12/3 (Independência). **Moeda:** rupia mauriciana. **População total:** 1.296.569 (2010).

Mauritânia (a) — **Nome oficial:** República Islâmica da Mauritânia. **Nacionalidade:** mauritana. **Localização:** África saheliana. **Capital:** Nouakchott. **Extensão territorial:** 1.025.520km². **Divisão:** 13 províncias. **Cidades principais:** Nouadhibou, Rosso, Boghé, Adel Bagrou, Kaédi. **Limites:** Argélia (N), Saara Ocidental (N), Mali (L e SE), Senegal (S), Oceano Atlântico (O). **Idioma:** árabe, francês (oficiais), hassaniya, pular, soninké, nolof. **Governo:** República com forma mista de governo. **Religião:** islâmica (sunitas). **Hora local:** +3h. **Clima:** árido tropical (N) e tropical de altitude (S). **Data nacional:** 28/11 (Independência). **Moeda:** ouguiya. **População total:** 3.365.675 (2010).

maus-tratos — Sempre no plural, com hífen.

maxi/máxis — 1. O prefixo *maxi-* pede hífen quando seguido de *h* ou *i* (*maxi-história, maxi-irmandade, maxissaia, maxivalorização, maxiassociação*). 2. *Máxi* é substantivo. Tem plural: *O governo não falava em maxidesvalorização da moeda. Mas a máxi, quando veio, pegou a Argentina de surpresa. Quantas máxis o país enfrentou?*

MB (megabyte) — Unidade de medida de memória tanto RAM quanto em disco rígido.

MC — Ministério das Comunicações.

MCCA — Mercado Comum Centro-Americano.

MCidades — Ministério das Cidades.

m-commerce — Compra e venda de produtos pelo telefone celular.

MCT — Ministério das Ciências e Tecnologia.

MDA — Ministério do Desenvolvimento Agrário.

MDIC — Ministério do Desenvolvimento, Indústria e Comércio Exterior.

MDS — Ministério do Desenvolvimento Social e Combate à Fome.

ME — Ministério do Esporte.

mea-culpa — Escreve-se sem grifo.

MEC — Ministério da Educação.

mediar — Conjuga-se como *odiar*: *odeio (medeio), odeia (medeia), odiamos (mediamos), odeiam (medeiam); odiei (mediei), odiou (mediou), odiamos (mediamos), odiaram (mediaram); que eu odeie (medeie), ele odeie (medeie), odiemos (mediemos), odeiem (medeiem)*.

medida provisória — Veja **textos legais**.

medida provisória, lei, decreto — 1. Escrevem-se com a inicial maiúscula quando se especifica o número ou o nome: *Lei nº. 2.348, de 26.1.92; Medida Provisória nº. 242; Decreto nº. 945; Lei Afonso Arinos; Lei Antitruste*. 2. Na segunda referência ou na ausência do número, usa-se a inicial minúscula: *A medida provisória que trata das mensalidades escolares... A lei que o presidente da República acaba de vetar...*

médium — Com acento e *m* final.

mega — Pede hífen quando seguido de *h* ou *a*: *mega-aglomeração, mega-hertz, mega-operação, megarregião, megassistema*.

meia/meio — Na formação de palavras compostas, usa-se sempre com hífen: *meia-água, meia-entrada, meia-direita, meia-noite, meia-luz, meio-dia, meio-campo, meio-irmão, meio-tom*.

meia-noite — Veja **meio-dia/meia-noite**.

meio — Quando acompanha o adjetivo, *meio* é advérbio. Mantém-se invariável: *janela meio aberta, homem meio adormecido, conselhos meio duvidosos*. 2. Quando acompanha o substantivo, é adjetivo. Flexiona-se em gênero e número: *duas meias laranjas, meio salário mínimo*.

meio ambiente — Sem hífen.

meio-dia/meia-noite — Escrevem-se com hífen. Plural: *meios-dias, meias-noites*.

meio-dia e meia — *Meia* concorda com hora, daí o feminino.

melanoma — Tumor constituído por melanócitos, células que dão pigmentação à pele.

melhor — Veja **mais bem/mais mal**.

melhor/a melhor/o melhor — Numa relação de homens e mulheres, diga *o melhor* se quiser destacar a mulher no grupo misto: *Maria é o melhor aluno da escola*. Se quiser destacar a mulher no grupo de mulheres, use o artigo *a*: *Maria é a melhor aluna da escola*. A regra vale para *a pior, o pior*.

melhor/melhores — Se *melhor* equivaler a *mais bom*, será adjetivo. Flexiona-se: *Os meninos eram melhores (mais bons)* *que as meninas.* 2. Se equivaler a *mais bem*, será advérbio. Mantém-se invariável: *Os imigrantes estavam melhor (mais bem) de saúde.*

membro — Como adjetivo, tem plural: *país-membro, países-membros.*

mendigo — Atenção à grafia.

merchandising — Sem grifo.

Mercosul — Mercado Comum do Sul.

meritíssimo — Derivada de mérito, escreve-se com *i*.

meses — Escrevem-se com a letra inicial minúscula: *janeiro, fevereiro, março, abril.*

meses — Veja **datas**.

mesmo — Quando reforça nome ou pronome, concorda com o termo a que se refere: *Ele mesmo comentou o fato. Ela mesma comentou o fato. Nós mesmos (mesmas) comentamos o fato. Eles mesmos comentaram o fato. Elas mesmas comentaram o fato.* 2. Com o significado de realmente, *mesmo* se mantém invariável: *Ele disse mesmo a verdade. Eles saíram mesmo às 18h.* 3. Não use *o mesmo* e *a mesma* no lugar de substantivo ou pronome: *Antes de entrar no elevador, verifique se "o mesmo" se encontra neste andar.*

meta — Pede hífen quando seguido de *h* ou *a*: *meta-arteríola, meta-histórico, metafísica, metalinguagem, metassistema.*

metade de — O verbo concorda com *metade* ou com o complemento: *Metade dos alunos saiu (ou saíram).* 2. Com o verbo anteposto ao sujeito, a concordância obrigatória é com *metade*: *Saiu metade dos alunos.* 3. O adjetivo predicativo pode concordar com *metade* ou com o complemento: *Metade do campo estava alagada (ou alagado).*

metástase — Disseminação de focos de uma doença para outros órgãos. O termo geralmente é utilizado para o câncer.

MTE — Ministério do Trabalho e Emprego.

metralhadora de apoio — Termo técnico. O termo popular, metralhadora pesada, é o usado pelo manual. Dispara grandes calibres. Normalmente equipada com um tripé, em calibre 12,7mm (ou .50) ou maior (veja **armas portáteis**, **calibre** (armas portáteis) e **modo de alimentação**). De uso privativo das Forças Armadas e polícias estaduais e federal.

metralhadora pesada — Termo adotado por este manual para **metralhadora de apoio** (veja verbete).

metralhadora de mão — Termo popular e adotado por este manual para **pistola-metralhadora** (veja verbete).

Metrô-DF — Companhia Metropolitana do Distrito Federal.

México (o) — **Nome oficial:** Estados Unidos Mexicanos. **Nacionalidade:** mexicana. **Localização:** América do Norte. **Capital:** Cidade do México. **Extensão territorial:** 1.958.201km². **Divisão:** 31 estados e o Distrito Federal. **Cidades principais:** Guadalajara, Ecatepec, Puebla, Nezahualcóyotl, Ciudad Juárez, Tijuana. **Limites:** EUA (N), Golfo do México (L), Belize, Guatemala (S), Oceano Pacífico (O). **Idioma:** espanhol (oficial), náuatle, otomi, maia, zapoteca, mixteca, outros dialetos ameríndios. **Governo:** República presidencialista. **Religião:** católica, com minoria protestante. **Hora local:** -3h. **Clima:** tropical (maior parte), árido tropical (N), de montanhas. **Data nacional:** 16/9 (Independência). **Moeda:** peso mexicano. **População total:** 110.645.154 (2010).

MF — Ministério da Fazenda.

Mham — Museu Histórico e Artístico do Maranhão.

MI — Ministério da Integração Nacional.

Mianmar — **Nome oficial:** União de Mianmar. **Nacionalidade:** mianmarense, birmanesa. **Localização:** Ásia meridional. **Capital:** Nay Pyi Taw. **Extensão territorial:** 676.578km². **Divisão:** sete estados. **Cidades principais:** Mandalay, Mawlamyine. **Limites:** China (N e L), Golfo de Bengala (S), Laos, Tailândia (SE), Bangladesh (SO), Índia (O). **Idioma:** birmanês (oficial), inglês, dialetos regionais. **Governo:** Estado militar. **Religião:** budista, com minorias cristã e islâmica. **Hora local:** +9h30. **Clima:** tropical com chuvas de monções. **Data nacional:** 4/1 (Independência), 3/12 (Pátria). **Moeda:** quiat. **População total:** 50.495.672 (2010).

micro — Pede hífen quando seguido de *h* e *o*. Nos demais casos, é tudo junto: *micro-história, micro-ondas, microssaia, microrregião*.

Micronésia (a) — **Nome oficial:** Federação dos Estados da Micronésia. **Nacionalidade:** micronésia. **Localização:** Oceania. **Capital:** Palikir. **Extensão territorial:** 702km². **Divisão:** quatro estados. **Cidades principais:** Moen, Palikir. **Limite:** Oceano Pacífico. **Idioma:** inglês, línguas regionais. **Governo:** República presidencialista. **Religião:** cristianismo, crenças tradicionais. **Hora local:** +14h. **Clima:** equatorial. **Data nacional:** 10/5 (Dia da Constituição). **Moeda:** dólar americano. **População total:** 110.000 (2010).

midi — Pede hífen quando seguido de *h* ou *i*: *midi-heroísmo, midi-insanidade, midicasaco, mididesvalorização*.

migração — Veja **emigrar/imigrar/migrar**.

migrar — Veja **emigrar/imigrar/migrar**.

mil — Evite numeral em "um mil". 2. A partir de dois, numeral multiplicador concorda com o substantivo: *dois mil homens, duas mil crianças, duzentas mil cabeças de gado, duzentos mil reais*.

mil — Veja **milhão**.

milhão — 1. *Milhão* é substantivo masculino. O numeral ou o adjetivo que o modifica deve concordar com ele: *dois milhões de pessoas, duzentos milhões de estrelas, o milhão de dólares*. 2. Prefira a concordância do verbo com a coisa expressa, não com o número: *Um milhão de pessoas estavam presentes ao comício*. 3. Com milhar, outro substantivo, a regra é idêntica: *dois milhares de laranjas foram desperdiçados (ou desperdiçadas) no transporte*. 4. O numeral mil, por não ser substantivo, recebe tratamento diferente: *Duzentas mil pessoas acompanharam o enterro do astro. Duas mil crianças participaram do projeto do programa de alimentação escolar*.

milhar — Veja **milhão**.

mim — Veja **para eu/para mim**.

Minas — Na concordância, exige verbo no singular: *Minas tem tradição de bons políticos. Minas está onde sempre esteve.*

Minas Gerais — **Capital:** Belo Horizonte. **Situação geográfica:** noroeste da Região Sudeste. **Área:** 586.520,368km². **Número de municípios:** 853. **Cidades principais:** Contagem, Juiz de Fora, Uberlândia, Montes Claros, Governador Valadares, Uberaba. **Limites:** Bahia (N e NE), Espírito Santo (L), Rio de Janeiro (S e SE), São Paulo (S e SO), Mato Grosso do Sul (O), Goiás (O e NO). **População total:** 19.595.309 (2010). **Gentílico/estado:** mineiro. **Gentílico/capital:** belo-horizontino. **Hora local em relação a Brasília:** a mesma.

minas improvisadas — São muito empregadas no Iraque e no Afeganistão. Podem ser feitas com substâncias fáceis de encontrar, como fertilizantes à base de fosfatos, ou a partir de munição de artilharia acoplada a um detonador de tempo ou de controle remoto (muitas vezes um telefone celular). A sigla em inglês é **IED** (veja verbete ao final do anexo).

minas navais — Armas explosivas passivas, criadas na Guerra de Secessão dos Estados Unidos, que ficam escondidas sob a água e detonam ao contato ou à aproximação de um navio ou submarino.

minas terrestres — São de dois tipos: anticarro e antipessoal. As anticarro são de grande porte e se destinam a destruir tanques de guerra ou viaturas de transporte de tropas. As minas antipessoal são projetadas para causar ferimentos graves nas vítimas, diminuindo o poder de combate do inimigo obrigando-o a desviar soldados para o socorro dos atingidos. Elas ficam enterradas e são de difícil detecção e remoção.

MinC — Ministério da Cultura.

MinDef — Ministério da Defesa.

mini/míni — *Mini*, elemento de composição, pede hífen quando seguido de *h* ou *i*. No mais, é tudo junto: *mini-herói, mini-império, miniolimpíada, minirregião, minissereia*. 2. *Míni*, substantivo, tem acento e plural: *As mínis chegaram para ficar.*

Ministério Público — Órgão desvinculado dos poderes Executivo, Legislativo e Judiciário, dotado de autonomia funcional e administrativa. Cumpre-lhe promover a defesa da sociedade, da ordem jurídica e do regime democrático mediante acionamento do Poder Judiciário. No âmbito federal e no DF, o Ministério Público se compõe de procuradores da República. No âmbito estadual, de promotores de Justiça e procuradores de Justiça. Promotor e procurador não prendem nem soltam. Requerem ou pedem a juiz ou tribunal a prisão ou a soltura de alguém. É impróprio, pois, dizer que o promotor ou o procurador ordenou a prisão ou soltura de alguém.

miocárdio — Músculo cardíaco. Usar sempre para especificar casos de infarto do coração — infarto do miocárdio.

MIS — Museu da Imagem e do Som.

misantropo — É paroxítono.

Mispe — Museu da Imagem e do Som de Pernambuco.

mísseis balísticos — Artefato bélico guiado de grandes dimensões cuja trajetória, parcialmente executada além da atmosfera terrestre e à elevada velocidade, permanece inalterada (à semelhança de um projétil de arma de fogo) até que o alvo seja atingido. O alvo pode ser cidades, bases ou mesmo uma frota naval inimiga. Frequentemente transporta uma ou mais ogivas nucleares. Podem ser lançados de plataformas subterrâneas, terrestres móveis ou mesmo submarinos, quando são denominados SLBM. São classificados quanto ao alcance: SRBM (curto alcance, inferior a 1.000km); MRBM (alcance médio, entre 1.000km e 2.500km); IRBM (de alcance intermediário, entre 2.500km e 3.500km) e, por fim, ICBM, cujo alcance lhe possibilita atingir alvos em outro continente, com alcance entre 3.500km e 12.000km.

míssil — Arma guiada dotada de motor a jato ou a foguete.

míssil antiaéreo — Arma guiada pelo calor do avião adversário ou por radar lançada de terra.

míssil antinavio — Arma guiada por radar. Pode ser lançada de navios, submarinos ou aviões. A mais famosa é o Exocet francês.

míssil antirradiação ou antirradar — Arma atraída pelas emissões do radar inimigo. Lançada de aviões de ataque ou de guerra eletrônica.

míssil antitanque — De pequeno porte, pode ser utilizado por apenas dois homens.

míssil ar-ar — Arma guiada pelo calor do avião adversário ou por radar, lançada de outro avião. Quando pode ser usado em alcances superiores a 20 quilômetros, é classificado de BVR, sigla em inglês de além do horizonte visual.

mistificar/mitificar — *Mistificar* é enganar, iludir, abusar da credibilidade: *Não faltam inescrupulosos que mistificam os ingênuos*. *Mitificar* é converter em mito, atribuir a alguém ou a alguma coisa virtudes exageradas: *A imprensa mitificou Rui Barbosa*.

MIT — Massachusetts Institute of Technology.

mitificar/mistificar — Veja **mistificar/mitificar**.

MJ — Ministério da Justiça.

ML — Mansões do Lago (endereço de Brasília).

MMA — Ministério do Meio Ambiente.

MME — Ministério de Minas e Energia.

MMR — Veja **tríplice viral**.

Moçambique — **Nome oficial:** República de Moçambique. **Nacionalidade:** moçambicana. **Localização:** África austral. **Capital:** Maputo. **Extensão territorial:** 801.590km². **Divisão:** 10 províncias. **Cidades principais:** Matola, Beira, Nampula. **Limites:** Tanzânia (N), Zâmbia, Malauí (NO), Oceano Índico (L), Suazilândia, África do Sul (SE), Zimbábue (O). **Idioma:** português (oficial), macondé, chona, tonga, chicheua, outros dialetos regionais. **Governo:** República com forma mista de governo. **Religião:** animista, católica, minorias islâmica e cristã. **Hora local:** +5h. **Clima:** tropical. **Data nacional:**

2/6 (Independência). **Moeda:** novo metical. **População total:** 23.405.670 (2010).

modelo — O artigo define o gênero: *o modelo, a modelo.*

modo de alimentação — As armas, leves ou pesadas, possuem três tipos de alimentação: manual, semiautomático ou automático. As manuais precisam ser acionadas a cada tiro (revólveres e fuzis de ferrolho). As semiautomáticas carregam o próximo tiro sem necessidade de ação manual, mas o disparo é feito a cada acionamento do gatilho (pistolas e fuzis semiautomáticos). As automáticas necessitam de apenas uma ação manual para disparar todo o conteúdo do carregador.

modus vivendi — Escreve-se assim, sem grifo.

moeda — Nome de moeda escreve-se com a inicial minúscula: *o real, o dólar, o peso, o dinar.*

Moldávia (a) — **Nome oficial:** República da Moldávia. **Nacionalidade:** moldávia. **Localização:** Europa Oriental. **Capital:** Chisnau. **Extensão territorial:** 33.700km². **Divisão:** 40 distritos. **Cidades principais:** Tiraspol, Balti, Tighina, Ribnita. **Limites:** Ucrânia (N, L e S), Romênia (O). **Idioma:** romeno, russo, búlgaro (oficiais), ucraniano, turco. **Governo:** República com forma mista de governo. **Religião:** ortodoxa russa. **Hora local:** +5h. **Clima:** temperado continental. **Data nacional:** 27/8 (Independência). **Moeda:** leu moldávio. **População total:** 3.575.574 (2010).

Mônaco — **Nome oficial:** Principado de Mônaco. **Nacionalidade:** monegasca. **Localização:** Europa Ocidental. **Capital:** Cidade de Mônaco. **Extensão territorial:** 2km². **Divisão:** quatro distritos. **Bairros principais:** Monte Carlo, La Condamine, Cidade de Mônaco. **Limites:** França (N, O e S), Mar Mediterrâneo (L). **Idioma:** francês, monegasco (oficiais), italiano, inglês. **Governo:** Monarquia parlamentarista. **Religião:** católica. **Hora local:** +4h. **Clima:** mediterrâneo. **Data nacional:** 19/11 (Festa do Príncipe). **Moeda:** euro. **População total:** 31.109 (2010).

Mongólia (a) — **Nome oficial:** República da Mongólia. **Nacionalidade:** mongol. **Localização:** Ásia Oriental. **Capital:** Ulan Bator. **Extensão territorial:** 1.566.500km². **Divisão:** 21 províncias e a capital. **Cidades principais:** Darhan, Erdenet, Choybalsan. **Limites:** Federação Russa (N), China (L, S e O), Cazaquistão (NO). **Idioma:** mongol, russo, cazaque. **Governo:** República parlamentarista. **Religião:** budista (lamaístas), minoria islâmica. **Hora local:** +11h. **Clima:** temperado continental (S) e árido frio (N). **Data nacional:** 11/7 (Pátria). **Moeda:** tugrik. **População total:** 2.701.117 (2010).

monitoração — Ato de vigiar uma atividade ou função (por meio da clínica e do uso de aparelhos).

monstro — Como adjetivo, é invariável: *congestionamento monstro, operações monstro, tarefa monstro, tarefas monstro.*

Montenegro — **Nome oficial:** República de Montenegro. **Nacionalidade:** montenegrina.

Localização: Europa balcânica. **Capital:** Podgorica. **Extensão territorial:** 14.026km². **Divisão:** 14 distritos. **Cidades principais:** Podgorica, Cetinje, Niksic, Bijelo Polje. **Limites:** Albânia e Kosovo (SE), Bósnia e Herzegóvina e Croácia (O), Mar Adriático (SO) e Sérvia (N). **Idioma:** montenegrino e sérvio. **Governo:** República presidencialista. **Religião:** ortodoxa, com minorias islâmica e católica. **Hora local:** +4h. **Clima:** mediterrâneo. **Data nacional:** 3/6 (Independência). **Moeda:** euro. **População total:** 625.516 (2010).

moral — O *moral*, substantivo masculino, significa ânimo, disposição: *O resultado da pesquisa esmoreceu o moral dos militantes.* 2. A *moral*, substantivo feminino, é o conjunto de preceitos de conduta: *moral duvidosa, a moral da fábula, pessoa sem moral.*

morar — Pede a preposição *em*, não *a*: *Moro no Lago Norte. Ele mora na Rua dos Andradas. Moro em Brasília.*

morfo — Pede hífen quando seguido de *h* e *o*. No mais, é tudo junto: *morfossintaxe, morfo-hepático.*

morrido/morto — Usa-se *morrido* com os auxiliares ter e haver *(havia morrido, tem morrido)* e *morto* com ser e estar *(foi morto, estava morto).*

morte — Em termos médicos, é caracterizada pela ausência de batimentos cardíacos espontâneos, ausência de respiração espontânea e morte cerebral.

morteiro — Arma ou peça de artilharia. Dispara tiros em elevado ângulo (acima de 60°) para atingir o alvo por cima (veja **armas de artilharia, calibre** (armas de artilharia) e **modo de alimentação**).

motherboard — Prefira *placa-mãe*. Evitável.

moto — *mototáxi, moto-contínuo.*

MP — Ministério do Planejamento, Orçamento e Gestão.

MPDFT — Ministério Público do Distrito Federal e Territórios.

MPS — Ministério da Previdência Social.

MPU — Ministério Público da União.

MRE — Ministério das Relações Exteriores.

MS — Ministério da Saúde.

MST — Movimento dos Trabalhadores Rurais Sem Terra.

MSU — Movimento dos Sem Universidade.

MT — Ministério dos Transportes.

MTur — Ministério do Turismo.

MuBE — Museu Brasileiro da Escultura.

muçarela — Tipo de queijo. Existe a forma *mozarela*.

muito poucos — *Muito*, advérbio, é invariável: *Viu muito poucos soldados na rua. São muito poucas as possibilidades de ele receber a indicação do partido.*

multi/múlti — *Multi*, elemento de composição, pede hífen quando seguidos de *h* e *i*. No mais, é tudo junto: (*multi-instrumento, multi-herói, multinacional, multirracial, multissecular*). 2. *Múlti*, substantivo, tem acento e plural: *As múltis oferecem boas opções de trabalho.*

mutatis mutandis — Significa mudado o que deve ser mudado, isto é, com a devida alteração de pormenores. Escreve-se sem grifo.

N

n — 14ª letra do alfabeto. Plural: *enes, nn*.

na frente de — Veja **à frente**.

Nafta — North American Free Trade Agreement (Tratado de Livre Comércio da América do Norte).

náilon — Assim em português.

Namíbia (a) — **Nome oficial:** República da Namíbia. **Nacionalidade:** namibiana. **Localização:** África austral. **Capital:** Windhoek. **Extensão territorial:** 824.292km². **Divisão:** 13 distritos. **Cidades principais:** Windhoek, Rundu, Walvis Bay, Oshakati, Katima Mulilo, Rehoboth. **Limites:** Angola (N), Zâmbia (NE), Botsuana (L), África do Sul (S), Oceano Atlântico (O). **Idioma:** inglês. **Governo:** República presidencialista. **Religião:** protestante (luteranos), católico, animista. **Hora local:** +4h. **Clima:** árido tropical. **Data nacional:** 21/3 (Independência). **Moeda:** Dólar namibiano. **População total:** 2.212.037 (2010).

namorar — Prefira a regência direta: *João namora Maria. João a namora. Maria o namora.*

não — Perdeu o hífen em palavras como *não agressão, não cooperação, não ingerência*.

não só... mas também, tanto... quanto (concordância) — Com sujeitos ligados por essas locuções, prefira o plural: *Não só Paulo, mas também Luís participaram do evento. Tanto os debates promovidos pelas principais redes de televisão quanto a propaganda eleitoral gratuita contribuem para o esclarecimento do eleitor.*

Nasa — National Aeronautics and Space Administration (Administração Nacional de Aeronáutica e Espaço — EUA).

Nauru — **Nome oficial:** República de Nauru. **Nacionalidade:** nauruana. **Localização:** Oceania. **Capital:** Yaren. **Extensão territorial:** 21km². **Divisão:** 14 distritos. **Cidades principais:** Denigomodu, Meneng, Aiwo, Boe, Yaren, Buada. **Limite:** Oceano Pacífico. **Idioma:** nauruano e inglês. **Governo:** República parlamentarista. **Religião:** protestante, crenças tradicionais. **Hora local:** +15h. **Clima:** tropical. **Data nacional:** 3/11 (Independência). **Moeda:** dólar australiano. **População total:** 9.976 (2010).

nazi/názi — *Nazifascismo, nazifasciscita.* 2. Como substantivo ou adjetivo, tem acento: *polícia názi, os názis*.

NBA — National Basketball Association (Associação Nacional de Basquetebol — EUA).

NBC — National Broadcasting Company.

NBC — Normas Brasileiras de Contabilidade.

necrópsia ou necropsia — Veja **autópsia ou autopsia**.

nefro — Pede hífen quando seguido de *h* e *o*. No mais, é tudo junto: *nefro-helmíntico, nefrologista*.

Negrito —

Use negrito para escrever:

1. O nome do jornal para o qual você escreve: **Correio Braziliense, Diário da Borborema, Diário de Natal, Diário de Pernambuco,**

Diário Mercantil, Diário da Tarde, Estado de Minas, Jornal do Commercio, O Imparcial, O Norte, O Poti. (Os demais se escrevem em itálico.)

2. As remissões a outras matérias publicadas na mesma edição: **(Veja tabela ao lado, Leia mais na pág. 12).**
3. Cidade, estado e país na indicação de procedência: **Campinas (SP), Siena (Itália).**
4. Intertítulos.
5. Legenda de fotos.
6. Nas entrevistas pingue-pongue, a pergunta: **Por que o senhor quer ser presidente da República?**
7. As iniciais do autor, entre parênteses, no fim do texto, quando ele assinar mais de uma matéria na mesma página: **(MT).**
8. Nome, identificação e endereço dos leitores que escrevem para a coluna *carta dos leitores*: **Fulano de tal, diretor de Incorporações do Grupo Gerdau. Nilda Maria Alves, João Pessoa.**

nem (concordância) — Com os núcleos do sujeito ligados pela conjunção *nem*, o verbo, preferencialmente, vai para o plural: *Nem eu nem ele estivemos em Roma no ano passado.*

nem um nem outro — A expressão é seguida por substantivo no singular. O verbo pode ir para o singular se o fato expresso for atribuído a um só sujeito (*Nem João nem Carlos se casará com Maria*) e para o plural se atribuído a todos os sujeitos: *Nem um nem outro candidato chegaram ao segundo turno. Nem uma nem outra entrevista puderam ser editadas.*

nenhum/nem um — 1. *Nenhum* se opõe a *algum*: *Nenhum deputado chegou atrasado à sessão.* 2. *Nem um* quer dizer *nem um sequer, nem um ao menos*: *Estava tão despreparado que não conseguiu nem um ponto na prova.*

nenhum/qualquer — Em frases negativas, dê passagem ao *nenhum*, não ao *qualquer*: *Não disse nenhuma palavra (não: qualquer) antes de sair. Não tem nenhuma ideia das consequências do ato que praticou. O senador não quis ouvir nenhum aparte.*

neo — Pede hífen quando seguido de *h* ou *o*. Nos demais casos, é tudo junto: *neo-herói, neo-histórico, neo-observador, neo-ortodoxo, neoeconomia, neorricos, neossistemas, neoliberal.*

neoplastia — Tecido anormal que cresce mais rapidamente do que o habitual (benigno ou maligno) e pode levar à perda da função adequada de um órgão.

Nepal (o) — **Nome oficial:** Reino do Nepal. **Nacionalidade:** nepalesa. **Localização:** Ásia meridional (Indostão). **Capital:** Katmandu. **Extensão territorial:** 140.797km². **Divisão:** 14 zonas. **Cidades principais:** Biratnagar, Lalitpur, Pokhara. **Limites:** China (N), Índia (L, S e O). **Idioma:** nepali (oficial), newari, tamang, dialetos do hindi. **Governo:** República parlamentarista. **Religião:** hindu, com minorias budista e islâmica. **Hora local:** +8h45. **Clima:** de montanha (maior parte). **Data nacional:** 18/2 (Pátria), 15/2 (Constituição). **Moeda:** rupia nepalesa. **População total:** 29.852.682 (2010).

neuro — Pede hífen quando seguido de *h*: *neuro-hipnotismo, neuro-hipófise, neuro-hormonal*. Mas: *neurocirurgia, neuropediatria, neuromuscular*.

neurose/psicose — Apesar de não haver consenso entre os estudiosos das doenças mentais, usa-se neurose para fazer referência a distúrbios psíquicos que não afastam a pessoa do contato com a realidade. Na psicose, há perda de vínculo com a realidade.

NFL — National Football League (Liga Nacional de Futebol — EUA).

NHL — National Hockey League (Liga Nacional de Hóquei — EUA).

nhoque — Escreve-se assim.

Nicarágua (a) — **Nome oficial:** República da Nicarágua. **Nacionalidade:** nicaraguense. **Localização:** América Central (istmo). **Capital:** Manágua. **Extensão territorial:** 130.000km². **Divisão:** 15 departamentos e duas regiões autônomas. **Cidades principais:** León, Chinandega, Masaya, Granada. **Limites:** Honduras (N), Mar do Caribe (L), Costa Rica (S), Oceano Pacífico (O). **Idioma:** espanhol (oficial), inglês, garífuna, misquito, sumu, rama. **Governo:** República presidencialista. **Religião:** católica, minoria protestante. **Hora local:** -3h. **Clima:** tropical. **Data nacional:** 15/9 (Independência). **Moeda:** córdoba. **População total:** 5.822.265 (2010).

Níger (o) — **Nome oficial:** República do Níger. **Nacionalidade:** nigerina. **Localização:** África saheliana. **Capital:** Niamei. **Extensão territorial:** 1.267.000km². **Divisão:** sete regiões e a capital. **Cidades principais:** Zinder, Maradi, Tahoua, Agadez. **Limites:** Argélia, Líbia (N), Chade (L), Nigéria, Benin (S), Burkina Fasso (SO), Mali (O). **Idioma:** francês (oficial), haussa, tuaregue, peul, zarma, kanuri. **Governo:** ditadura militar. **Religião:** islâmica (sunitas), animista. **Hora local:** +4h. **Clima:** árido tropical (N) e tropical (S). **Data nacional:** 3/8 (Independência). **Moeda:** franco CFA. **População total:** 15.891.482 (2010).

Nigéria (a) — **Nome oficial:** República Federal da Nigéria. **Nacionalidade:** nigeriana. **Localização:** África Ocidental. **Capital:** Abuja. **Extensão territorial:** 923.768km². **Divisão:** 36 estados. **Cidades principais:** Lagos, Ibadan, Kano, Ogbomosho, Oshogbo, Abuja. **Limites:** Níger (N), Lago do Chade (NE), Camarões (L), Golfo da Guiné (S e SO), Benin (O). **Idioma:** inglês (oficial), haussa, ibo, ioruba, dialetos regionais. **Governo:** República presidencialista. **Religião:** islâmica, protestante, minorias católica e animista. **Hora local:** +4h. **Clima:** tropical (N) e equatorial (S). **Data nacional:** 1º/10 (Pátria). **Moeda:** naira. **População total:** 158.258.917 (2010).

NIH — National Institutes of Health (Institutos Nacionais de Saúde — EUA).

no sentido de — Não use. Substitua por *para*: *Tomou todos os cuidados para (não: no sentido de) evitar o vazamento da informação*.

Noaa — National Oceanic and Atmospheric Administration (Administração Nacional Atmosférica e Oceânica — EUA).

Nobel — Oxítona, pronuncia-se como *papel* e *Mabel*. 2. Isolado, tem plural: *Ganhou dois Nobéis*. 3. Acompanhado de prêmio, mantém-se invariável: *Dedicou o livro a dois Prêmios Nobel*.

nome (omissão) — Em poucas circunstâncias, o nome da pessoa fica oculto. Pesa, no caso, a necessidade de resguardar a honra, a dignidade ou a segurança. Delinquentes menores de idade, vítimas e acusados de estupro ou atentado violento ao pudor serão referidos com as iniciais. No caso, não se publicarão pormenores capazes de levar à identificação da pessoa (endereço, nome dos pais, vizinhos, parentes). Casos excepcionais devem ser submetidos à direção.

nome próprio (concordância) — Sujeito representado por nome próprio: 1. usado só no plural e precedido de artigo: o verbo concorda com o artigo (*Os Estados Unidos invadiram o Haiti. EUA decidem o campeonato. Os Andes ficam na América do Sul. O Amazonas banha o Brasil e países vizinhos*). 2. Em nome de obras, mesmo no plural acompanhado de artigo, prefira o verbo no singular: Os miseráveis *imortalizou Victor Hugo*. Os pássaros *é um filme de suspense*. 3. usado no plural sem artigo: verbo no singular (*Minas Gerais fica na Região Sudeste. Alagoas tem as praias mais bonitas do país*).

nomes científicos — Escritos em itálico. O primeiro elemento tem inicial maiúscula; o segundo, minúscula: *Coffea arabica* (café), *Rhea americana* (ema), *Aedes aegypti*.

nomes próprios
1. Regra número um: o nome próprio é informação pra lá de importante. Tenha com ele o mesmo cuidado dispensado à apuração da notícia.
2. Regra número dois: escreva o nome da pessoa, brasileira ou estrangeira, viva ou morta, com a grafia adotada publicamente: *Ayrton Senna, Ulysses Guimarães, Rachel de Queiroz, Nora Ney, Antônio Callado, Elizabeth II, Charles de Gaulle, Bill Clinton, Martin Luther King, Albert Einstein, Saddam Hussein, Margaret Thatcher*.
3. Na primeira referência, identifique o personagem pelo nome completo, depois pelo nome por que é mais conhecido: *Fernando Collor*, depois *Collor*; *Ulysses Guimarães*, depois *Ulysses*; *José Sarney*, depois *Sarney*; *Itamar Franco*, depois *Itamar*.

  3.1. Excetuam-se os atletas e artistas, muito mais conhecidos pelo apelido que pelo nome: *Pelé, Madonna, Xuxa, Faustão*.
4. Só mencione raça, cor, religião, etnia ou preferência sexual se houver necessidade para a compreensão da notícia. Numa matéria sobre racismo, negro ou branco se impõem. Numa sobre o movimento gay, homossexual, bissexual, lésbica encontram eco. Numa sobre o crescimento das igrejas evangélicas, a identificação de denominações e religiões pede passagem. Nas demais, a referência corre o risco de tornar-se irrelevante ou preconceituosa.
5. O nome de personagens históricos é normalmente aportuguesado. Se for português, tem a grafia atualizada: *Henrique VIII, Frederico I, Maria Antonieta, Luís XIV, Napoleão Bonaparte, Jesus Cristo,*

Pôncio Pilatos, José de Anchieta, Cristóvão Colombo, Rui Barbosa.

6. Nome de tribo indígena é aportuguesado: *os xavantes, os tupis, os aimorés, os ianomâmis, os astecas*.

6.1. Nomes menos conhecidos escrevem-se na forma antropologicamente fixada. No caso, não têm plural: *os txucarramãe*.

7. Os nomes próprios cuja língua original utiliza alfabeto diferente do latino (árabe, chinês, russo) seguem a transcrição ocidental, geralmente fornecida pelas agências internacionais.

8. Substantivos próprios têm plural como os comuns desde que não descaracterize o nome: *Os Maias, os Ferreiras, os Cavalcantis*. Mas: *os Cavalcanti Proença, os Graça Aranha, os Melo Franco, os Val, os Maciel*.

9. As partículas *de, von, di, va, da* e outras que aparecem em nomes estrangeiros escrevem-se com a inicial minúscula quando estiverem no meio do nome e com maiúscula quando iniciarem o nome: *Charles de Gaulle*, mas *o ex-presidente De Gaulle*; *Leonardo da Vinci*, mas *o pintor Da Vinci*; *Werner von Braun*, mas *o cientista Von Braun*.

10. Não se abreviam os nomes próprios. Ou se usam as formas pelos quais são mais conhecidos, ou se eliminam alguns sobrenomes intermediários: *Franklin Roosevelt*, não *Franklin D. Roosevelt*; *George Marshall*, não *George C. Marshall*; *Jânio Quadros*, não *Jânio da S. Quadros*.

norte — Pede hífen na formação de adjetivos pátrios: *norte-americano, norte-coreano*.

Noruega (a) — **Nome oficial:** Reino da Noruega. **Nacionalidade:** norueguesa. **Localização:** Europa nórdica. **Capital:** Oslo. **Extensão territorial:** 323.895km². **Divisão:** 19 condados. **Cidades principais:** Bergen, Stavanger, Trodheim. **Limites:** Oceano Ártico (N), Federação Russa, Finlândia (NE), Suécia (L), Mar do Norte (S), Oceano Atlântico (O). **Idioma:** norueguês (oficial), lapão. **Governo:** Monarquia parlamentarista. **Religião:** protestante (luteranos). **Hora local:** +4h. **Clima:** temperado oceânico (litoral), temperado continental (interior), frio (N). **Data nacional:** 17/5 (Independência). **Moeda:** coroa norueguesa. **População total:** 4.855.315 (2010).

notebook ou laptop — Computadores portáteis.

Nova York — Adjetivo: *nova-iorquino*.

Nova Zelândia (a) — **Nome oficial:** Nova Zelândia. **Nacionalidade:** neozelandesa. **Localização:** Oceania. **Capital:** Wellington. **Extensão territorial:** 270.986km². **Divisão:** 13 distritos, dois territórios associados, uma dependência. **Cidades principais:** Auckland, Christchurch, Hamilton. **Limite:** Oceano Pacífico. **Idioma:** inglês (oficial), maori. **Governo:** Monarquia parlamentarista. **Religião:** protestante, minoria católica. **Hora local:** +15h. **Clima:** temperado oceânico. **Data nacional:** 6/2 (Pátria). **Moeda:** dólar neozelandês. **População total:** 4.303.457 (2010).

Novacap — Companhia Urbanizadora da Nova Capital do Brasil.

novo-rico — Plural: *novos-ricos*.

números

1. Grafe por extenso os números de um a nove. A partir do 10, extenso só para milhão, bilhão, trilhão e por aí vai: *dois alunos, 100 pessoas, terceiro encontro, 13ª exposição.*

Exceções: 1. data, dia, hora, década, século; 2. idade; 3. dinheiro; 4. endereço; 5. percentagens; 6. pesos, medidas, grandezas, proporções, temperatura; 7. resultados esportivos ou de votação; 8. títulos, subtítulos, legendas e chamadas de primeira página (quando houver necessidade de economizar espaço).

2. Separe por ponto as classes (exceto em datas): *4.316, 1.324.728,* mas *1994.*

3. Só faça aproximação com números redondos: *cerca de 300 pessoas,* nunca *cerca de 92 pessoas.*

4. Use algarismos e palavras para números redondos: *40 mil, 24 milhões, 7 bilhões* (Só recorra à forma reduzida em títulos ou tabelas: mi, bi ou tri para milhão, bilhão ou trilhão).

> 4.1. Para escrever os números quebrados até centenas de milhar, só os algarismos têm vez: *5.436, 24.312, 345.126.* O número decimal se emprega partir de um milhão: *42,6 milhões; 1,4 bilhão.*
>
> 4.2. Na impossibilidade de arredondar, use só algarismos: *1.386.178.*

5. No início do período, dê passagem ao numeral por extenso: *Vinte e cinco textos foram produzidos nas últimas horas.* (Sempre que possível, dê novo torneio à frase para não iniciar o período com o numeral: *Nas últimas horas, foram produzidos 25 textos.*)

6. Endereços e telefones devem ser escritos sem barra (309/310). A razão: o sistema lê o número como fração. Melhor recorrer a outro meio: *309 — 310, 222--2324 e 333-3231, 222-2222, 333-3333 e 4444-4444.*

números ordinais — Na numeração de artigos de leis, decretos, medidas provisórias & gangue, use o ordinal até nove. De 10 em diante, o cardinal: *artigo 1º, artigo 9º, artigo 10, artigo 17.* O primeiro dia do mês é *1º,* não *um.*

números romanos — Os números romanos oferecem mais dificuldade de leitura que os arábicos. São uma pedra no caminho. Dê-lhes vez só em texto de lei e no nome de papas, reis e nobres: *Bento XVI, D. João VI, Dom Pedro II, Parágrafo 1º... V.* No mais, abra alas para os algarismos arábicos: *século 20, capítulo 3º, Anexo 1, 1ª Guerra Mundial, 4º Congresso de Educação a Distância, 3ª República.*

núpcias — Sempre no plural.

O

ó — 15ª letra do alfabeto. Plural: *ós, oo.*

o/a — Veja **lhe/o**.

ó/oh! — *Ó* acompanha o vocativo: *Ó Paulo, venha cá. Deus, ó Deus, onde estás? Calem-se, ó criaturas incrédulas.* 2. *Oh!* é interjeição que exprime espanto ou admiração: *Oh! Que beleza! Oh! Maravilha!*

o qual/que — Use *o qual* se o pronome for antecedido de preposição com mais de uma sílaba. Se não for, prefira *que*: *O livro de que lhe falei está esgotado. O* *livro sobre o qual lhe falei está esgotado. O público perante o qual se pronunciou manteve-se indiferente.*

OAB — Ordem dos Advogados do Brasil.

obedecer — Rege a preposição *a*: *Os moradores obedeceram à ordem de recolher. Obedeço ao regimento.*

obra-prima — Plural: *obras-primas*.

obrigado — *Ele diz obrigado. Ela, obrigada. Eles, obrigados. Elas, obrigadas.*

obuseiro — Arma ou peça de artilharia. Dispara tiros em ângulos elevados (de até 60°) contra o alvo (veja **armas de artilharia, calibre** e **modo de alimentação**).

OCDE — Organização para a Cooperação e Desenvolvimento Econômico (Organization for Economic Co-operation and Development).

oclusão — Fechamento ou obstrução.

octogenário — Assim.

óculos — É substantivo plural: *os óculos, meus óculos, óculos escuros.*

odiar — Apresenta irregularidade no presente do indicativo (*odeio, odeias, odeia, odiamos, odiais, odeiam*), presente do subjuntivo (*odeie, odeies, odeie, odiemos, odieis, odeiem*), imperativo afirmativo (*odeia tu, odeie você, odiemos nós, odiai vós, odeiem vocês*) e imperativo negativo (*não odeies, não odeie, etc.*). As demais formas são regulares.

ODIHR — Gabinete das Instituições Democráticas e Direitos Humanos.

OEA — Organização dos Estados Americanos (Organization of American States).

OEDT — Observatório Europeu da Droga e da Toxicodependência.

OEI — Organização dos Estados Ibero-americanos para a Educação, a Ciência e a Cultura (Organization of Ibero-American States).

off — Redução de *off the record*: declaração em off.

off-line — Escreve-se assim, com hífen.

oh! — Ver **ó/oh!**.

Oiac — Organização Internacional da Aviação Civil.

OIC — Organização Internacional do Café (International Coffee Organization).

OIMT — Organização Internacional de Madeiras Tropicais.

OIT — Organização Internacional do Trabalho (International Labour Organization).

Olade — Organização Latino-Americana de Energia.

Olaf — Organismo Europeu de Luta Antifraude.

Oled — tecnologia que proporciona telas mais leves, mais maleáveis e mais finas que as LCD. Sigla de Organic Light-Emitting Diode ou diodo emissor de luz orgânica.

Olimpíada — Jogos Olímpicos.

OLP — Organização para a Libertação da Palestina.

Omã — **Nome oficial:** Sultanato de Omã. **Nacionalidade:** omani. **Localização:** Oriente Médio. **Capital:** Mascate. **Extensão territorial:** 212.457km². **Divisão:** oito governadorias. **Cidades principais:** Salah, Ibri, Suhar. **Limites:** Golfo de Omã, Estreito de Ormuz (N), Mar da Arábia (L e s), Iêmen (SO), Arábia Saudita, Emirados Árabes Unidos (O). **Idioma:** árabe (oficial), hindi, balúchi. **Governo:** Monarquia islâmica (sultanato). **Religião:** islâmica, minoria hindu. **Hora local:** +7h. **Clima:** árido tropical. **Data nacional:** 8/11 (Aniversário do Sultão). **Moeda:** rial omani. **População total:** 2.905.114 (2010).

ombudsman — Sem grifo.

OMC — Organização Mundial do Comércio (World Trade Organization).

Omep — Organização Mundial para Educação Pré-Escolar (World Organization for Early Childhood Education).

OMI — Organização Marítima Internacional.

OMM — Organização Meteorológica Mundial.

Ompi — Organização Mundial da Propriedade Intelectual (ONU).

OMS — Organização Mundial da Saúde (World Health Organization).

OMT — Organização Mundial do Turismo (World Tourism Organization).

onde/em que — Indica lugar físico: *a cidade onde moro, o lugar onde guardei, as palmeiras onde canta o sabiá.* Não é lugar físico? Use *em que*: *Na palestra em que falou sobre a crise americana, o presidente recebeu entusiasmados aplausos.*

ONG — organização não governamental.

on-line — Escreve-se assim, com hífen.

on-line — Sem grifo.

ONS — Operador Nacional do Sistema Elétrico.

ONU — Organização das Nações Unidas (United Nations).

Onudi — Organização das Nações Unidas para o Desenvolvimento Industrial.

Oops — Organismo de Obras Públicas e Socorro das Nações Unidas para os Refugiados da Palestina no Oriente Próximo.

Opaq — Organização para a Proibição de Armas Químicas (ONU).

Opep — Organização dos Países Exportadores de Petróleo (Organization of the Petroleum Exporting Countries).

opor veto — Prefira *vetar*.

óptico/ótico — 1. *Óptico* é relativo à visão (músculo óptico, fibra óptica). 2. Para definir ponto de vista ou o estudo da luz, é preferível a forma *ótica*: *ilusão de ótica, estudo da ótica*. 3. *Ótico*, relativo ou pertencente ao ouvido: *músculo ótico*.

Opus Dei — É masculino: *o Opus Dei*.

Ora — Veja **hora/ora**.

ora bolas — Veja **ora**.

órtese — Dispositivo de sustentação para uso ortopédico, como muletas, bengalas e andadores.

Orto — Pede hífen quando seguido de *h* ou *o*. Nos demais casos, é tudo junto: *orto-hexagonal, orto-hidrogênico, orto--oxibenzoico, ortopedia, ortomolecular, ortodontia*.

Oscar — Plural: *Oscars*.

Oscip — Organização da Sociedade Civil de Interesse Público.

OSTNCS — Orquestra Sinfônica do Teatro Nacional Cláudio Santoro (DF).

Otan — Organização do Tratado do Atlântico Norte (North Atlantic Treaty Organization).

ótico/óptico — Veja **óptico/ótico**.

ou seja — Invariável, escreve-se sempre entre vírgulas: *Falou 120 minutos, ou seja, duas horas.*

ou... ou (concordância) — Com os núcleos ligados pelas conjunções *ou...ou*, é necessário verificar a relação estabelecida: 1. se indicar exclusão ou sinonímia, o verbo vai para o singular: *Ou Serra ou Dilma seria presidente do Brasil.* 2. se exprimir inclusão (= e), o verbo vai para o plural: *Casamento ou divórcio são regulamentados por lei.* 3. se for retificação, o verbo concorda com o núcleo mais próximo: *Os autores ou o autor da melhor reportagem receberá o prêmio. O autor ou os autores da melhor reportagem receberão o prêmio. Ele ou nós redigiremos o requerimento.*

out-commerce — Compras pela TV, com o controle remoto.

outra alternativa — É redundante. Basta *alternativa*.

overbooking — Assim, sem grifo.

P

P — 16ª letra do alfabeto. Plural: *pês, pp.*

PAC — Programa de Aceleração do Crescimento.

padre-nosso (pai-nosso) — Plural: *padres-nossos* ou *padres-nossos*; *pai-nossos, pais-nossos.*

Palau — **Nome oficial:** República de Palau. **Nacionalidade:** palauense. **Localização:** Oceania. **Capital:** Koror. **Extensão territorial:** 459km². **Divisão:** 16 estados. **Cidades principais:** Koror, Meyuns. **Limite:** Oceano Pacífico. **Idioma:** inglês, palauense (oficiais). **Governo:** República presidencialista. **Religião:** católica, protestante, crenças tradicionais. **Hora local:** +11h. **Clima:** tropical. **Data nacional:** 1º/10 (Independência). **Moeda:** dólar americano. **População total:** 20.518 (2010).

palavras derivadas de nomes estrangeiros — Veja **estrangeirismos**.

palavras estrangeiras — ad aeternum, ad hoc, ad infinitum, affair, after hours, à la carte, alma mater, apartheid, a priori, a posteriori, approach, apud, avant-première, baby-beef, baby-sitter, baby-doll, background, backup, best-seller, bit, black tie, blazer, blitz, bon vivant, booking, boom, brandy, briefing, bug, button, byte, causa mortis, check-in, check-up, ciber, clipping, coffee break, commodity, copy, CPU, crack, crash, crayon, crème de la crème, curriculum vitae, dancing, data venia, deadline, delivery, démodé, design, détente, disk-jockey, display, doping, download, drag queen, drive, drive-in, dumping, ecstasy, e-mail, en passant, en petit comité, establishment, expert, expertise, ex-libris, fair play, fast-food, feedback, feeling, ferryboat, fiat lux, flash, flashback, fog, footing, freelance, freelancer, freezer, frisson, full time, game, garçonnière, gay, gentleman, glamour, glasnost, globe-trotter, gourmand, gourmet, ghost-writer, girl, good bye, gruyère (queijo), habeas corpus, habeas data, habitat, hacker, hall, Halloween, handicap, happening, happy end, happy hour, hard news, hardware, high fidelity, high-tech, hippie, hit, hit parade, hobby, holding, home page, Homo sapiens, honoris causa, hors-concours, hors-d´oeuvre, hostess, hot dog, hot money, iceberg, impeachment, imprimatur, in extremis, influenza, in limine, in loco, in memoriam, in natura, input, inside information, insight, intelligentsia, internet, interview, in vitro, ipsis litteris, ipsis verbis, jazz, jazz-band, jeans, jet ski, jet set, jingle, jogging, joint venture, kart, ketchup, kibutz, kitsch, know-how, kung fu, lady, laissez-faire, laser, lato sensu, layout, leasing, leitmotiv, link, living, lobby, long-play, look, Lycra, mademoiselle, mais-valia, maître, make-up, manager, marchand, marketing, marine, mass media, match, mea-culpa, media criticism, meeting, mega-hertz, megawatt, ménage, ménage à trois, merchandising, mignon, mise-en-scène, miss, mix, modus operandi, modus vivendi, mouse, music hall, mutatis mutandis, nécessaire, neon, network, new age, new-look, New Deal, new wave, nihil obstat, nobreak, notebook, nouveau riche, nouvelle vague, off, office boy, off-line, off-the-record, offset, offshore, ombudsman, on, on-line, open market, opus, outdoor, output, outsider, overnight, paella, page maker, paintball, paparazzo (plural: paparazzi), pari passu, pas de deux, pâté de foie gras, pâtisserie, patronnesse, pedigree, pendant, per capita, perestroika, performance, per saecula saeculorum, persona grata, persona non grata, petit-pois, pif-paf, pizza, playback, playboy, playground, plush, pogrom, pole position, poodle, pool, pop, portrait, post-mortem, postscriptum, pot-pourri, prêt-à-porter, preview, print, pro forma, promoter, pub, publisher, punk, quiche, quilo-hertz, quilovolt, quilowatt, quilowatt-hora, quitinete, ragtime, rail, railway, ranking, rave, ray-ban, réchaud, reggae, relax, release, rentrée, replay, resort, réveillon, rock and roll, rock-'n'-roll, Roquefort, rottweiler, round, royalty, rush, sacré-coeur, sale, saquê, sashimi, savoir-faire, savoir-vivre, sax, scholar, scotch, script, Seicho-no-iê, self-made man, self-service, set, sex appeal, sexy, shopping center, short, show, showbiz, show business, showman, showroom, sic, sine die, sine qua non, Sioux, sir, site, skate, slide, slogan, smart money, smoking, soccer, socialite, soft news, software, soirée, sommelier, spalla, sportswear, spot, spread, squash, staff, standard, stand-by, status, status quo, stricto sensu, striptease, sui generis, superstar, surfe, talk show, teen, teenager, tertius, tête-à-tête, thrash, thriller, topless, top model, trailer, traveling, training, trash, traveler's check, T-shirt, turnover, tweed, twist, underground, up-to-date, vade-mécum, vaudeville, vernissage, versus, Viking, vis-à-vis, voile, volt, voucher, vox populi, voyeur, waiver, walkie-talkie, web, web design, webmaster, weekend, welfare state, western, winchester, windsurfe, workaholic, workshop, yin-yang, yuppie, zen, zoom.

palavras politicamente incorretas — Há palavras e palavras. Algumas informam. Outras emocionam. Há as que mobilizam para a ação. Todas têm hora e vez. Cuidado especial merecem as que ofendem ou reforçam preconceitos. Grupos organizados — movimento negro, movimento gay, movimento feminista — estão atentos aos vocábulos politicamente incorretos. Recomenda-se cuidado para não ofender nem agredir o leitor. Mas não exagere. Cabeleireiro é cabeleireiro, não hair stylist. Costureira é costureira, não estilista de moda (outra especialidade). Manicure é manicure, não esteticista de unhas. Empregada doméstica é empregada doméstica, não secretária do lar. Dona de casa é dona de casa, não do lar ou especialista em prendas domésticas. Cego é cego, mudo é mudo, surdo é surdo, surdo-mudo é surdo-mudo. Pessoa com deficiência nem sempre tem a precisão desses termos. Quando necessário, use-os sem constrangimento.

Alto, baixo, gordo, magro, grande, pequeno são relativos. Alguém pode ser alto para uns e baixo para outros. Diga a altura, o peso, o tamanho: *1,95m, 50kg, 300km*.

Cor, idade, peso, altura, origem, condição social e preferências sexuais são as principais vítimas. Negro é raça. Nessa acepção, use-o sem pensar duas vezes. Pelé é negro. Não é escurinho, crioulo, negrinho, moreno, negrão ou de cor. Evite o adjetivo em expressões de conotação negativa. Em vez de *nuvens negras*, prefira *nuvens pretas* ou *escuras*. Em lugar de *lista negra*, fique com *lista dos maus pagadores*. Apague *denegrir* de seu dicionário. Prefira comprometer. Quer indicar cor? O preto está às ordens. Gordão? Nem pensar. Diga o peso. Paraíba e cabeça-chata? É preconceito. Identifique o estado de origem com precisão (paraibano, pernambucano, cearense). Bicha, veado, sapatão? Xô! Fique com homossexual, gay, lésbica.

Mais: diga chinês, coreano, japonês (não: japa, china, amarelo), idoso (não: velho, decrépito, gagá, pé na cova), lésbica (não: sapatão, pé 44), maltratar (não: judiar), pobre pessoa de baixa renda (não: pobretão, pé de chinelo, ralé, mulambento, raia miúda, povão), pessoa com deficiência (não: portador de deficiência, deficiente físico, deficiente mental), religioso (não: papa-hóstia, igrejeiro, carola), travesti (não: traveco, boneca, bicha).

palavrões — Os leitores são sensíveis. Indignam-se com palavrões, obscenidades e expressões chulas. Acolha-as só em situações excepcionais. É o caso da manifestação de alguém quando a palavra tiver indiscutível valor informativo ou reflita a personalidade de quem a profere. Evite escrevê-la por extenso. A envergonhada terá só a primeira letra grafada seguida de reticências: *filho da puta (filho da p...).*

palmtop e pocket PC — Computadores de mão. Têm agenda de contatos, programa para escrever e editar textos, calculadora, programas para a criação de planilhas (como o Excel). Os mais modernos têm até câmera digital e tocadores de MP3. Têm capacidade de se conectar à internet, enviar e receber e-mails. A diferença principal entre um palmtop e um pocket PC é o sistema operacional. O pocket PC usa Windows. Os palmtops usam, na maior parte das vezes, o sistema Palm OS. Esses sistemas têm visual distinto e algumas diferenças de funcionalidade.

pan — Pede hífen quando seguido de *vogal, h, m* e *n*. No mais, escreve-se tudo junto: *pan-americano, pan-ortodoxo, pan-helênico, pan-mágico, pan-negritude, pandemia, pancristão*.

Panamá (o) — **Nome oficial:** República do Panamá. **Nacionalidade:** panamenha. **Localização:** América Central (istmo). **Capital:** Cidade do Panamá. **Extensão territorial:** 75.517km². **Divisão:** nove províncias, três reservas indígenas autônomas. **Cidades principais:** San Miguelito, Tocumen, David. **Limites:** Mar do Caribe (N), Colômbia (L), Golfo do Panamá, Oceano Pacífico (S), Costa Rica (O). **Idioma:** espanhol (oficial), guaymi, kuna. **Governo:** República presidencialista. **Religião:** católica, minorias protestante e islâmica. **Hora local:** -2h. **Clima:** equatorial. **Data nacional:** 11/10 (Revolução), 3/11 (Independência). **Moeda:** balboa. **População total:** 3.508.475 (2010).

papanicolau — Exame de rotina para controle de infecções e prevenção de câncer uterino. Leva o nome do médico que desenvolveu o exame. Grafa-se com inicial minúscula.

Paped — Programa de Apoio à Pesquisa em Educação a Distância.

papel-moeda — Plural: *papéis-moeda*.

Papua-Nova Guiné — **Nome oficial:** Papua-Nova Guiné. **Nacionalidade:** papua. **Localização:** Oceania. **Capital:** Port Moresby. **Extensão territorial:** 462.840km². **Divisão:** 20 províncias. **Cidades principais:** Lae, Arawa, Mount Hagen, Madang. **Limites:** Oceano Pacífico (N), Mar das Ilhas Salomão (L), Mar dos Corais, Estreito de Torres (S), Papua (O). **Idioma:** dialeto melanésio, inglês, inglês crioulo (oficiais), cerca de 700 dialetos regionais. **Governo:** Monarquia parlamentarista. **Religião:** protestante, católica, com minorias que professam crenças tradicionais das tribos do país. **Hora local:** +13h. **Clima:** equatorial. **Data nacional:** 16/9 (Independência). **Moeda:** kina. **População total:** 6.888.387 (2010).

Paquistão (o) — **Nome oficial:** República Islâmica do Paquistão. **Nacionalidade:** paquistanesa. **Localização:** Ásia meridional (Indostão). **Capital:** Islamabad. **Extensão territorial:** 796.095km². **Divisão:** quatro províncias, dois territórios. **Cidades principais:** Karachi, Lahore, Faisalabad, Rawalpindi, Multan, Hyderabad. **Limites:** Afeganistão (N), China (NE), Índia (L), Mar da Arábia (S), Golfo de Omã (SO), Irã (O). **Idioma:** urdu (oficial), punjábi, sindi, pashtu, balúchi, pathan, inglês. **Governo:** República parlamentarista. **Religião:** islâmica, minorias cristã e hindu. **Hora local:** +8h. **Clima:** árido subtropical. **Data nacional:** 23/3 (Pátria), 14/8 (Independência). **Moeda:** rupia paquistanesa. **População total:** 184.753.300 (2010).

para — Forma do verbo parar (*eu paro, ele para*). Na composição, pede hífen: *para-brisa, para-choque, para-lama, para-estilhaços*. Exceção: *paraquedas, paraquedista, paraquedismo*.

para — Pede hífen quando seguido de *a*. No mais, é tudo colado: *para-axial, parapsicologia, paranormal*.

Pará (o) — **Capital:** Belém. **Situação geográfica:** centro da Região Norte. **Área:** 1.247.950,003km². **Número de municípios:** 143. **Cidades principais:** Santarém, Marabá, Altamira, Castanhal, Abaetetuba. **Limites:** Suriname, Amapá (N), Oceano Atlântico (NE), Maranhão, Tocantins (L), Mato Grosso (S), Roraima, Guiana (NO), Amazonas (O). **População total:** 7.588.078 (2010). **Gentílico/estado:** paraense. **Gentílico/capital:** belenense. **Hora local em relação a Brasília:** o mesmo a leste da linha que vai da foz do Rio Jari à foz do Rio Xingu, -1h a oeste dessa linha.

para eu/para mim — 1. O *eu* funciona como sujeito. É seguido de verbo no infinitivo: *Mandou o livro para eu ler. Fez o almoço para eu comer. Correram para eu lhes apreciar o preparo físico.* 2. *Mim* tem a função de complemento: *Deu o livro para mim. Trabalha para mim. Telefonou para mim antes de viajar.* 3. Há frases construídas em ordem inversa que parecem erradas, mas não são. Compare: *Trabalhar à noite é difícil para mim. Para mim trabalhar à noite é difícil.*

parada cardíaca — Condição na qual há abrupta ausência de batimentos cardíacos por causas diversas. Não é a causa de morte, mas resultado de processo anterior que precisa ser informado ao leitor.

parágrafo — Parágrafo é uma unidade de composição. Desenvolve uma ideia central e tantas secundárias quantas se fizerem necessárias para sustentá-la. Em geral tem duas partes: a introdução e o desenvolvimento. De 20 em 20 linhas, coloque um intertítulo — de uma só palavra, em negrito.

Paraguai (o) — **Nome oficial:** República do Paraguai. **Nacionalidade:** paraguaia. **Localização:** América do Sul. **Capital:** Assunção. **Extensão territorial:** 406.752km². **Divisão:** 19 departamentos. **Cidades principais:** Ciudad Del Este, San Lorenzo, Luque, Capiatá. **Limites:** Bolívia (N), Brasil (L), Argentina (S e O). **Idioma:** espanhol (oficial), guarani. **Governo:** República presidencialista. **Religião:** católica. **Hora local:** -1h. **Clima:** tropical seco, subtropical. **Data nacional:** 1º/3 (Heróis), 14/5 (Independência). **Moeda:** guarani. **População total:** 6.459.727 (2010).

Paraíba (a) — **Capital:** João Pessoa. **Situação geográfica:** leste da Região Nordeste. **Área:** 56.469,466km². **Número de municípios:** 223. **Cidades principais:** Campina Grande, Santa Rita, Patos, Bayeux, Souza. **Limites:** Rio Grande do Norte (N), Oceano Atlântico (L), Pernambuco (S), Ceará (O). **População total:** 3.766.834 (2010). **Gentílico/estado:** paraibano. **Gentílico/capital:** pessoense. **Hora local em relação a Brasília:** a mesma.

paralelismo — Trata-se do lé com lé, cré com cré. Termos e orações com funções iguais devem ter estruturas iguais. Se, por exemplo, um verbo pede dois objetos diretos, eles devem ter a mesma construção sintática. Misturar estruturas é pisar o paralelismo. Assim: *Ele negou interesse no programa e que o telefonema do empresário revelasse relação com a CPI do Orçamento.*

Ele negou dois fatos: a) interesse no programa e b) que o telefonema do empresário revelasse relação com a CPI do

Orçamento. Os dois fatos, por serem objetos diretos do mesmo verbo (negou), deveriam ter a mesma estrutura: ou os dois nominais ou os dois verbais:

Ele negou interesse no programa e a relação do telefonema do empresário com a CPI do Orçamento. Ou: *Ele negou que tivesse interesse no programa e que o telefonema do empresário revelasse relação com a CPI do Orçamento.*

Cuidado com o *e que*. Só se pode empregá-lo quando houver o primeiro quê, claro ou subentendido. Na falta dele, o paralelismo estará sendo desrespeitado: *As pesquisas revelam grande número de indecisos e que pode haver segundo turno no Distrito Federal* (corrigindo: *as pesquisas revelam grande número de indecisos e a possibilidade de segundo turno no Distrito Federal*). *Os trabalhadores precisam assegurar o poder de compra dos salários e que seja mantida a garantia de emprego* (corrigindo: *os trabalhadores precisam garantir o poder de compra dos salários e manter a garantia do emprego*).

Paraná (o) — **Capital:** Curitiba. **Situação geográfica:** norte da Região Sul. **Área:** 199.316,694km². **Número de municípios:** 399. **Cidades principais:** Londrina, Maringá, Ponta Grossa, Foz do Iguaçu, Cascavel. **Limites:** São Paulo (N e NE), Oceano Atlântico (O), Santa Catarina (S), Argentina (SO), Paraguai (O), Mato Grosso do Sul (NO). **População total:** 10.439.601 (2010). **Gentílico/estado:** paranaense. **Gentílico/capital:** curitibano. **Hora local em relação a Brasília:** a mesma.

paraplégico — Pessoa com paralisia da parte inferior do corpo (membros inferiores e parte do tronco). A paralisação motora nem sempre atinge a sensibilidade das regiões paralisadas.

paraquedas (e derivados) — Escreve-se sem hífen: *paraquedismo, paraquedista.*

parar — A 3ª pessoa do singular do presente do indicativo perdeu o acento: *eu paro, ele para, nós paramos, eles param.*

parecer — Texto opinativo lançado em processo judicial pelo Ministério Público para considerar criminosa ou não a conduta de pessoa processada, ou fixar responsabilidades de alguma ou de algumas partes em demandas que envolvam interesse público. À Procuradoria-Geral da República, instância de cúpula do Ministério Público, cabe, também, emitir parecer interpretativo para eliminar dúvidas sobre a forma de a administração pública cumprir determinadas leis.

parênteses — Use parênteses para:

1. Indicar o partido de um político sobre o qual se está falando: *O senador Pedro Simon (PMDB-RS).*

2. Na indicação de procedência, informar o estado ou o país a que a cidade pertence: *Jaboticabal (SP) — Cancún (México).*

3. Os parênteses, o estado e o país devem vir em negrito, seguidos de travessão.

4. Separar a palavra sic, cuja função é demonstrar a fidelidade a algum trecho transcrito por mais estranho ou errado que possa ser: *Existem menas (sic) mulheres que homens em cargos de direção.*

5. Isolar passagens que se desviam da sequência lógica do enunciado para, por exemplo, circunscrever uma reflexão,

incluir um comentário paralelo ou encaixar uma explicação: *Se eu fosse Henry Kissinger (o que seria interessante para mim e péssimo para o mundo), teria feito um grande discurso na Conferência de Chanceleres Americanos em Tlatelolco. "Suplico-vos, pelas entranhas de Cristo, que admitais a possibilidade de estardes errados" (Cromwell, falando aos escoceses antes da batalha de Dunbar).*

6. Informar as referências bibliográficas: *Chatô, o rei do Brasil (Companhia das Letras, 736 páginas, R$ 28,00), conta a vida do cidadão Kane brasileiro. "A arte da negociação é a conjugação de um verbo irregular: eu sou teimoso, tu és intransigente, ele é um espírito de porco" (Bertrand Russell).*

7. Indicar a equivalência em real de valor expresso em moeda estrangeira.

Observação:

1. Os termos inclusos nos parênteses se escrevem com letra inicial minúscula, salvo se forem nomes próprios ou siglas.

2. Só se escreve com a letra inicial maiúscula o enunciado que constitui uma oração à parte, independente, precedida, em geral, de ponto-final. No caso, a oração que está dentro dos parênteses tem o ponto-final dentro, antes de fechar os parênteses: *As salas de aula estavam em absoluto silêncio. (Era ponto facultativo.)*

3. A oração intercalada nos parênteses conservará o próprio sinal de pontuação, sem interferir na pontuação da oração principal: *Collor (quem diria?) chegou à Presidência da República. A sesta de todos os dias (como era bom!) me deixava bem disposto.*

4. Os parênteses não interferem na pontuação. Se necessário, o sinal de pontuação vem depois deles: *Segundo o senador Aloizio Mercadante (PT-SP), o governo deve reeditar a medida provisória.*

paresia — Paralisia moderada ou fraqueza dos membros.

Parkinson — A doença de Parkinson se caracteriza por estado neurológico de tremores e rigidez muscular.

particípio — Os particípios concordam com o substantivo a que se referem: *dada a relação, dadas as relações, dado o conhecimento, dados os conhecimentos, vista a autora, vistos os processos.*

Pasep — Programa de Formação do Patrimônio do Servidor Público.

passear — Conjugação: Nos presentes do indicativo e do subjuntivo, o verbo recebe um *i* na primeira, segunda e terceira pessoa do singular e na terceira pessoa do plural (eu passeio, tu passeias, ele passeia, nós passeamos, vós passeais, eles passeiam/eu passeie, tu passeies, ele passeie, nós passeemos, vós passeeis, eles passeiem). Os demais tempos são regulares, sem *i*.

PB (petabyte) — Unidades de medida de memória tanto RAM quanto em disco rígido.

PC — Personal computer, ou computador pessoal. PC pode ser usado alternadamente com *computador, micro* ou *desktop.*

PCB — Partido Comunista Brasileiro.

PCDF — Polícia Civil do Distrito Federal.

PCdoB — Partido Comunista do Brasil.

PCN — Parâmetros Curriculares Nacionais.

PCO — Partido da Causa Operária.

PDDE — Programa Dinheiro Direto na Escola.

PDT — Partido Democrático Trabalhista.

PDV — Programa de Demissão Voluntária.

Pê — Nome da 16ª letra do alfabeto. Plural: *pês, pp.*

pé-de-meia — Mantém o hífen.

pedir — 1. Constrói-se com objeto direto de coisa pedida e indireto de pessoa: *Pediu o livro (obj. direto) ao professor (obj. indireto). O diretor pediu-lhe (obj. indireto) que saísse (obj. direto).* 2. Só use *pedir para* se estiver expresso ou subentendido o objeto direto *licença*: *Pediu licença para sair. Pediu ao diretor (licença) para participar da reunião.*

> **pegado/pego** — 1. Modernamente o particípio *pego* se emprega com todos os auxiliares: *foi pego, está pego, havia pego, tinha pego.*
> 2. Prefira a forma *pegado* com os auxiliares ter e haver: *havia pegado, tinha pegado.*

penalizar/punir — 1. *Penalizar* pertence à família de pena (piedade). Significa sentir ou causar pena, desgosto, aflição: *O candidato penalizou-se diante de tanta dor.* 2. *Punir* tem o sentido de castigar, prejudicar: *A lei pune os faltosos. A medida provisória era injusta por punir não só as escolas que elevavam abusivamente os preços, mas também as que não o faziam. A inflação pune o pobre.*

pênalti — Essa é a forma aportuguesada.

penta — Pede hífen quando seguido de *h* ou *a*. No mais, é tudo junto: *penta-hexaedro, penta-atleta, pentacampeão, pentassílabo.*

per capita — Sem grifo.

pera — Escreve-se sem acento.

percentagem — Veja **porcentagem**.

perda — Ato de perder. Não confunda com *perca*, presente do subjuntivo do verbo perder: *A perda de peso constitui desafio para os obesos. É importante que eu perca peso.*

perder/ganhar — 1. Perder rege a preposição *para*: *O Brasil perdeu para o Uruguai.* 2. Ganhar pede a preposição *de*: *O São Paulo ganhou do Palmeiras.*

Pernambuco — **Capital:** Recife. **Situação geográfica:** centro-leste da Região Nordeste. **Área:** 98.146,315km². **Número de municípios:** 185. **Cidades principais:** Jaboatão dos Guararapes, Olinda, Caruaru, Paulista, Petrolina, Cabo, Vitória de Santo Antão. **Limites:** Paraíba (N), Ceará (NO), Oceano Atlântico (L), Alagoas (S e SE), Bahia (S), Piauí (O). **População total:** 8.796.032 (2010). **Gentílico/estado:** pernambucano. **Gentílico/capital:** recifense. **Hora local em relação a Brasília:** a mesma.

personagem — Feminino ou masculino, tanto faz: *Emília é a personagem mais popular de Monteiro Lobato. Emília é o personagem mais popular de Monteiro Lobato.*

Peru (o) — **Nome oficial:** República do Peru. **Nacionalidade:** peruana. **Localização:** América do Sul. **Capital:** Lima. **Extensão territorial:** 1.285.216km². **Divisão:** 24 departamentos. **Cidades principais:** Arequipa, Trujillo, Callao, Chiclayo. **Limites:**

Equador, Colômbia (N), Brasil, Bolívia (L), Chile (S), Oceano Pacífico (O). **Idioma:** espanhol, quéchua, aimará (oficiais). **Governo:** República presidencialista. **Religião:** católica, minoria protestante. **Hora local:** -2h. **Clima:** árido tropical. **Data nacional:** 28/7 (Independência). **Moeda:** sol novo. **População total:** 29.496.120 (2010).

pesos e medidas

1. Só abrevie os pesos e medidas do sistema decimal: quilo (kg), metro (m), tonelada (t). Os demais são usados por extenso (alqueire, acre), indicado o equivalente entre parênteses.

2. Use abreviaturas só com algarismos, nunca com combinação de algarismos e palavras: *32,2t; 1,65m; 112,57kg*, mas *120 mil toneladas*.

3. No emprego das abreviaturas dos pesos e medidas, adote o mesmo procedimento da indicação de horas: sem ponto depois da abreviatura, sem o signo de plural e sem espaço depois do número: *324km, 12cm, 136t*.

4. Salvo em quadros e tabelas, escreva por extenso as medidas de área e volume: metros quadrados, metros cúbicos (se no texto houver mais de uma referência a essas medidas, pode-se usar a abreviatura a partir da segunda referência).

Petrobras — Petróleo Brasileiro S.A.

PF — Polícia Federal.

PFL — Partido da Frente Liberal (extinto).

PGDF — Procuradoria-Geral do Distrito Federal.

PGR — Procuradoria-Geral da República.

Ph.D. — Abreviatura do latim *philosophiae Doctor*, doutor em filosofia.

PHS — Partido Humanista da Solidariedade.

Piauí (o) — **Capital:** Teresina. **Situação geográfica:** noroeste da Região Nordeste. **Área:** 251.576,644km². **Número de municípios:** 224. **Cidades principais:** Parnaíba, Picos, Floriano. **Limites:** Oceano Atlântico (N), Ceará, Pernambuco (L), Bahia (SE e S), Tocantins (SO), Maranhão (O). **População total:** 3.119.015 (2010). **Gentílico/estado:** piauiense. **Gentílico/capital:** teresinense. **Hora local em relação a Brasília:** a mesma.

PIE — Produtor Independente de Energia.

pior/a pior/o pior — Veja **melhor/a melhor/o melhor**.

pirata — Na função de adjetivo, escreve-se sem hífen: *rádio pirata, navios piratas*.

PIS — Plano de Integração Social.

Pisa — Programa Internacional de Avaliação de Alunos.

pistola — Arma portátil de alimentação semiautomática (veja **armas portáteis**, **calibre** (armas portáteis) e **modo de alimentação**).

pistola-metralhadora — Usamos o termo popular metralhadora de mão (veja verbete). Arma automática. Dispara rajadas de projetis em calibre de pistola (veja **armas portáteis, calibre** (armas portáteis) e **modo de alimentação**). De uso privativo das Forças Armadas e polícias estaduais e federal.

PL — Partido Liberal (extinto).

Plano Real — Nome próprio, escreve-se com as iniciais maiúsculas.

pleito/preito — 1. *Pleito* é eleição, litígio, pedido: *o pleito dos trabalhadores, o pleito presidencial*. 2. *Preito* significa homenagem: *preito pelos serviços prestados*.

pleonasmos — abertura (inaugural), abusar (demais), acabamento (final), (ainda) continua, (ainda) se mantém, almirante (da Marinha), alvo (certo), amanhecer (o dia), assessor direto (não existe indireto), a seu critério (pessoal), avançar (para frente), a razão é (porque), brigadeiro (da Aeronáutica), certeza (absoluta), colaborar (com uma ajuda), comparecer (pessoalmente), com (absoluta) correção, como (por exemplo), compartilhar (conosco), (completamente) vazio, comprovadamente (certo), consenso (geral), continua a (permanecer), continua (ainda), conviver (junto) com, criar (novo), (demasiadamente) excessivo, crescer (para baixo), destaque (excepcional), de sua (livre) escolha, detalhes (minuciosos), elo (de ligação), em duas metades (iguais), empréstimo (temporário), encarar (de frente), entrar (para dentro), epílogo (final), erário (público), escolha (opcional), estrear (novo), eu (particularmente), exceder (em muito), experiência (anterior), exultar (de alegria), fato (real), frequentar (constantemente), ganhar (grátis, de graça), gritar (bem alto), há... atrás, habitat (natural), individualidade (inigualável), já... mais (já não faz (mais) isso; não faz mais isso), jantar (de noite), (juntamente) com, lançar (novo), luzes (acesas) — as lâmpadas é que estão acesas ou apagadas, manter (a mesma), medidas extremas (de último caso), minha opinião (pessoal), monopólio (exclusivo), multidão (de pessoas), número (exato), obra-prima (principal), (outra) alternativa, país (do mundo), panorama (geral, amplo), particularmente (do meu ponto de vista), passatempo (passageiro), (pequenos) detalhes, planejar (antecipadamente), planos (para o futuro), pode (possivelmente ocorrer), pôr algo em seu (próprio) lugar, pôr algo em seu (respectivo) lugar, preconceito (intolerante), prevenir (antes que aconteça), propriedade (característica), relações bilaterais (entre dois países), retroceder (para trás), retornar (de novo), sair (para fora), sentido (significativo), seu (próprio), sintomas (indicativos), sorriso (nos lábios), subir (para cima), sugiro (conjecturalmente), superavit (positivo), surpresa (inesperada), (terminantemente) proibido, todos foram unânimes (todos indica unanimidade. É melhor: todos concordaram. A decisão foi unânime), (totalmente) lotado, última versão (definitiva), vandalismo (criminoso), vereador (da cidade).

plural (falso plural) — Deixe no singular o substantivo abstrato que, depois de verbo de ligação (ser, estar, tornar-se, virar, constituir), caracterize genericamente o sujeito plural: *Os homossexuais são o alvo dos homofóbicos. Filmes nacionais são o destaque do festival de Brasília. Os voluntários da Cruz Vermelha tornaram-se exemplo de eficiência. O sujeito e o predicado são parte da oração. Animais em extinção viraram objeto de desejo de colecionadores. Substantivos e verbos são o essencial na oração.*

plural dos diminutivos — Acrescenta-se o sufixo *-zinhos* ao plural do nome, sem o s final: *pães (pãezinhos), portões (portõezinhos), flores (florezinhas), anéis (aneizinhos), bares (barezinhos), mulheres (mulherezinhas).*

plural dos substantivos compostos

1. Não sofre variação o substantivo formado por palavras invariáveis ou o que tiver o último elemento já no plural: *os leva e traz, os diz que diz, os faz de conta, os bota-fora, os topa-tudo, os ganha-perde, os pisa-mansinho, os saca-rolhas, os salva-vidas.*

2. Só o primeiro elemento vai para o plural: 2.1. se uma preposição ligar as palavras: *pés de moleque, pernas de pau, joões-de-barro, mulas sem cabeça, câmaras de ar, pães de ló, fogões a gás, estrelas-do-mar.* 2.2. quando o segundo elemento já estiver no plural, mantém-se o plural dele e flexiona-se o primeiro, conforme a regra: *mestre de obras, mestres de obras.* 2.3. se, havendo dois substantivos, o segundo der ideia de finalidade, semelhança ou limitar o primeiro: *vales-transporte, vales-refeição, pombos-correio, salários-família, canetas-tinteiro, cafés-concerto, papéis-moeda, peixes-espada, carros-bomba, postos-chave, elementos-surpresa, países-símbolo.* Exceção: *decretos-leis, homens-rãs, mestres-escolas.*

3. Ambos os elementos vão para o plural se os dois forem variáveis: *cirurgiões-dentistas, tenentes-coronéis, águas-fortes, cabeças-chatas, barrigas-verdes, cartões-postais, altos-relevos, más-línguas, baixos-relevos, redatores-chefes, segundas-feiras, primeiros-ministros, pesos-penas, meios-termos, os surdos-mudos.*

4. Atenção: Na substantivação do adjetivo composto, observa-se a regra do adjetivo composto — só o segundo se flexiona: *os ibero-americanos, os líbano-brasileiros, os social-democratas, os liberal-socialistas, os maníaco-depressivos.*

5. Só o último elemento vai para o plural:

5.1. se apenas o primeiro for invariável: *arranha-céus, guarda-roupas, beija-flores, vice-governadores, sempre-vivas, vira-latas, abaixo-assinados, caça-níqueis, ave-marias, salve-rainhas, alto-falantes, mal-humorados, recém-nascidos;*

5.2. se o substantivo é formado por elementos onomatopaicos ou palavra repetida: *bem-te-vis, tico-ticos, reco-recos, quero-queros, quebra-quebras, tique-taques;*

5.3. se o primeiro elemento é redução de um adjetivo (*bel*, de belo; *grã* ou *grão*, de grande).

6. Não se enquadram em nenhuma regra estes substantivos: *os arco-íris, os bem-te-vis, os mapas-múndi.*

pluri — Nunca se usa com hífen: *plurianual, pluripartidário.*

PMDB — Partido do Movimento Democrático Brasileiro.

PMDF — Polícia Militar do Distrito Federal.

PMN — Partido da Mobilização Nacional.

Pnad — Pesquisa Nacional por Amostra de Domicílios (IBGE).

Pnae — Programa Nacional de Alimentação Escolar.

Pnate — Programa Nacional de Apoio ao Transporte Escolar.

PNB — Produto Nacional Bruto.

PNBE — Pensamento Nacional das Bases Empresariais.

PNBE — Programa Nacional Biblioteca da Escola.

PNE — Plano Nacional de Educação.

PNLD — Programa Nacional do Livro Didático.

PNSE — Programa Nacional de Saúde do Escolar.

PNUA — Programa das Nações Unidas para o Ambiente.

Pnucid — Programa das Nações Unidas para o Controlo Internacional de Drogas.

Pnud — Programa das Nações Unidas para o Desenvolvimento.

Pnulad — Programa das Nações Unidas de Luta Antidroga.

pocket PC — Veja **palmtop e pocket PC**.

> pode/pôde — Pode é presente; pôde, passado: *Todos os dias ele pode assistir aos programas informativos na tevê. Ontem ele pôde acompanhar com atenção o jogador ameaçado de corte.*

poderes — Nomes próprios: *Poder Legislativo, Poder Executivo, Poder Judiciário, o Legislativo, o Executivo, o Judiciário.*

poli — Pede hífen quando seguido de *h* e *i*. Nos demais casos, é tudo junto: *poli-híbrido, poli-insaturado, polivalente, polissílabo.*

polir — Apresenta irregularidades no presente do indicativo e no presente do subjuntivo. Nas demais formas, é regular: *pulo, pules, pule, polimos, polis, pulem; que eu pula, pulas, pula, pulamos, pulais, pulam; poli, poliu; polia; polisse; polirá; poliria.*

politraumatismo — Traumatismo em diversas partes do corpo. Devemos relacionar sempre as áreas e funções afetadas.

polo (s) — Sem acento: *Polo Norte, Polo Sul, polo de exportação.*

Polônia — **Nome oficial:** República da Polônia. **Nacionalidade:** polonesa. **Localização:** Europa central. **Capital:** Varsóvia. **Extensão territorial:** 323.250km². **Divisão:** 49 províncias. **Cidades principais:** Lódz, Cracóvia. **Limites:** Mar Báltico (N), província de Kaliningrado, Lituânia (NE), Belarus, Ucrânia (L), República Tcheca, Eslováquia (S), Alemanha (O). **Idioma:** polonês. **Governo:** República com forma mista de governo. **Religião:** católica, minoria ortodoxa. **Hora local:** +4h. **Clima:** temperado continental. **Data nacional:** 22/7 (Pátria). **Moeda:** zloty. **População total:** 38.038.094 (2010).

ponto de vista — Pede a preposição *de* (*do ponto de vista do jornal*).

ponto e vírgula — A duplinha tem dois empregos. 1. separa termos de uma enumeração. Vale o exemplo dos 10 mandamentos: a) *Amar a Deus sobre todas as coisas;* b) *Não tomar seu santo nome em vão;* c) *Honrar pai e mãe;* d) *Não matar;* e) *Não roubar.* 2. O outro: separa orações coordenadas quando, no mesmo período, ocorrem outros empregos da vírgula: *João é repórter do* Estado de Minas; *Paulo, do* Diário de Pernambuco; *Carlos, do* Diário de Natal; *Lucas, do* Jornal do Commercio.

pontos cardeais — 1. Escrevem-se com a inicial maiúscula: *Norte, Sul, Leste, Oeste*. 2. Se o nome define direção ou limite geográfico, usa-se a inicial minúscula: *O leste dos Estados Unidos tem grande influência latina. O carro avançava na direção sul. Cruzou o Brasil de norte a sul, de leste a oeste.*

pôr/por — O verbo tem acento diferencial: *Vou pôr os livros na estante. É bom seguir por este caminho.*

pôr do sol — Plural: *pores do sol.*

pôr e derivados — As formas em que soa *z* escrevem-se com *s*: *pus, pôs, pusemos, puseram, puser, pusesse, compuser, depuséssemos.*

Pôr em xeque — Veja **Xeque**.

por que/por quê/porque/porquê

Use *por que*:

1. Nas perguntas diretas: *Por que o presidente se atrasou? Por que o PT lidera as pesquisas?*

2. Quando estiver antecedido de substantivo (em geral *a razão, o motivo, a causa*) e puder ser substituído por *pelo qual*, como nos exemplos: *Essa é a razão por que (pela qual) o PT lidera as pesquisas. Não sei o motivo por que (pelo qual) Maria se suicidou. As causas por que (pelas quais) a geração de 60 lutou foram postas em xeque.*

3. Às vezes, os substantivos *razão, causa* ou *motivo* não estão escritos, mas subentendidos: *Gostaria de saber por que (a razão pela qual) o preço das passagens aéreas é tão alto no Brasil. Por que (a razão pela qual) se deve usar roupa leve no verão. Não sei por que (o motivo pelo qual) Maria se suicidou.*

Por quê só tem vez quando o pronome estiver no fim da frase: *O ministro faltou por quê? O PT elegeu o presidente por quê?*

Use *porque*:

Nas respostas a perguntas ou em situações não especificadas anteriormente: *O PT ganhou as eleições porque as propostas do partido agradaram mais ao eleitorado. O presidente chegou atrasado porque perdeu o avião.*

Porquê ganha chapeuzinho quando for substantivo (em geral estará acompanhado de artigo, numeral ou pronome). Flexiona-se em número: *O PT apresentou propostas mais afinadas com o eleitorado. Eis o porquê de sua vitória nas eleições. Nunca responde aos meus porquês.*

porcentagem — 1. As porcentagens (ou percentagens) são indicadas pelo número e o sinal correspondente: *5%, 130%*. 2. Só use o numeral por extenso em início de frase: *Cinco por cento dos candidatos entregaram a prova em branco*. 3. Na ocorrência de mais de um número na frase, ponha o sinal de porcentagem em todos eles: *O aumento do funcionalismo variará entre 2% e 5%*. 4. O símbolo % deve ser escrito junto do algarismo, sem espaço. 5. Para evitar a monotonia em textos nos quais aparecem muitos números indicadores de porcentagem, lembre-se de que se pode variar a forma: 50% é metade; 25%, um quarto; 40%, dois quintos. 6.

Não confunda porcentagem com ponto percentual. Ponto percentual é a diferença, em números absolutos, entre duas porcentagens. Observe o exemplo: *Os juros passaram de 19% para 20%. Subiram um ponto percentual. A cifra equivale a 5,26%. Se tivessem passado de 10% para 11%, teriam tido acréscimo de um ponto percentual. Mas a porcentagem seria 10%.*

porcentagem (concordância) — 1. Com o número anteposto ao verbo, prefere-se a concordância com o termo posposto, embora se possa concordar com o numeral: *Quinze por cento da população absteve-se de votar. Cerca de 1% dos votantes tumultuaram o processo eleitoral.* 2. Com o número percentual determinado por artigo, pronome ou adjetivo, não há alternativa. A concordância se fará só com o numeral: *Os 10% restantes deixaram para votar nas primeiras horas da tarde. Uns 8% da população economicamente ativa ganham acima de 10 mil dólares. Este 1% de indecisos decidirá o resultado. Bons 30% dos candidatos faltaram à convocação.* 3. Com o número percentual posposto ao verbo, a concordância se faz obrigatoriamente com o numeral: *Abstiveram-se de votar 30% da população. Tumultuou o processo 1% dos candidatos inconformados com a flagrante discriminação.*

porta-aviões — Navio para transporte, manutenção e lançamento de aviões de combate, antissubmarino e helicópteros.

porta-helicópteros — Navio para transporte, manutenção e lançamento de helicópteros e aviões de decolagem vertical, normalmente empregado em ações de desembarque.

Portugal — **Nome oficial:** República de Portugal. **Nacionalidade:** portuguesa. **Localização:** Europa Ocidental. **Capital:** Lisboa. **Extensão territorial:** 92.389km². **Divisão:** 18 distritos, duas regiões autônomas (Açores, Madeira). **Cidades principais:** Porto, Amadora, Braga. **Limites:** Espanha (N e L), Golfo de Cádiz (S), Oceano Atlântico (O). **Idioma:** português. **Governo:** República com forma mista de governo. **Religião:** católica. **Hora local:** +3h. **Clima:** mediterrâneo (S) e temperado oceânico (N). **Data nacional:** 25/4 (Liberdade), 10/6 (Dia de Camões, Dia de Portugal e das comunidades portuguesas). **Moeda:** euro. **População total:** 10.732.357 (2010).

pós — Sempre se escreve com hífen: *pós-homérico, pós-moderno, pós-graduação.*

possível — A concordância do adjetivo *possível* em construções do tipo *o mais... possível, o melhor possível, o pior possível, os melhores possíveis* se faz com o artigo. Se ele estiver no singular, o verbo irá para o singular; se no plural, irá para o plural: *preço o mais tentador possível; preços os mais tentadores possíveis; o melhor apartamento possível; os melhores apartamentos possíveis.*

possuir — 1. A 3ª pessoa do singular do presente do indicativo é *possui*, com *i*. 2. Não use o verbo para objetos. *A casa não possui dois quartos, tem dois quartos. O* *carro não possui duas rodas, tem duas rodas.* Mas: *Bill Gates possui uma das maiores fortunas do mundo.*

post — nome dado ao texto escrito em blogue.

postar-se/prostrar-se — 1. *Postar-se* é se colocar: *A tropa postou-se diante do visitante.* 2. *Prostrar-se* significa abater-se, ficar sem ação: *O soldado se prostrou diante do invasor.*

pot-pourri — Escreve-se assim.

Poupex — Associação de Poupança e Empréstimo.

PP — Partido Progressista.

PPS — Partido Popular Socialista.

PR — Partido da República.

pra — A forma *pra*, redução de *para*, é monossílabo átono. Não deve ser acentuada: *Pra frente, Brasil. Este é um país que vai pra frente.*

praça — Os militares usam a palavra para designar hierarquia — abaixo de segundo-tenente. Use *o praça* para homem e *a praça* para mulher.

prazeroso — Assim, sem *i*.

PRB — Partido Republicano Brasileiro.

pré — Usa-se com hífen: *pré-escola, pré-vestibular, pré-estreia* (mas há muitas exceções: *preanunciação, preaquecer, precogitar, precondição, predefinido, predelineado, predeterminado, predisposto, preestabelecido, preexistente, prefigurado, prefixado, pregustado*). Na dúvida, consulte o dicionário.

precatório — Ordem judicial expedida à União, estados, Distrito Federal e municípios para que, até 1º de julho, inclua no orçamento do ano seguinte verba específica para quitar dívida do poder público contraída com particular e reconhecida por sentença em ação promovida pelo credor. O precatório é emitido depois da condenação do poder público em sentença transitada em julgado, isto é, decisão da qual não caiba recurso nenhum.

precaver-se — Defectivo, faltam-lhe pessoas e tempos verbais. No presente do indicativo, só tem as formas *precavemos* e *precaveis*. É regular no pretérito imperfeito (precavia, precavias, precavia, precavíamos, precavíeis, precaviam) e no pretérito perfeito do indicativo (precavi, precaveste, precaveu, precavemos, precavestes, precaveram). Do subjuntivo, só se conjuga no pretérito imperfeito (precavesse, precavesses, etc.) e no futuro (precaver, precaveres, precaver, etc.). Do imperativo tem uma única pessoa (precavei). O particípio é precavido; o gerúndio, precavendo. Possíveis substitutos: *prevenir, acautelar-se, tomar cuidado.*

precisa-se de — O verbo fica no singular: *Precisa-se de balconistas.*

preferir — Quando transitivo direto e indireto, tem esta regência: preferir alguma coisa ou alguém *a* outra coisa ou alguém: *Prefiro cinema a teatro. Prefiro Machado de Assis a José de Alencar. Prefiro morar em Brasília a morar em Goiânia.* Atenção: não use, em hipótese alguma, *preferir mais*.

preito/pleito — Veja **pleito/preito**.

presidenta/presidente — Usamos *presidente*.

prêt-à-porter — Sem grifo.

prevaricação — Comete prevaricação o agente público que deixa de cumprir ato de ofício (providência obrigatória decorrente do exercício de suas funções) ou não pune condutas irregulares de subordinados. Exemplo: o ministro toma conhecimento de desvios de recursos em sua pasta. Mas não manda abrir inquérito administrativo nem notifica o Ministério Público para adoção de providências. Prevarica.

prima-dona — Sem grifo.

primeira referência — Nome de cidades ou estados não deve deixar dúvida. Na primeira referência, escreva-o por extenso (Rio de Janeiro, Minas Gerais, Emirados Árabes). Depois, reduza-o (Rio, Minas, Emirados).

primeira-dama — Plural: *primeiras-damas*.

primeiro de abril — Trote que se costuma passar no dia primeiro de abril. Plural: *primeiros de abril*.

primeiro dia do mês — É *1º*, não *1*: *1º de janeiro, 1º de março*.

Primeiro Mundo — Escreve-se com as iniciais maiúsculas.

primeiro-ministro — Com hífen. Plural: *primeiros-ministros*. Feminino: *primeira-ministra*.

pró — Usa-se sempre com hífen: *pró-reitor, pró-Estados Unidos*.

Proagro — Programa de Garantia da Atividade Agropecuária.

proativo/proatividade — Também existe a forma *pró-ativo*.

proceder — 1. Transitivo indireto, exige a preposição *a*: *Os atores procederam à leitura da peça. O presidente procedeu à abertura da sessão.* 2. Sendo transitivo indireto, não tem voz passiva. Por isso se deve dizer: *A assessoria do presidente procedeu à análise do projeto* (não: *a análise do projeto foi procedida pela assessoria presidencial*).

Procel — Programa Nacional de Conservação de Energia Elétrica (Eletrobrás).

Procon-DF — Instituto de Defesa do Consumidor do Distrito Federal.

Prodecon — Promotoria de Justiça de Defesa do Consumidor.

Prodeem — Programa de Desenvolvimento Energético de Estados e Municípios (MME).

Proep — Programa de Expansão da Educação Profissional.

Proer — Programa de Estímulo à Reestruturação e ao Fortalecimento do Sistema Financeiro Nacional.

Profa — Programa de Formação de Professores Alfabetizadores.

Proformação — Programa de Formação de Professores em Exercício.

Proinesp — Programa de Informática na Educação Especial.

ProInfo — Programa Nacional de Tecnologia Educacional.

proliferar — É intransitivo: *Os ratos proliferam* (não: *se proliferam*) *nos terrenos baldios.*

Pronac — Programa Nacional de Apoio à Cultura.

Pronea — Programa Nacional de Educação Ambiental.

pronto-socorro — Plural: *prontos-socorros*.

prosecco — Espumante italiano.

prostrar-se/postar-se — Veja **postar-se/prostrar-se**.

prótese — Termo médico para designar substituto artificial de qualquer parte do corpo.

protestar — 1. No sentido de insurgir-se, pede a preposição *contra*: *Os contribuintes protestaram contra o aumento da alíquota*. 2. Na acepção de *clamar, bradar*, rege a preposição *por*: *Os estudantes protestaram por justiça. Os prisioneiros protestam por melhores condições de vida.*

protesto — 1. No sentido de oposição, rege a preposição *contra*: *Protestos contra a carga tributária ouviam-se aqui e ali no plenário*. 2. Na acepção de *afirmação*, pede a preposição *de*: *Reafirmamos nossos protestos de estima e apreço.*

proto — Pede hífen quando seguido de *h* e *o*. Nos demais casos, é tudo junto: *proto-história, proto-organismo, protorrevolução, protossistema, protozoário.*

ProUni — Programa Universidade para Todos.

PRP — Partido Republicano Progressista.

PRTB — Partido Renovador Trabalhista Brasileiro.

PSB — Partido Socialista Brasileiro.

PSC — Partido Social Cristão.

PSDB — Partido da Social Democracia Brasileira.

PSDC — Partido Social Democrata Cristão.

pseudo — Pede hífen quando seguido de *h* e *o*. Nos demais casos, é tudo junto: *pseudo-história, pseudo-osteose, pseudoanimal, pseudossistema, pseudorregional*. Exceção: *pseudo-escorpião*.

psico — Pede hífen quando seguido de *h* e *o*. No mais, é tudo junto: psico-histórico, psico-observador, psicopatologia, psicopedagogia, psicossomático.

psicose — Veja **neurose/psicose**.

psique — Paroxítona, a sílaba tônica é *psi*.

PSL — Partido Social Liberal.

PSol — Partido Socialismo e Liberdade.

PSTU — Partido Socialista dos Trabalhadores Unificado.

PT — Partido dos Trabalhadores.

PTdoB — Partido Trabalhista do Brasil.

PTB — Partido Trabalhista Brasileiro.

PTC — Partido Trabalhista Cristão.

PTN — Partido Trabalhista Nacional.

PUC — Pontifícia Universidade Católica.

punção — Uso de agulha ou instrumento para retirada de líquidos ou matéria purulenta para diagnóstico ou drenagem.

punir/penalizar — Veja **penalizar/punir**.
PV — Partido Verde.

Q

q — 17ª letra do alfabeto. Plural: *quês, qq*.

QRSW — Quadra Residencial Sudoeste (endereço de Brasília).

quadri — Pede hífen quando seguido de *h* e *i*. No mais, é tudo colado: *quadri-hexagonal, quadrimensal, quadrilátero, quadrigêmeos*.

qualquer/nenhum — Veja **nenhum/qualquer**.

quantia/quantidade — Use *quantia* para dinheiro e *quantidade* para os demais contextos: *Não revelou a quantia depositada no banco.* (Não use *quantia de dinheiro*. É redundância.) *Perdeu grande quantidade de frutas.*

quantos são — Quantos são dois mais dois? (Não: *quanto é dois mais dois?*)

quase — Sem hífen: *quase morte, quase irmão*.

quê — É acentuado quando for substantivo ou pronome tônico. 1. Substantivo, terá plural e será acompanhado de artigo, numeral ou pronome: *Ela tem um quê intrigante. Corte os quês do texto.* Alguns *quês* a fazem diferente das outras concorrentes. 2. Pronome tônico, estará sempre no fim da frase: *Ele disse o quê? O governador irritou-se com o quê?*

quê — Nome da 17ª letra do alfabeto. Plural: *quês, qq*.

que (concordância) — O verbo, em orações que têm por sujeito o pronome relativo *que* (*Fui eu que te dei o vestido. Não fomos nós que fizemos isso. Foi ele que me orientou*), concorda com o antecedente do quê.

que/do que — Nas comparações, o uso do *do* é facultativo: *A reportagem sobre os morros cariocas foi mais trabalhosa (do) que a reportagem sobre a fraude nos concursos públicos.*

que/o qual — Veja **o qual/que**.

queimadura — Destruição dos tecidos do corpo provocada por calor, atrito, eletricidade, produto químico ou radiação. Varia de grau (primeiro, segundo e terceiro), de acordo com a profundidade e os danos causados. O repórter deve explicar que a de primeiro grau é a mais suave, de menores consequências. A de terceiro, a mais grave.

queixar-se — É sempre pronominal: *Queixou-se das dores que sentia. Queixo-me dos falsos aliados.*

queloide — Formação resultante de cicatrização exagerada ou irregular.

quem (concordância) — O verbo, em orações que têm por sujeito o pronome *quem*, pode ir para a terceira pessoa do singular ou concordar com o antecedente: *Fui eu quem fez o trabalho (fiz).*

Quênia (o) — **Nome oficial:** República do Quênia. **Nacionalidade:** queniana. **Localização:** África Oriental. **Capital:** Nairóbi. **Extensão territorial:** 580.367km². **Divisão:** oito províncias. **Cidades principais:** Mombasa, Nakuru, Kisumu. **Limites:** Etiópia (N), Sudão (NO), Somália, Oceano Índico (L), Tanzânia (S), Uganda (O). **Idioma:** suaíli, inglês (oficiais), kikuyu, luo. **Governo:** República presidencialista. **Religião:** protestante, católica, animista, minoria islâmica. **Hora local:** +6h. **Clima:** equatorial. **Data nacional:** 12/12 (Independência). **Moeda:** xelim queniano. **População total:** 40.862.900 (2010).

quente — Veja **frio/quente**.

querer — As formas em que soa z escrevem-se com s: *quis, quisemos, quiseram, quiser, quisermos, quisesse*.

quilômetro — No sentido de distância, escreve-se por extenso: *O acidente ocorreu a 40 quilômetros de Salvador (não: 40km)*.

Quirguistão (o) — **Nome oficial:** República do Quirguistão. **Nacionalidade:** quirguiz. **Localização:** Ásia central. **Capital:** Bishkek. **Extensão territorial:** 198.500km². **Divisão:** seis regiões e a capital. **Cidades principais:** Jalal-Abad, Osh, Przheval'sk, Tokmak. **Limites:** Cazaquistão (N), China (L), Tadjiquistão (S), Uzbequistão (O). **Idioma:** quirguiz (oficial), russo, uzbeque. **Governo:** República parlamentarista. **Religião:** islâmica, minoria ortodoxa russa. **Hora local:** +8h. **Clima:** temperado continental. **Data nacional:** 31/8 (Independência). **Moeda:** som. **População total:** 5.550.239 (2010).

quisto — Veja **cisto**.

quite — Flexiona-se em número: *Eu estou quite com o serviço militar. Eles estão quites com o banco.*

quórum — Escreve-se assim, com acento.

R

r — 18ª letra do alfabeto. Plural: *erres, rr*.

rádio — O aparelho é masculino; a emissora, feminino: *Meu rádio não sintoniza a Rádio Tupi.*

rádio — pede hífen quando seguido de *h* e *o*. No mais, é tudo junto, como unha e carne: *rádio-historiografia, rádio-onda, rádio-operador, radioterapia, radiorreceptor, radiossonda, radioatividade, radioemissora, radiopatrulha*.

raios X — Escreve-se assim.

RAM (memória) — Capacidade do computador de executar programas. Normalmente, os programas ficam armazenados no disco rígido, são copiados para a memória e depois executados com a ajuda do processador. Quanto mais complexo for um software, mais memória RAM exigirá. Pode ser chamada de memória temporária, ou seja, lugar onde os programas ficam armazenados enquanto estão em uso. Todas as vezes que fechamos o software, a memória RAM é desocupada.

rapto — Dá-se rapto quando alguém, mediante violência, grave ameaça ou fraude, arrebata mulher honesta de casa para fins libidinosos. Não confundir com sequestro.

> **ratificar/retificar** — 1. *Ratificar* quer dizer confirmar: *O governo ratifica o acordo.*
> 2. *Retificar* joga em time contrário. Significa modificar: *A locadora retificou o contrato.*

re — Nunca aceita hífen: *reaver, reeleger, reler.*

real — O nome da moeda escreve-se com a inicial minúscula: *O real é a moeda brasileira; o dólar, a americana.*

realizar — Virou modismo. Não o use no lugar de *fazer, promover, celebrar*. Use-o só no sentido de tornar real. Em vez de "realizar missa, batizado e casamento", é melhor celebrar. Em vez de "realizar curso ou oficina", promover (quando é instituição) e ministrar (quando é professor). Em vez de "realizar show", estreia ou apresenta o show, ou toca, ou canta. Em vez de "realizar exposição", abrir exposição, inaugurar, apresentar.

reaver — Conjuga-se como *haver*, mas só nas formas em que o *v* se mantiver: *reavemos, reaveis, reouve, reouveste, reavia, reaverei, reaveria*, etc.

Rebea — Rede Brasileira de Educação Ambiental.

recém — Sempre se usa com hífen: *recém--casados, recém-nascido, recém-eleito*.

recorde — Paroxítona, a sílaba tônica é *cor*.

reduzida — Caixa presente nos veículos fora de estrada. Diminui a velocidade e aumenta a força e a tração.

reforma ortográfica — As novas regras ortográficas da língua portuguesa entraram em vigor em 1º de janeiro de 2009. A reforma é ortográfica. Refere-se só à grafia das palavras. Pronúncia, concordância, regência, crase continuam sem alteração. Mais: a mudança nos acentos atingiu apenas as paroxítonas. Proparoxítonas, oxítonas e monossílabos tônicos não foram nem arranhados. Mantêm-se como sempre foram.

O que mudou?

1. abecedário — O alfabeto ganhou três letras. *K, w* e *y* tornaram-se gente de casa. O que era fato agora é direito. Nada mais. O emprego do trio continua como antes.

Abreviaturas e nomes que se escreviam com as ex-intrusas mantêm a grafia. É o caso de *km, Wilson, Yara*. Atenção, não se precipite. Grafar *wísque* e *kilo*? Nem pensar. Fique com *uísque* e *quilo*.

2. trema — O trema se foi, mas a pronúncia ficou. *Freqüente, tranqüilo, lingüeta, lingüiça* & cia. agora se grafam *frequente, tranquilo, lingueta, linguiça*. Olho vivo! Trema não é acento. Por isso não discrimina oxítonas, paroxítonas ou proparoxítonas. Para ele, tudo o que cai na rede é peixe.

3. oo — O chapéu do hiato *ôo* se despediu. *Vôo, abençôo, perdôo, corôo* & demais *ôos* viraram *voo, abençoo, perdoo, coroo*.

4. eem — O circunflexo do hiato *êem* disse adeus. *Vêem, crêem, dêem, lêem* ganharam forma mais leve e descontraída — *veem, creem, deem, releem*. Não vacile. Caiu o acento da duplinha *eem*. O solitário *êm* não tem nada com a história. Está firme como sempre esteve na 3ª pessoa do plural de *vir, ter* e derivados: *eles vêm, têm, convêm, detêm, contêm*.

5. quase desconhecido — O agudo do *u* tônico dos verbos *apaziguar, averiguar, arguir* & cia. some. *Apazigúe, averigúe* e *argúem* ganham a forma *apazigue, averigue, arguem*.

6. ditongo na frente — O *i* e *u* antecedidos de ditongo perdem o grampo. *Feiúra, baiúca, Sauípe* viram *feiura, baiuca, Sauipe*. Atenção: não confunda Germano com gênero humano. Caiu o acento do *i* e *u* antecedidos de ditongo. Pouquíssimas palavras — talvez meia dúzia — se enquadram na regra. A norma que acentua o *i* e o *u* antecedidos de vogal continua firme e forte. É o caso de *saída, saúde, caí, baú*.

7. éi e ói — O acento dos ditongos abertos *éi* e *ói* se despediu nas paroxítonas. *Idéia, jóia, jibóia, heróico* agora exibem a forma *ideia, joia, jiboia, heroico*. Lembra-se? A reforma só atingiu as paroxítonas. O grampinho permanece inalterável nas oxítonas e monossílabos tônicos: *papéis, herói, dói*.

8. diferenciais — Foram-se os das paroxítonas. *Pêlo, pára, pólo, pêra* ficaram mais leves. Assim: *pelo, para, polo, pera*. Exceção? Só duas. Mantém-se o chapéu de *pôde*, passado do verbo poder. E o verbo pôr fica com o chapéu à mostra. (Ele é monossílabo tônico. Escapou da facada, que só cortou o acessório das paroxítonas.)

Região — Com letra maiúscula quando se referir às regiões do Brasil: *Região Norte, Região Sul, Região Centro-Oeste*.

Reino Unido (o) — **Nome oficial:** Reino Unido da Grã-Bretanha e Irlanda do Norte. **Nacionalidade:** britânica, irlandesa. **Localização:** Europa Ocidental. **Capital:** Londres. **Extensão territorial:** 244.100km². **Divisão:** quatro países. **Cidades principais:** Birmingham, Leeds, Glasgow, Sheffield. **Limites:** Oceano Atlântico (N e SO), Mar do Norte (L), Canal da Mancha (S), Mar da Irlanda, Canal do Norte (O). **Idioma:** inglês (oficial), galês (também oficial no País de Gales), gaélico. **Governo:** Monarquia parlamentarista. **Religião:** protestante, minorias católica, islâmica, sikh e hindu. **Hora local:** +3h. **Clima:** temperado oceânico. **Data nacional:** 7/6 (Aniversário da Rainha). **Moeda:** libra esterlina. **População total:** 61.899.272 (2010).

Reitox — Rede Europeia de Informação sobre a Droga e a Toxicodependência.

reivindicar — Atenção à grafia.

rejeição — Rege as preposições *de* e *por*: *Rejeição da proposta. Rejeição pelo Congresso*.

rejeitar — É transitivo direto, não pede preposição: *O Congresso rejeitou a medida provisória*.

relâmpago — Como adjetivo, usa-se sem hífen e concorda em número com o substantivo: *sequestro relâmpago, sequestros relâmpagos, paralisação relâmpago, paralisações relâmpagos*.

remediar — Conjuga-se como *mediar, odiar*.

remédio — Atenção à regência. *Remédio para* ajuda o funcionamento de um órgão (*remédio para o fígado, o coração, os pulmões*). *Remédio contra* combate uma doença: *remédio contra a gripe, contra a bronquite, contra a dor de cabeça*.

renúncia — Rege as preposições *a* e *de*: *Renúncia ao poder. Renúncia de um direito*.

renunciar — Rege a preposição *a*: *Nixon renunciou à Presidência dos Estados Unidos*.

República — Inicial maiúscula no sentido de Brasil ou na data comemorativa: *o presidente da República, Dia da República, Proclamação da República*.

República Centro-Africana (a) — Nome oficial: República Centro-Africana. **Nacionalidade:** centro-africana. **Localização:** África equatorial. **Capital:** Bangui. **Extensão territorial:** 622.984km². **Divisão:** 17 prefeituras. **Cidades principais:** Berbérati, Bouar, Bambari, Carnot. **Limites:** Chade (N), Sudão (L), República Democrática do Congo (S), Congo (SO), Camarões (O). **Idioma:** francês (oficial), sangô. **Governo:** República com forma mista de governo. **Religião:** protestante, católica, animista, minoria islâmica. **Hora local:** +4h. **Clima:** equatorial (S) e tropical (centro e N). **Data nacional:** 13/8 (Independência). **Moeda:** franco CFA. **População total:** 4.505.945 (2010).

República Dominicana (a) — Nome oficial: República Dominicana. **Nacionalidade:** dominicana. **Localização:** América Central (Antilhas). **Capital:** Santo Domingo. **Extensão territorial:** 48.734km². **Divisão:** 30 províncias e o Distrito Nacional. **Cidades principais:** Santiago, Concepción de La Veja, San Cristóbal. **Limites:** Oceano Atlântico (N e L), Mar do Caribe (S), Haiti (O). **Idioma:** espanhol (oficial). **Governo:** República presidencialista. **Religião:** católica. **Hora local:** -1h. **Clima:** tropical. **Data nacional:** 27/2 (Independência). **Moeda:** peso dominicano. **População total:** 10.225.482 (2010).

República Tcheca (a)— Nome oficial: República Tcheca. **Nacionalidade:** tcheca. **Localização:** Europa central. **Capital:** Praga. **Extensão territorial:** 78.864km². **Divisão:** 8 províncias. **Cidades principais:** Brno, Ostrava, Plzen, Olomouc. **Limites:** Alemanha (NO, O), Polônia (NE), Eslováquia (L), Áustria (S). **Idioma:** tcheco (oficial), eslovaco, alemão, rom. **Governo:** República parlamentarista. **Religião:** católica, minoria protestante. **Hora local:** +4h. **Clima:** temperado continental. **Data nacional:** 28/10 (Independência). **Moeda:** coroa tcheca. **População total:** 10.410.786 (2010).

réquiem — Sem grifo.

residente/sito/situado — regem a preposição *em*: *Residente (situado, sito) em São Paulo, na Avenida Lins de Vasconcelos.*

ressonância magnética — Exame que utiliza campo magnético para produzir imagens.

ressuscitação cardiopulmonar — Conjunto de procedimentos utilizados em situações de emergência para garantir que o paciente volte a respirar e o coração volte a bater.

restaurateur — Atenção, sem *n*. Dono de restaurante. Feminino: *restauratrice*.

retro — Pede hífen quando seguido de *h* e *o*. Nos demais casos, é tudo junto: *retro--história, retro-ocular, retrovisor, retroceder, retrotransmissor.*

reverter — Transitivo indireto, não admite voz passiva: *Os bens reverteram em benefício dos irmãos (não: foram revertidos).*

revezamento/revezar — São derivados de *vez*. Escrevem-se com *z*.

revólver — Arma portátil alimentada por um carregador em forma de tambor (veja **armas portáteis**, **calibre** (armas portáteis) e **modo de alimentação**).

RFFSA — Rede Ferroviária Federal S.A.

rino — Pede hífen quando seguido de *h* e *o*. No mais, é tudo junto: *rinoplastia, rinocirurgia*.

Rio de Janeiro (o) — **Capital:** Rio de Janeiro. **Situação geográfica:** leste da Região Sudeste. **Área:** 43.780,157km². **Número de municípios:** 92. **Cidades principais:** Nova Iguaçu, Niterói, Duque de Caxias, São Gonçalo, São João de Meriti, Volta Redonda. **Limites:** Minas Gerais (N e NO), Espírito Santo (NE), Oceano Atlântico (L e S), São Paulo (SO). **População total:** 15.993.583 (2010). **Gentílico/estado:** fluminense. **Gentílico/capital:** carioca. **Hora local em relação a Brasília:** a mesma.

Rio Grande do Norte (o) — **Capital:** Natal. **Situação geográfica:** nordeste da Região Nordeste. **Área:** 52.810,699km². **Número de municípios:** 167. **Cidades principais:** Mossoró, Parnamirim, Ceará-Mirim. **Limites:** Oceano Atlântico (N e L), Paraíba (S), Ceará (O). **População total:** 3.168.133 (2010). **Gentílico/estado:** potiguar. **Gentílico/capital:** natalense. **Hora local em relação a Brasília:** a mesma.

Rio Grande do Sul (o) — **Capital:** Porto Alegre. **Situação geográfica:** sul da Região Sul. **Área:** 268.781,896km². **Número de municípios:** 496. **Cidades principais:** Caxias do Sul, Pelotas, Canoas, Santa Maria. **Limites:** Santa Catarina (N), Oceano Atlântico (L), Uruguai (S), Argentina (O). **População total:** 10.695.532 (2010). **Gentílico/estado:** gaúcho. **Gentílico/capital:** porto- alegrense. **Hora local em relação a Brasília:** a mesma.

RMN — Ressonância magnética nuclear.

Rockefeller — Grafa-se assim.

roer — *Roo, róis, rói, roemos, roeis, roem; roí, roeste, roeu; roía, roías, roía, roíamos, roíam; roa, roas, roa, roamos, roam; roesse, roesses, roesse*. E por aí vai.

Romênia (a) — **Nome oficial:** Romênia. **Nacionalidade:** romena. **Localização:** Europa central. **Capital:** Bucareste. **Extensão territorial:** 237.500km². **Divisão:** 41 condados e a capital. **Cidades principais:** Iasi, Cluj-Napoca, Timisoara Constança. **Limites:** Ucrânia (N), Moldávia (NE), Mar Negro (L), Bulgária (S), Sérvia e Montenegro, Hungria (O). **Idioma:** romeno (oficial), húngaro, alemão, rom. **Governo:** República com forma mista de governo. **Religião:** ortodoxa, minoria católica. **Hora local:** +5h. **Clima:** temperado continental. **Data nacional:** 1º/12 (União). **Moeda:** leu. **População total:** 21.190.154 (2010).

Rondônia — **Capital:** Porto Velho. **Situação geográfica:** oeste da Região Norte. **Área:** 237.590,864km². **Número de municípios:** 52. **Cidades principais:** Ji-Paraná, Cacoal, Vilhena. **Limites:** Amazonas (N), Mato Grosso (L), Bolívia (S e O), Acre (O). **População total:** 1.560.501 (2010). **Gentílico/estado:** rondoniense. **Gentílico/capital:** porto--velhense. **Hora local em relação a Brasília:** -1h.

Roraima — **Capital:** Boa Vista. **Situação geográfica:** noroeste da Região Norte. **Área:** 224.301,040km². **Número de municípios:** 15. **Cidades principais:** Mucajaí,

Alto Alegre, Normandia. **Limites:** Venezuela (N e NO), Guiana (L), Pará (SE), Amazonas (S e O). **População total:** 451.227 (2010). **Gentílico/estado:** roraimense. **Gentílico/capital:** boa-vistense. **Hora local em relação a Brasília:** -1h.

roubo — Subtração de coisa alheia móvel para si ou para outrem mediante grave ameaça ou violência à pessoa. Não confundir com furto.

Ruanda — **Nome oficial:** República Ruandesa. **Nacionalidade:** ruandesa. **Localização:** África Oriental. **Capital:** Kigali. **Extensão territorial:** 26.338km². **Divisão:** 11 prefeituras. **Cidades principais:** Ruhengeri, Butare, Gisenyi. **Limites:** Uganda (N), Tanzânia (L), Burundi (S), República Democrática do Congo (O). **Idioma:** quiniaruanda, francês, inglês (oficiais), suaíli. **Governo:** República com forma mista de governo. **Religião:** católica, animista, minoria islâmica. **Hora local:** +5h. **Clima:** tropical de altitude. **Data nacional:** 1º/7 (Independência). **Moeda:** franco ruandês. **População total:** 10.277.212 (2010).

rubrica — É paroxítona.

ruço/russo — 1. *Ruço* quer dizer pardacento ou complicado: *A coisa está ruça.* 2. *Russo* é o natural da Rússia. Nos adjetivos pátrios, escreve-se com hífen: *russo--americano, russo-brasileiro.* No mais, é tudo coladinho: *russomania, russofobia.*

ruir — Na conjugação, só tem as formas em que o *e* ou o *i* seguem o *u*: *rui, ruem, ruiu, ruía, ruiria, ruirá.*

rush — Plural: *rushes.*

Rússia (a) — **Nome oficial:** Federação Russa. **Nacionalidade:** russa. **Localização:** Eurásia. **Capital:** Moscou. **Extensão territorial:** 17.075.400km². **Divisão:** 89 unidades administrativas, entre as quais 25 repúblicas. **Cidades principais:** Moscou, São Petersburgo, Níjni Novgorod, Novosibirsk, Iekaterinburgo. **Limites:** Oceano Ártico (N), Mares de Bening e Okhotsk (L), Mar do Japão, Coreia do Norte e China (SE), Mongólia e Cazaquistão (S), Mares Cáspio e Negro, Geórgia e Azerbaidjão (SO), Ucrânia, Belarus, Letônia, Estônia e Mar Báltico. **Idioma:** russo, tártaro, ucraniano, tchuvache, outras cem. **Governo:** República presidencialista. **Religião:** ortodoxa, minoria islâmica. **Hora Local:** +6h. **Clima:** subpolar, temperado continental, de montanha. **Data Nacional:** 12/7 (Dia da Pátria). **Moeda:** rublo. **População total:** 140.366.561 (2010).

russo — Veja **ruço/russo**.

S

s — 19ª letra do alfabeto. Plural: *esses, ss.* 2. Abreviatura de São (S. Cristóvão, S. Paulo), Santo (S. Antônio) e Santa (S. Terezinha).

S.A. — Abreviatura de sociedade anônima. Plural: *S.As.*

S.O.S. — Sigla internacional para solicitar socorro ou resgate.

SAAN — Setor de Abastecimento e Armazenamento Norte (endereço de Brasília).

SAB — Sociedade de Abastecimento de Brasília.

SADC — Comunidade da África Meridional para o Desenvolvimento.

Saeb — Sistema Nacional de Avaliação da Educação Básica.

safra agrícola — É pleonasmo. Basta *safra* ou *safra de arroz, safra de feijão, safra de grãos.*

SAFS — Setor de Administração Federal Sul (endereço de Brasília).

SAIN — Setor de Áreas Isoladas Norte (endereço de Brasília).

sair-se melhor/sair-se pior — *Melhor* permanece invariável: *Ele saiu-se melhor que os colegas. As moças saíram-se melhor (não: melhores) que os rapazes.* A regra vale para *pior: Paulo se saiu pior que os colegas. Os senadores saíram-se pior que os deputados.*

SAIS — Setor de Áreas Isoladas Sul (endereço de Brasília).

salário mínimo/salário-mínimo — *Salário mínimo* é a menor remuneração paga ao trabalhador. *Salário-mínimo*, a pessoa que recebe salário mínimo ou baixa remuneração. Plural: *salários mínimos, salários-mínimos.*

salário-base — Plural: *salários-base, salários-bases.*

salário-família — Plural: *salários--família, salários-famílias.*

salário-maternidade — Plural: *salários--maternidade.*

samba-enredo — Plural: *sambas-enredos.*

Samoa — **Nome oficial:** Samoa. **Nacionalidade:** samoana. **Localização:** Oceania. **Capital:** Ápia. **Extensão territorial:** 2.831km². **Divisão:** 17 distritos. **Cidades principais:** Aiwo, Anetan, Anabar, Anibare. **Limite:** Oceano Pacífico. **Idioma:** samoano, inglês. **Governo:** República parlamentarista. **Religião:** protestante, católica. **Hora local:** -8h. **Clima:** tropical. **Data nacional:** 10/1 (Independência). **Moeda:** tala. **População total:** 178.943 (2010).

SAN — Setor de Autarquias Norte (endereço de Brasília).

San Marino — **Nome oficial:** República de San Marino. **Nacionalidade:** samarinesa. **Localização:** Europa Ocidental. **Capital:** San Marino. **Extensão territorial:** 61km². **Divisão:** nove paróquias. **Cidades principais:** Serravalle, Borgo Maggiore, San Marino. **Limite:** Itália. **Idioma:** Italiano. **Governo:** República parlamentarista. **Religião:** católica. **Hora local:** +4h. **Clima:** mediterrâneo. **Data nacional:** 3/9 (República). **Moeda:** euro. **População total:** 31.451(2010).

sanção/sancionar — Para tornar-se lei, o projeto precisa da sanção (aprovação) do presidente. O presidente sanciona a lei.

Santa Catarina — **Capital:** Florianópolis. **Situação geográfica:** centro da Região Sul. **Área:** 95.703,487km². **Número de municípios:** 293. **Cidades principais:** Joinville, Blumenau, Criciúma, Chapecó. **Limites:** Paraná (N), Oceano Atlântico (L), Rio Grande do Sul (S), Argentina (O). **População total:** 6.249.682 (2010).

Gentílico/estado: catarinense, barriga-verde. **Gentílico/capital:** florianopolitano. **Hora local em relação a Brasília:** a mesma.

Santa Lúcia — Nome oficial: Santa Lúcia. **Nacionalidade:** santa-lucense. **Localização:** América Central (Antilhas). **Capital:** Castries. **Extensão territorial:** 622km². **Divisão:** 10 regiões. **Cidades principais:** Serravalle, Borgo Maggiore, Murata, Domagnano. **Limite:** Mar do Caribe. **Idioma:** inglês (oficial), francês crioulo. **Governo:** Monarquia parlamentarista. **Religião:** católica, minoria protestante. **Hora local:** -1h. **Clima:** tropical. **Data nacional:** 22/2 (Independência), 13/12 (Santa Lúcia). **Moeda:** dólar do Caribe do Leste. **População total:** 173.942 (2010).

São Cristóvão e Névis — Nome oficial: Federação de São Cristóvão e Névis. **Nacionalidade:** são-cristovense. **Localização:** América Central (Antilhas). **Capital:** Basseterre. **Extensão territorial:** 261km². **Divisão:** dois estados (São Cristóvão e Névis). **Cidade principal:** Charlestown. **Limites:** Oceano Atlântico (N e L), Mar do Caribe (S e O). **Idioma:** inglês. **Governo:** Monarquia parlamentarista. **Religião:** protestante, minoria católica. **Hora local:** -1h. **Clima:** tropical. **Data nacional:** 19/9 (Independência). **Moeda:** dólar do Caribe do Leste. **População total:** 39.000 (2010).

São Paulo — Capital: São Paulo. **Situação geográfica:** sudeste da Região Sudeste. **Área:** 248.196,960km². **Número de municípios:** 645. **Cidades principais:** Campinas, Guarulhos, Santo André, Osasco, São Bernardo do Campo, São José dos Campos, Ribeirão Preto, Santos, Sorocaba, Diadema, Jundiaí. **Limites:** Minas Gerais (N e NE), Rio de Janeiro (NE), Oceano Atlântico (L), Paraná (S), Mato Grosso do Sul (O). **População total:** 41.252.160 (2010). **Gentílico/estado:** paulista. **Gentílico/capital:** paulistano. **Hora local em relação a Brasília:** a mesma.

São Tomé e Príncipe — Nome oficial: República Democrática de São Tomé e Príncipe. **Nacionalidade:** são-tomense. **Localização:** África Ocidental. **Capital:** São Tomé. **Extensão territorial:** 964km². **Divisão:** sete distritos. **Cidade principal:** Trindade. **Limite:** Oceano Atlântico (L). **Idioma:** português (oficial), português crioulo, ngola. **Governo:** República com forma mista de governo. **Religião:** católica, minoria protestante. **Hora local:** +3h. **Clima:** equatorial chuvoso. **Data nacional:** 12/7 (Independência). **Moeda:** dobra. **População total:** 165.397 (2010).

São Vicente e Granadinas — Nome oficial: São Vicente e Granadinas. **Nacionalidade:** são-vicentina. **Localização:** América Central (Antilhas). **Capital:** Kingstown. **Extensão territorial:** 388km². **Divisão:** 13 distritos. **Cidade principal:** Kingstown. **Limites:** Oceano Atlântico (L), Mar do Caribe (O). **Idioma:** inglês. **Governo:** Monarquia parlamentarista. **Religião:** protestante, minoria católica. **Hora local:** -1h. **Clima:** tropical. **Data nacional:** 3/8 (Independência), 27/10 (Pátria). **Moeda:** dólar do Caribe do Leste. **População total:** 109.284 (2010).

sapata de freio — Peça de aço ou liga de alumínio que entra em contato com a parte de dentro do tambor de freio e provoca atrito com as rodas.

SAPIEnS — Sistema de Acompanhamento de Processos das Instituições de Ensino Superior.

SAS — Setor de Autarquias Sul (endereço de Brasília).

SBN — Setor Bancário Norte (endereço de Brasília).

SBPC — Sociedade Brasileira para o Progresso da Ciência.

SBS — Setor Bancário Sul (endereço de Brasília).

SCDF — Secretaria de Estado de Cultura do Distrito Federal.

SCEN — Setor de Clubes Esportivos Norte (endereço de Brasília).

SCES — Setor de Clubes Esportivos Sul (endereço de Brasília).

SCLRN — Setor Comercial Local Residencial Norte (endereço de Brasília).

SCN — Setor Comercial Norte (endereço de Brasília).

SCS — Setor Comercial Sul (endereço de Brasília).

SDN — Setor de Diversões Norte (endereço de Brasília).

SDS — Setor de Diversões Sul (endereço de Brasília).

se — 1. O monossílabo não tem vez com o infinitivo: *Para obter sucesso (não: para se obter); A forma mais exitosa de decorar a tabuada (não: se decorar). Para morar bem (não: se morar bem).* 2. Com verbos pronominais, o *se* pede passagem: *Para se aposentar aos 65 anos... A melhor forma de se manter no poder é...*

se (concordância) — Na passiva sintética, o verbo concorda com o sujeito: *Vende-se uma casa de dois quartos. Vendem-se casas de dois quartos. Aluga-se um quarto. Alugam-se quartos. Considere-se uma falha. Considerem-se falhas.*

> **se não/senão** — *1. Se não* quer dizer *caso não* ou *quando não*: Se não estudarem, terão dificuldade de passar no concurso. Se não andarem rápido, perderão o trem. A tarefa, se não é impossível, pelo menos é muito difícil.
>
> *2. Senão* se emprega nos outros contextos: Não há beleza sem senões. Não ficaram senão os auxiliares diretos. Queria a resposta não amanhã, senão dali a pouco.

Seapa-DF — Secretaria de Estado de Agricultura, Pecuária e Abastecimento.

SEB — Secretaria de Educação Básica (MEC).

Sebrae — Serviço Brasileiro de Apoio às Micro e Pequenas Empresas.

Secad — Secretaria de Educação Continuada, Alfabetização e Diversidade (MEC).

seção — Quer dizer parte, divisão: *seção de cosméticos, seção de frutas e verduras, seção de audiovisual.*

Sect-DF — Secretaria de Estado de Ciência e Tecnologia.

séculos — Escreva-os com algarismos arábicos (século 21). 2. Até o número 10, use numeral ordinal. Daí para frente, cardinal: *século 1º, século 2º, século 10º*. 3. Abreviatura: *séc., sécs.*

Sedest-DF — Secretaria de Estado de Desenvolvimento Social e Trabalho.

SE-DF — Secretaria de Estado de Educação.

SEDT-DF — Secretaria de Estado de Desenvolvimento Econômico e Turismo.

Seduma — Secretaria de Estado de Desenvolvimento Urbano e Meio Ambiente.

Seduma-DF — Secretaria de Estado de Desenvolvimento Urbano e Meio Ambiente.

Seed — Secretaria de Educação a Distância (MEC).

Seesp — Secretaria de Educação Especial (MEC).

SEFDF — Secretaria de Estado de Fazenda.

Sehab-DF — Secretaria de Estado de Habitação.

SEI — Secretaria Especial de Informática.

Seicheles — **Nome oficial:** República de Seicheles. **Nacionalidade:** seichelense. **Localização:** África Oriental (Oceano Índico). **Capital:** Vitória. **Extensão territorial:** 455km². **Divisão:** não há. **Cidade principal:** Vitória. **Limite:** Oceano Índico. **Idioma:** inglês, inglês crioulo (oficiais), francês. **Governo:** República presidencialista. **Religião:** católica, minoria protestante. **Hora local:** +7h. **Clima:** tropical chuvoso. **Data nacional:** 5/6 (Pátria). **Moeda:** rupia seichelense. **População total:** 87.298 habitantes (2010).

Sejus-DF — Secretaria de Estado de Justiça, Direitos Humanos e Cidadania.

sela — Veja **cela/sela**.

SEL-DF — Secretaria de Estado de Esporte e Lazer.

seleções e campeonatos esportivos — Com inicial maiúscula: *Seleção Brasileira, Seleção Chinesa de Vôlei Feminino, Campeonato Nacional, Copa do Mundo, Olimpíada.*

Selic — Sistema Especial de Liquidação e de Custódia.

sem — É acompanhado de hífen ao indicar unidade semântica, funcionando então como sufixo: *sem-cerimônia, sem-família, sem-fim, sem-justiça, sem-número, sem-nome, sem-pão, sem-par, sem-pátria, sem-pudor, sem-razão, sem-sal, sem-segundo (único), sem-teto, sem-termo, sem-terra, sem-trabalho, sem-ventura, sem-vergonha.* 2. A maior parte dos substantivos ou adjetivos compostos iniciados por *sem* é invariável (*os sem-terra, os sem-família, os sem-vergonha*). Algumas exceções: *sem-nomes* (*violências sem-nomes*), *os sem-cerimônias, as sem-vergonhices.*

SEM — Setor de Embaixadas Norte (endereço de Brasília).

semana a semana — Sem crase.

semi — Pede hífen quando seguido de *h* e *i*. Nos demais casos, é tudo junto: *semi-humano, semi-irradiação, semicírculo, semirradiação, semissolução.*

sem-terra — É invariável. A indicação de gênero é feita pelo artigo ou outro determinante do substantivo (*a sem-terra, o sem-terra*); e a de número, pelo artigo ou verbo da frase (*os sem-terra, sem-terra são baleados no Paraná*).

Senac — Serviço Nacional de Aprendizagem Comercial.

Senai — Serviço Nacional de Aprendizagem Industrial.

Senar — Serviço Nacional de Aprendizagem Rural.

Senegal (o) — **Nome oficial:** República do Senegal. **Nacionalidade:** senegalesa. **Localização:** África Ocidental. **Capital:** Dacar. **Extensão territorial:** 196.722km². **Divisão:** dez regiões. **Cidades principais:** Dacar, Pikine, Rufisque, Guédiawaye, Thiès, Kaolack. **Limites:** Mauritânia (N), Mali (L), Guiné e Guiné-Bissau (S), Gâmbia e Oceano Atlântico (O). **Idioma:** francês. **Governo:** República com forma mista de governo. **Religião:** islâmica, minorias católica e animista. **Hora local:** +3h. **Clima:** tropical árido e semiárido. **Data nacional:** 14/7 (Pátria). **Moeda:** franco CFA. **População total:** 12.860.717 (2010).

senhora — Não use como sinônimo de mulher: *Ele foi à festa com a mulher* (não *com a senhora ou esposa*).

sênior — Plural: *seniores*.

senso — Veja **censo/senso**.

sensor — Veja **censor/sensor**.

sentença — Decisão proferida por juiz ou tribunal com caráter condenatório, declaratório ou absolutório. Diz-se que a sentença é terminativa quando não couber recurso a esferas mais elevadas da Justiça (instâncias superiores) para revertê-la ou alterá-la. Só a Justiça — jamais o Ministério Público — é competente para proferir sentença. A Justiça não dá parecer. Condena, absolve, ordena, determina, impõe.

sentença transitada em julgado ou coisa julgada — É o nome que se dá à sentença da qual já não cabe nenhum recurso.

Seplag-DF — Secretaria de Estado de Planejamento e Gestão.

SEPN — Setor de Edifícios Públicos Norte (endereço de Brasília).

Seppir — Secretaria de Políticas de Promoção de Igualdade Racial.

SEPS — Setor de Edifícios Públicos Sul (endereço de Brasília).

septicemia — Infecção generalizada causada pela presença e multiplicação de micro-organismos na corrente sanguínea.

sequer — 1. Quer dizer *ao menos, pelo menos*. Usa-se em orações negativas: *Estava tão desinteressado que não foi sequer (pelo menos) fazer campanha no próprio estado. Não respondeu sequer (pelo menos) ao convite*. 2. Não empregue *sequer* como sinônimo de *não*: *Ele sequer compareceu ao comício. O presidente sequer olhou para o ministro*.

sequestro e extorsão mediante sequestro — Sequestro é o ato criminoso que se consuma quando o infrator priva alguém da liberdade e o mantém sob seu domínio. A extorsão mediante sequestro ocorre quando o sequestrador condiciona a libertação da vítima ao pagamento de resgate.

sequestro relâmpago — Não é conduta prevista no Código Penal. É ato tipificado como sequestro, sem adjetivação. O fato de a vítima permanecer privada em sua liberdade por pouco tempo (relâmpago) não deixa de ser sequestro (entendimento não partilhado pelas autoridades policiais devido à inexistência de disciplina legal sobre a natureza dessa espécie criminosa). A pena de sequestro vai de um a três anos de reclusão. Se a privação da liberdade durar mais de 15 dias, a pena será de dois a oito anos de reclusão (a pena de reclusão difere da pena de prisão porque implica isolamento noturno ou diurno — ou ambos — do sentenciado). Plural: *sequestros relâmpagos*.

Sergipe — **Capital:** Aracaju. **Situação geográfica:** leste da Região Nordeste. **Área:** 21.918,354km². **Número de municípios:** 75. **Cidades principais:** Lagarto, Itabaiana, Estância. **Limites:** Alagoas (N), Oceano Atlântico (L), Bahia (S e O). **População total:** 2.068.031 (2010). **Gentílico/estado:** sergipano. **Gentílico/capital:** aracajuense. **Hora local em relação a Brasília:** a mesma.

seriíssimo — Superlativo de *sério*.

Serpro — Serviço Federal de Processamento de Dados.

Serra Leoa — **Nome oficial:** República de Serra Leoa. **Nacionalidade:** serra-leonesa. **Localização:** África Ocidental. **Capital:** Freetown. **Extensão territorial:** 71.740km². **Divisão:** quatro províncias. **Cidades principais:** Freetown, Kenema, Makeni, Koidu-Sefadu. **Limites:** Guiné (N e L), Libéria (SE), Oceano Atlântico (S e O). **Idioma:** Inglês. **Governo:** República presidencialista. **Religião:** islâmica, minorias católica e animista. **Hora local:** +3h. **Clima:** equatorial chuvoso. **Data nacional:** 19/4 (República). **Moeda:** leone. **População total:** 5.835.664 (2010).

serrar — Veja **cerrar/serrar**.

Sérvia (a) — **Nome oficial:** República da Sérvia. **Nacionalidade:** sérvia. **Localização:** Europa balcânica. **Capital:** Belgrado. **Extensão territorial:** 88.361km². **Divisão:** 24 distritos e a cidade de Belgrado. **Cidades principais:** Belgrado, Novi Sad, Nis, Kragujevac. **Limites:** Montenegro (SE), Bósnia e Herzegóvina (O), Croácia (NO), Macedônia e Albânia (S), Romênia e Bulgária (L) e Hungria (N). **Idioma:** sérvio. **Governo:** República com forma mista de governo. **Religião:** ortodoxa (sérvios), minorias islâmica e católica. **Hora local:** +4h. **Clima:** mediterrâneo. **Data nacional:** 5/6 (Independência). **Moeda:** dinar sérvio. **População total:** 9.855.857 (2010).

servir — Pode ser transitivo direto (*serviu a sobremesa*), transitivo indireto (*serviu à amada, serviu ao presidente, serve à instituição*), transitivo direto e indireto (*serviu café à visita*), pronominal (*servir-se do cargo, servir-se do posto*).

servir no Exército — No sentido de prestar serviço militar, exige a preposição em: *servir no Exército, servir na Aeronáutica, servir na Marinha*.

servo — Veja **cervo/servo**.

SES — Setor de Embaixadas Sul (endereço de Brasília).

Sesc — Serviço Social do Comércio.

SESDF — Secretaria de Estado de Saúde.

Sesi — Serviço Social da Indústria.

sessão — Reunião: *sessão de cinema, sessão do Congresso, sessão de análise*.

Sesu — Secretaria de Educação Superior (MEC).

SET — Sociedade Brasileira de Engenharia de Televisão.

Setec — Secretaria de Educação Profissional e Tecnológica (MEC).

Setrans-DF — Secretaria de Estado de Transportes.

seu próprio — Redundante. Em vez de *seu próprio filho*, basta *o próprio filho*.

SF — Senado Federal.

SFH — Sistema Financeiro de Habitação.

SGAN — Setor de Grandes Áreas Norte (endereço de Brasília).

SGAS — Setor de Grandes Áreas Sul (endereço de Brasília).

SGON — Setor de Garagens e Oficinas Norte (endereço de Brasília).

SHIN — Setor de Habitações Individuais Norte (endereço de Brasília).

SHIP — Setor Hípico (endereço de Brasília).

SHIS — Setor de Habitações Individuais Sul (endereço de Brasília).

SHLN — Setor Hospitalar Local Norte (endereço de Brasília).

SHLS — Setor Hospitalar Local Sul (endereço de Brasília).

SHN — Setor Hoteleiro Norte (endereço de Brasília).

shopping center — Plural: *shopping centers*.

SHS — Setor Hoteleiro Sul (endereço de Brasília).

SHTN — Setor de Hotéis e Turismo Norte (endereço de Brasília).

SIA — Setor de Indústria e Abastecimento (endereço de Brasília).

Sibea — Sistema Brasileiro de Informação em Educação Ambiental.

sic — A latina quer dizer *assim, desse jeitinho*. Vem entre parênteses depois de palavra com grafia incorreta, desatualizada ou com sentido inadequado ao contexto. As três letrinhas dizem que o repórter não tem nada com a barbaridade: *Ele pediu menas (sic) mordomias*.

Siega — Secretaria Permanente do Tratado Geral de Integração Econômica Centro-Americana.

SIG — Setor de Indústrias Gráficas (endereço de Brasília).

SIG — Sistema de Informações Geográficas.

siglas — As siglas fazem parte da linguagem moderna. Algumas são pra lá de conhecidas. Às vezes, mais familiares que o nome por extenso. É o caso de ONU, OEA, Petrobras, Embratur. Mas nem todas frequentam a intimidade dos brasileiros. Se não forem de cama e mesa, traduza-as. Diga com todas as letras o que significam. O leitor agradece.

grafia: todas as letras maiúsculas em duas ocasiões: 1. Se a sigla tiver até três letras (PM, ONU, UTI, OEA, PAC). 2. Se as letras forem pronunciadas uma a uma (INSS, BNDES). Só a inicial maiúscula nos demais casos (Detran, Otan). **Plural**: acrescente um *s* minúsculo no final (PMs, UTIs, Detrans). (Procure a sigla por ordem alfabética.)

Sinaes — Sistema Nacional de Avaliação da Educação Superior.

Sinasefe — Sindicato Nacional dos Servidores Federais de Educação Básica, Profissional e Tecnológica.

Sindimaq — Sindicato Nacional da Indústria de Máquinas e Equipamentos.

Sindipeças — Sindicato Nacional da Indústria de Componentes para Veículos Automotores.

síndrome — Conjunto de sinais e sintomas associados a uma doença.

sine die — Usa-se na expressão *adiar sine die*, que significa sem fixar data para o adiamento. Escreve-se sem grifo.

sine qua non — 1. Expressão latina, quer dizer *condição indispensável*. Só use o trio no singular: *Minimizar a pobreza é condição sine qua non para pôr fim ao terrorismo.* 2. No plural, deixe a estrangeira pra lá. Use a nacional: *Minimizar a pobreza e respeitar os direitos humanos são condições indispensáveis para pôr fim ao terrorismo.*

Sinfavea — Sindicato Nacional dos Fabricantes de Veículos Automotores.

Síria (a) — **Nome oficial:** República Árabe da Síria. **Nacionalidade:** síria. **Localização:** Oriente Médio. **Capital:** Damasco. **Extensão territorial:** 184.050km². **Divisão:** 14 províncias. **Cidades principais:** Aleppo, Hamah, Damasco, Homs. **Limites:** Turquia (N), Iraque (L e SE), Jordânia (S), Israel (SO), Líbano (O). **Idioma:** árabe, curdo. **Governo:** República árabe presidencialista (ditadura militar desde 1970). **Religião:** islâmica (sunitas), minorias cristã e drusa. **Hora local:** +5h. **Clima:** mediterrâneo. **Data nacional:** 16/11 (Pátria). **Moeda:** libra síria. **População total:** 22.505.091 (2010).

Sisbacen — Sistema de Informações do Banco Central.

sito/situado — Veja **residente/sito/situado**.

Siv-Solo — Sistema Integrado de Vigilância do Solo.

SIVVD — Serviço de Informação a Vítimas de Violência Doméstica.

SLU — Serviço de Ajardinamento de Limpeza Urbana do Distrito Federal.

SLU — Serviço de Limpeza Urbana do Distrito Federal.

smartphone — Telefone celular com funções e programas similares aos existentes nos *palmtops, pocket PCs*.

SMDB — Setor de Mansões Dom Bosco (endereço de Brasília).

SME — Sistema Monetário Europeu.

SMHN — Setor Médico Hospitalar Norte (endereço de Brasília).

SMHS — Setor Médico Hospitalar Sul (endereço de Brasília).

SML — Setor de Mansões Leste (endereço de Brasília).

SMLN — Setor de Mansões Lago Norte (endereço de Brasília).

smoking — Escreve-se assim.

SMPW — Setor de Mansões Park Way (endereço de Brasília).

SMSE — Setor de Mansões Sudeste (endereço de Brasília).

SMSO — Setor de Mansões Sudoeste (endereço de Brasília).

SMU — Setor Militar Urbano (endereço de Brasília).

SNDC — Sistema Nacional de Defesa do Consumidor.

SNIPC — Sistema Nacional de Índices de Preços ao Consumidor.

sob/sobre — *Sob* significa posição inferior, debaixo de: *Escondeu o dinheiro sob o tapete. Trabalha sob as ordens do general. Havia documentos sob os escombros.* 2. *Sobre* quer dizer em cima de, em relação a: *Pôs os livros sobre a mesa. Sobre o assunto nada posso informar.*

sobre — Pede hífen antes de *h* e *e*. No mais, é tudo junto: *sobre-humano, sobre-escada, sobre-esforço, sobressaia, sobressair, sobreimposto, sobrealimentado.*

sobressair — O verbo não é pronominal: *O advogado sobressaiu no processo* (não: *sobressaiu-se*).

sobrevir — Veja **vir**.

socio — Pede hífen quando seguido de *h* e *o*. No mais, é tudo junto: *socioeconômico, socioeducacional, sociopolítico.*

SO-DF — Secretaria de Estado de Obras.

SOF — Setor de Oficinas Sul (endereço de Brasília).

Sol/sol — Letra maiúscula quando nomear o astro (eclipse do Sol). Letra minúscula quando nomear a luz do Sol: *É bom tomar sol até as 11h. O sol do meio-dia é prejudicial à pele.*

Solas — Safety of Life at Sea (Convenção Internacional para Salvaguarda da Vida Humana no Mar).

Somália (a) — **Nome oficial:** República Democrática Somali. **Nacionalidade:** somali. **Localização:** África. **Capital:** Mogadíscio. **Extensão territorial:** 637.657km². **Divisão:** nove províncias. **Cidades principais:** Mogadíscio, Hargeysa, Kismaayo, Berbera, Marka. **Limites:** Golfo de Áden (N), Djibuti (NO), Oceano Índico (L e S), Quênia (SO), Etiópia (O). **Idioma:** árabe e somali. **Governo:** Estado transitório formado em 2004. **Religião:** islâmica (sunitas). **Hora local:** +6h. **Clima:** árido tropical. **Data nacional:** 26/6 (Independência). **Moeda:** xelim somali. **População total:** 9.358.602 (2010).

sonda — Haste fina e flexível que pode ser introduzida num canal ou cavidade do organismo. É usada para diagnóstico, exploração ou dilatação.

sonda lambda — Equipamento que "lê" a composição dos gases de escape e informa ao sistema de injeção a proporção ideal da mistura ar-combustível a ser enviada aos cilindros.

Sopral — Sociedade de Produtores de Açúcar e de Álcool.

soto — Sempre se usa com hífen: *soto-mestre*.

spam — Mensagem indesejada.

SPC — Serviço de Proteção ao Crédito.

spread — Escreve-se assim.

SPS — Setor Policial Sul (endereço de Brasília).

SQB — Superquadra Brasília (endereço de Brasília).

SQN — Superquadra Norte (endereço de Brasília).

SQS — Superquadra Sul (endereço de Brasília).

SQSW — Superquadra Sudoeste (endereço de Brasília).

SRB — Sociedade Rural Brasileira.

SRES — Setor Residencial Econômico Sul (endereço de Brasília).

SRF — Secretaria da Receita Federal.

Sri Lanka — **Nome oficial:** República Democrática Socialista do Sri Lanka. **Nacionalidade:** cingalesa. **Localização:** Ásia meridional. **Capital:** Colombo. **Extensão territorial:** 65.610km². **Divisão:** nove províncias. **Cidades principais:** Colombo, Dehiwala-Mount Lavinia, Moratuwa, Jaffna, Kotte, Negombo, Kandy. **Limites:** Estreito de Palk (N), Golfo de Bengala (L), Oceano Índico (S), Golfo de Mannar (O). **Idioma:** sinhala e tâmil (oficiais) e inglês. **Governo:** República com forma mista de governo. **Religião:** budista, com minorias hindu, islâmica e protestante. **Hora local:** +8h30. **Clima:** tropical (N), e equatorial (S). **Data nacional:** 6/9 (Independência). **Moeda:** rupia cingalesa. **População total:** 20.409.946 (2010).

SRTN — Setor de Rádio e Televisão Norte (endereço de Brasília).

SRTS — Setor de Rádio e Televisão Sul (endereço de Brasília).

SSBN — Sigla para submarino nuclear armado com mísseis balísticos.

SSN — Sigla para submarino nuclear armado com torpedos e mísseis antinavio. Veja **submarino de ataque**.

SSP-DF — Secretaria de Estado de Segurança Pública.

standard — Prefira *padrão*.

Steve Ballmer (Microsoft) — Escreve-se assim.

Steve Jobs (Apple) — Escreve-se assim.

STF — Supremo Tribunal Federal.

STJ — Superior Tribunal de Justiça.

STJD — Superior Tribunal de Justiça Desportiva.

STM — Superior Tribunal Militar.

STN — Secretaria do Tesouro Nacional.

stricto sensu — Contrário de *lato sensu*.

Suazilândia (a) — **Nome oficial:** Reino da Suazilândia. **Nacionalidade:** suázi. **Localização:** África austral. **Capital:** Mbabane. **Extensão territorial:** 17.364km². **Divisão:** quatro regiões. **Cidades principais:** Mbabane, Manzini. **Limites:** África do Sul (N, S e O), Moçambique (L). **Idioma:** inglês, sissuáti. **Governo:** Monarquia absolutista. **Religião:** protestante, cristã africana, animista, católica. **Hora local:** +5h. **Clima:** tropical de altitude. **Data nacional:** 6/9 (Independência). **Moeda:** lilangeni. **População total:** 1.201.904 (2010).

sub — Pede hífen antes de *h*, *b* e *r*. Nos demais casos, é tudo colado: *sub-história, sub-base, sub-raça, sub-reptício, subsolo, subsistema, subalterno*.

submarino de ataque — Termo utilizado por este manual para o termo SSN.

submarino de patrulha — Termo técnico para submarinos convencionais. Em nosso manual adotaremos apenas o termo submarino para esta classe de navio.

subsídio — O *s* se pronuncia como em *subsolo*.

Sucam — Superintendência de Campanhas de Saúde Pública.

Sucen — Superintendência de Controle de Endemias.

Sucesu — Sociedade dos Usuários de Computadores e Equipamentos Subsidiários.

Sudam — Superintendência de Desenvolvimento da Amazônia.

Sudão (o) — **Nome oficial:** República do Sudão. **Nacionalidade:** sudanesa. **Localização:** África saheliana. **Capital:** Cartum. **Extensão territorial:** 2.505.813km². **Divisão:** 26 estados. **Cidades principais:** Cartum, Omdurman, Cartum do Norte, Port Sudan, Kassala. **Limites:** Egito (N), Mar Vermelho (NE), Eritreia e Etiópia (L), Quênia, Uganda e República Democrática do Congo (S), República Centro-Africana (SO), Chade (O), Líbia (NO). **Idioma:** árabe (oficial), inglês, dinka, nuer, dialetos regionais. **Governo:** República presidencialista (ditadura militar desde 1989). **Religião:** islâmica (sunitas), minorias cristãs. **Hora local:** +5h. **Clima:** árido tropical (N) e tropical (S). **Data nacional:** 1º/1 (Independência). **Moeda:** libra sudanesa. **População total:** 43.192.438 (2010).

Sudeco — Superintendência de Desenvolvimento do Centro-Oeste.

Sudene — Superintendência do Desenvolvimento do Nordeste.

Suécia (a) — **Nome oficial:** Reino da Suécia. **Nacionalidade:** sueca. **Localização:** Europa nórdica. **Capital:** Estocolmo. **Extensão territorial:** 449.964km². **Divisão:** 25 condados. **Cidades principais:** Estocolmo, Göteborg, Malmö, Uppsala, Lidköping. **Limites:** Noruega (N e O), Finlândia (NE), Mar Báltico (S e L). **Idioma:** sueco, finlandês e lapão. **Governo:** Monarquia parlamentarista. **Religião:** protestante. **Hora local:** +4h. **Clima:** temperado frio. **Data nacional:** 6/6 (Bandeira). **Moeda:** coroa sueca. **População total:** 9.293.026 (2010).

sufragar — Transitivo direto, sem preposição: *O brasiliense sufragou bons candidatos ao Senado*.

Suíça (a) — **Nome oficial:** Confederação Suíça. **Nacionalidade:** suíça. **Localização:** Europa central. **Capital:** Berna. **Extensão territorial:** 41.293km². **Divisão:** 26

cantões. **Cidades principais:** Genebra, Basileia, Berna, Lausanne. **Limites:** Alemanha (N), Liechtenstein, Áustria (L), Itália (S), França (O). **Idioma:** alemão, francês, italiano e romanche. **Governo:** República confederativa parlamentar. **Religião:** cristianismo, agnosticismo. **Hora local:** +4h. **Clima:** temperado continental. **Data nacional:** 1º/8 (Dia da Suíça). **Moeda:** franco suíço. **População total:** 7.594.561 (2010).

suicidar-se — O verbo é sempre — sempre mesmo — pronominal: *eu me suicido, ele se suicida, nós nos suicidamos, eles se suicidam.*

sul — Pede hífen na formação de adjetivos pátrios: *sul-americano, sul-coreano, sul-vietnamita, sul-asiático.*

sumariíssimo — Superlativo de sumário.

Sunab — Superintendência Nacional de Abastecimento.

Sunamam — Superintendência Nacional da Marinha Mercante.

super/súper — Pede hífen antes de *h* e *r*. Nos demais casos, é tudo junto: *super-homem, super-região, supersensível, superativo, superexigente, supermercado.* A interjeição *súper* é acentuada.

superavit — Assim, sem grifo. Plural: *superavits.*

supra — Pede hífen quando seguido de *h* e *a*: *supra-hepático, supra-auricular, suprarregional, suprassumo.*

Suriname (o) — **Nome oficial:** República do Suriname. **Nacionalidade:** surinamesa.

Localização: América do Sul. **Capital:** Paramaribo. **Extensão territorial:** 163.265km². **Divisão:** dez distritos. **Cidades principais:** Paramaribo, Lelydorp, Nieuw Nickerie. **Limites:** Oceano Atlântico (N), Guiana Francesa (L), Brasil (S), Guiana (O). **Idioma:** holandês (oficial), hindustânis, javanês, inglês. **Governo:** República presidencialista. **Religião:** hinduísmo, cristianismo, islâmismo. **Hora local:** a mesma de Brasília. **Clima:** equatorial chuvoso. **Data nacional:** 25/11 (Independência). **Moeda:** dólar do Suriname. **População total:** 524.345 (2010).

surpresa inesperada — É pleonasmo. A surpresa é sempre inesperada.

SUS — Serviço Único de Saúde.

Susan — Superintendência de Saneamento Ambiental e Infraestrutura.

Susep — Superintendência de Seguros Privados.

sutiã — Essa é a forma aportuguesada.

T

t — 20ª letra do alfabeto. Plural: *tês, tt.*

tabelião — Feminino: *tabeliã.* Plural: *tabeliães, tabeliãs.*

tablet — dispositivo eletrônico no formato de prancheta.

tábua/tabuada — com *u.*

tachar/taxar — Prefira *tachar* para qualificar negativamente (*tachou-o de traidor*) e *taxar* para estipular, fixar taxas (*o governo taxou produtos antes isentos*).

Tadjiquistão (o) — **Nome oficial:** República do Tadjiquistão. **Nacionalidade:** tadjique. **Localização:** Ásia. **Capital:** Duchambe. **Extensão territorial:** 143.100km². **Divisão:** três províncias e a região autônoma de Gorno-Badakhshan. **Cidades principais:** Duchambe, Khujand, Kulob, Qurghonteppa. **Limites:** Quirguistão (N), Uzbequistão (O), China (L), Afeganistão (S). **Idioma:** tadjique. **Governo:** República presidencialista. **Religião:** islâmica (sunitas), minoria ortodoxa. **Hora local:** +8h. **Clima:** árido frio e de montanha. **Data nacional:** 9/9 (Independência). **Moeda:** somoni. **População total:** 7.074.845 (2010).

Tailândia (a) — **Nome oficial:** Reino da Tailândia. **Nacionalidade:** tailandesa. **Localização:** sudeste asiático. **Capital:** Bangcoc. **Extensão territorial:** 513.115km². **Divisão:** sete regiões. **Cidades principais:** Bangcoc, Samut Prakan, Nonthaburi, Udon Thani, Nakhon Ratchasima, Hat Yai, Chon Buri. **Limites:** Laos (N e L), Camboja (SE), Golfo da Tailândia e Malásia (S), Estreito de Malaca (SO), Mianmar (O). **Idioma:** tai (oficial), chinês. **Governo:** Monarquia. **Religião:** budista, com minoria islâmica. **Hora local:** +10h. **Clima:** tropical com chuvas de monção. **Data nacional:** 5/12 (Pátria). **Moeda:** baht. **População total:** 68.139.238 (2010).

Taiwan (Formosa) — **Nome oficial:** República da China. **Nacionalidade:** chinesa ou taiwanesa. **Localização:** Ásia Oriental. **Capital:** Taipé. **Extensão territorial:** 36.188km². **Divisão:** 17 condados e sete municípios. **Cidades principais:** Taipé, Kaohsiung, Taichung, Tainan, Panchiao. **Limites:** Mar da China Oriental (N), Mar da China Meridional (S e SE), Oceano Pacífico (L), Estreito de Formosa (Taiwan) (O). **Idioma:** mandarim (oficial), chinês dialetal. **Governo:** República com sistema misto. **Religião:** crenças tradicionais, budista, minoria cristã. **Hora local:** +11h. **Clima:** subtropical (N) e tropical (S). **Data nacional:** 1º/1 (República). **Moeda:** novo dólar de Taiwan. **População total:** 23.000 (2010).

tal — Concorda com o substantivo a que se refere: *Que tal um cineminha? Que tais os filmes em cartaz?*

talvez — Atenção à colocação. Se vem antes do verbo, exige o subjuntivo (*talvez venha, talvez tenha uma carta no bolso, talvez vá*). Se vem depois, pede o indicativo: *Foi, talvez, o mais importante pronunciamento do governador. Escreveu, talvez, uns cinco livros.*

> **tampouco/tão pouco** — 1. Tampouco significa também não, muito menos: *Ele não compareceu e tampouco deu explicações.*
> 2. Tão pouco quer dizer muito pouco: *Ele falou tão pouco na reunião... Comeu tão pouco que deixou a mãe preocupada.*

tanque de guerra — Veículo sobre esteiras, pesadamente blindado e armado, usado para abrir as defesas inimigas. Termo adotado por este manual por ser mais popular que carro de combate.

tanto faz — É invariável: *Tanto faz um ou dois filhos. Tanto faz dois ou três livros.*

tanto... quanto (concordância) — Veja **Não só... mas também**.

Tanzânia (a) — **Nome oficial:** República Unida da Tanzânia. **Nacionalidade:** tanzaniana. **Localização:** África Oriental. **Capital:** Dodoma. **Extensão territorial:** 945.087km². **Divisão:** 25 regiões. **Cidades principais:** Dar es Salaam, Mwanza, Dodoma, Tanga, Zanzibar. **Limites:** Uganda e Quênia (N), República Democrática do Congo, Ruanda e Burundi (O), Oceano Índico (L), Mali, Malauí e Zâmbia (SO), Moçambique (S). **Idioma:** kiswahili e inglês. **Governo:** República presidencialista. **Religião:** islâmica, animista, cristã. **Hora local:** +6h. **Clima:** tropical. **Data nacional:** 12/1 (Revolução de Zanzibar), 26/4 (União) e 9/12 (Independência). **Moeda:** xelim tanzaniano. **População total:** 45.039.573 (2010).

Taric — Pauta Integrada das Comunidades Europeias.

taxa de compressão — Relação de compressão da medida ar-combustível no cilindro. Será maior quando for menor o coeficiente energético do combustível. A taxa dos motores a álcool é maior em relação aos movidos a gasolina.

TB (terabyte) — Unidade de medida de memória tanto RAM quanto em disco rígido.

TCB — Sociedade de Transportes Coletivos de Brasília.

TCDF — Tribunal de Contas do Distrito Federal.

TCU — Tribunal de Contas da União.

tê — Nome da 20ª letra do alfabeto. Plural: *tês, tt*.

Tedh — Tribunal Europeu dos Direitos Humanos.

teipe — Essa é a forma aportuguesada.

tele — Pede hífen quando seguido de *h*. No mais, é tudo junto: *tele-homenagem, telecurso, telesserviço*. Perde o *e* quando seguido de *e*: *teleducação, teleducando, teleducador, telentrega*.

Telebrás — Telecomunicações Brasileiras S.A.

telex — É invariável: *o telex, os telex*.

tem/têm — O acento se mantém no plural.

temperatura — Veja **frio/quente**.

tempestivo/intempestivo — Não têm relação com temperamento. Pertencem à família do substantivo tempo. *Tempestivo* significa que vem ou sucede no tempo devido, oportuno. *Intempestivo* quer dizer fora do tempo próprio, inoportuno; súbito, imprevisto.

tempos verbais — As palavras mais importantes da língua são o substantivo e o verbo. Entre as duas, sobressai o verbo. Ele é que fala. Por isso exige especial cuidado na conjugação e no emprego dos tempos e modos.

modo subjuntivo — Grande vítima de atropelamentos, o subjuntivo traduz ideia de ordem, pedido, desejo, dúvida, eventualidade e possibilidade em construções como: *Quero que você chegue cedo. Proíbo que a notícia seja divulgada. Exijo que a tarefa seja concluída às 10 horas. Prefiro que nos reunamos em casa. Tomara que chova. Duvido que ele chegue a tempo. Talvez ele possa substituir o ministro. Receio que o diretor não chegue a tempo. Negou que tivesse participado da reunião.*

São frequentes frases como "O relator nega que se beneficia das emendas ao Orçamento". Na verdade, *ele nega que "se beneficie" das emendas ao Orçamento*. A razão: negar introduz ideia de eventualidade ou possibilidade.

correlação verbal — Outra vítima dos tropeços é a correlação verbal. Em outras palavras: observância da correspondência de tempo — presente com presente (aí incluído o futuro do presente) e passado com passado (incluído o futuro do pretérito): *Se ele for eleito, fará um governo democrático. Se ele fosse eleito, faria um governo democrático. O senador diz que abandona (ou abandonará) a política. O senador disse que abandonou (ou abandonaria) a política.*

Atenção: O futuro do pretérito (abandonaria) suscita dúvida: o senador abandonará ou não a política? Nesse caso, se houver certeza de que a ação se concretizará, pode-se dizer: *O senador disse que abandonará a política*. Mantém-se o presente também se a ação declarada na oração integrante perdura no momento em que se fala: *O presidente declarou à imprensa que sofre de mal incurável*. Ou quando a fala expressa juízo, opinião: *Ele disse que Deus é o criador de todas as coisas.*

tempos compostos — A terceira vítima de descuidos verbais é o tempo composto. Apesar de importante para a precisão da linguagem, tem frequência cada vez mais rara nas páginas dos jornais. Mas faz falta. 1. A ideia de que uma ação começou no passado e continua no presente pede o pretérito perfeito composto do indicativo: *Ultimamente tem chovido em Brasília*. 2. Se a ação acabar em algum momento do futuro, deve ser expressa pelo futuro composto do presente: *Quando o socorro chegar, os passageiros já terão morrido. Às 11h, a reunião já terá acabado. Na data do concurso, terei estudado toda a matéria. O avião terá partido quando eu conseguir chegar ao aeroporto. Até o fim do dia teremos lido todos os documentos.* 3. Se a ação poderia ter ocorrido no passado, é a vez do futuro do pretérito composto: *Se tivesse acontecido comigo, eu teria desistido. Sem ajuda, ele não teria conseguido o emprego. Com tempo, nós teríamos feito trabalho melhor. Munido de mais informações, você teria descoberto a verdade.* 4. Os tempos compostos do subjuntivo, usados nas mesmas condições dos tempos simples, exprimem ações terminadas. Compare o emprego dos tempos simples e compostos: *Duvido que ele venda a casa (duvido que ele tenha vendido a casa). Talvez ele chegue quando estivermos fora (talvez ele tenha chegado quando estivemos fora). Lamentei que você dissesse tantas mentiras (lamentei que você tivesse dito tantas mentiras). Ele viajará quando conseguir o visto (ele viajará quando tiver conseguido o visto).*

ter — Atenção à conjugação: *eu tenho, ele tem, nós temos, eles têm; tive, teve, tivemos, tiveram; tinha, tinha, tínhamos, tinham; terei, terá, teremos, terão; teria, teria, teríamos, teriam; tenha, tenha, tenhamos, tenham; tiver, tiver, tivermos, tiverem; tivesse, tivesse, tivéssemos, tivessem; tendo; tido.*

ter de/ter que — As duas formas são sinônimas.

termo — Pede hífen quando seguido de *h* e *o*. Nos demais casos, é tudo junto: *termo-higroscópio, termodinâmico, termoelétrica*.

Terra (terra) — Ao falar do planeta, use inicial maiúscula: *A Terra gira em torno do Sol. A Terra é redonda e azul.*

Terracap — Companhia Imobiliária de Brasília.

tesão — É masculino: *o tesão*.

tetra — Pede hífen quando seguido de *h* e *a*. Nos demais casos, é tudo colado: *tetra-hexaedro, tetracampeão, tetraetil, tetradracma.*

tetraparesia — Enfraquecimento dos quatro membros (braços e pernas).

tetraplégico — Pessoa com paralisia do pescoço para baixo, impossibilitando a movimentação de braços e pernas.

tevê — *A tevê é em cores, não a cores.* Abreviatura: *TV* ou *tevê*. Use TV para emissoras (TV Brasília, TV Alterosa).

textos legais — 1. Use a inicial maiúscula se o ato oficial estiver acompanhado do respectivo número: *O Decreto 15.613, de 29.4.93, regulamenta... A Medida Provisória 45, de 6.6.93, dispõe...* 2. Escreva com inicial maiúscula o nome de leis ou normas políticas e econômicas consagradas pela importância de que se revestem: *Lei de Diretrizes e Bases, Lei Afonso Arinos, Lei de Diretrizes Orçamentárias, Código Civil, Lei Antitruste.*

TFP — Sociedade Brasileira de Defesa da Tradição, Família e Propriedade.

TFR — Tribunal Federal de Recursos.

TIJ — Tribunal Internacional de Justiça.

tilintar/tiritar — 1. *Tilintar* quer dizer soar. 2. *Tiritar*, tremer: *Os gaúchos tiritam de frio quando sopra o minuano.*

Timor-Leste — **Nome oficial:** República Democrática de Timor-Leste. **Nacionalidade:** timorense (ou maubere). **Localização:** Sudeste Asiático. **Capital:** Díli. **Extensão territorial:** 14.874km². **Divisão:** 13 distritos. **Cidades principais:** Díli, Dare, Baucau, Maliana, Ermera. **Limite:** Indonésia. **Idioma:** português e tétum. **Governo:** República parlamentarista. **Religião:** cristianismo, crenças tradicionais, islamismo. **Hora local:** +12h. **Clima:** equatorial. **Data nacional:** 20/5 (Independência). **Moeda:** dólar americano. **População total:** 1.171.163 (2010).

tim-tim por tim-tim — Assim, com hífen.

tique-taque — Plural: *tique-taques*.

tira-dúvida — Plural: *tira-dúvidas*.

tira-gosto — Plural: *tira-gostos*.

TJ — Tribunal de Justiça.

TJDFT — Tribunal de Justiça do Distrito Federal e Territórios.

TJPE — Tribunal de Justiça de Pernambuco.

Tjue — Tribunal de Justiça da União Europeia.

TNCS — Teatro Nacional Cláudio Santoro.

Tocantins (o) — **Capital:** Palmas. **Situação geográfica:** Sudeste da Região Norte. **Área:** 277.621,858km². **Número de municípios:** 139. **Cidades principais:**

Araguaína, Gurupi, Porto Nacional. **Limites:** Maranhão (N e NE), Piauí e Bahia (L), Goiás (S), Mato Grosso (SO), Pará (NO). **População total:** 1.383.453 (2010). **Gentílico/estado:** tocantinense. **Gentílico/capital:** palmense. **Hora local em relação a Brasília:** a mesma.

todo mundo/todo o mundo — 1. *Todo mundo* quer dizer todos: *Todo mundo aplaudiu o cantor.* 2. *Todo o mundo* significa todos os países, o mundo inteiro.

todo/todo o/todos os — 1. *Todo* significa *qualquer, inteiro*: *Todo (qualquer) país tem uma capital. Todo (qualquer) homem é mortal. Li o livro todo (inteiro).* 2. *Todo o* equivale a *inteiro*: *Li todo o livro. Assisti a todo o filme. Conheço todo o mundo.* 3. *Todos os* quer dizer *todas as pessoas* ou *representantes de determinada categoria, grupo ou espécie*: *Todos os governadores compareceram à reunião. Todos os que quiseram participaram do sorteio. Dirigiu-se a todos os presentes.* Atenção: 1. *Todo mundo* é forma coloquial. Significa *todos*: *Todo mundo foi à festa.* 2. Não use *todos* com o numeral *dois* (todos os dois). Diga *os dois* ou *ambos*. 3. É pleonasmo escrever *unânime* e *todos* em frase do tipo *todos foram unânimes*. *Unânime* é relativo a todos.

todo-poderoso — O *todo*, no caso, funciona como advérbio (= totalmente). Mantém-se invariável: *o todo-poderoso, os todo-poderosos, a todo-poderosa, as todo-poderosas*.

todos — Abra o olho com o pronome *todos*. Com o artigo, torna-se redundante: *Na primeira reunião com todos os cardeais, Bento XVI pede apoio para superar fraquezas e afirma que não deseja ser reverenciado.* Reparou? O *todos* sobra. A presença do artigo informa que são todos: *Na primeira reunião com os cardeais...*

todos foram unânimes — É pleonasmo. *Unânime* é relativo a todos.

todos os dois — Não use. Fique com *os dois* ou *ambos*.

Togo (o) — **Nome oficial:** República do Togo. **Nacionalidade:** togolesa. **Localização:** África Ocidental. **Capital:** Lomé. **Extensão territorial:** 56.785km². **Divisão:** cinco regiões. **Cidades principais:** Lomé, Golfe Urbain, Sokodé, Kara. **Limites:** Burkina Fasso (N), Benin (L), Golfo da Guiné (S), Gana (O). **Idioma:** francês, cabiê, euê. **Governo:** República com forma mista de governo. **Religião:** animista, católica, islâmica, cristã africana. **Hora local:** +3h. **Clima:** equatorial chuvoso (litoral) e tropical (interior). **Data nacional:** 27/4 (Independência). **Moeda:** franco CFA. **População total:** 6.780.030 (2010).

Tonga — **Nome oficial:** Reino de Tonga. **Nacionalidade:** tonganesa. **Localização:** Oceania. **Capital:** Nuku'alofa. **Extensão territorial:** 747km². **Divisão:** 5 grupos de ilhas. **Cidades principais:** Mu'a, Neiafu. **Limite:** Oceano Pacífico. **Idioma:** tonganês, inglês. **Governo:** Monarquia tradicional. **Religião:** protestante, com minoria católica. **Hora local:** +16h. **Clima:** tropical. **Data nacional:** 4/6 (Independência). **Moeda:** pa'anga. **População total:** 104.260 (2010).

topônimos geográficos e urbanos seguidos do nome — Escrevem-se com a letra inicial maiúscula: *Rio Amazonas, Cordilheira do Andes, Baía de Guanabara, Cabo da Boa Esperança, Mar Mediterrâneo, Oceano Atlântico, Avenida Paulista, Rua Sete de Setembro, Praça Dom Feliciano, Largo do Arouche, Parque Ibirapuera, Setor Comercial Sul.*

torpedo — Arma dotada de motor concebida para atingir barcos adversários sob a linha d'água. Pode ser guiada por fio ou atraída pelo ruído do barco adversário. As mais antigas não possuem sistema de guiagem.

toxina — Substância tóxica produzida por ser vivo, vegetal ou animal.

tráfego/tráfico — 1. *Tráfego* quer dizer trânsito. 2. *Tráfico* é comércio, não necessariamente ilícito. Daí se dizer tráfico ilegal ou tráfico ilícito. Use tráfico só na acepção de comércio ilícito

trans — Nunca se usa com hífen: *Transamazônica, transregional, transcontinental.*

transporte blindado de pessoal — Veículo sobre esteiras ou rodas, pesadamente blindado, utilizado para transportar tropas em situação de risco. O Exército Brasileiro usa os modelos Urutu (sobre rodas) e M-113 (sobre lagartas). Os Fuzileiros Navais empregam veículos Piranha (sobre rodas) e M-113. Todos foram empregados na retomada da Vila Cruzeiro e do Morro do Alemão. Também são usados pelo contingente brasileiro das Forças de Paz no Haiti.

trás/traz — Veja **traz/trás**.

tratamento — Em entrevistas, *senhor* e *senhora* vão sempre bem para adultos. *Você*, para crianças e jovens.

trata-se de — O verbo fica sempre no singular: *Trata-se de problemas antigos. Tratou-se das aspirações populares.*

Travessão

O sinal do travessão equivale a dois hifens (—). Use-o:

1. Na introdução de diálogos em geral:

Imagino Irene entrando no céu:

— Licença, meu Branco?

E São Pedro, bonachão:

— Entra, Irene. Você não precisa pedir licença. (Manuel Bandeira)

2. Nos intertítulos:

Calvário — O candidato preferiu brigar na Justiça e conseguiu liminar do Tribunal Superior Eleitoral (TSE). Agora tem 27 segundos dia sim, dia não.

3. Na indicação de procedência, depois do nome da cidade, do país ou sigla do estado:

Curitiba —

Caxias do Sul (RS) —

Toledo (Espanha) —

4. Na separação das datas de nascimento e morte de uma pessoa: *Recife, 1908 — Brasília, 1962.*

5. No destaque de palavra ou expressão no interior de uma frase (no caso, é usado duplamente): *Lula conseguiu — até — o aplauso dos adversários.* No lugar dos dois-pontos ao introduzir uma explicação: "*Carioca do Méier, habitante de Ipanema, 70 anos de idade, corpinho de*

50, conservado nas corridas diárias das seis da manhã nas areias de Ipanema. Duas datas de aniversário — uma no registro, 26 de maio de 1925; outra de nascimento, 16 de agosto de 1924".

6. Na substituição da vírgula nos apostos: *Luiz Inácio Lula da Silva — presidente do Brasil — adotou políticas neoliberais nem sonhadas por Fernando Henrique Cardoso.*

Atenção:

1. Se o segundo travessão coincidir com uma vírgula, use o travessão e a vírgula: *Com a inflação baixa — afirmou o ministro —, o Brasil pode pensar em modernizar-se.*

Mas:

Brasília — a capital do Brasil — localiza-se no Planalto Central.

2. Não abuse do travessão. Um por parágrafo é pra lá de suficiente.

traz/trás — 1. *Traz* é a 3ª pessoa do singular do presente do indicativo do verbo trazer: *Ele traz os documentos no bolso.* 2. *Trás* é preposição: *Andou para trás.*

trazer — Atenção para o futuro do subjuntivo: *se eu trouxer, se ele trouxer, se nós trouxermos, se eles trouxerem.*

TRE-DF — Tribunal Regional Eleitoral do Distrito Federal.

3G — Termo que abrange as tecnologias de terceira geração de telefonia celular. Elas permitem ao usuário falar, navegar na internet e baixar todo tipo de conteúdo (jogos, músicas, filmes, etc.) no telefone móvel, com alta velocidade. Entre as tecnologias de 3G, estão: CDMA 1x RTT, CDMA 1x EV-DO, UMTS/W-CDMA e Edge.

Três Poderes — Iniciais maiúsculas.

TRF — Tribunal Regional Federal.

tri — Pede hífen quando seguido de *h* e *i*. No mais, é tudo colado: *tri-herói, tri-iodado, tricampeão, triatleta, trilíngue.*

triátlon — Não use *triatlo*.

tribos indígenas — Os nomes de tribos indígenas são aportuguesados e escritos sempre no plural: *os xavantes, os tupis, os aimorés, os ianomâmis, os astecas.* Os menos comuns se escrevem na forma antropologicamente fixada. No caso, não têm plural: *os txucarramãe.*

tribunal e juiz — Tribunal e juiz não opinam nem dão pareceres. Sentenciam, ordenam, mandam, determinam, condenam, absolvem.

Trinidad e Tobago — **Nome oficial:** República de Trinidad e Tobago. **Nacionalidade:** trinitária, tobaguiana. **Localização:** América Central. **Capital:** Port of Spain. **Extensão territorial:** 5.130km². **Divisão:** sete condados. **Cidades principais:** Chaguanas, San Fernando, Arima, Point Fortin. **Limites:** Mar do Caribe (N), Oceano Atlântico (L, S, O). **Idioma:** inglês, inglês crioulo, espanhol hindi. **Governo:** República parlamentarista. **Religião:** protestante, católica, hindu, minoria islâmica. **Hora local:** -1h. **Clima:** tropical. **Data nacional:** 31/8 (Independência). **Moeda:** dólar de Trinidad e Tobago. **População total:** 1.343.725 (2010).

tríplice — Vacina que protege contra difteria, tétano e coqueluche. Também conhecida como DPT.

tríplice viral — Vacina que protege contra sarampo, caxumba e rubéola. Também conhecida como MMR.

trombose — Formação de coágulo no interior de vaso sanguíneo que impede ou dificulta o fluxo de sangue.

TRT-DF — Tribunal Regional do Trabalho da 10ª Região — DF.

TSE — Tribunal Superior Eleitoral.

TST — Tribunal Superior do Trabalho.

tudo a ver — nunca *tudo haver*.

tudo que/tudo o que — Tanto faz: *Tudo que sei é que nada sei. Tudo o que sei é que nada sei.*

TUE — Tratado da União Europeia.

tuitar — Verbo regular da primeira conjugação.

tuíte — Escreve-se assim.

tumor — Aumento do volume de tecidos de qualquer parte do corpo. Pode ser benigno (crescimento ordenado, sem prejuízo significativo da função do órgão) ou maligno (crescimento desordenado, que compromete a função orgânica e produz metástase).

Tunísia (a) — **Nome oficial:** República da Tunísia. **Nacionalidade:** tunisiana. **Localização:** África do Norte. **Capital:** Túnis. **Extensão territorial:** 163.610km². **Divisão:** 18 governadorias. **Cidades principais:** Sfax, Ariana, Ettadhamen, Sousse. **Limites:** Mar Mediterrâneo (N e L), Líbia (S e SE), Argélia (O). **Idioma:** árabe, dialetos berberes, francês. **Governo:** República presidencialista. **Religião:** islâmica (sunitas). **Hora local:** +4h. **Clima:** árido tropical (maior parte) e mediterrâneo (litoral). **Data nacional:** 20/3 (Independência). **Moeda:** dinar tunisiano. **População total:** 10.373.957 (2010).

tupiniquim — Às vezes soa pejorativo. Olho vivo!

turbo — Pede hífen quando seguido de *h* ou *o*. No mais, é tudo junto: *turbo-hélice, turbo-oxigenador, turbodinâmico, turboélice.*

turco — Pede hífen quando forma adjetivo pátrio: *turco-francês, turco-brasileiro.*

Turcomenistão (o) — **Nome oficial:** República do Turcomenistão. **Nacionalidade:** turcomana. **Localização:** Ásia central. **Capital:** Ashkhabad. **Extensão territorial:** 488.100km². **Divisão:** cinco regiões. **Cidades principais:** Türkmenabat, Dashhowuz, Mary, Balkanabat. **Limites:** Uzbequistão (N), Irã (S), Afeganistão (SE), Mar Cáspio (O), Cazaquistão (NO). **Idioma:** turcomano, russo. **Governo:** República presidencialista. **Religião:** islâmica (sunitas), minoria ortodoxa. **Hora local:** +8h. **Clima:** árido frio. **Data nacional:** 27/10 (Independência). **Moeda:** manat. **População total:** 5.176.502 (2010).

Turquia (a) — **Nome oficial:** República da Turquia. **Nacionalidade:** turca. **Localização:** Europa balcânica e Oriente Médio. **Capital:** Ancara. **Extensão territorial:** 779.452km². **Divisão:** 67 províncias. **Cidades principais:** Istambul, Izmir, Bursa, Adana. **Limites:** Mar Negro (N), Bulgária, Grécia (NO), Iraque, Síria, Mar Mediterrâneo (S), Geórgia, Armênia, Irã (L), Mar Egeu (O). **Idioma:** turco, curdo. **Governo:** República parlamentarista. **Religião:** islâmica (sunitas). **Hora local:** +5h. **Clima:** mediterrâneo (litoral e S) e temperado continental (N). **Data nacional:** 27/5 (Constituição), 29/10 (República). **Moeda:** lira. **População total:** 75.705.147 (2010).

Tuvalu — **Nome oficial:** Tuvalu. **Nacionalidade:** tuvaluana. **Localização:** Oceania. **Capital:** Funafuti. **Extensão territorial:** 26km². **Divisão:** nove ilhas. **Cidade principal:** Fongafale. **Limite:** Oceano Pacífico. **Idioma:** tuvaluano, inglês. **Governo:** Monarquia parlamentarista da Comunidade Britânica (o chefe de Estado é, formalmente, o monarca do Reino Unido). **Religião:** protestante. **Hora local:** +15h. **Clima:** equatorial. **Data nacional:** 1º/10 (Independência). **Moeda:** dólar australiano. **População total:** 11.149 (2010).

TV — 1. Também se escreve *tevê* ou *televisão*, jamais *Tv* ou *tv*. Antes do nome de emissora, adote as formas TV ou Rede, conforme o caso: *TV Nacional, Rede Globo, TV Brasília*. 2. Na indicação de cor, empregue a preposição *em*: *TV em cores, televisão em preto e branco, filme em cores, transmissão em cores, filmes em tecnicolor*.

U

u — 21ª letra do alfabeto. Plural: *us, uu*.

UA — União Africana.

UAV — Veículo aéreo não tripulado. Veja o verbete **Vant**.

UBE — União Brasileira de Escritores.

Ubes — União Brasileira dos Estudantes Secundaristas.

Ucrânia (a) — **Nome oficial:** República da Ucrânia. **Nacionalidade:** ucraniana. **Localização:** Europa Oriental. **Capital:** Kiev. **Extensão territorial:** 603.700km². **Divisão:** 24 províncias e uma república autônoma. **Cidades principais:** Kharkov, Dnipropetrovs'k, Odessa, Donets'k. **Limites:** Belarus (N), Federação Russa (L e NE), Mar Negro, Mar Azov (S), Polônia, Eslováquia, Hungria, Romênia, Moldávia (O). **Idioma:** ucraniano, russo, bielo-russo, tártaro, polonês, romeno, húngaro, búlgaro, alemão, eslovaco. **Governo:** República presidencialista. **Religião:** ortodoxa, minorias católica e judaica. **Hora local:** +5h. **Clima:** temperado continental. **Data nacional:** 24/8 (Independência). **Moeda:** hryvnia. **População total:** 45.433.415 (2010).

UDR — União Democrática Ruralista.

UE — União Europeia (European Union).

Uefa — União Europeia de Futebol Associado (Union of European Football Association).

Uema — Universidade Estadual do Maranhão.

UEMG — Universidade Estadual de Minas Gerais.

Uepb — Universidade Estadual da Paraíba.

Uern — Universidade do Estado do Rio Grande do Norte.

Ufersa — Universidade Federal Rural do Semiárido do Rio Grande do Norte.

UFF — Universidade Federal Fluminense.

Ufma — Universidade Federal do Maranhão.

UFMG — Universidade Federal de Minas Gerais.

UFPB — Universidade Federal da Paraíba.

UFPE — Universidade Federal de Pernambuco.

UFRJ — Universidade Federal do Rio de Janeiro.

UFRN — Universidade Federal do Rio Grande do Norte.

Uganda — **Nome oficial:** República de Uganda. **Nacionalidade:** ugandense. **Localização:** África Oriental. **Capital:** Campala. **Extensão territorial:** 235.880km². **Divisão:** 38 distritos. **Cidades principais:** Gulu, Lira, Jinja, Mbale. **Limites:** Sudão (N), Quênia (L), Tanzânia, Ruanda, Lago Vitória (S), República Democrática do Congo (O). **Idioma:** kiganda, inglês, suaíli. **Governo:** República presidencialista. **Religião:** católica, protestante, animista, minoria islâmica. **Hora Local:** +6h. **Clima:** equatorial de altitude. **Data Nacional:** 9/10 (Independência). **Moeda:** xelim ugandês. **População total:** 33.796.461 (2010).

UHE — Usina hidrelétrica.

uísque — Já está naturalizado.

UIT — União Internacional de Telecomunicações.

úlcera — Lesão na pele ou de membranas e revestimento interno de órgãos. Sempre é necessário localizar a úlcera (úlcera no estômago, por exemplo).

ultimato — Não *ultimátum*.

último/última — Usado para mês, ano ou século, não deve ser acompanhado do mês, ano ou século: *último mês* (não *último mês de julho*), *último ano* (não *último ano de 2005*), *último século* (não *último século 20*).

ultra — Pede hífen antes de *h* e *a*. Nos demais casos, é tudo colado: *ultra-homérico, ultra-avançado, ultrarrebelde, ultrassom, ultrapassado*.

ultravioleta — é invariável: *raio ultravioleta, raios ultravioleta*.

um dos que/um daqueles que (concordância) — O verbo, em orações que têm por sujeito a expressão *um dos que* ou *um daqueles que*, pode ficar no singular, concordando com *um*, ou no plural, concordando com *os* ou *aqueles*: *Não sou um daqueles que prometem, mas não cumprem (promete, cumpre)*.

um e outro (concordância) — 1. A expressão *um e outro* é seguida de substantivo no singular, mas o verbo pode ir para o singular ou plural: *Um e outro aluno saíram (saiu). Aplaudimos um e outro espetáculo*. 2. Quando for seguido de adjetivo, o substantivo fica no singular e o adjetivo vai para o plural: *um e outro aluno estudiosos, um e outro ato administrativos, uma e outra prova rasuradas*.

um outro — Evite o artigo *um* antes do pronome *outro*: *Outro candidato apresentou-se inesperadamente. Outro vestido precisou ser costurado às pressas*.

uma a uma — Sem crase.

Unaids — Programa Conjunto das Nações Unidas sobre HIV/Aids.

UnB — Universidade de Brasília.

UNCDF — Fundo das Nações Unidas para o Desenvolvimento do Capital.

Uncme — União Nacional dos Conselhos Municipais de Educação.

Unctad — Conferência das Nações Unidas sobre Comércio e Desenvolvimento.

Undime — União Nacional dos Dirigentes Municipais de Educação.

UNE — União Nacional dos Estudantes.

Unesco — Organização das Nações Unidas para a Educação, a Ciência e a Cultura.

Unfpa — Fundo de População das Nações Unidas.

UN-Habitat — Conferências das Nações Unidas sobre os Estabelecimentos Humanos.

Unicamp — Universidade Estadual de Campinas.

Unicap — Universidade Católica de Pernambuco.

Unicef — Fundo das Nações Unidas para a Infância (United Nations Children's Fund).

UniCEUB — Centro Universitário de Brasília.

Unicri — Instituto Inter-regional das Nações Unidas para Pesquisas sobre Delinquência e Justiça (ONU).

Unidir — Instituto das Nações Unidas para Pesquisas sobre Desarmamento.

Unido — Organização das Nações Unidas para o Desenvolvimento Industrial.

Unifem — Fundo de Desenvolvimento das Nações Unidas para a Mulher.

Unirio — Universidade Federal do Estado do Rio de Janeiro.

Unitar — Instituto das Nações Unidas para Formação Profissional e Pesquisa.

Unops — Escritório das Nações Unidas para Serviços de Apoio a Projetos.

Unpa — Administração Postal das Nações Unidas.

Unrisd — Instituto de Pesquisa das Nações Unidas para o Desenvolvimento Social.

UNRWA — Agência das Nações Unidas de Assistência aos Refugiados Palestinos.

Unsp — União Nacional dos Servidores Públicos Civis do Brasil.

UNSSC — Escola de Funcionários das Nações Unidas.

UNU — Universidade das Nações Unidas.

UPE — Universidade do Estado de Pernambuco.

UPI — United Press International.

upload — Veja **download e upload**.

UPU — União Postal Universal (Universal Postal Union).

ureter — Sem acento. Oxítona, a sílaba tônica é a última.

URL — uniform resource locator (localizador uniforme de recursos).

urra/hurra — Veja **hurra/urra**.

Uruguai (o) — **Nome oficial:** República Oriental do Uruguai. **Nacionalidade:** uruguaia.

Localização: América do Sul. **Capital:** Montevidéu. **Extensão territorial:** 177.414km². **Divisão:** 19 departamentos. **Cidades principais:** Montevidéu, Salto, Paysandú, Las Piedras, Rivera, Melo. **Limites:** Brasil (N e NE), Oceano Atlântico (L), Rio do Prata (S), Argentina (O). **Idioma:** espanhol. **Governo:** República presidencialista. **Religião:** católica, minoria protestante. **Hora local:** a mesma de Brasília. **Clima:** subtropical. **Data nacional:** 25/8 (Independência). **Moeda:** peso uruguaio. **População total:** 3.372.222 (2010)..

USB — Dispositivo que serve para entrada de dados no computador. É uma fenda no gabinete do micro (os micreiros a chamam de porta USB), normalmente identificada por um símbolo parecido com um tridente. Nessa fenda, encaixa-se um cabo USB, que serve para a troca de dados entre o computador e equipamentos periféricos: câmeras digitais, palmtops, notebooks, tocadores de MP3, etc. Não existem portas USB nos micros mais antigos.

Usiminas — Usinas Siderúrgicas de Minas Gerais S.A.

USP — Universidade de São Paulo.

usucapião — É substantivo masculino.

usufruir — Prefira a regência direta: *Usufrui os benefícios do cargo. Usufruía a companhia dos amigos.*

Uzbequistão (o) — **Nome oficial:** República de Uzbequistão. **Nacionalidade:** uzbeque. **Localização:** Ásia central. **Capital:** Tashkent. **Extensão territorial:** 447.400km². **Divisão:** 12 regiões e uma república autônoma (Karakalpakstan). **Cidades principais:** Tashkent, Namangan, Samarqand. **Limites:** Cazaquistão (L), Quirguistão (L), Tadjiquistão e Afeganistão (S), Turcomenistão (O). **Idioma:** Uzbeque. **Governo:** República presidencialista. **Religião:** islâmica, minoria ortodoxa. **Hora local:** +8h. **Clima:** árido frio. **Data nacional:** 21/8 (Independência). **Moeda:** som. **População total:** 27.794.296 (2010).

V

v — 22ª letra do alfabeto. Plural: *vês, vv.*

vaga-lume — Plural: *vaga-lumes.*

vale-alimentação — Plural: *vales-alimentação.*

vale-combustível — Plural: *vales-combustível.*

valer — Muda o *l* para *lh* na 1ª pessoa do singular do presente do indicativo (eu valho), em todas as pessoas do presente do subjuntivo (valha, valhas, valha, etc.), do imperativo negativo (não valhas tu, não valha você, etc.) e na 3ª pessoa do singular e 1ª e 3ª do plural do imperativo afirmativo (valha, valhamos, valham).

vale-refeição — Plural: *vales-refeição.*

vale-transporte — Plural: *vales-transporte.*

Vant — Veículo aéreo não tripulado usado em missões de vigilância, reconhecimento e ataque. Normalmente o controle é feito de maneira remota em estações especialmente projetadas. Alguns empregam sistemas de voo automatizados, por meio de uma rotina de voo pré-programada em computador. Os Estados Unidos possuem modelos capazes de ser empregados em distâncias intercontinentais, por meio de sinais eletrônicos enviados via satélite. Os modelos que mais aparecem no noticiário das agências são: RQ-4A ou RQ-4B Global Hawk (com capacidade intercontinental). MQ-1 Predator (usado, experimentalmente, para eliminar militantes da Al-Qaeda). MQ-9 Reaper (criado para ataques a alvos terrestres). A Força Aérea Brasileira e a Polícia Federal usam modelos de fabricação israelense Hermes e Heron, que poderão ser, em futuro próximo, montados no Brasil.

Vanuatu (o) — **Nome oficial:** República do Vanuatu. **Nacionalidade:** vanuatense. **Localização:** Oceania. **Capital:** Porto-Vila. **Extensão territorial:** 12.189km². **Divisão:** seis províncias. **Cidades principais:** Porto-Vila, Luganville. **Limite:** Oceano Pacífico. **Idioma:** bislama, francês e inglês. **Governo:** República parlamentarista. **Religião:** cristianismo, crenças tradicionais. **Hora local:** +14h. **Clima:** equatorial. **Data nacional:** 30/7 (Independência). **Moeda:** vatu. **População total:** 245.786 (2010).

Varig — Viação Aérea Rio-Grandense S.A. (extinta).

Vasp — Viação Aérea São Paulo (extinta).

Vaticano (o) — **Nome oficial:** Estado da Cidade do Vaticano. **Nacionalidade:** vaticana. **Localização:** leste da Itália, dentro da capital italiana. **Extensão territorial:** 0,44km². **Divisão:** Santa Sé (órgão supremo da Igreja Católica) e Cidade do Vaticano. **Limite:** Roma, capital da Itália. **Idioma:** italiano e latim. **Governo:** Papado vitalício. **Religião:** cristianismo. **Hora local:** +4h. **Clima:** mediterrâneo. **Data nacional:** 19/4 (Posse do papa Bento XVI) **Moeda:** euro. **População total:** 826 (2010).

vê — Nome da 22ª letra do alfabeto. Plural: *vês, vv*.

vem/vêm — O acento se mantém no plural.

Venezuela (a) — **Nome oficial:** República Bolivariana da Venezuela. **Nacionalidade:** venezuelana. **Localização:** América do Sul. **Capital:** Caracas. **Extensão territorial:** 912.050km². **Divisão:** 23 estados, um distrito federal (Caracas) e 72 dependências federais. **Cidades principais:** Caracas, Maracaibo, Valencia, Barquisimeto, Ciudad Guayana. **Limites:** Mar do Caribe (N), Guiana (L), Brasil (S), Colômbia (O). **Idioma:** Espanhol. **Governo:** República presidencialista. **Religião:** cristianismo. **Hora local:** -1h30. **Clima:** tropical. **Data nacional:** 5/7 (Independência). **Moeda:** bolívar forte. **População total:** 29.043.555 (2010).

> **ver** — É comum confundir a conjugação dos verbos *ver* e *vir*. O presente do indicativo do verbo ver apresenta dificuldade na 3ª pessoa do plural: (*vejo, vê, vemos, veem*). O futuro do subjuntivo também gera confusão: (se ou quando *eu vir, você vir, nós virmos, eles virem*). Seguem a mesma regra os derivados (*prever, rever, antever*)

verbo ser (concordância) — Quase sempre o verbo ser pode concordar com o sujeito ou o predicativo (complemento do verbo). Na dúvida, observe a precedência seguinte:

da pessoa sobre a coisa (Os filhos são sua alegria); *do substantivo próprio sobre o comum* (Helena era as delícias da casa); *do concreto sobre o abstrato* (A sua paixão são os livros. Os livros são sua paixão); *do plural sobre o singular* (Os livros eram a biblioteca); *do pronome pessoal sobre o substantivo* (O professor sou eu); *do substantivo sobre o pronome não pessoal* (Quem são os visitantes? Tudo são flores na infância). Na indicação de dia, concorda com o predicativo: *Hoje é 1º de janeiro. Hoje são 26 de março.*

verbos impessoais (concordância) — Por não terem sujeito, os verbos impessoais conjugam-se sempre na 3ª pessoa do singular. São eles:

1. os que indicam fenômenos da natureza (*chover, gear, nevar, alvorecer, anoitecer, ventar, trovejar*).

2. *fazer* ao exprimir fenômeno da natureza (*faz frio, faz calor*) ou contagem de tempo (*Faz cinco anos que moro aqui. Faz duas horas que cheguei*).

3. *haver* no sentido de existir, ocorrer ou de contagem de tempo: *Cheguei há duas horas.* A aula começou há pouco. Houve distúrbios nas últimas eleições. Havia duas pessoas ali sentadas.

4. *ser* e *estar*, com referência a tempo: *Está frio. É cedo.*

verbos pronominais — Transitivos diretos, em algumas construções o sujeito e o objeto são a mesma pessoa. Aí, o pronome se impõe. Eis exemplos: *acender* (alguém acende a luz, mas a luz se acende); *apagar* (alguém apaga a luz, mas a luz se apaga); *aposentar* (o INSS aposenta o trabalhador, mas o trabalhador se aposenta); *complicar* (alguém complica a vida de outro, mas ele se complica); *derreter* (o calor derrete o sorvete, mas o sorvete se derrete); *distrair* (o palhaço distrai o público, mas o público se distrai); *encerrar-se* (o apresentador encerra o programa, mas o programa se encerra); *esgotar* (o repórter esgota a matéria, mas ele se esgota); *estragar* (o sol estragou a fruta, mas a fruta se estragou); *esvaziar* (o líder esvaziou a sessão, mas a sessão se esvaziou); *formar* (o diretor forma a equipe, mas a equipe se forma; a universidade forma o aluno, mas o aluno se forma); *iniciar* (o presidente iniciou a sessão, mas a sessão se iniciou); *casar* (o padre casa os noivos, mas os noivos se casam).

verbos sem que (queísmo) — Certos verbos sofrem de alergia. Ficam vermelhos, empolados e com coceira quando seguidos do quê. Transitivos diretos, eles exigem objeto direto nominal, mas não aceitam a oração objetiva direta. Veja alguns: *alertar* (alerta-se alguém, mas não se alerta que); *antecipar* (antecipa-se alguma coisa, mas não se antecipa que), *definir* (define-se alguma coisa, mas não se define que), *denunciar* (denuncia-se alguma coisa ou alguém, mas não se denuncia que), *descrever* (descreve-se alguma coisa, mas não se descreve que), *expor* (expõe-se alguma coisa, mas não se expõe que), *falar* (fala-se de alguém ou de alguma coisa, mas não se fala que), *indicar* (indica-se alguma coisa ou alguém, mas não se indica que), *lamentar* (lamenta-se alguma coisa, mas não se lamenta que).

vernissage — É masculino. Escreve-se sem grifo.

versus — Sem grifo.

via enteral — Via de administração de nutrientes e medicamentos diretamente no intestino.

via parental — Via de administração de nutrientes e medicamentos por outra que não a digestiva (geralmente vasos sanguíneos).

viagem/viajem — 1. *Viagem* é o substantivo. Quer dizer jornada. 2. *Viajem* é a 3ª pessoa do plural do presente do subjuntivo do verbo viajar. Todas as formas do verbo se escrevem com *j*: *Na viagem a São Paulo, visitei a Bienal. É importante que as crianças viajem agasalhadas.*

vice — Sempre se usa com hífen: *vice-presidente, vice-governador, vice-diretor.* O *vice*, quando exerce a função do titular, deixa de ser *vice* e se torna *interino* ou *em exercício*: *O presidente recebeu ontem o governador interino (ou em exercício) do Rio Grande do Sul* (não: *vice-governador em exercício* ou *vice-governador interino*). 2. Usa-se sempre com hífen: *vice-presidente, vice-diretor.*

video/vídeo — Nas composições, dispensa o acento: *videoconferência, videoexposição.* Nos demais casos, mantém o acento: *sala de vídeo.*

Vietnã (o) — **Nome oficial:** República Socialista do Vietnã. **Nacionalidade:** vietnamita. **Localização:** Sudeste Asiático. **Capital:** Hanói. **Extensão territorial:** 331.689km². **Divisão:** sete regiões. **Cidades principais:** Ho Chi Minh City, Hanói, Haiphong. **Limites:** China (N), Mar da China Meridional (L e S), Camboja e Laos (O). **Idioma:** vietnamita. **Governo:** Regime de partido único (PC) e um órgão supremo (Assembleia Nacional). **Religião:** budista, minoria católica. **Hora local:** +10h. **Clima:** tropical. **Data nacional:** 2/7 (Pátria). **Moeda:** dongue. **População total:** 89.028.741 (2010).

viger — Significa ter vigor ou estar em vigor ou em execução; vigorar. É defectivo, sem forma para a primeira pessoa do presente do indicativo e todo o presente do subjuntivo: *A lei vige. A medida provisória continua vigendo.*

vir — O verbo apresenta dificuldades na conjugação. Presente do indicativo: *venho, vens, vem, vimos, vindes, vêm*; perfeito do indicativo: *vim, vieste, veio, viemos, viestes, vieram*; futuro do subjuntivo: *vier, vieres, vier, viermos, vierdes, vierem.* Os verbos *intervir* e *sobrevir*, derivados de *vir*, conjugam-se da mesma forma. Mas atenção para a 3ª pessoa do singular do presente do indicativo. Por ser oxítona terminada em *em*, deve ser acentuada: *intervém, sobrevém.*

virabrequim (árvore de manivela) — Peça de um motor de explosão que transforma o movimento retilíneo alternado do conjunto êmbolo-biela em movimento circular.

vírgula — 1. No emprego da vírgula, há dois pecados mortais. O primeiro é separar o sujeito do verbo. É como isolar a cabeça do corpo — mata a pessoa. Erro grosseiro, revela séria falta de domínio linguístico. Para não cometê-lo, antes de mais nada, localize o sujeito. Redobre a atenção se o sujeito estiver depois do verbo: *Receberam entusiasmado aplauso* *do público* (predicado) *os filmes exibidos no festival* (sujeito). *É a grande atração entre as estreias dos cinemas da cidade* (predicado) *o filme cubano que mistura humor e crítica política* (sujeito). *Hoje se inicia* (predicado) *a temporada do basquete profissional dos Estados Unidos* (sujeito). *Os ex-presidentes Fernando Henrique Cardoso e Luiz Inácio Lula da Silva* (sujeito) *encontraram-se antes da entrevista coletiva* (predicado). 2. Tão grave quanto separar o sujeito do verbo é separar o verbo do respectivo complemento. É, pois, proibido pôr vírgula entre o verbo e o objeto, direto ou indireto: *A Comissão Disciplinar da Fifa aplicou* (verbo) *a pena de quatro jogos e mais 30 dias de suspensão* (objeto direto) *ao jogador Edmundo* (objeto indireto). *O presidente anunciou* (verbo) *que vai reunir os presidentes dos partidos políticos e líderes do Congresso* (objeto direto). *Grave problema* (objeto direto) *o governador* (sujeito) *vai encontrar* (verbo) *no retorno de Nova York.*

use a vírgula para isolar:

1. Termos e orações explicativos. Por isso, o aposto vem obrigatoriamente separado: *Brasília, a capital do Brasil, tem atraído emigrantes dos quatro cantos do país. A CBF aplicou ontem a pena de 30 dias de suspensão ao jogador Edmundo, do Palmeiras. Foi animado o domingo do casal Luiz Inácio Lula da Silva, ex-presidente da República, e Marisa Letícia, sua mulher. George W. Bush, que presidiu os Estados Unidos por oito anos, pertence a uma família tradicional. Michel Temer, que presidiu a Câmara, é vice-presidente do Brasil.*

Muitas vezes, o redator se esquece de uma das vírgulas. Aí separa o sujeito do verbo ou o verbo do complemento. Atenção, pois, à releitura do texto — o termo explicativo deve vir isolado ou por duas vírgulas ou por vírgula e ponto: *Buenos Aires, a capital argentina, orgulhava-se de ostentar padrão de vida semelhante ao europeu. Visitei Tóquio, a capital do Japão.* Às vezes, sobretudo na referência a cargos, ocorre a dúvida. O termo é explicativo ou restritivo? Em outras palavras — é aposto ou não? No primeiro caso, vai entre vírgulas; no segundo, não. Para resolver o problema, examine o antecedente. Se for indivisível, o termo será explicativo, vai entre vírgulas. Caso contrário, é restritivo. Veja o exemplo: *A capital do Brasil, Brasília, fica no Planalto Central.* (O antecedente de *Brasília* é *capital do Brasil*. O Brasil só tem uma capital. Logo, o antecedente é ímpar — *Brasília* é termo explicativo, aposto). Analise outras frases: *O juiz Jamil Rosa de Jesus, da 14ª Vara Federal, decidiu prorrogar o prazo de ocupação da fazenda Dois Irmãos. O comandante das operações de combate ao crime organizado no Rio de Janeiro, general Câmara Sena, apresentou o relatório de atividades ao governador. O ministro da Justiça, Eduardo Cardozo, reagiu com irritação ao pedido dos parlamentares.* Agora observe: *O ex-presidente do Brasil José Sarney presidiu o Senado.* (O antecedente de *José Sarney* é *ex-presidente do Brasil*. Como há mais de um, o antecedente é divisível. O termo, restritivo, fica solto, sem vírgula.) *A cidade onde nasci fica no Rio de Janeiro.* (O antecedente da oração adjetiva — onde nasci — é *cidade*. Há milhares de cidades no Brasil. Por isso a oração é restritiva. Dispensa a vírgula.)

1. Termos e orações coordenados, sindéticos ou assindéticos: *Paulo, Luís, Maria estudam em colégio público. Cheguei, liguei a máquina, comecei a escrever. Paulo fez campanha durante quatro anos, mas perdeu a eleição. Não fale alto, pois estamos em uma biblioteca. Fez competente campanha publicitária, logo ganhou pontos na avaliação. Ora chove, ora faz sol.*

Atenção ao *e*. A conjunção só é antecedida de vírgula se preencher duas condições. Uma delas é ligar orações com sujeitos diferentes. A outra, haver o risco de ambiguidade: *Os Estados Unidos atacaram o Iraque, e a Rússia reagiu.* (Sem a vírgula, a primeira leitura dá a impressão de que os Estados Unidos atacaram o Iraque e a Rússia. Não é o caso.)

2. Termos e orações deslocados. A ordem direta — sujeito, verbo, complementos — é a preferida do jornalismo. Ela evita erros comuns ao ritmo apressado do trabalho. Mas, volta e meia, a inversa tem vez. A vírgula, então, entra em campo. Com um cuidado: mesmo deslocados, sujeito e complementos não se isolam. Outros termos não gozam do privilégio. É o caso do adjunto adverbial e da oração adverbial. O lugar deles é na rabeira. Observe:

Ordem direta: *O presidente se encontrou com os ministros da área econômica na Granja do Torto.* Ordem inversa: *Na Granja do Torto, o presidente se encontrou com os ministros da área econômica. O presidente se encontrou, na granja do Torto, com os ministros da área econômica.* Atenção: o jornal considera facultativo o emprego da vírgula se o adjunto adverbial tiver até três letras: *Aqui, fala-se português.* (Aqui se fala português.) *No Brasil, fala-se português.* (No Brasil se fala português.) *No Brasil colonial, falava-se tupi-guarani.* (No Brasil colonial se falava tupi-guarani.)

Ordem direta: *O presidente se encontrou com os ministros da área econômica para discutir a política de juros altos.* Ordem inversa: *Para discutir a política de juros altos, o presidente se encontrou com os ministros da área econômica. O presidente, para discutir a política de juros altos, se encontrou com os ministros da área econômica.*

vírgula em endereços — 1. Ao escrever o endereço, use vírgula entre o nome do logradouro e o número da casa ou edifício: *Avenida Lins de Vasconcelos, 234; Avenida Paulista, 316, apartamento 13.* 2. Nos endereços de Brasília, não use vírgula entre a indicação da quadra ou do setor e o número: *SQS 310, bloco C, ap.407; SCLN 208, bloco C, loja 5.* 3. A indicação do CEP, da caixa postal e do número do telefone não é seguida de vírgula ou outro sinal de pontuação: *CEP 70710-500; Caixa Postal 134; Fone 316-2094.*

vírgula na referência a textos legais — 1. Se a referência obedecer à ordem crescente, não use vírgula. Caso contrário, sim: *Inciso II do parágrafo 2º do artigo 5º da Constituição Federal. Constituição Federal, art. 5º, parágrafo 2º, inciso II.* É importante não misturar a ordem. Siga do começo ao fim a crescente ou decrescente. 2. Ponha a data do texto também entre vírgulas: *O Decreto 15.613, de 29.4.94, autoriza... A Medida Provisória 45, de 6.6.93, regulamenta...*

vítima fatal — Não use. *Fatal* é o que mata. O acidente mata. É fatal. A queda mata. É fatal. O tiro mata. É fatal. A pessoa não mata, morre.

vizo — Sempre se usa com hífen: *vizo-rei*.

VNU — Programa de Voluntários das Nações Unidas.

Volp — Vocabulário ortográfico da língua portuguesa.

vultoso/vultuoso — 1. *Vultoso* significa alto, elevado. 2. *Vultuoso* quer dizer atacado de vultuosidade — congestão facial.

W

w — 23ª letra do alfabeto. Plural: *dáblios, ww*.

WAP — Recurso para navegação na internet pelo telefone celular. Já existe na maioria dos aparelhos. As operadoras podem cobrar tanto pelo tempo de conexão quanto pela quantidade de dados enviados e recebidos enquanto o usuário está conectado.

Watt — Nome da unidade de potência. Escreve-se sem grifo.

Weag — Western European Armaments Group (Grupo de Armamento da União da Europa Ocidental).

wi-fi — Abreviatura para *wireless fidelity*, denominação para conexão à internet sem fio via rádio, no padrão 802.11, que transmite dados em alta velocidade.

windsurfe — Prancha a vela.

world wide web (www) — Traduzido como rede mundial de computadores, o que ajuda a evitar a repetição da palavra internet.

WWW — World Wide Web.

X

x — 24ª letra do alfabeto. Plural: *xis, xx*.

xá — Veja **chá/xá**.

xelim — Escreve-se assim.

xeque — 1. Lance no jogo de xadrez (*xeque-mate*), chefe de tribo ou soberano árabe, risco, perigo, contratempo. 2. *Pôr em xeque* — pôr em dúvida o valor, o mérito, a importância: *As declarações do presidente põem em xeque as propostas do ministro*. 3. Não confunda *xeque* com *cheque de banco*.

xícara — Eis a forma.

xifópago — Grafa-se desse jeito.

xis — Nome da 24ª letra do alfabeto. Plural: *xis, xx*.

xuá — Escreve-se assim.

xucro — cavalo xucro.

Y

Y — 25ª letra do alfabeto. Plural: *ípsilons, yy*.

yang, yin, yin-yang — Princípios do pensamento oriental.

yuppie — Escreve-se assim.

Z

z — 26ª letra do alfabeto. Plural: *zês, zz*.

Zâmbia — **Nome oficial:** República de Zâmbia. **Nacionalidade:** zambiana.

Localização: África austral. **Capital:** Lusaka. **Extensão territorial:** 752.614km². **Divisão:** nove províncias. **Cidades principais:** Lusaka, Kitwe, Ndola, Chipata. **Limites:** República Democrática do Congo (N), Tanzânia (NE), Malauí (L), Moçambique (SE), Namíbia, Botsuana e Zimbábue (S), Angola (O). **Idioma:** inglês. **Governo:** República presidencialista. **Religião:** cristã, animista. **Hora local:** +5h. **Clima:** tropical. **Data nacional:** 24/10 (Independência). **Moeda:** kwacha. **População total:** 13.257.269 (2010).

zangar-se — O verbo é pronominal: *Paulo se zanga* (não: *Paulo zanga*).

zê — Nome da 26ª letra do alfabeto. Plural: *zês, zz*.

zero — É singular. Por isso a palavra que o segue fica invariável: *zero hora, zero quilômetro, zero grau*.

zero ano — Não existe. Ano se conta a partir de um ano: *Criança de até 5 anos* (não: *criança de 0 a 5 anos*).

Zimbábue — **Nome oficial:** República do Zimbábue. **Nacionalidade:** zimbabuana. **Localização:** África austral. **Capital:** Harare. **Extensão territorial:** 390.759km². **Divisão:** dez províncias. **Cidades principais:** Bulawaio, Chitungwiza, Mutare, Gweru. **Limites:** Zâmbia (N), Moçambique (L), África do Sul (S), Botsuana (O). **Idioma:** inglês (oficial), chona, sindebele. **Governo:** República presidencialista. **Religião:** cristã, crenças tradicionais. **Hora local:** +5h. **Clima:** tropical. **Data nacional:** 11/11 (Independência). **Moeda:** dólar zimbabuano. **População total:** 12.644.041 (2010).

Zona — Na referência a região, escreve-se com a inicial maiúscula quando é nome próprio: *Zona Norte, Zona Sul, Zona Leste, Zona Oeste, as Zonas Norte e Sul*. Último verbete: *zum-zum-zum*. Plural: *zum-zum-zuns*.

zoo — Zoológico.

zumbir/zunir — *Zumbir* se usa para insetos (*a mosca zumbe*); e *zunir*, para o vento (*o vento zune*).

zum-zum — Plural: zum-zuns.

CAPÍTULO
6

ERRAMOS
(tropeços de repórteres)

Manter

Olímpio, um velho editor do *CB*, costumava dizer que chegaria o dia em que faríamos o erramos do Erramos. O dia chegou. O texto da correção anunciava que "o caderno manterá o mesmo nome". Ora, se vai manter, só pode ser o mesmo. Se não for, o verbo é outro. Pode ser mudar. Ou alterar.

Sujeito pra cá, verbo pra lá

Quer matar alguém? Corte-lhe a cabeça. Foi o que fizemos. A legenda separou o sujeito do verbo: "Meu time do coração (,) ganhou todos os títulos que podia". Cabeça pra cá + corpo pra lá = morte certa. Que descanse em paz.

Vai dizer

O futuro a Deus pertence? Pode ser. Mas a língua é nossa. Para usá-la, existem regras. A indicação do porvir pode ser feita de duas formas. Uma: o futuro simples (dirá). A outra: o futuro composto (vai dizer). Assim — com o verbo ir no presente. Nunca no futuro como aparece na pág. 8: "O que Palocci irá dizer".

Infra

Quando o Senhor deu uma olhadinha na Terra e viu a torre de Babel ameaçando-Lhe o poder, castigou a ousadia dos homens. Criou seis mil línguas. Cada uma teria uma dificuldade adicional. O português ficou com o hífen. Deus ditou poucas regras para o emprego do tracinho. Uma delas refere-se ao prefixo *infra-* (hífen antes de h, a). Outra, ao *anti-* (hífen antes de h, i). Nós esnobamos a generosidade do Todo-Poderoso. Escrevemos *infra-estrutura* em vez de *infraestrutura*. E *anti-cíclico* no lugar de *anticíclico*. Preparemo-nos. O Homem castiga.

Presente do subjuntivo

É com pesar que a língua portuguesa comunica o falecimento do presente do subjuntivo. Vítima de abandono e maus-tratos, o tempo da incerteza deixa a família verbal enlutada. Os amigos, unidos no ato de piedade cultural, protestaram contra a prematura partida. O enterro foi ontem: "Tememos que há armas químicas na Síria". Melhor: *Tememos que haja armas químicas na Síria.*

Colocação de pronome

O português organizou uma gangue pra lá de poderosa. Seus membros são conjunções e pronomes escritos com o dígrafo *qu*. Por isso a organização se chama Gangue do Qu. *Que, quem, quando, quanto, qual, enquanto, porque* atraem os pronomes átonos. Esquecemos esse fato, em matéria de alto de página: "Quando descobre-se um crime cometido por um magistrado, rouba-se a fé do povo". Nada feito. Em bom português, esta seria a forma: *Quando se descobre um crime...*

Sua

"O estilo", escreveu Montaigne, "deve ter três virtudes: clareza, clareza, clareza." No Caderno Cidades, apareceu este trecho: "Sônia de Oliveira Flores tinha a filha de 6 anos nos braços quando um PM se aproximou e encostou um cano de revólver na sua cabeça". Sua de quem? Pode ser da mãe ou da filha. O pronome *sua* responde pela ambiguidade. Melhor livrar-se dele: *...encostou um cano de revólver na cabeça da criança. Ou da mãe.*

Aonde

Onde ou aonde? Quase sempre *onde*. O *aonde* é senhor casadinho. Resulta do encontro da preposição *a* com o pronome *onde*. O conúbio só se dá com verbos de movimento que exigem a preposição *a*. É o caso de chegar. Em política, apareceu esta: "Em visita ao Espírito Santo, onde chegou na noite de ontem, Lula conhecerá de perto...". O *aonde* pede passagem: *Em visita ao ES, aonde chegou na noite de ontem...*

De os

Na língua, como na vida, nem todos são iguais perante a lei. Há os mais iguais. É o caso do sujeito. Com o poderoso ninguém pode. Um dos caprichos dele: nunca vir antecedido de preposição. Por isso, não se pode combinar o artigo ou o pronome que o acompanha com a preposição. Eis por que escrevemos: Antes de o galo cantar, tu me negarás três vezes. Chegou a hora de ele agir. Esquecemos a excentricidade: "O pequeno templo foi construído antes dos prédios das superquadras ficarem prontos". O sujeito, prédios, ficou pau da vida. Façamos as pazes: *O templo foi construído antes de os prédios ficarem prontos*.

Horas

As construções linguísticas são como as pessoas. Algumas convivem com a solidão. Outras precisam de companhia. A indicação de horas encaixa-se no segundo caso. O número vem sempre (sempre mesmo) acompanhado de artigo. Não demos bola para a exigência: "Saída entre 12h e 14h. Para retornar, a embarcação navega até 14h45". Sem o artigo, as

O PORQUÊ. O porquê ora vem junto. Ora separado. Ora com acento. Ora sem acento. Que rolo! Tropeçamos nele: "...gostaria de saber o por quê do tratamento". No caso, o porquê pode ser substituído por *a causa*. É substantivo. Deve vir junto e com acento.

PORQUE. O porquê tem quatro empregos. Um deles é fácil como andar para frente. Trata-se da conjunção causal. A mocinha tem vez na indicação de causa: "Eu canto porque o instante existe". Gugu está em apertos porque montou uma farsa. A grama está verde porque choveu. Demos bobeira: "...12 das 22 linhas poderiam ser desativadas por que empresas privadas já horas choram. Consolemo-las: *Saída entre as 12h e as 14h. Para retornar, a embarcação navega até as 14h45.*

Aposentar-se

Dizem as más línguas que mineiro não cumprimenta para não abrir a mão. Não come ovo para não jogar a casca fora. Não sai para não gastar. Folclore? Talvez. A verdade é que a economia se estendeu à língua. Brasileiros de norte a sul declararam guerra ao verbo pronominal. Quer ver? Escrevemos: "Fila para aposentar". Aposentar quem? O INSS aposenta o trabalhador. Mas o trabalhador *se* aposenta. Eu me aposento, ele se aposenta, nós nos aposentamos, eles se aposentam.

Já

Aviso aos navegantes: as palavras não são muletas. Por isso, não devem ser usadas para aumentar o tamanho da frase. É o caso do *já*. Em geral, as duas letrinhas sobram. Vale o exemplo da capa: *As mulheres agora já podem pilotar o avião presidencial.*

---

atuam na área". Nem pensar. A indicação de causa pede o casal coladinho: "...12 das 22 linhas poderiam ser desativadas porque empresas privadas já atuam na área".

POR QUE. O porquê arma ciladas no claro e no escuro. De dia ou de noite, lá vamos nós. O coladinho toma o lugar do separado. O enchapelado rouba a praça do cabeça pelada. Não deu outra. Escrevemos: "Depois das crises, não há porque nos arriscarmos". Se puder substituir o porquê por *a razão pela qual*, não duvide. Dê vez ao por que: *Depois das crises, não há por que (razão pela qual) nos arriscarmos.*

Este ano

A parte mais sensível do corpo? É o bolso. Por isso umas das matérias mais lidas na editoria de política causou alvoroço. Os leitores devoraram-na com avidez. Mas tropeçaram numa passagem: "As mudanças precisam ser aprovadas ainda esse ano". Que ano? O *esse* informa que a referência foi feita. Mas não foi. A razão é simples. O texto fala do ano em curso. Deveria ter dado vez ao *este*.

Ir a

A Constituição garante o direito de ir e vir. Mas impõe uma condição: usar a correta regência do verbo. Quem vai vai *a* algum lugar se a ida for rapidinha. É aquela história do vv. Vai e volta: Vou ao clube. Vou a Miami. Quem vai pra ficar vai *para*: Lula foi para São Paulo. Vá para o inferno. Inventamos uma regência: "Sou obrigada a ir nas bancas goianas". Cruz-credo! *Sou obrigada a ir às bancas goianas*. Resultado: vamos pro xilindró. Adeus, direito de ir e vir.

Renunciar

Regência é um dos assuntos mais espinhosos da língua. No aperto, os dicionários de regimes dão uma ajudinha. Lá estão as preposições que devem acompanhar tal ou qual palavra. O verbo renunciar, por exemplo, exige a preposição *a* (quem renuncia renuncia a alguma coisa). Ele não aceita, nem com reza braba, a preposição de como apareceu na pág. 2: "Manifesto faz senador desistir da liderança do PT e, depois, renunciar da renúncia". O certo: *renunciar à renúncia*.

Um bilhão

A vida é feita de acordos. Concordamos em andar vestidos. Concordamos em dizer bom-dia ao nos encontrarmos. Concordamos em pedir desculpas quando tropeçamos um no outro. A língua também tem seus acordos. Um deles: nas frações, o substantivo concorda com o número inteiro (1,2 milhão; 2,3 milhões). Dia sim e outro também, esquecemos a regrinha elementar. Escrevemos: "1,756 bilhões". Nada feito. O *um* pede o singular — *1,756 bilhão*.

A vírgula

Quem diria, hem? Duhalde, com aquela cara mansa, é bígamo. Ou, pior, polígamo. Foi o furo do **Correio**. Escrevemos: "Ele vai passar férias no Brasil com sua mulher Hilda Duhalde". Se o conquistador tivesse só uma mulher, o nome dela seria termo explicativo. Viria entre vírgulas: *Ele vai passar férias no Brasil com sua mulher, Hilda Duhalde*. A ausência da vírgula permite inferir que ele talvez sustente um harém. É bom apurar.

Combate

Discriminação é crime. O art. 5º da Constituição o considera inafiançável. Por isso, preparemos as malas. Vamos pro xilindró. Na pág. 4, tratamos desigualmente a regência de combate: "Ministério de Segurança Alimentar e Combate à Fome" e "...se comprometeram a usar 0,05% para a causa do combate a fome". Qual o certo? Basta recorrer ao troca-troca — substituir a palavra feminina por uma masculina. Se aparecer *ao*, sinal de crase. Caso contrário, nada feito: *combate ao trabalho infantil*. Logo: *combate à fome*.

DE ENCONTRO X AO ENCONTRO.

Parecido não é igual. Mas confunde. É o caso das expressões *ao encontro* e *de encontro*. Na pág. 13, dizemos que a PF vai contratar 3.090 profissionais. Em seguida, o golpe de misericórdia: "A decisão vai de encontro à MP 112", que fortalece a PF e torna-a instrumento mais eficiente no combate ao crime organizado. *De encontro* a significa em oposição (o carro vai de encontro à árvore). Ao *encontro de* é o contrário. Indica situação favorável (o pai vai ao encontro do filho, o contrato de 3.090 servidores vai ao encontro da MP 112).

Sequer

O emprego do sequer impõe duas exigências. Uma: entender-lhe o significado. Ele quer dizer *pelo menos*. Não tem parentesco com o não. A outra: aceitar-lhe a mania. O danadinho é doido varrido por palavra negativa. Aparece sempre acompanhado por uma: Ele não apareceu sequer. Ele nem sequer cumprimentou os presentes. Na pág. 4, mostramo-nos insensíveis à paixão do *sequer*. Deixamo-lo desamparado, sem o parceiro negativo: "Das 74 usinas a serem construídas, 39 sequer tiveram as obras iniciadas". Melhor: *Das 74 usinas a serem construídas, 39 nem sequer tiveram as obras iniciadas.*

Esse

Cadê?, perguntaram os leitores. Eles procuraram, procuraram e não acharam. De cara feia, fecharam o jornal. Culpa do pronome *este*. Escrevemos: "O brasiliense reconhece que a água é bem imprescindível à vida e que, em breve, este recurso vai acabar". O pronome demonstrativo tem vários empregos. Um deles: indica referência no texto. O *esse* anuncia que o nome foi referido. O *este*, que será referido: *"Tudo vale a pena se a alma não é pequena."* Esse verso foi escrito por Fernando Pessoa. Gosto deste verso de Fernando Pessoa: "Tudo vale a pena se a alma não é pequena". No texto, trocamos as bolas. *Este recurso* refere-se à água, citada antes. É vez do *esse*.

Infinitivo

O infinitivo é um calo no pé. Desde o século 12, quando o português usava fraldas, os gramáticos discutem sua flexão. Até hoje só chegaram a um acordo. O verbo se conjuga quando o sujeito vem junto do verbo. Ignoramos o acerto. Escrevemos: "Seria melhor alguns companheiros dizer o que querem". Nada feito. A forma obediente à lei só pode ser esta: *Seria melhor os companheiros dizerem o que querem.*

O QUÊ.

As palavras são os camaleões da língua. Nomes próprios viram comuns. É o caso de Gillette e gilete. Verbos tornam-se substantivos. Vale o exemplo de vestir e o vestir. Palavras átonas transformam-se em tônicas. O quê é useiro e vezeiro nessa mudança, que ocorre em duas ocasiões. Uma: quando o quê faz as vezes de substantivo (Lula tem um quê messiânico). A outra: quando está no fim da frase (Lula disse o quê?). Mas esquecemos a regrinha. Lá está: "Recorremos das multas nem sei pra que..." No fim da frase, o quezinho vira tônico. Precisa do chapéu: *Recorremos das multas nem sei pra quê...*

Mais bem

"Mais bem e mais mal não existem", dizem os professores. Eles ensinam meia verdade. A razão: querem que os alunos aprendam o emprego de *melhor* e *pior*. Mas, quando a meninada decora a novidade, os mestres se esquecem de contar a outra metade. *Mais bem* e *mais mal* continuam vivinhas da silva. Elitistas, têm vez antes do particípio. A pág. 18 denuncia que tivemos maus professores. Escrevemos: "A Argentina é o país latino-americano melhor classificado na lista da ONU". Olha o particípio: *A Argentina é o país mais bem classificado da lista*. Sorte dos *hermanitos*.

Entre... e

Há construções que andam aos pares. São os casaizinhos da língua. Conservadores, eles mantêm a estrutura. Não mudam. É o caso de *de... a* (de segunda a sexta), *da... à* (da SQS 310 à SQS 315), *das... às* (das 8h às 18h), *entre... e* (entre as 8h e as 18h). Esquecemos que o casamento é indissolúvel. Quase provocamos o divórcio ao escrevermos: "A DF 003, entre os km 22 ao 26...". Nada feito. Mantido o respeito aos pares, teríamos: *entre o km 22 e o 26*.

Trata-se

Parecido não é igual. Mas confunde. É o caso de *tratar* e *tratar de*. O primeiro significa cuidar. Transitivo direto, admite voz passiva. Compare: Os donos tratam os cães. Os cães são tratados pelos donos. Tratam-se os cães. *Tratar de* é transitivo indireto. Não admite voz passiva. Por isso, em frases como "Trata-se dos poderosos do Congresso", o verbo fica no singular. Não aprendemos a lição e escrevemos: "Mas tratavam-se de colônias pouco povoadas". Por que o plural? Colônias não pode ser sujeito. A razão? O sujeito nunca é preposicionado. A forma nota mil: *Trata-se de colônias pouco povoadas.*

Criar

Subir pra cima? Descer pra baixo? Cruz-credo! É pleonasmo. Joga no time do elo de ligação, hábitat natural, cada ano que passa, recomeçar novamente, manter o mesmo. Entramos na equipe. Apareceu lá, escancarado no sutiã: "Criminosos abusam da tecnologia para criar novos golpes". Ganha um bombom quem criar velhos golpes. Se criam, são novos. Se não são novos, o verbo é outro. Sem redundâncias, eis a forma: *Criminosos abusam da tecnologia para criar golpes.*

Chegar a

Quem sai tem de chegar. Quem chega chega *a* algum lugar. Chega-se a São Paulo, ao Rio, a Brasília. Chegar *em*? Nem pensar. É candidatar-se a ficar pelo caminho. Foi o que fizemos em Cidades: "...uma colega foi estuprada ao chegar de carro no estacionamento...". Não chegou a lugar algum. Ela teria tomado a rota certa se tivesse chegado *ao* estacionamento.

Haver

O verbo haver é cheio de ciladas. Ora se flexiona. Aí, aparece em locuções verbais e tempos compostos (hei de fazer, haviam feito). Ora se mantém invariável. Sem sujeito, é impessoal. Só se conjuga na 3ª pessoa do singular. No caso, tem sentido de ocorrer ou existir (Não houve distúrbios no protesto dos servidores. Há 20 pessoas aqui). Caímos na armadilha: "A essa altura, ninguém mais duvida de que mudanças haverão". *Haver*, aí, tem sentido de ocorrer. É impessoal: *mudanças haverá*.

Independentemente

"Uma palavra posta fora do lugar estraga o mais belo pensamento", escreveu Voltaire. O *CB* comprova essa verdade todos os dias. Escrevemos: "A falta de firmeza é um mal que atinge o GDF há anos, independente da cor partidária de quem está no poder". O adjetivo *independente* tomou o lugar do advérbio *independentemente*. Dê vez ao compridão sempre que puder substituí-lo por *sem levar em conta, sem contar com, à parte* & *cia*.: Lula disse que, independentemente de seus compromissos, pensará 24 horas no Mercosul. O governo vai pagar o reajuste dos servidores independentemente do reflexo na inflação. Logo: *A falta de firmeza atinge o GDF há anos, independentemente da cor partidária.*

Havia

Com os tempos verbais é assim: alhos com alhos. Bugalhos com bugalhos. O *haver* não foge à regra. O *há* indica tempo perfeitamente acabado. Anda com outros do mesmo time: *Moro em Brasília há cinco anos. Fui à Europa há um ano.* O imperfeito é tempo que pode não ter acabado. "Quando pequeno, comia quiabo." Nada impede que coma quiabo depois de grande. Como não é tempo perfeitamente acabado, com ele o *há* não tem vez. Só o *havia*. Esquecemos a correlação: "Os distritais apreciaram quatro vetos que tramitavam na Casa há mais de dez meses". Nada feito.

Imperfeito pede imperfeito: *Os distritais apreciaram quatro vetos que tramitavam na Casa havia dez meses.* É a velha história: lé com lé, cré com cré. Cada sapato no seu pé.

Alternativa

Na escola, a gente aprende as conjunções alternativas. Elas vêm sempre aos pares: *ou... ou, ora... ora, já... já.* Viu? A alternativa é sempre outra. Por isso a forma *outra alternativa* não tem vez. O *outra* sobra. Ignoramos o fato. Escrevemos: "Não existe outra alternativa". Melhor: *Não existe alternativa.*

Informar

Regência verbal é pra lá de complicado. Por isso existem os dicionários que só tratam do assunto. Informar está lá. Ele tem vários empregos. O que nos interessa é o transitivo direto e indireto. No caso, tem o alguma coisa e o alguém. Há duas possibilidades de dar o recado: 1. Quem informa informa alguma coisa *a* alguém. 2. Informar alguém *de* ou *sobre* alguma coisa. Inventamos uma regência: "O ministro Geoff Hoon informou o Parlamento que enviará mais soldados ao Iraque". Informar alguém alguma coisa? Nem pensar. Informa-se alguma coisa *a* alguém: *O ministro informou ao Parlamento que enviará mais soldados ao Iraque.*

Igual a

Eis a diferença: cavalo salta, preposição não. A razão é simples: a coitada não tem patas. Mas fizemos um milagre. O *a* saltou e se referiu a *menor*: "A família precisa ter renda igual ou menor a R$ 480". Nada feito. A preposição *a* rege *igual* (igual a). *Menor* pede a conjunção *que* (menor que). Melhor: *A família precisa ter renda igual ou inferior a R$ 480.* (Igual e inferior pedem a mesma preposição — *a*.)

Premiê

As palavras são conversadeiras. Adoram bater papo. Sem preconceitos, francesas falam com inglesas; italianas, com chinesas; portuguesas, com espanholas. No troca-troca sem fim, as palavras se misturam. Vocábulos de uma naturalidade passam a frequentar os de outra. Muitos são adotados. Viram estrangeirismos. Com o tempo, tornam-se gente da casa. Naturalizam-se. E ganham grafia local. É o caso de *premier*. O poderoso nasceu francês. O uso o vulgarizou. Agora é brasileirinho. Escreve-se *premiê*. Em duas páginas, esquecemos a luta dele pela conquista da intimidade. Mantivemos-lhe a forma original. Ele chorou.

Paralelismo

No corpo, o que existe aos pares tem harmonia. Temos duas orelhas, dois olhos, duas narinas e duas pernas. Uma orelha é igual à outra, um olho igual ao outro, uma perna igual à outra. São iguais porque têm funções iguais. A língua aprende a lição do corpo. Os termos e as orações com funções iguais devem ter estruturas iguais. É o caso das enumerações. Enumeramos uma série de assuntos. Ora usamos substantivos, ora verbos (elaborar plano de reforma agrária, assentar 60 mil famílias, reaparelhamento do Incra). A mistura gera deformidade. Imagine uma pessoa com um olho grande e outro pequeno. Ou com uma perna de um lado e o braço de outro. A harmonia se vai. Melhor usar tudo verbo (elaborar, assentar, reaparelhar) ou tudo nome (elaboração, assentamento, reaparelhamento).

VÍRGULA.

Tudo que sobe desce. Por analogia, tudo que abre fecha. É o caso da vírgula. Mais uma vez em Política, ela isolou termo explicativo. Para encarcerá-lo, não pode ficar com a porteira aberta. Mas nós nos esquecemos de fechá-la: "O ministro do Desenvolvimento Agrário, Miguel Rosseto e o presidente do PT, José Genoino, confirmaram presença". Cadê a vírgula que prende Miguel Rosseto? O gato comeu. E sofreu indigestão. Melhor devolver a bengalinha: *O ministro do Desenvolvimento, Miguel Rosseto, e o presidente do PT, José Genoino, confirmaram presença.*

Concordância

O português é língua tolerante. Permite que os termos passeiem na frase. Eles não se fazem de rogados. Circulam. É o caso do sujeito. Desinibido, ora ele vem antes do verbo. Ora, depois. "Liberdade completa ninguém desfruta", escreveu Graciliano Ramos. "Começamos oprimidos pela sintaxe e acabamos às voltas com o Dops." A realidade vale para o sujeito. Ele anda pra lá e pra cá. Mas continua obrigado a obedecer à concordância. Esquecemos esse limite: "Dirceu disse que, para evitar que se repita fatos e cenas de um passado recente...". O sujeito, fatos e cenas, é plural. O verbo não tem saída. Precisa ir para o plural — *repitam.*

Voltar a

Tamanho não é documento. Prova-o a preposição *a*. Quando presente, é discreta. Mas, ausente, causa estragos. E a frase esperneia: "A Petrobras planeja voltar explorar petróleo no Oriente Médio". Quem volta volta *a* fazer alguma coisa. Acalmemos a mocinha: *A Petrobras planeja voltar a explorar petróleo no Oriente Médio.*

A prazo

A crase não foi feita para humilhar ninguém. Mas, volta e meia, arranha reputações. É o que aconteceu. Demos atestado de insensibilidade social. Ignoramos o feminismo. E tacamos um grampinho antes de nome masculino: "...os produtos mais caros, vendidos à prazo, estão encalhados". O acento grave esperneia. Com razão. Ele indica o casamento da preposição *a* com o artigo *a*, que só acompanha ilustres senhoras. O *o* é artigo masculino. Com a preposição *a*, não dá fusão. Vira *ao*.

Vocativo

A língua imita a cozinha. Uma e outra convivem com elitistas. Esta, com o azeite, que bate pé e não se mistura com a água. Aquela, com o vocativo, que faz cara feia e não se junta ao resto da oração. Por isso é sempre separado por vírgula. Esquecemos a manha do elitista. Escrevemos: "A luta continua companheiro". Cadê a vírgula? *Companheiro* é o ser a quem nos dirigimos. Na dúvida, basta antecedê-lo de *ó*, marca do vocativo: *A luta continua, (ó) companheiro. (ó)*

Companheiro, a luta continua. É isso. Com o vocativo é assim: um pra lá, outro pra cá. Misturar é proibido.

ONG

Alguns as usam para chamar a atenção. Outros, para valorizar a palavra. Elas agradecem a superestima. Mas esclarecem: em jornal, elas só devem ser usadas em duas ocasiões. Uma: início de período. A outra: nome próprio. Ignoramos a bivalência das grandonas. Escrevemos: "...o servidor que foi diretor de sindicato de associação de classe e de alguma Organização Não Governamental leva vantagem". Apesar da pompa, organização não governamental é vira-lata. Sendo substantivo comum, escreve-se com minúscula. A causa da confusão? A sigla. Ela exibe letras grandonas porque tem três letras. Joga no time de UTI: *unidade de terapia intensiva.*

Esse usurpador

"Entre duas palavras, escolha a mais simples; entre duas simples, a mais curta." O conselho de Paul Valéry vale para a briga de artigo com demonstrativo. Por alguma razão desconhecida até de Deus, um vem tomando o lugar do outro. Escrevemos: "As moléculas das proteínas dos neurônios são formadas por 40 aminoácidos. No doente, elas aparecem com 42 aminoácidos. Essas duas proteínas a mais...". Por que não *as duas proteínas a mais*? Há mais na mesma página: "Não se trata de dinâmica de alunos da pré-escola. Esse tipo de método é desenvolvido...". Xô, falação! Troque três por um: *O método é desenvolvido...*

Vítima fatal

Na capa, escrevemos: "Só no dia de ontem, 11 acidentes deixaram 13 feridos e uma vítima fatal". A conclusão só pode ser uma. A vítima é vingadora. Duvida? Preste atenção ao *fatal*. O adjetivo quer dizer que mata. Em bom português: vítima fatal mata. Não é isso? Mande o chavão passear: *Só no dia de ontem, onze acidentes deixaram 13 feridos e um morto*. Nossos pêsames.

Personificação

A personificação é figura de linguagem que faz mágicas. Com ela, cachorro fala, árvore anda, mesa dorme. Mas o recurso tem hora. Em texto informativo, a mágica dificilmente tem vez. Ignoramos o limite. Lá está: "A central começou a ser criada há um mês pela insatisfação dos representantes dos servidores públicos com a posição das centrais tradicionais...". A insatisfação não cria nada. Quem cria é gente. Melhor escrever: *A central começou a ser criada pelos representantes dos servidores públicos insatisfeitos com a posição das centrais tradicionais...*

Sem-sem

Os sem-terra abriram caminho para o sem. Depois deles, os desabrigados viraram sem-teto. As crianças que fazem e acontecem, sem-limite. Os impossibilitados de pagar as tarifas bancárias, sem-banco. Mulher sem parceiro, sem-homem. Homem sem parceira, sem-mulher. Mas a criatividade tem dois limites. Um: na grafia. Os sem-sem escrevem-se sempre com hífen. O outro: na flexão. Invariáveis, não têm feminino, masculino, singular ou plural. Mas esquecemos a restrição.

Ora escrevemos *sem-terra*, ora *sem terra*. Nada feito. É sempre *sem-terra*. (O nome do MST se grafa sem hífen porque foi registrado assim — Movimento dos Trabalhadores Rurais Sem Terra. Aí, é como jogo do bicho. Vale o que está escrito.)

Dois milhões de pessoas

Marque a alternativa certinha da silva: ( ) uma milhão de pessoas terão acesso a dinheiro barato; ( ) um milhão de pessoas terão acesso a dinheiro barato. Alguém marcou a primeira? Nem pensar. A razão é simples: o numeral concorda com o substantivo *milhão* (masculino). Por que discriminar o numeral *dois*? Passamos batidos: "Governo estima que mais de duas milhões de pessoas tenham acesso a empréstimos". Esquecemos que discriminação é crime previsto no art. 5º da Constituição. Para escapar do xilindró, melhor tratar igualmente os iguais: *Governo estima que mais de dois milhões de pessoas tenham acesso a empréstimos.*

Cacófato

Na língua como na vida ocorrem encontros inesperados. Com uma diferença. Ao esbarrar em alguém de carne e osso, a gente pode ter boas surpresas. Ao esbarrar em palavras, o resultado faz chorar. Eis o enredo: a última sílaba de um vocábulo se junta à primeira de outro. A fusão forma nova palavra, por ser indesejada, desagrada aos ouvidos atentos ou desavisados. É o caso de *uma mão, por razões,* bo*ca dela*. A trombada aconteceu ontem. Numa legenda, escrevemos: "O reembolso *por cada* sessão no Brasil é menor do que em países como Peru e Uruguai". É fácil evitar o acidente: *O reembolso por sessão...*

HAJA VISTA

Haja vista? Haja visto? As duas se parecem. Mas não se confundem. *Haja vista* é expressão invariável. Significa oferecer-se à vista, aos olhos. Equivale a *veja-se, tendo em vista*: As dificuldades de Lula são muitas, haja vista as invasões dos sem-terra e sem-teto. *Haja visto* é irmãozinho de tenho visto. Verbo, conjuga-se como todos os mortais: talvez eu haja visto (tenha visto), talvez ele haja visto (tenha visto). Ontem trocamos as bolas. Escrevemos: "Haja visto a importância da investigação, não tenho preocupação de quebrar segredo de justiça". Nada feito. O verbo, aí, não tem vez. *Haja vista* pede passagem: *Não tenho preocupação de quebrar segredo de justiça, haja vista a importância da investigação.*

TODOS OS ANOS

Todo dia? Todos os dias? Depende. O primeiro quer dizer qualquer dia. O segundo, diariamente. Compare: Todo dia é dia. Trabalho todos os dias. Misturamos as bolas. Lá está, sem cerimônia: "...1,2 milhão de crianças são vendidas todo ano". Nem pensar. Elas são vendidas anualmente Em outras palavras: todos os anos. Dica: sempre que couber o advérbio terminado em *mente*, dê vez ao plural: Trabalho todos os dias (diariamente). Viajo todos os meses (mensalmente). Vou à missa todos os domingos (dominicalmente). Às vezes, não existe o advérbio em *mente*. Por analogia, force a barra: *Faço compras todos os sábados (sabadamente).*

ANTES DE CRISTO

Quem pode pode. Quem não pode se sacode. É o que dizem as abreviaturas *a.C.* e *d.C.* Em ambas, só Cristo é nome próprio. Só ele ganha a letra grandona. Demos status privilegiado ao *a*. Escrevemos "A.C.". Ele agradece, mas recusa a honraria. Prefere manter-se encolhidinho na própria insignificância.

À PROCURA DE

O professor não se cansava de repetir: "Locução prepositiva formada de palavra feminina tem crase". É o caso de *à base de*, *à frente de*, *à altura de*. Na dúvida, basta recorrer ao troca-troca. Substitua a palavra feminina por uma masculina (não precisa ser sinônima). Deu *ao*? Sinal de *à*. Demos atestado de maus alunos. Escrevemos: "Depois de desabrigados, seguem a peregrinação a procura de um endereço". Recorrendo ao macete, temos: Depois de desabrigados, seguem a peregrinação ao encontro de um endereço. Logo: *à procura de um endereço*.

PORCENTAGEM

"O estilo deve ter três qualidades: clareza, clareza, clareza." Chegar lá pressupõe vários passos. Um deles: pôr o sinal de abreviatura em todos os números. É o caso de horas, metros, reais, porcentagens: Trabalha das 12h às 16h. Comprou 5m, 6m ou 7m de fita. O aumento deve oscilar entre 1% e 3%. Pagou entre R$ 5 e R$ 7. Esquecemos o pormenor. Escrevemos: "As cidades... tiveram queda de 30 a 40% na arrecadação". Trinta o quê? Sem resposta, o numeral chora. Vale consolá-lo — *30% a 40%*.

A DISTÂNCIA

As aparências enganam? Enganam. A locução *a distância* serve de prova. Ela tem cara de pidona de crase. Mas crase não tem. A razão? Crase é o casamento da preposição *a* com o artigo *a*. No caso, falta o artigo. Duvida? "Mantenha distância" é outra construção. Aí *distância* também é empregada em sentido genérico. Sem artigo. Mas, quando a distância é determinada, cessa tudo que a musa antiga canta. O nome ganha artigo. A crase pede passagem: Os manifestantes ficaram a distância. Os manifestantes ficaram à distância de 500 metros. Ignoramos a norma na pág. 11. Lá está: "O evento terá palestra sobre aprendizado à distância...". Xô, grampo intruso!

EM FACE DE

No fim do século 19 e início do 20, houve caça às bruxas no Brasil. A vítima eram os galicismos. Escreveu uma palavra ou expressão de origem francesa? A desmoralização vinha a galope. Os tempos mudaram. Sorte nossa. Salvamo-nos da desonra. Está lá, escritinho da silva: "Eu sempre acreditei que chegaria a esse resultado em face à natureza específica da carreira de juiz". A forma portuguesa é *em face de*: *Eu sempre acreditei que chegaria a esse resultado em face da natureza...* Guarde isto: *face a, em face a & cia.* são tentações do diabo francês. Xô, satanás.

ONDE

Sabe qual é o erro mais frequente no vestibular? É o emprego do *onde*. O pronomezinho indica lugar físico: "Minha terra tem palmeiras onde (nas palmeiras) canta o sabiá". Nos últimos tempos, porém, ele virou curinga. Usam-no no lugar do *que, cujo, quando*. A garotada perde pontos pra valer. Mas não aprende. Resultado: carrega o vício para a vida profissional. A prova está aqui: "O Hezbollah divulgou um comunicado onde assumiu a autoria dos disparos...". Nada feito. *Comunicado* não é lugar físico. O *em que* pede passagem: *O Hezbollah divulgou um comunicado em que assumiu a autoria dos disparos.*

A, HÁ

É velha confusão. Volta e meia, o *a* e o *há* se embolam no caminho. Um toma o lugar do outro. Na contagem de tempo, o *há* indica passado. O *a*, futuro: Cheguei há pouco. Daqui a pouco vou sair. Afora contagem de tempo, a preposição *a* é exigida pela regência de verbos e nomes (fiel a, ir a, chegar a). Na pág. 6, esquecemos o pormenor. Lá está: "João Paulo estava preso, condenado há 15 anos de prisão". Valha--nos, Senhor! O *a*, aí, é preposição exigida por condenado: *condenado a 15 anos de prisão.*

SEU

Na língua existem alergias. Uns termos provocam urticária em outros. Um deles é o pronome possessivo. Ele não suporta acompanhar as partes do corpo. Insensíveis, ignoramos a fragilidade do coitado. Ontem, na capa do caderno Lugares, apareceu: "Abra seus olhos". Uiiiiiiiiiiiiiiiiiii, que comichão. Passemos um antialérgico: *Abra os olhos*. Viu? O artigo é muito bem-vindo no lugar do possessivo. Mais exemplos: Levante os braços. Cale a boca. Erga a cabeça. Feche a mão. Apareceu com a perna machucada.

POR EXEMPLO

Pão com pão? É redundância. Em língua recebe nome sofisticado — pleonasmo. Ora aparece escancarado como *subir para cima* e *descer para baixo*. Ora vem disfarçado. É o caso de *manter o mesmo* ou *ainda continua*. Demos passagem a um mascarado: "...servidores que recebem algum tipo de gratificação, como DAS, por exemplo, tiveram...". Reparou? *Como* exemplifica. *Por exemplo* também. Os dois juntos? É desperdício. Use um por vez: "...que receberam alguma gratificação, como DAS, tiveram...": Ou: "...servidores que recebem algum tipo de gratificação — DAS, por exemplo — tiveram que recolher duas vezes".

IMPLICAR

Implicar implica e complica. O verbo parece, mas não é. No sentido de acarretar consequências, o malandro é transitivo direto. Não suporta a preposição *em*: autonomia implica responsabilidade (nunca: *em* responsabilidade). Esquecemos a mania dele. Lá está: "Deputados e senadores recusam-se a aprovar a medida, que implica em cancelar emendas parlamentares". Xô, intrometida! Sem ela, o verbo respira, aliviado: *Deputados e senadores recusam-se a aprovar a medida, que implica cancelar emendas parlamentares*.

Mesmeiro

Chavão é chave grande. Também é molde de metal. Serve para imprimir figuras e adornos nos bolos e massas. Ou para marcar gado. Tem a ver com repetição — algo batido, sem novidade ou frescor. Num sentido mais amplo, é o que se faz, se diz ou se escreve por costume. Do mesmo jeitinho. Sem esforço. Como tirado de um molde. Um mesmeiro habitual deu as caras. É *pontapé inicial*. Xô!

A ponte une

Volta e meia, a gente escreve sem pensar. Se pensasse, não escreveria a legenda da pág. 2 do caderno Lugares: "Apenas uma ponte separa Vila Velha de Vitória". Ora, o rio separa. A ponte une.

Projeto

Quem pode pode. Quem não pode? Sacode-se. É o caso do *projeto de lei*. Enquanto é projeto, não pode nada. Só ganha poder quando se torna lei. Para chegar lá, percorre longo caminho. Ignoramos a limitação do coitadinho. Na pág. 16, invertemos o dito popular: "Se aprovado pelo Congresso na forma como está hoje, projeto não proibirá o cultivo de sementes geneticamente modificadas". Dando a César o que é de César, o texto poderia ficar assim: *Se o projeto for aprovado na forma como está hoje, será autorizado o cultivo de sementes geneticamente modificadas.*

Acontecer

Acontecer é elitista. Tem poucos empregos e quase nenhum amigo. Mas, por capricho do destino, os colunistas sociais o adotaram. O pobre virou praga. Hoje tudo acontece. Até as pessoas (Gisele Bündchen acontece nas passarelas. O casamento acontece na catedral. O show acontece às 22h). O jornal acontece cada vez mais. Escrevemos: "o enterro do diplomata acontecerá..."; "o embarque acontece no 2º andar". Nada feito. *Acontecer* dá a ideia do inesperado, desconhecido (Caso acontecesse a explosão, muitas mortes poderiam ocorrer). Mais: o verbinho sente-se muito bem com os pronomes indefinidos, demonstrativos e o interrogativo *que*: Tudo acontece no feriado. Aquilo não aconteceu por acaso. O que aconteceu? Fora isso, o jeito é buscar saídas. Uma delas: mudar a frase. Outra: substituir o verbo: *O enterro do diplomata será hoje... O embarque ocorre no segundo andar.*

Ambos os

Na vida há seres desamparados. Na língua também. Um deles é o numeral ambos. Quando acompanhado do substantivo, o carente não abre mão do artigo. Esquecemos a solidão do coitado. E não hesitamos: "A assinatura dos documentos busca incentivar a integração entre ambos países". E, adiante, repetimos a crueldade: "...aliança estratégica selada por ambos chefes de Estado". Escritas com clemência, as frases ficam assim: *A assinatura dos documentos busca incentivar a integração entre ambos os países. Aliança estratégica selada por ambos os chefes de Estado.*

Texto legal

Jornalismo tem aversão às letras maiúsculas. A razão é simples. As grandonas ocupam muito espaço. Mas há casos em que elas se impõem. Um deles: nome próprio. Esquecemos solenemente a regra. A prova? Está lá, no caderno de Economia: "...planos anteriores à lei 9.656". Quando o texto legal — lei, decreto, portaria, medida provisória — vem acompanhado de número, ganha majestade. Vira gente grande Lei 9.656, Portaria 312, Decreto 3.283, Medida Provisória 2.412. Desacompanhada de número, a norma recolhe-se à sua coletividade. Grafa-se com a inicial humilde: *O governo promete editar medida provisória. O objetivo da lei é...*

Vírgula antes do *e*

Vírgula antes do *e*? Só num caso. Quando, ao ligar duas orações, provocar confusão na cabeça do pobre leitor. Vale o exemplo da legenda: "O governo perde chance de resolver a questão dos brasileiros mortos no Araguaia e o sofrimento das famílias se perpetua". A leitura rápida dá a impressão de que o governo perde a chance de resolver: 1. a questão dos brasileiros mortos; e 2. o sofrimento dos brasileiros. Só depois, a verdade se impõe. Tenha piedade do leitor. Use a vírgula: *O governo perde a chance de resolver a questão dos brasileiros mortos no Araguaia, e o sofrimento das famílias se perpetua.*

Coerdeiro

Quando o mundo nasceu, havia uma só língua. Em consequência, a harmonia reinava. "Que chato", disseram os homens.

"Vamos movimentar o pedaço. Que tal construir uma torre até o céu?" Dito e feito. Quando a obra estava bem altinha, o Senhor deu uma espiada na Terra. Ficou irado. Em resposta, criou mais de seis mil línguas. Cada uma teria um castigo à parte. O do português foi o hífen. Até hoje, ninguém sabe empregar o tracinho. O jeito é consultar. Então se descobre uma regra aqui e outra ali. Uma delas: *co-* tem alergia a hífen. Ontem, ignoramos a sensibilidade do coitado. Escrevemos *co-herdeiro*. Nada feito. Sem espirros, a forma é *coerdeiro*.

Maiores

A frase imita a sociedade. Numa e noutra há caciques e índios. Os primeiros mandam. Os demais obedecem. O substantivo é amo e senhor. Vassalo, o adjetivo curva-se a ele. É a concordância. Regra: o adjetivo concorda com o substantivo em gênero e número (filho menor, filhos menores; casa branca, casas brancas). Mandamos o acordo para o espaço: "A Rússia tem uma das piores distribuição de renda do mundo" e "17 russos estão na lista das mil maior fortunas do mundo". Nada feito. Subordinando os termos, temos: *A Rússia tem uma das piores distribuições de renda do mundo. 17 russos estão na lista das mil maiores fortunas do mundo.*

Lhe

Há verbos fominhas. Exigem objeto direto e indireto. É o caso de permitir. Quem permite permite alguma coisa (o.d.) a alguém (o.i.). O pronome que funciona como objeto direto é *o*. Como indireto, *lhe*. Na capa do caderno Veículos, ignoramos quem é quem. Escrevemos: "...escute música em volume baixo, que o permita ouvir os outros sons do trânsito". Dando a César o que é de César, temos: ...*escute música em volume baixo, que lhe permita ouvir os outros sons do trânsito.*

> **SEM CRASE**
> O sinal da crase é como aliança no anular esquerdo. Indica casamento da preposição *a* com o artigo *a*. Esquecemos a norma: "...cobrança simplificada de imposto à microempresas". Microempresas é plural. O artigo plural é *as*. Se juntasse os trapinhos com a preposição, daria *às*. Não é o caso. É a vez do *a*.

Chegar a Manaus

Antigamente, quando a escola ensinava e o aluno aprendia, a meninada repetia em coro: "Se, ao voltar, volto *da*, craseio o *a*. Se, ao voltar, volto *de*, crasear pra quê?". O *da* quebra um senhor galho. Diz se o nome de cidade, estado ou país aceita artigo ou não. E, por extensão, se pede o sinal da crase. Esnobamos a dica. Lá está: "Os senadores precisaram pegar um avião para chegar à Manaus". Recorrendo ao versinho: "Os senadores precisaram pegar um avião para voltar de Manaus". Ora, se, ao voltar, volto *de*, crasear pra quê? Melhor: *Os senadores precisaram pegar um avião para chegar a Manaus.*

Língua de trapos

Quem fala demais dá bom-dia a cavalo. Ou tem língua de trapos. Assim, bem comprida — sem hífen e no plural.

Nós esquecemos o fato. Na pág. 30, apareceu em título garrafal: "Língua-de-trapo". A grandona protesta. Põe a boca no mundo.

Faltam incentivos

"A gramática", escreveu Ambrose Bierce, "é um sistema de ciladas cuidadosamente preparadas." Ao chegar a essa conclusão, ele pensava na língua portuguesa. Mais precisamente: na concordância. Sabia que, ao menor cochilo, o falante embarca direitinho. Numa edição, a prova do crime. A charge brada aos quatro ventos: "Foi mal, falta incentivos". Eis a armadilha. O sujeito, incentivos, está depois do verbo. Esquecemos a concordância: *Foi mal, faltam incentivos.*

Todo país é do mundo

Ganha uma caixa de chocolate Godiva quem encontrar um país que não seja do mundo. Por isso é pleonástico o texto publicado na capa: "Brasil é o único país do mundo que ainda adota aposentadoria compulsória". Sem redundâncias, o recado fica assim: *Brasil é o único país que adota aposentadoria compulsória.*

Outro

Elas vêm devagarinho. Aparecem aqui e ali. Aos poucos, vão ganhando forças. Propagam-se. E viram praga. É o caso do *outro*. O pronome aparece onde não tem vez. Desnecessário, sobra. Vale o exemplo: "Unido a outros 19 secretários de Fazenda das demais regiões do Brasil, Valdivino Oliveira vai ao Senado negociar mudanças". Na dúvida, basta ler a frase sem o intruso. "Ah!", respira ela, aliviada.

Papa

Vivemos num Estado laico. Aqui, religião não goza de privilégio. Nem os representantes de Deus na Terra. Por isso, papa joga no time de presidente, ministro, governador, prefeito. Escreve-se com a inicial minúscula. Esquecemos a isonomia. Na capa, apareceu *Papa*. É discriminação. Dá xilindró.

Embora

Guido Mantega fez escola. O ministro não usa o subjuntivo nem sob tortura. É comum ouvi-lo dizer "talvez faço", "é possível que ele consegue" e por aí vai. Seguimos o exemplo dele. Escrevemos: "Os demais terão de esperar — embora a previsão era a de que todos estariam trabalhando a partir do dia 15". Xô, indicativo! O *embora* pede o subjuntivo: *...embora a previsão fosse a de que todos estariam trabalhando...*

TRAVESSÃO. Parecido não é igual. Mas confunde. É o caso do hífen (-) e do travessão (—). O hífen tem dois empregos. Um: une o verbo ao pronome (foi-se). O outro: junta palavras independentes. Com elas, forma novas palavras (beija-flor). O travessão também junta palavras. Mas lhes mantém a independência (Ponte Rio — Niterói). O grandão faz mais: introduz diálogos: "Imagino Irene entrando no céu:/ — Licença, meu Branco? / E São Pedro bonachão: / — Entra, Irene. Você não precisa pedir licença". Na pág. 13, esquecemos o papel do travessão. Introduzimos diálogos ora com travessão, ora com hífen. Nada feito. Só o travessão tem vez.

E que

A conjunção *e* só tem uma letra. Mas tem regras de emprego. A mais importante: ligar iguais — substantivo com substantivo (Paulo e Maria), verbo com verbo (come e dorme), adjetivo com adjetivo (bonita e elegante). E por aí vai. O *que* não goza de privilégios. O *e que* só tem vez se aparecer outro *que*: *Ele negou que tivesse interesse no cargo e que o telefonema revelasse relações obscuras*. Esnobamos o paralelismo. E apareceu: "Adolescentes aliciados pelo tráfico de drogas e que se tornam testemunhas indesejáveis...". Cadê o 1º quê? O gato comeu. Então o *e* põe o rabinho entre as pernas e dá adeus: *Adolescentes aliciados pelo tráfico de drogas que se tornam testemunhas indesejáveis...*

Numeração de artigos

"Tudo certo como dois e dois são cinco", canta Caetano. Tradução: engana-se quem pensa que os números são exatos. Ou que não dão trabalho. Dão — e muito. Usá-los exige atenção e bom senso. Os numerais servem de exemplo. Na numeração de artigos de leis, decretos e portarias, devemos usar o ordinal até 9 e o cardinal de

---

ASPAS. Dentro ou fora? Depende. Se o período se inicia com aspas, o ponto vai dentro delas. Se as aspas pegam o bonde andando, o ponto vai fora.

1. "Tudo vale a pena se a alma não é pequena." Esse verso foi escrito por Fernando Pessoa.

2. FP escreveu este verso: "Tudo vale a pena se a alma não é pequena". Ignoramos a regrinha. Lá está, começando o texto: "Tirem as crianças da sala.". Viu? O período está dentro das aspas. O ponto faz parte dele.

dez em diante: art.1º, art. 5º, art. 10, art. 54. Ontem pisamos a bola. Na pág. 5, escrevemos: "art. 207º". Nossa Senhora! É art. 207.

Sigla

Sigla, pra que te quero? Para economizar tempo e espaço. É por isso que a gente tropeça nas moderninhas a torto e a direito. Abre o jornal, lá estão elas. Liga a tevê, não dá outra. Conversa com amigos, elas aparecem. É Aids pra cá, PT pra lá, Mercosul pra acolá. A saída é conviver com os serezinhos. Como escrevê-las? A regra é fácil como andar para frente. Usam-se todas as letras maiúsculas em dois casos: 1. se a sigla tiver até três letras (ONU, OEA, CEB, PM); 2. se todas as letras forem pronunciadas (BNDES, CNBB, PSDB). Fora desses casos, cessa tudo que a musa antiga canta. Só a inicial é maiúscula (Detran, Caesb, Opep, Otan). Ignoramos a regra. Apareceu: "CEDI". É o Centro de Estudos de Direito Internacional. A sigla não se enquadra nem no 1 nem no 2. Então, cai na vala comum — *Cedi*.

O moral

"Quem de palavras tem experiência sabe que delas se deve esperar tudo", repete José Saramago. Tradução: as palavras são enganadoras. Ao menor descuido, entramos nelas. Um dos perigos é o gênero do vocábulo. O masculino tem um significado; o feminino, outro. É o caso de cabeça. *O cabeça* quer dizer o chefe. *A cabeça*, parte do corpo. É o caso também de capital. *O capital* significa grana. *A capital*, cidade mais importante do país ou estado. Caímos na armadilha. Escrevemos: "O presidente encontrará a Argentina com a moral alta". A capa foi atrás: "A Argentina está de moral alta". *A moral* é o conjunto de regras de conduta ou conclusão que se tira de uma obra (a moral protestante, a moral da história). *O moral* joga em outro time. É astral, brio: *O presidente encontrará a Argentina com o moral alto.*

Síntese

A releitura do texto tem quatro funções. Uma: checar as informações. Duas: corrigir os erros gramaticais. Três: eliminar as repetições. A última, mas não menos importante: cortar o desnecessário. Aí, aconselham os manuais, seja impiedoso. Ante a menor dúvida de redundância, pare, leia, corte. Ontem, ignoramos o conselho. Em Política, escrevemos: "O novo presidente do PTB, deputado Roberto Jefferson, disse que vai pleitear mais um ministério para a sigla junto ao governo". Xô, gordura! Melhor: *O novo presidente do PTB, deputado Roberto Jefferson, disse que vai pleitear mais um ministério para a sigla.*

Já... mais

"O brasileiro desperdiça porque não precisa plantar bananeiras. Elas nascem espontaneamente", repetia Roberto Campos. Esquecemo-nos de apagar a luz ou de consertar o pinga-pinga da torneira. Esquecemos a mangueira jorrando água. Esquecemo-nos de baixar a chama do fogão depois de iniciada a fervura. Etc. Etc. Etc. O esbanjamento chegou à língua. Redundâncias pululam no texto sem cerimônia. O caderno Veículos serve de prova. Estampou na capa: "Os motores evoluíram nas últimas décadas e já não exigem mais tanto cuidado". O uso simultâneo de *já* e *mais* é desperdício. Em outras palavras: é baita pleonasmo. Melhor ficar com um ou outro: *Os motores já não exigem tanto cuidado. Os motores não exigem mais tanto cuidado.*

Juízes

Juízes? Juizes? Na dúvida, ficamos em cima do muro. Em Política, ora a palavra ganhou acento. Ora dispensou-o. E daí? Esquecemos uma regra pra lá de vira-lata. Para quebrar o ditongo *ui*, o *i* precisa preencher três condições. Uma: ser tônico antecedido de vogal. Outra: formar sílaba sozinho ou com *s*. A última: não ser seguido de *nh*. É o caso de ju-í-zes. Abram-lhe alas. O grampinho pede passagem.

Assistir

A imoralidade invadiu a capital goiana. A prova? Na capa do caderno C: "Em Goiânia, 1,8 mil pessoas assistiram *Sexo*". Tradução: a multidão deu assistência, uma ajudinha a Sexo. Suruba geral. Não é isso? Culpa do verbo *assistir*. Ele tem duas regências. Uma: transitivo direto. Sem preposição, significa dar assistência (o governo assistiu os flagelados). A outra: transitivo indireto. Com o azinho, quer dizer estar presente (o público assistiu ao espetáculo). É o caso: *1,8 mil pessoas assistiram a* Sexo.

SEU, SUA

"Livro-me de toda palavra que está na frase só para enfeitar... ou atrapalhar." Ao escrever o período, George Simenon devia estar pensando nos possessivos *seu* e *sua*. Os dois parecem inofensivos. Mas causam senhores estragos à frase. Em geral lhe dão duplo sentido. A gente diz uma coisa. O leitor entende outra. A capa de ontem serve de exemplo: "Ronaldo oficializa fim do seu casamento". Do meu? Não mesmo. Ele oficializa o fim do casamento dele. O *seu* não tem vez: *Ronaldo oficializa fim do casamento*. (Só pode ser dele. Se não for o dele, a gente diz: Ronaldo oficializa o fim do casamento de...) É isso. O desnecessário sobra.

Maçom

"A Casa Masson só vende o que é bom", dizia o jingle da melhor joalheria de Porto Alegre em tempos idos e vividos. Masson é o nome da família proprietária de ouros, pérolas e diamantes. Não tem nada com maçom, membro da maçonaria. Misturamos alhos com bugalhos. Escrevemos: "Nossos ataques contra alvos massônicos continuarão". Os alvos têm relação com a maçonaria? Então o ç pede passagem.

Tombar

Em que os leitores mais reparam? Títulos, sutiãs e legendas. Em geral escrita às pressas, a redação desses textos carece de cuidado. A revisão pede socorro. Mantivemos a regra, na legenda: "Há 15 dias, uma casa ao lado da catedral foi tombada". A foto mostra uma casa destruída. Não há o que tombar (merecer a guarda do Estado). A casa foi demolida. A língua é como a mulher de César. A romana não só tinha de ser honesta. Precisava parecer honesta. A língua não só tem de ser correta. Precisa parecer correta. Tombar tem o sentido de cair. Mas, usada nesse contexto, confunde. Xô!

UM DOS QUE

Um dos homens que... vendeu? Venderam? *Um dos que* é expressão gilete. Corta dos dois lados. Mas o sentido muda. O singular é egoísta. Diz que a ação se refere a um só indivíduo. O plural, a todos. Roberto Requião é um dos senadores do PMDB que ataca o governo. (O PMDB tem vários senadores. Mas só Requião ataca o governo.) Roberto Requião é um dos senadores do PMDB que atacam o governo. (O PMDB tem vários senadores e vários atacam o governo.) Escrevemos: "O JN divulgou o depoimento de um dos homens que vendeu um rim". Tradução: só ele vendeu o rim. Mas a matéria diz que mais de 30 fizeram o negócio. É vez do plural: ...*um dos homens que venderam o rim*.

COLABORAÇÃO

Cedoc (pesquisa e atualização de dados)

Equipe do jornal *Estado de Minas* (vocabulário médico)

Josemar Dantas (vocabulário jurídico)

Leonardo Meireles (jornal popular)

Mara Régia (rádio)

Marcelo Abreu (seleção de textos de jornal impresso)

Paulo Barros (web)

Pedro Paulo Rezende (vocabulário bélico)

Renato Ferraz e equipe (vocabulário de informática)

BIBLIOGRAFIA

ABC. **Livro de estilo de ABC.** Barcelona: Ariel, 1994.

ALMANAQUE Abril 2011. São Paulo, Abril, 2011.

ALMEIDA, Napoleão Mendes de. **Dicionário de questões vernáculas.** São Paulo: Ática, 1996.

ALMEIDA, Napoleão Mendes de. **Gramática metodológica da língua portuguesa.** São Paulo: Saraiva, 1988.

BARBEIRO, Heródoto e LIMA de Rodolfo Paulo. **Manual de Radiojornalismo.** Rio de Janeiro: Campus, 2003.

BECHARA, Evanildo. **Moderna gramática portuguesa.** São Paulo: Companhia Editora Nacional, 1987.

CUNHA, Celso. **Gramática do português contemporâneo.** Rio de Janeiro: Lexikon, 1999.

EDITORA ABRIL. **Manual de estilo.** Rio de Janeiro: Nova Fronteira, 1990.

ESTADO DE MINAS (jornal). *Manual de redação.* Belo Horizonte: **Estado de Minas,** 2001.

FRANCO, Guillermo. **Como escrever para a Web.** Texas: Knight Center for Journalism.

FERRARI, Pollyana. **Jornalismo digital.** São Paulo: Editora Contexto, 2010.

FOLHA DE S. PAULO. **Manual da redação.** São Paulo: Publifolha, 2010.

GARCIA, Othon Moacir. **Comunicação em prosa moderna.** Rio de Janeiro: Fundação Getúlio Vargas, 1998.

GRIJELMO, Alex. **El estilo del periodista.** Madri: As Taurus, 1997.

JUNG, Milton. **Jornalismo de rádio.** São Paulo: Contexto, 2004

LIMA, Rocha. **Gramática normativa da língua portuguesa.** Rio de Janeiro: Jose Olympio, 1987.

MARTINS, Eduardo. **Manual de redação e estilo de O Estado de S. Paulo.** São Paulo: O Estado de S. Paulo, 1997.

MELO, Luiz Antonio. **Manual de sobrevivência na selva do jornalismo.** Rio de Janeiro: Casa Jorge Editorial, 1996.

O GLOBO. **Manual de redação e estilo.** São Paulo: Globo, 1995.

SALVADOR, Arlete e SQUARISI, Dad. **A arte de escrever bem: um guia para jornalistas e profissionais do texto.** São Paulo: Contexto, 2005.

SQUARISI, Dad. **Manual de redação e estilo dos Associados.** Brasília: Fundação Asis Chateaubriand, 2005.

UNITED PRESS INTERNATIONAL. **Stylebook:** Washington: United Press International, 1977.

VIVALDI, G. Martins. **Curso de redacción: del pensamiento a la palabra.** Madri: Paraninfo, 1981.

Impressão e acabamento:

tel.: 25226368